Os Reckenstein

Conde J. W. Rochester

Wera Krijanowskaia

4ª edição

1ª edição: Abril de 2001

Dados Internacionais de Catalogação na Publicação (CIP)
(Câmara Brasileira do Livro, SP, Brasil)

Rochester, Jonh Wilmot, Conde de (Espírito) .
Os Reckenstein / J.W. Rochester : [psicografia da médium mecânica] Wera Krijanowsky ; [traduzido do original russo por Victor Selin]. -- 1. ed. -- Catanduva, SP : Boa Nova Editora, 2000.

ISBN 85-86470-12-0

1. Espiritismo 2. Ficção espírita 3. Obras psicografadas I. Krijanowsky, Wera. II. Título.

00-3758 CDD-133. 93

Índices para catálogo sistemático:
1. Ficção mediúnica : Espiritismo 133. 93

Impresso no Brasil/*Presita en Brazilo*

Victor Selin – tradutor

Os Reckenstein

J. W. Rochester

psicografado por Wera Krijanowskaia

boanova

Instituto Beneficente Boa Nova
Entidade coligada à Sociedade Espírita Boa Nova
Av. Porto Ferreira, 1.031 | Caixa Postal 143
Catanduva/SP | CEP 15809-020
www.boanova.net | boanova@boanova.net
Fone: (17) 3531-4444 | Fax: (17) 3531-4443

4ª edição
Do 19º ao 22º milheiro
3.000 exemplares
Junho/2006

Capa
Direção de arte
Francisco do Espírito Santo Neto
Designer
Cristina Fanhani Meira

Revisão
Lúcia Helena Lahoz Morelli
Maria de Lourdes Pio Gasparin

Tradução
Victor Selin

Editoração eletrônica
Cristina Fanhani Meira

O produto da venda desta obra é destinado à manutenção das atividades assistenciais da Sociedade Espírita Boa Nova, de Catanduva, SP.

1ª edição: Abril de 2001 - 10.000 exemplares

В.И. Крыжановская
(Рочестер)

Рекенштейны

РОМАН

Типографическое товарищество
Петроград
1894

página original do exemplar russo

Sumário

1ª parte
Gabrielle

2ª parte
Líllia

Gabrielle

1ª PARTE

I

O tutor

Por uma das bem conservadas estradas da região do rio Reno da Prússia corria velozmente uma elegante carruagem. O par de cavalos que puxava a carruagem era dirigido por um velho cocheiro de libré, em cujos botões estava gravada uma coroa de conde. O mês de setembro estava acabando e o outono já se fazia sentir. Caía uma contínua garoa e tudo ao redor estava mergulhado em espessa e cinzenta névoa.

A estrada era montanhosa e emoldurada de ambos os lados por florestas fechadas. Ocasionalmente, através de frestas na floresta, viam-se maravilhosas paisagens; mas o viajante no interior da carruagem parecia estar imerso em profundos pensamentos sem prestar atenção alguma aos locais por onde passava. Sua bagagem – um saco de dormir, maleta e o baú na boléia – indicava que vinha de longe.

O viajante era um jovem de 28 anos, alto, magro e bem formado; seu rosto característico, de traços firmes, era simpático. Ele tirou o chapéu e reclinou a cabeça nas almofadas da carruagem. Os cabelos castanho-dourados, curtos e espessos, emolduravam em madeixas macias uma testa alta e branca, contrastando fortemente com o cetim azul da almofada; os bigodes e a barba curta eram da mesma cor. As sobrancelhas, mais escuras, juntavam-se na testa e destacavam os grandes olhos negros, tranqüilos e sérios, anuviados naquela hora por uma profunda tristeza que se denotava também na expressão severa dos lábios. Por vezes, seu rosto viril iluminava-se com o reflexo de uma energia e de um orgulho interior próximos da obstinação.

O barão Gotfried Verenfels era o último descendente de uma antiga e nobre família, que empobrecera aos poucos em decorrência de guerras e infortúnios. Seu pai tentara reaver a fortuna com especulações, que de início pareceram dar certo, mas que no fim arruinaram-no. Abatido por esse infortúnio, o velho barão suicidara-se deixando ao único filho somente dívidas e a obrigação de cuidar da mãe e da jovem esposa com quem Gotfried tinha acabado de casar.

Por mais de um ano ele lutara desesperadamente para conservar uma pequena propriedade que garantia a sua modesta existência. Entretanto, uma inesperada bancarrota tirara-lhe até este último recurso. A morte da esposa atingira seu coração com igual dureza e um colapso nervoso deixara-o de cama por alguns meses. Logo que sarou, o rapaz começou a pensar no que fazer para melhorar sua situação. Estava abatido, mas não derrotado. Ajudado por alguns amigos, Verenfels levou sua velha mãe e sua pequena filha, Líllia, que na época tinha um ano e três meses, e instalou-as na casa de uma velha parente, sua madrinha. Decidira viajar e tentar a sorte na América. Já estava se preparando para a viagem ao Novo Mundo quando uma inesperada oferta mudou seus planos.

O banqueiro Friedman, velho amigo de seu pai, que tinha grande afeição pelo rapaz, enviou-lhe um convite pedindo o seu comparecimento urgente para discutir uma importante proposta.

Após trocarem cumprimentos, o banqueiro disse a Gotfried sem maiores preâmbulos:

– Meu caro Verenfels, tenho uma proposta a lhe fazer que creio ser mais vantajosa do que a viagem à América. Acabei de receber uma carta do conde Willibald Reckenstein, meu amigo e cliente. Ele pede-me para indicar uma pessoa inteligente, de alta educação e, principalmente, enérgica, para ficar responsável pela educação de seu filho que, por força de infelizes circunstâncias, foi estragado, tornando-se preguiçoso e extremamente insolente. Em seis meses ele conseguiu acabar com a paciência de três tutores.

– O senhor acha que ser o bode expiatório desse monstro é um cargo vantajoso? – perguntou Gotfried com sorriso zombeteiro.

– Calma. Além do monstrinho que mal completou nove anos, lá mora o seu pai, que é tão simpático e nobre quanto se possa imaginar. Ele está doente, solitário e vive isolado no seu castelo Reckenstein. A parte vantajosa desta proposta é a remuneração polpuda que o conde oferece a quem for recomendado e que equivale ao salário de um alto funcionário do governo. Isso poderia tirar você da difícil situação em que se encontra e também lhe daria a possibilidade de dar à sua mãe e à sua filha uma vida mais confortável. Você poderia até fazer uma poupança para o futuro e, mais tarde, tentar a sorte mais facilmente no Novo Mundo. Isso, naturalmente, depois de cumprir a obrigação que assumir e de o pequeno Tancredo entrar para uma escola militar, conforme desejo de seu pai. Com a energia que possui, acredito que dará conta do pequeno monstrinho.

Gotfried abaixou a cabeça. O bom senso dizia-lhe que o velho amigo tinha razão.

– Quais foram as circunstâncias que estragaram essa infeliz criança?

– Foi tudo culpa de sua mãe – respondeu Friedman. – Dizem que a condessa é uma mulher leviana, que só se preocupa com roupas, procura a admiração de todos e envenena os que caem em sua rede. Não se sabe se ela foi a culpada no caso em que seu marido duelou com um dos seus admiradores mais ferrenhos, mas a condessa acabou abandonando o marido e levou consigo Tancredo, que, na ocasião, tinha três anos. Desde essa época ela mora no exterior, onde tem uma vida agitada, embora mantenha a aparência de decência, pois leva consigo a todos os lugares uma velha parente. Mas o filho, ela estragou completamente com muito mimo e adoração de seus defeitos.

– O conde, gravemente ferido no duelo, trancou-se em seu castelo e somente no ano passado soube da educação que seu filho recebia. Exigiu a devolução da criança e a mãe cedeu com a condição de ele aumentar a sua pensão anual. O resto você já sabe. Somente esqueci de dizer-lhe que a mão direita do conde ficou fraca e você terá de ajudá-lo um pouco com a correspondência.

Gotfried aceitou a proposta e, neste momento, encontramo-lo indo ao local de seu novo cargo. Uma certa preocupação secreta apertava-lhe o peito, e sua alma orgulhosa indignava-se com a idéia da posição de empregado que o aguardava.

Suspirando profundamente, ele endireitou-se, passou a mão na testa como se estivesse tentando afastar os pensamentos incômodos e, após baixar o vidro da janela, começou a olhar a paisagem. Naquele trecho a estrada fazia uma curva e, em declive íngreme, descia para um vale entre morros cobertos de florestas; no fundo do vale, sobre uma colina, elevava-se uma portentosa edificação cercada de jardins. Era o castelo Reckenstein. Para própria surpresa, o rapaz sentiu um aperto no coração.

À medida que se aproximava, Gotfried pôde observar que o castelo era formado de diferentes construções de diversas épocas. Da antiga fortificação Reckenstein só restava uma torre enegrecida pelo tempo e coberta de hera. Junto à torre havia um prédio com uma torrezinha no estilo renascentista. No espaldar desses dois respeitáveis representantes do passado estendia-se o novo castelo – um amplo palácio em estilo italiano, com colunas, galeria e grandes terraços.

Enquanto Gotfried examinava a sua futura residência, a carruagem passou por uma alameda de carvalhos seculares e virou em direção aos portões de grades douradas encimados por um brasão; em seguida, após contornar um paço com um chafariz no centro a carruagem parou diante do portão de entrada.

Dois criados correram para receber o visitante e um deles, ajudando-o a descer da carruagem, disse respeitosamente:

– O conde deseja vê-lo, tão logo o senhor descanse da viagem.

– Então me conduzam aos aposentos que me foram reservados. Preciso me arrumar um pouco, depois irei ver o conde.

Conduzido pelo criado, Gotfried passou pelo vestíbulo enfeitado de flores, de onde uma escada com corrimãos dourados e atapetada levava para os quartos do andar superior; em seguida, depois de passar por uma longa fila de salões de festas, chegou a uma bonita saleta contígua ao dormitório onde colocaram sua bagagem. O rapaz examinou com grande curiosidade o quarto luxuoso, estranhando que ele tivesse sido reservado para um tutor. As paredes da saleta estavam revestidas de cetim cor-de-rosa no qual estavam bordadas guirlandas de rosas e margaridas, formando um painel; um enorme espelho, emoldurado pelas mesmas flores de porcelana, ocupava uma das paredes; os móveis de pelúcia e as cortinas eram da mesma cor e um tapete de fundo branco cobria o chão. Divãs baixos, poltronas macias, muitas almofadas bordadas, espalhadas por todos os cantos, davam ao ambiente um ar de *boudoir*[1]. A imaginação logo criava a imagem de uma linda mulher.

O quarto vizinho, revestido de cetim cinza, também era estranho: a metade dele estava ocupada por enormes espelhos que refletiam de todos os lados a pessoa que se mirasse neles.

Apontando para a cortina semicerrada, Gotfried perguntou ao criado que o ajudava a trocar de roupa:

– Aonde leva esta porta?

– Ao quarto do pequeno conde; só que o senhor Tancredo trancou-a à chave, pois está muito descontente com a sua chegada.

– Ele está trancado lá dentro?

– O pequeno conde está no jardim. Ele ficou muito zangado quando o informaram de sua chegada; quebrou um grande vaso chinês, escondeu a chave no bolso e fugiu.

---

[1] *Quarto de senhora, pequeno e decorado com elegância – nota da editora.*

Gotfried trocou de roupa e dirigiu-se aos aposentos do senhor do castelo. O velho camareiro conduziu o rapaz ao gabinete do conde anunciando previamente sua chegada. A forração das paredes e a mobília de cor verde-musgo davam um ar austero e sombrio ao ambiente.

Próximo à janela, um homem perto dos 50 anos estava sentado numa poltrona em cujo alto encosto havia um brasão. Suas pernas, cercadas de almofadas, estavam cobertas por uma manta; o rosto de palidez doentia conservava sinais de uma beleza notável; os olhos escuros anuviados pela tristeza expressavam bondade e sofrimento; os cabelos e a barba, ainda fartos, começavam a embranquecer.

– Bem-vindo, senhor Verenfels! Meu velho amigo Friedman escreveu tão bem sobre a sua pessoa que o senhor conta desde já com minha confiança e simpatia – disse o conde, estendendo a Gotfried a mão emagrecida e dirigindo um olhar amigável à bonita e atlética figura do rapaz.

– Agradeço-lhe, conde, e tentarei justificar a sua confiança – respondeu Gotfried, sentando na poltrona que o conde lhe indicara.

– Prezado amigo, coloco em seus ombros uma pesada tarefa – continuou o anfitrião. – O caráter de Tancredo é tão ruim, que não consigo entender de onde ele adquiriu esses modos. Sua falta de educação e sua preguiça são inimagináveis e tem aversão a qualquer trabalho. Até hoje ninguém conseguiu vencer sua teimosia e, quando irado, fica fora de si. Entretanto, quando conhecê-lo, o senhor perceberá, assim como eu, que essa pequena e tão bem-dotada criatura está se acabando moralmente.

– Farei o humanamente possível para educar seu filho. Entretanto, o senhor me autoriza a aplicar castigos, caso eu considere isso necessário?

– Mas, claro, o senhor tem a minha autorização. Entrego-lhe, como diria, o meu poder paterno. Castigue-o severamente, bata nele, se ele assim o merecer. Eu próprio deveria ter feito isso há tempos, mas a minha saúde não permite.

Neste instante, ouviram-se passos no quarto vizinho, e no gabinete irrompeu um pequeno garoto em traje de marinheiro.

Gotfried olhou-o com curiosidade e compreendeu tanto o pesar do conde quanto sua fraqueza pelo filho. Nunca tinha visto uma criança tão bonita. O rosto pálido com traços finos e perfeitos de camafeu, emoldurado por longas e negras madeixas de cabelos que tinham reflexos azulados parecia ser um modelo ideal que somente um grande pintor seria capaz de criar. Todavia sua boca púrpura expressava capricho e teimosia e nos grandes olhos azuis como centáureas, brilhavam o orgulho e a insolência.

Ao ver o novo tutor, Tancredo parou e, sem cumprimentá-lo, mediu-o de cima a baixo com um olhar de desprezo.

– Diabos o levem! – resmungou. Em seguida, deu-lhe as costas, jogou-se na poltrona, pôs os pés na mesa e, pegando um charuto, acendeu-o e começou a fumar.

– O senhor está vendo? – disse o conde, desanimado, e em sua voz e em seus gestos percebia-se uma irritação nervosa.

– Começarei imediatamente a educação do meu pupilo para obrigá-lo a entender como se deve comportar em presença do pai.

Gotfried aproximou-se tranqüilamente de Tancredo, tomou-lhe o cigarro jogando-o no cinzeiro e, levantando o menino, colocou-o de pé.

– Crianças pequenas não devem fumar e você está proibido de encostar em charutos – disse ele severamente. – Que esta seja a primeira e a última vez que eu presencio como você ousa se comportar com tanta indecência diante do seu pai e de mim. E cuide de me obedecer, se não quiser ser severamente castigado.

Por um instante, Tancredo ficou estupefato. Em seguida, tremendo de raiva, correu para o pai e, batendo os pés, gritou:

– Papai, não ouse deixar por aqui nem mais um dia este insolente que ousou encostar as mãos sujas no conde Reckenstein e ainda ameaçá-lo: mande-o embora imediatamente. Eu quero isso.

– Tancredo, você não tem vergonha? Você não me ama nem um pouco me causando tanta preocupação – balbuciou o conde com voz fraca.

O menino jogou-se sobre ele e, abraçando seu pescoço, desandou a chorar.

– Não quero obedecer a ninguém – dizia ele por entre lágrimas. – Quando estava com mamãe, todos faziam o que eu queria. Estudar é chato. Se quiser que eu ame você, mande embora este homem grosseiro.

– Seja sensato, meu filho – respondeu o conde, beijando a cabeça encaracolada de menino. – O senhor Verenfels é agora o seu tutor e você deve respeitá-lo e obedecer a ele. Seja gentil, aplicado e ele será bom para você. Um conde Reckenstein precisa estudar; para ser um dia um brilhante oficial você não pode ser um ignorante que não sabe ler nem escrever.

O conde calou-se e, empalidecendo, recostou-se no encosto da poltrona. Gotfried aproximou-se rapidamente e, afastando Tancredo, disse:

– Veja como o seu comportamento entristece o seu pai. Você não tem vergonha de chorar desse jeito? Um garoto desse tamanho chorando porque deve estudar! Que vergonha! Venha!

Tancredo quis resistir, mas, deparando com o olhar calmo e enérgico do seu novo tutor, baixou a cabeça, deixou-se pegar pela mão e obedientemente seguiu Gotfried.

Chegando em seu quarto, Gotfried, com a mesma tranqüilidade que aparentemente incutia respeito ao seu pupilo, ordenou-lhe que abrisse a porta trancada. Após um momento de dúvida, Tancredo tirou a chave do bolso e, calado, com olhar sisudo, entregou-a ao criado. A porta foi imediatamente aberta.

Gotfried entrou no dormitório e ficou novamente surpreso com a forração de cetim azul-claro das paredes e dos móveis. Uma grande cama, enfeitada de rendas, estava numa elevação coberta por peles; a moldura de prata maciça do espelho da cômoda tinha dois cupidos segurando velas. Gotfried sentiu-se mal ao entrar no quarto e perguntou ao criado se aquela decoração do quarto do filho fora ordenada pelo conde.

– Não – respondeu o criado. – O sr. Tancredo insistiu em ficar nos quartos da condessa e como o conde nunca entra aqui, o encarregado reservou para o senhor o *boudoir* e o banheiro.

Na mesma tarde, durante o jogo de xadrez com o conde, Gotfried pediu-lhe autorização para ocupar junto com seu pupilo um outro recinto, mais adequado ao garoto.

– Naturalmente – respondeu o conde –, escolha os quartos que quiser. Darei ordens ao encarregado para preparar tudo conforme sua indicação.

No dia seguinte, após examinar o castelo, Gotfried escolheu quatro quartos contíguos com a parte central do prédio renascentista; um dos quartos saía para um amplo terraço que levava ao jardim. Tancredo ficou zangado com aquela mudança. Não ousou declarar sua insatisfação, pois seu tutor incutia-lhe um medo involuntário, mas dentro dele fervia uma raiva reprimida que na primeira oportunidade explodiu.

Isso aconteceu no terceiro dia após a mudança para os novos aposentos. Eles estavam na sala de aula, junto ao terraço. Gotfried estava sentado próximo à janela e lia o jornal. Tancredo, parado na porta do terraço, com o livro na mão, batia no vidro com irritação em vez de estudar. Entrou o criado e colocou na mesa um grande pacote de cadernos.

– Leve daqui este lixo e vá para o inferno – gritou Tancredo, olhando de lado para os inimigos de sua paz. Notando que o criado não dera nenhuma atenção às suas palavras, Tancredo ficou vermelho, quebrou com um chute o vidro do balcão, correu até a mesa e, agarrando um caderno, jogou-o no criado cobrindo-o de uma torrente de palavrões.

Gotfried, que assistia à cena em silêncio, levantou-se e, sem se irritar, mas como alguém com poder total, pegou o pequeno conde pela orelha, colocou-o de joelhos e disse:

– Pegue os cadernos e coloque-os em ordem. Enquanto não o fizer não vai almoçar.

Esse tratamento e a ameaça levaram o garoto zangado à fúria extrema. Com gritos de águia, ele levantou-se de supetão, jogou-se sobre o criado, bateu-lhe com socos e pontapés, agarrou-o pelo colete, arrancou-lhe um bolso, gritando furiosamente:

– Safado, canalha, quebro-lhe o pescoço se você neste instante não pegar este homem pelo pescoço e jogá-lo para fora desta casa. Se me obedecer, eu lhe darei dez taleres!

Gotfried, percebendo que era preciso aplicar medidas enérgicas e cortar o mal pela raiz, pegou uma vareta de bambu, flexível como chicote, e, antes que o pequeno conde pudesse esperar algo semelhante, foi agarrado e submetido a um castigo exemplar. Em vão tentou escapar da mão de ferro que o segurava. Sua força e teimosia foram suplantadas e resultaram numa enxurrada de lágrimas. Pela primeira vez a criança teimosa foi vencida.

Para deixar seu aluno meditar sobre a severa lição aplicada, Gotfried deixou-o almoçar sozinho num dos quartos. Mas quando voltou aos seus aposentos, após almoçar com o conde, não encontrou Tancredo; ele fugira e ninguém conseguia encontrá-lo.

– Ele deve ter ido à casa do juiz – disse Pedro.

– Que juiz?

– O juiz distrital, Lindner. Ele vive na aldeia de Reckenstein, do lado oposto do parque. Tem muitos filhos da mesma idade do pequeno conde e o sr. Tancredo gosta de ir lá.

Gotfried pegou o chapéu e o sobretudo e, após informar-se do caminho, foi procurar seu aluno. O tempo estava maravilhoso. Um pequeno portão lateral de grades de bronze foi aberto e Gotfried entrou numa alameda de carvalhos e tílias no fim da qual viam-se casas de um grande povoado e o alto campanário da igreja. Uma menina tricotando sentada na soleira da porta da primeira casa indicou-lhe gentilmente a casa do juiz que se encontrava do outro lado da rua, um pouco afastada e cercada por um lindo jardim e pomar. Uma grande varanda revestida por parreiras, cortinas brancas e maravilhosas flores em todas as janelas dava àquela aconchegante residência uma aparência fresca e graciosa.

Diante da varanda, dois garotinhos de sete e nove anos brincavam com um cavalo de madeira; uma menina de cinco anos enfiava frutinhas vermelhas numa longa linha.

– Seus pais estão em casa? – perguntou Gotfried, cumprimentando amigavelmente as crianças.

– Meu pai saiu – respondeu o menino mais velho, tirando da cabeça o chapéu de palha. – Mas minha mãe está no jardim com Tancredo. Ele não quis brincar conosco e mamãe mandou-nos sair.

O rapaz foi pela alameda indicada e logo viu um caramanchão à sombra do qual estava sentada num banco uma jovem mulher de vestido escuro e avental branco. Abraçando Tancredo, que apertava a cabeça contra o seu peito, ela falava baixinho com ele, aparentemente tentando acalmá-lo.

Notando o visitante que a cumprimentou, a sra. Lindner estendeu-lhe a mão e perguntou amistosamente:

– O senhor provavelmente veio buscar o pequeno fujão?

– Sim, minha senhora. Mas, se me permitir, vou descansar aqui um pouco.

Tancredo levantou-se rapidamente e, olhando para Gotfried, pôs as duas mãos na cabeça e gritou com desespero cômico:

– Não posso fugir nem para cá para me salvar da tirania. Ah, se minha mãe soubesse como estou infeliz e como estão me judiando, ela não me entregaria. Odeio a todos naquele castelo, ao meu pai e ao senhor que ele chama de amigo e a quem incumbiu de me matar.

– Tancredo, não fale assim de seu pai e de seu tutor – interrompeu-o a sra. Lindner.

– Estou falando do meu carcereiro, do meu algoz! – replicou o garoto indomável.

– Cale-se. Não quero ouvir mais nada. Vá brincar com Conrado e François. Vá, seja bom menino. Você me promete?

Tancredo vagarosamente foi ter com as outras crianças.

Gotfried sentou-se no banco, de cima do qual a sra. Lindner tirou uma cesta de roupa infantil e um molho de chaves.

– Que tarefa dura a sua, sr. Verenfels! Tancredo tem um caráter difícil – disse ela. – É uma criança infeliz e abandonada. Para a mãe, ele sempre foi um brinquedo, objeto de sua fantasia e de seus caprichos; além disso, a cabeça das babás francesinhas que cuidavam dele estava eternamente ocupada por intrigas. Tancredo sempre gostou de vir aqui; as governantas aproveitavam disso e, deixando-o comigo, ocupavam-se livremente de seus casos amorosos.

– Pois é. A situação dessa criança é triste – disse Gotfried, tirando o chapéu e passando a mão pelo cabelo –, mas também é muito difícil para o conde. Ele, aparentemente, adora o filho.

– Mas, claro. Tancredo é o retrato vivo da condessa que o conde endeusava. Falando francamente, ela é uma mulher incomparavelmente linda, mas ao mesmo tempo vazia e mundana. O conde deve ter lamentado muitas vezes a morte de sua primeira esposa, amorosa e dócil.

– O conde teve filhos do primeiro casamento?

– A falecida condessa Hilda deixou-lhe um filho, o conde Arno, que hoje deve ter uns 21 anos. Suas enormes propriedades são vizinhas das terras de Reckenstein.

– Tancredo nunca me falou do irmão.

– Ele nunca o viu. Todos neste país sabem da divergência familiar que surgiu em conseqüência do segundo casamento do conde. Seus sogros estavam vivos na época e foram decididamente contra esse enlace, mas mesmo assim o casamento aconteceu. Os avós, então, pegaram o pequeno Arno e levaram-no para a capital, onde recebeu educação. Desde aquela época ele nunca mais viu o pai. Com a morte do conde de Arnoburg, o conde Willibald foi afastado da tutela do filho e nem mesmo a separação da condessa Gabrielle levou o conde a aproximar-se do filho.

A chegada do juiz interrompeu o relato de Gertrudes Lindner. Ela entrou na casa para mandar servir café. A conversa entre os homens passou para outros temas.

Gotfried sentiu-se muito bem naquela agradável família e transmitiu ao juiz e à sua esposa tanta simpatia que, quando começou a se despedir para voltar ao castelo com o seu monstrinho, teve de prometer visitar com assiduidade os seus novos conhecidos.

O rapaz cumpriu de bom grado sua promessa e algum tempo depois a casa do juiz tornou-se para ele ainda mais atraente. Certa manhã, quando chegou com Tancredo para convidar Conrado e François a ir com eles catar cogumelos na floresta, ficou muito surpreso ao ver na varanda uma jovem desconhecida que ajudava a sra. Lindner na preparação de conservas. Era uma moça de uns 17 anos; seus cabelos castanho-claros e o rosto dócil e agradável com lindos olhos azuis expressavam inocência e bondade. A esposa do juiz apresentou-a, dizendo que era sua sobrinha Giselle, filha do irmão mais velho de seu marido e que tinha vindo morar com eles para ajudá-la nos afazeres do lar.

Logo notando que Giselle era tão culta quanto bonita, Gotfried sentia cada vez mais prazer em sua companhia.

Passaram-se alguns meses e a situação de Gotfried melhorou ainda mais; sua energia e atividade fizeram o coração do conde inclinar-se ainda mais por ele. Após algumas cenas violentas, castigos doloridos e passagens a pão e água, Tancredo foi domado. Ele passou a obedecer, mesmo contra a vontade, e o olhar calmo e severo de seu tutor tinha sobre ele um poder contra o qual não podia lutar.

Submetido a um regime salutar, racionalmente ocupado com estudos e exercícios físicos, levantando e indo deitar em horas estabelecidas, o menino ficou mais bonito e saudável; a palidez do rosto mudou para corado; ele cresceu e desenvolveu-se visivelmente. A Gotfried restava somente combater sua preguiça e a inimizade oculta que o menino demonstrava a cada oportunidade que surgia.

O conde estava entusiasmado com a visível melhora no comportamento e no estado físico de Tancredo e cada vez mais se apegava a Gotfried, que realmente era seu braço direito, ajudante nos negócios e procurador no sentido total do significado desta palavra.

Tancredo foi ensinado a preparar suas lições e brincar sem barulho no quarto contíguo ao gabinete do pai, enquanto o conde e Gotfried jogavam xadrez, liam ou falavam de negócios. Mas isso não impedia o rapaz de vigiar seu pupilo, observar seus jogos, ouvir suas conversas com o seu melhor amigo Eugênio Folkmar, filho do fazendeiro vizinho. Esse menino, três ou quatro anos mais velho que Tancredo, era tanto aplicado, respeitoso e comportado quanto o pequeno Reckenstein era preguiçoso, mal-educado e irascível. Apesar da diferença de idade e caráter, Eugênio apegou-se ao seu pequeno amigo e tinha sobre ele uma boa influência. Tancredo, que gostava muito dele, obedecia a essa influência melhor do que às ordens do tutor. O conde incentivava aquela amizade e muitas vezes o pequeno Folkmar passava semanas no castelo Reckenstein.

Gotfried recebia as informações principais de tudo o que se referia à gestão da propriedade. Logo notou sérios problemas na administração das florestas e nas operações do moinho a vapor recentemente instalado. Informou isso ao conde e ajudou-o a coibir esses abusos e restabelecer a ordem. Grato, o conde introduziu o rapaz ainda mais em seus negócios, dobrou seu salário e declarou que tão logo seu filho entrasse na escola militar ele nomearia Gotfried o principal gestor de seus negócios. Verenfels sentia-se tranqüilo, feliz e passou a sonhar com o futuro. Notou que Giselle tinha por ele mais do que uma simples simpatia e ele próprio afeiçoou-se àquela linda e adorável moça. Gotfried dizia a si mesmo que quando fosse o encarregado-geral, estaria em condições de adquirir uma propriedade. Giselle, simples, trabalhadora e boa dona-de-casa, poderia ser a esposa de que precisava: uma dedicada filha para sua velha mãe e uma mãe e tutora para a pequena Líllia. Mas a infelicidade ensinara-o a ser cuidadoso, e ele não se permitiu despertar no coração de Giselle esperanças que poderiam não se realizar por circunstâncias quaisquer. Decidiu então não se declarar enquanto seu futuro não estivesse definitivamente garantido.

Certa manhã, quando Verenfels chegou ao gabinete do conde para este assinar alguns documentos de negócios, encontrou-o sentado próximo à janela com uma carta na mão e completamente absorto em pensamentos.

Gotfried deixou os documentos na mesa e se preparava para sair em silêncio, quando o conde levantou a cabeça e chamou-o:

– Recebi uma notícia que me alegra e espanta e, ao mesmo tempo me traz muitas recordações.

O conde dobrou lentamente uma grande folha de papel enfeitada com um brasão.

– Meu filho Arno – prosseguiu ele – escreveu uma carta muito amigável informando que logo virá me visitar e pedindo para esquecer tudo o que nos separava tão inutilmente.

– Fico feliz, conde, que tenha acabado esse mal-entendido que deveria pesar muito no seu coração de pai.

A voz e o olhar do rapaz expressavam a mais sincera simpatia.

– Agradeço-lhe, Verenfels. Sente-se aqui e vamos conversar. Não gosto de falar sobre este triste passado; mas sinto por você respeito e amizade e vou contar-lhe em poucas palavras o que aconteceu. Para que compreenda melhor, devo voltar no tempo da história da família, quando no século XIV a nossa linhagem dividiu-se em dois ramos. O ramo principal, por meio do casamento de seu representante com uma rica herdeira de uma alta linhagem, foi chamado de Reckenstein Arnoburg, enquanto o ramo inferior, ao qual pertence o castelo em que nos encontramos, recebeu o nome de Reckenstein. Com o passar dos séculos, inúmeras divergências dividiram esses dois ramos e o principal assumiu definitivamente o nome de Arnoburg. Da velha linhagem sobraram somente dois representantes: eu e Hilda, filha única do conde Arnoburg. Ficou decidida nossa união pelo matrimônio e combinado que o nosso primeiro filho seria chamado conde Reckenstein e o segundo receberia e eternizaria a família de sua mãe, herdando o castelo e a maior parte das propriedades pertencentes a ele. O meu casamento com Hilda, apesar de realizado por obrigações familiares, foi muito feliz e, para mim, foi uma grande desgraça perder a esposa depois de dez anos de casado. Ela me deu um único filho – Arno. Devo acrescentar neste ponto que durante a minha estada na capital, onde servi na Cavalaria, fiz amizade com um jovem oficial, o conde Develar, um homem muito simpático mas que se apaixonava facilmente. Um amor infeliz estragou sua carreira. Apaixonou-se por uma jovem atriz, linda como um anjo, e casou-se com ela. Esse ato privou-o da carreira militar e do direito à herança, que passou para o seu primo. Ele foi para a reserva e eu o perdi de vista. Dois anos após a morte de minha mulher recebi de repente uma carta de Develar, onde ele me comunicava que estava infeliz no casamento e que morava no interior sobrevivendo com o que sobrou de seus bens. Sentindo a aproximação da morte, ele me implorava adotar a sua única filha, uma menina de 15 anos que morava numa pensão. Rapidamente fui até onde ele estava, jurei cuidar de sua filha e fechei-lhe os olhos quando morreu. Depois, fui ver minha pupila. Esse encontro decidiu a minha sorte. Gabrielle era tão bonita quanto a mãe dela; eu me apaixonei e decidi casar-me com ela. Essa decisão provocou forte descontentamento na minha família. Eles não podiam perdoar-me por ter esquecido Hilda e dar uma madrasta para o meu filho. Um encontro ocasional provocou um profundo ódio de minha sogra por Gabrielle. Tiraram Arno de mim quase à força e o nascimento de Tancredo provocou um verdadeiro furacão. O pensamento de que o filho da mulher odiada levaria o nome de Arnoburg deixava furiosa minha sogra. Arno era educado em Berlim num ambiente hostil à minha pessoa e chamava-se Arnoburg. Fizeram-no servir na Marinha para mantê-lo longe de mim e, após a morte dos avós, ele passou a viver com a tia na Suécia. Agora ele completou 21 anos e vem para tomar posse de suas propriedades. Eu não contava mais vê-lo, pois nunca deu um único passo para a nossa aproximação. Sua carta inesperada trouxe-me grande alegria. Anseio abraçá-lo e espero que seja um amigo de Tancredo quando eu não mais existir. Meu amigo, toque a campainha para que chamem o encarregado. É preciso preparar quartos para o filho pródigo que, aliás, é muito mais rico do que eu. Comparado ao irmão, Tancredo parece um pobre.

II
Arno e sua madrasta

Duas semanas depois, o conde recebeu um telegrama que o deixou muito preocupado.

– Arno me comunica – disse ele a Gotfried – que amanhã, às 9 horas da manhã, estará na estação. Peço-lhe, meu caro Verenfels, ir junto com Tancredo à estação para encontrá-lo. Não estou em condições de encontrar meu filho numa multidão de gente estranha. Mas ele ficará feliz em ver o pequeno irmão e você, sobre quem escrevi a ele diversas vezes.

Tancredo, radiante de felicidade por ir encontrar o irmão que não conhecia, levantou-se mal raiou o dia e somente se acalmou quando sentou na carruagem. Não menos impaciente e ainda mais feliz estava o velho caçador do conde, Antoine, que servia há 30 anos em Reckenstein. Arno nascera diante de seus olhos e o fiel criado guardara uma indelével lembrança sobre a bondade do seu jovem senhor e sobre o seu bom caráter; com o rosto radiante, ele sentou na boléia e tanto apressou o cocheiro que eles chegaram na estação meia-hora antes.

Quando o trem parou, Gotfried pegou o seu pupilo pela mão e foi andando com ele ao longo dos vagões, tentando adivinhar na multidão de passageiros aquele a quem esperavam. De repente viu que Antoine, adiantando-se a ele, com lágrimas de alegria nos olhos beijava a mão de um jovem alto que desembarcava do vagão de 1ª classe. Mas, mesmo sem aquela indicação, Verenfels reconheceria Arno pela sua semelhança com o pai. Exatamente assim estava a imagem do conde Willibald no grande retrato pintado no ano em que completou a maioridade. A mesma figura alta e esguia, os mesmos olhos escuros, bondosos e dóceis, os mesmos cabelos castanhos e a mesma elegância aristocrática em todo o seu ser.

Cumprimentando amigavelmente o velho criado, ele viu Tancredo, que corria para ele de braços abertos. O jovem conde de repente empalideceu, parou e passou a mão pela testa. Em seguida, recompondo-se rapidamente, inclinou-se para o menino e beijou-o várias vezes com ternura. Sem largar a mão do seu pequeno irmão, ele aproximou-se de Gotfried e cumprimentou-o com amabilidade.

– Meu pai – disse ele – escreveu-me sobre o quanto nós lhe devemos, sr. Verenfels, e tenho pelo senhor uma grande simpatia. Espero que passemos momentos alegres em Reckenstein. Estive tantos anos longe de meu pai, que agora devo me esforçar para cuidar dele o quanto for possível.

Inicialmente Tancredo tomou conta inteiramente do irmão; não parava de tagarelar e fazer perguntas. Arno mal conseguia respondê-las e olhava-o com um jeito particularmente introspectivo e carinhoso. Mas, à medida que se aproximavam de Reckenstein, uma grande quantidade de lembranças despertou na memória de Arno; absorto pela visão do que se passava ao seu redor, ele passava o olhar de objeto em objeto e afirmava alegremente:

– Conheço cada casebre, cada árvore e cada pedra daqui. Que felicidade voltar novamente ao lar paterno!

Vendo o irmão absorto em lembranças, Tancredo calou-se. Cansado da viagem e das emoções, ele encostou-se nas almofadas da carruagem, e com a capacidade inata das crianças de se adaptar em qualquer lugar, adormeceu em sono profundo.

Gotfried cobriu o garoto com uma manta e quando voltou ao seu lugar, Arno disse-lhe:

– Meu pai escreveu-me o quanto de paciência e trabalho lhe custou para disciplinar Tancredo. Eu realmente não posso entender de quem ele adquiriu esse difícil caráter.

– Ele é uma criança inteligente e muito bem dotada, mas preguiçosa, insolente e demasiadamente manhosa. A mãe estragou-o.

– A mãe estragou-o? – repetiu Arno, espantado e enrubescendo. – Creia-me, sr. Verenfels, isso não é verdade. Pode ser que ela tenha sido fraca com ele, como uma mulher demasiadamente jovem para ser uma mãe racional. Na minha opinião, meu pai não devia ter concordado com a separação da esposa e do filho. Entretanto, devo lhe dizer que quanto mais olho para Tancredo, mais fico pasmado com sua incrível semelhança com a mãe. Eles têm o mesmo rosto.

– Então o senhor conhece a condessa? – perguntou surpreso Gotfried. – Eu pensava que o senhor jamais a tinha visto.

– Eu a conheci inesperadamente em Paris, onde passei os últimos três meses. Ambos ficamos surpresos, ao saber que éramos parentes tão próximos. E, ao conhecer a minha madrasta, entendi por que meu pai se apaixonou por ela.

Um sorriso forçado passou pelos lábios de Arno e um rubor passageiro tocou rapidamente o seu rosto.

– Somente a minha inexperiência infantil pôde me obrigar a desaprovar esse ato inteiramente legal. Ah, devo endireitar muita coisa com o meu pai. Mas, diga-me, sr. Verenfels, a saúde dele está realmente tão ruim como ele me escreveu?

– O conde sente-se mal, e a apatia que tomou conta dele envelhece-o prematuramente.

– Isso irá mudar. Meu pai será feliz novamente. Ah... lá está Reckenstein! – exclamou Arno. Seus olhos brilhavam e, abrindo a janela, ele olhava gulosamente tudo ao seu redor.

O encontro do pai com o filho emocionou muito a ambos. Eles se abraçaram por muito tempo e o conde não conseguia parar de olhar o jovem rapaz que lhe lembrava tão vivamente a própria juventude e também a boa e amorosa mulher que lhe dera tanta felicidade.

Arno espantou-se com a mudança ocorrida no conde e com sua aparência doentia. Com lágrimas nos olhos, pegou a mão do pai e apertou-a contra os lábios.

– Perdoe-me, pai, pela infelicidade que lhe causei por minha ignorância da vida. Agora você terá em mim um filho duplamente dedicado.

O jovem rapaz cumpriu sua palavra. Com persistência e amor, arrancou o pai da apatia que o irritava, acostumou-o a longos passeios a pé e a cavalo, levava-o a visitar os vizinhos e convidava-os ao castelo. Resumindo, conduziu tão bem o caso que após dois meses de regime intensivo, o conde Willibald mudou completamente. Sua figura encarquilhada endireitou-se, a palidez doentia foi substituída por um rosto com frescor e seus olhos escuros adquiriram o antigo brilho. O próprio conde estava surpreso consigo mesmo e chamava Arno de feiticeiro.

O jovem conde mantinha também as melhores relações com o irmão e Gotfried. Gostava e mimava Tancredo, mas sem quebrar a disciplina rígida estabelecida pelo tutor disciplinador. Deste último tornou-se amigo. Sabendo pelo pai a triste história do barão Verenfels, esforçava-se de todas as formas para facilitar a dura situação daquele jovem simpático e orgulhoso.

Era metade de maio. Arno havia se ausentado por ocasião de assumir a posse da herança. Retornando a cavalo de Arnoburg, ele foi ter com o pai. O conde Willibald havia voltado do passeio e lia jornal, sentado em seu quarto. Informando-lhe todos os detalhes de sua viagem, o jovem conde de repente cortou o assunto e disse, preocupado:

– Papai, preciso entregar-lhe uma carta cuja resposta está sendo esperada com enorme ansiedade.

– De que carta você está falando? Isso me deixa curioso.

Com a mão levemente trêmula, Arno puxou do bolso uma carteira, tirou de dentro um envelope perfumado selado com um brasão e entregou-o ao pai.

O conde empalideceu imediatamente e sua mão estendida caiu.

– O que significa isso? De onde você pegou uma carta de Gabrielle? Estou reconhecendo sua caligrafia – balbuciou ele, ofegando.

– Ela própria me deu para entregá-la a você.

– Então você a viu? Mas onde?

– Neste inverno, em Paris – respondeu Arno, com certo embaraço. – Encontramo-nos por acaso. Mas depois conversei com ela e percebi que seu arrependimento é tão profundo e seu amor por você é tão sincero que considerei como obrigação trazer esta carta.

– Seu amor por mim? – repetiu o conde com amarga ironia. – Que mentiras contou-lhe esta pérfida mulher, que me traiu e abandonou-me?

O rosto do jovem conde explodiu e com voz levemente trêmula ele objetou:

– Pai, você não estaria sendo demasiadamente severo rotulando com palavras tão pesadas a imprudência de uma jovem e inexperiente mulher? Gabrielle realmente ofendeu-o com sua leviandade, mas não a acho capaz de um ato desonesto. E me parece que, apesar de tudo, você deveria ler esta carta.

Insistentemente colocou o envelope na mão do pai e afastou-se por discrição até a janela. O conde vacilou por alguns instantes, suas mãos nervosamente trêmulas pareciam recusar-se a abrir a carta. A lembrança de tudo o que aquela mulher fizera-o sofrer e o que os separara, queimava-o por dentro. Por fim, num gesto brusco e decidido, ele abriu o selo.

– Arno! – chamou ele, instantes depois.

O jovem conde, que estava parado, encostado no vidro e imerso em pensamentos, aproximou-se rapidamente tentando adivinhar pelo rosto emocionado do pai a sua decisão.

– Pegue e leia. Depois quero a sua opinião, pois você já é um homem maduro – disse o conde entregando-lhe a carta que Arno pegou com certo constrangimento.

Perturbado por sentimentos contraditórios, ele começou a ler a missiva de Gabrielle para o marido ofendido. A carta estava muito bem escrita e cheia de amor, submissão e arrependimento:

Perdoe-me pelo mal que lhe fiz com a minha criminosa superficialidade. Permita que eu volte para cuidar de você e dissipar os meus enganos. Não seja cruel, Willibald, pois você me amava. Será que este sentimento morreu e você permanecerá surdo à minha súplica? Ah, se você soubesse como me sinto solitária! Como anseio voltar para você e para os meus filhos, pois Arno conquistou meu coração graças à sua bondade e nobreza. Ele é realmente seu filho de coração. Quando o encontrei, entendi que somente a você, o único e primeiro amor da minha inocente juventude, pertence o meu coração, apesar dos erros e distrações que obscureceram este sentimento.

Concluindo, ela falava da ansiedade e da terrível preocupação com que aguardava a decisão do seu destino: o perdão ou a condenação.

Com a cabeça ardendo e respirando pesadamente, Arno colocou a carta na mesa. Uma infinidade de sentimentos agitavam-se em sua mente. Então fora ele que despertara no coração de Gabrielle o amor adormecido? Ela ainda amava o seu pai e desejava voltar aos seus braços e ter o seu amor. Uma tristeza indefinida apertou o coração do jovem rapaz ao lembrar a encantadora mulher que o conde tanto amava e da qual sentia ciúme. Oh, agora ele entendia aquele sentimento. Mas sua agitação interior foi curta. A natureza honesta e nobre de Arno soprou-lhe o que devia fazer: era sua obrigação devolver a paz à família. A felicidade do pai e de Gabrielle deveria ser a sua felicidade.

– Pai, acredito que perdoar é um dever de cristão – disse ele com brilho no olhar –, e que esta jovem mulher ficou demasiado tempo sozinha exposta às tentações e aos perigos. O lugar de Gabrielle é sob o teto de seu marido, ao lado do filho. Não a rejeite!

Com lágrimas nos olhos, o conde puxou Arno para si e deu-lhe um longo e terno abraço.

– Você é o gênio da paz, como o foi a sua dócil e santa mãe – disse ele. – Gabrielle deixou a sua defesa em boas mãos. Deus queira que o seu arrependimento seja sincero e a sua volta traga-nos felicidade como você espera. Vou escrever-lhe que, se ela quiser, pode voltar. E agora, já que resolvemos esta questão, conte-me meu filho: onde e como a encontrou?

– Cheguei a Paris no início de janeiro. Trazia comigo uma carta de titia para o seu neto Magnus, um jovem muito simpático que fazia parte da embaixada sueca. Ele me mostrou a famosa cidade. Pedi-lhe que me apresentasse em casas de família. Magnus disse-me que em breve, num dos salões do mundo das altas finanças, seria realizado um baile à fantasia, onde estaria reunida a alta sociedade. Ele prometeu conseguir um convite para mim, o que me permitiria escolher as famílias que eu gostaria de conhecer. Chegamos ao baile, ambos fantasiados. Inicialmente, fiquei impressionado com o luxo feérico da decoração e com a riqueza e o bom gosto dos trajes. Quando esse interesse inicial foi satisfeito, eu quis ser apresentado a alguém. Percebi no meio da multidão uma dominó[1] branca que imediatamente tomou conta de toda a minha atenção. Devo lhe dizer que gosto demais de mãos bonitas. As mãos da dominó brincavam negligentemente com o leque, e a luva branca daquela mão pequena, como de criança, desenhava-se de uma forma tão elegante que eu não conseguia desviar os olhos. Sob a capa semi-aberta de cetim aparecia um traje de rainha Margot, que também era branco e bastante rico. Eu não perdia a desconhecida de vista. Ela passou para o jardim-de-inverno onde naquele instante não havia ninguém, além de uma dominó negra, cuja pose e cujo isolamento expressavam completo enfado. – *Tia Luci* – disse ela, sentando-se ao lado da triste figura –, *como a senhora pode ficar enfadada numa recepção tão linda? Vim aqui para me refrescar, escapei do gordo barão e vou tirar a máscara.*

Ela tirou a máscara e enxugou com um lenço o rosto ruborizado. Oculto pelas árvores, eu a olhava e pensava estar vendo uma moça de 18 anos de adorável beleza. Quando ela voltou para o salão, aproximei-me dela cantarolando: – *Plus blanche que la blanche hermine.*[2] – *Você se engana, Raul. Sou branca só externamente,* – respondeu a moça. – *Parece que você quer assustar-me* – respondi – *convencendo-me de que o seu coração é da cor das suas madeixas negras.* Ela riu. – *Você pode estar certo e começo a pensar que me conhece.* Dei-lhe o braço e, conversando alegremente, misturamo-nos na multidão. Por fim, ela pediu-me para levá-la ao jardim-de-inverno, junto de sua velha parente. Disse que estava morrendo de sede, tirou a máscara e propôs que eu seguisse o seu exemplo. Para dar um paradeiro naquele nosso mútuo incógnito, apressei-me a obedecer a ela, mas, quando ela ouviu o meu sobrenome e olhou-me no rosto, soltou um grito e deixou-se cair sobre as almofadas, pálida como a morte. – *O que a senhora tem?* – perguntei, assustado. – *Não poderia imaginar que o meu*

---

[1] Fantasia composta de uma longa túnica com capuz e mangas – nota da editora.
[2] Canção de Raul da ópera "Os Huguenotes" – nome dos protestantes franceses – nota do tradutor.

nome e rosto lhe causassem tanto sofrimento. Ela levantou-se e, com uma estranha expressão, olhando-me nos olhos, pronunciou: – *Eu não estava preparada para reconhecer no senhor... o meu "filho". Sou Gabrielle, condessa de Reckenstein.*

Aquelas palavras quase me derrubaram. Na minha cabeça, como uma tempestade, agitava-se o pensamento de que aquela mulher com aparência de uma menina de 18 anos era minha madrasta, que lhe custou, meu pai, um duelo e que ofendeu a honra do nosso nome. Provavelmente, esses pensamentos refletiram-se em meu rosto, pois ela disse com amargor: – *O senhor me odeia e condena pelas aparências, como o fez seu avô. O senhor não pode perdoar a seu pai por ter-me dado o seu nome. – Para mim foi suficiente conhecê-la para entender os sentimentos de meu pai e perdoá-lo!* – murmurei.

Ela estendeu-me a mão e disse com lágrimas nos olhos: – *Se o senhor está sendo sincero, então, Arno, venha visitar-me. Precisamos ter uma conversa.*

– Resta pouco para acrescentar ao que foi dito. Estive na casa dela e me convenci de que o seu arrependimento do passado é sincero, que ela o ama e anseia pelo seu perdão. Prometi-lhe que promoveria as pazes entre vocês e que faria de tudo para reuni-los novamente.

– A Providência arranjou essa estranha coincidência – disse Willibald, apertando a mão do filho.

A partir desse dia, tudo começou a se modificar no castelo. O conde, visivelmente, começou a ter interesse pela vida e, a julgar pelos preparativos que se realizavam nos aposentos da condessa, notava-se que o amor pela bela esposa calava fundo no coração do marido. Ele escreveu-lhe uma carta e recebeu uma resposta cheia de alegria e gratidão. Gabrielle comunicava que colocaria em ordem os seus afazeres em Paris e em três semanas chegaria a Reckenstein. Arno ajudava o pai, mas também passava bastante tempo em Arnoburg, onde queria residir e promover festas em honra de sua madrasta. Lá também tudo estava sendo renovado e adquiria uma aparência festiva para receber a fada, que somente com um sorriso transformara em um filho obediente o jovem rapaz que crescera como seu inimigo.

Somente Gotfried, ao saber sobre a volta da condessa, sentiu um desgosto e uma irritação parecidos com repulsa. Não conseguindo encontrar explicação para aqueles sentimentos, decidiu evitar aquela mulher o quanto possível. Parecia-lhe que a chegada dela prenunciava algo ruim. Logo percebeu que, apesar da aparência despreocupada e alegre, Arno encontrava-se numa irritação febril, numa tensão que não o deixava em paz. Gotfried apegara-se sinceramente àquele simpático rapaz e um temor apertava seu coração. E se Gabrielle for tão leviana – pensava ele – a ponto de começar a brincar com os sentimentos de seu enteado? Que tristes e trágicas complicações resultariam disso no futuro?

Tancredo, pelo contrário, estava satisfeitíssimo. Ele acreditava que a chegada da mãe poria um fim às aulas obrigatórias e a todos os castigos. Conhecendo sua cega admiração, o menino não tinha dúvidas de que ela afastaria dele tudo o que lhe fosse desagradável.

A véspera do dia de chegada da condessa passou em febril atividade. Em seus aposentos realizavam-se os preparativos finais. Plantas exóticas transformaram o seu terraço num perfumado bosque e o conde, ajudado por Arno, enfeitou o toucador e o *boudoir* com uma infinidade de berloques caros.

Era início de junho. O tempo estava muito bom e quente, mas à tarde o céu cobriu-se de nuvens e caiu uma forte tempestade.

– Mas, que azar – disse o conde, vendo as árvores envergando no vento e a chuva inundando as alamedas. – Esta chuva mal vinda prejudicou as flores e Gabrielle vai vê-las completamente mortas. Espero que isso não seja de mau agouro – acrescentou, e seu rosto imediatamente ficou soturno.

Depois de pôr Tancredo para dormir, Verenfels foi para seu quarto e sentou-se próximo à janela. O céu estava sem estrelas e negro, a chuva não parava e o trovão ainda se ouvia ao longe. Uma certa inquietude e uma tristeza inexplicável apoderaram-se dele. Parecia-lhe que haviam chegado ao fim sua vida calma e as modestas esperanças que lhe deu Reckenstein; que a partir de amanhã começaria algo novo e difícil; uma luta extenuante entre a fraca e caprichosa mãe e sua disciplina que ele considerava um dever.

Triste e desolado, deitou-se, mas um terrível pesadelo perseguiu-o por toda a noite. Parecia-lhe que uma força estranha contra a sua vontade arrastava-o com incrível velocidade para uma nuvem cinzenta. À medida que se aproximava da nuvem, esta se transformava num castelo gótico, com muros enegrecidos, cercado de torres endentadas e torrezinhas com balcões entalhados. As janelas, algumas com arcada pontiaguda, outras com amplos quadros, misturavam-se na parede da fachada. O saguão principal, de aparência funesta e enfeitado por um brasão, conduzia ao interior do castelo. Para sua surpresa, Gotfried reconheceu naquela edificação espectral o castelo Arnoburg.

De repente, uma nuvem negra apareceu girando de uma das torres e cercou-o com uma fumaça sufocante. Tentando escapar dela, ele viu uma mulher que, estendendo os braços, obstruía-lhe o caminho. Ela girava diante dele num traje longo e branco e seus negros cabelos soltos cercavam-no como uma colcha. Ela tinha o rosto de Tancredo, e seus olhos, azuis como centáureas, mas brilhantes e agudos como lâmina de aço, pareciam transpassá-lo.

Gotfried quis recuar, mas o ser terrível e tentador alcançou-o, encostou-se nele e, como uma cobra, enrodilhando-se em seu pescoço, apertava-o com garras de aço. Debalde ele tentava escapar com o coração constrangido, tremendo de amor e ódio. A aparição levava-o, pisando em alguém que soltava gemidos de dor. Verenfels, horrorizado, voltou a cabeça e percebeu jogados no chão o conde e Giselle, sem sentidos e com a marca da morte estampada no rosto. Mais adiante, Arno, com aparência emocionada e um ferimento no peito, desaparecia no ar. Enlouquecido e fora de si, Gotfried, com um esforço desesperado, livrou-se daquele abraço, flexível, mas resistente, como o abraço da cobra.

– *Deixe-me, não quero você*! – gritava ele, irritadíssimo. Por instantes a aparição caiu diante dele de joelhos, como em súplica. Mas, quando ele empurrou a sedutora, ela levantou-se com ar ameaçador. Faiscando os olhos e sibilando algo por entre os dentes, levantou a mão e bateu-lhe no rosto com tanta força que ele perdeu o equilíbrio e caiu no abismo. Arrebentado e em frangalhos, ele finalmente se levantou e viu que estava num quartinho com grades de ferro e a porta fechada não cedia aos seus esforços. Estava numa prisão, e, assim que percebeu isso, ouviu-se uma risada de deboche e uma forte pancada estremeceu as paredes. Tremendo, coberto por um suor frio, Gotfried acordou, sentou-se na cama e murmurou: – *Graças a Deus! Foi só um sonho*. Ele explicou o pesadelo pela influência da tempestade. Realmente, o tempo piorara e a tempestade voltara com forças renovadas – os raios iluminavam o quarto com luz sombria, o ribombar do trovão repetia-se ininterruptamente, estremecendo as paredes, e a chuva mesclada com granizo batia nos vidros da janela. – *Isso realmente parece um sinal de mau agouro* – pensou o jovem rapaz.

De manhã o tempo melhorou e os alegres raios de sol iluminaram despreocupadamente o espaço.

Quando todos se reuniram para o desjejum, o conde estava pálido e queixava-se de dor de cabeça nervosa. A tempestade atrapalhara o seu sono e quando ele adormecera por um instante, um raio caíra sobre o velho carvalho próximo à sua janela. Ele acordara com terrível enxaqueca.

– Tenho um pedido a lhe fazer, Verenfels – disse ele, quando levantaram da mesa. – Passaram por aqui várias pessoas reportando os estragos provocados pela tempestade nas florestas e no moinho a vapor. Seria difícil para mim verificar tudo isso hoje. Quero que vá em meu lugar e tome as medidas de emergência necessárias.

O jovem rapaz concordou, dissimulando a satisfação. Feliz por não ter de estar presente na chegada de Gabrielle, decidiu passar todo o dia verificando os estragos, jantar na casa do juiz e retornar somente à noite.Mesmo porque, sua presença não era necessária naquela festa familiar.

Quando ele saiu, o conde voltou-se para o filho:

– Arno, você irá com Tancredo receber Gabrielle. Com esta minha enxaqueca eu não agüentaria as três horas na carruagem. Além disso, é preciso mandar consertar os estragos ocasionados pela tempestade que ferem a vista e que podem causar má impressão à nossa visitante.

Com a partida dos dois irmãos, o conde foi aos aposentos de Gabrielle e supervisionou a troca das plantas do terraço, mandando cortar algumas árvores semi-arrancadas pelo vento e que eram vistas do balcão. Depois, ordenando avisarem-no a tempo sobre a chegada da condessa, foi para o seu gabinete arrumar-se.

Havia muito tempo que o conde não se arrumava com tanta atenção; quando terminou, dispensou o camareiro e parou pensativo diante do grande espelho de seu banheiro. Com olhar avaliador como se olhasse para um estranho, examinava a própria imagem. Poderia ainda agradar àquela sedutora e caprichosa mulher que dissera que a aparência de Arno despertara em seu coração o amor ao marido? Mesmo que aquele sentimento fosse sincero, será que ela se conformaria com a mudança que aconteceu durante sua ausência? Havia realmente uma semelhança com Arno, mas a infelicidade e a doença haviam deixado suas marcas nos traços do seu rosto. A testa estava coberta de rugas e seus espessos cabelos e barba já estavam prateados. O conde deu as costas ao espelho com profundo suspiro e, voltando ao gabinete, sentou-se à escrivaninha. O encontro cada vez mais próximo assustava-o. A paixão que sentira outrora pela encantadora esposa ainda existia no fundo de sua alma, mas um outro sentimento constrangia-o e obrigava-o a duvidar do futuro. Uma irresistível desconfiança sussurrava-lhe que o arrependimento de Gabrielle não era sincero e que não era o amor por ele que a obrigava a voltar para casa.

Franzindo o rosto, ele abriu uma gaveta secreta de sua escrivaninha e retirou de lá dois medalhões. No primeiro que ele abriu, havia um retrato da época do seu segundo casamento; naquele tempo ele era um homem no auge de suas forças, com uma expressão enérgica no rosto, decorrente da luta suportada com os parentes. Gabrielle usava aquele medalhão com o retrato, mas ao deixar o castelo esquecera-o ou deixara-o de propósito.

Com um amargo sorriso, o conde fechou o medalhão, jogou-o na gaveta e pegou o outro. Este também tinha um retrato seu, mas como um jovem oficial com despreocupado sorriso e olhos brilhantes não enevoados por nenhum problema. Aquele retrato-miniatura fora o presente de casamento que ele dera a Hilda de Arnoburg e ela usara-o até a morte. Sim, aquela mulher amara-o infinitamente e se ela estivesse viva ele nunca teria conhecido as amargas desilusões e os sofrimentos morais que tivera de suportar depois. Com olhar soturno, o conde levantou-se, fechou a gaveta secreta e aproximou-se do cavalete com o retrato de uma jovem mulher de vestido branco e um buquê nas mãos. Os traços de seu rosto eram corretos, e a expressão de pureza e bondade dava-lhe uma beleza especial: os olhos grandes, escuros e radiantes refletiam um espírito puro e tranqüilo como um céu sem nuvens.

Aquele retrato fora banido por Gabrielle, mas depois de sua saída o conde colocara-o novamente em seu gabinete. "*Agora você permanecerá no seu lugar, minha doce e fiel esposa; nenhum capricho irá afastá-la de mim*", pensou ele. A voz do criado anunciando que a carruagem já aparecera na alameda de carvalhos interrompeu os pensamentos do conde.

Os irmãos não tiveram que esperar muito na estação. A impaciência de Tancredo era tanta que ele não conseguia permanecer calmo e, mal o trem parou, ele correu até um dos vagões gritando: – *Mamãe, mamãe, finalmente você chegou!* Ele percebeu a mãe antes de Arno.

Quando Arno aproximou-se de seu pequeno irmão, a porta do vagão abriu-se e de lá saiu uma jovem mulher elegantemente vestida. Com um gesto apaixonado, ela envolveu Tancredo em seus braços e cobriu-o de beijos. Depois, estendeu a mão a Arno e disse com sentimento:

– Como estou feliz de ver a ambos, mas... Willibald não veio? – perguntou, olhando preocupada ao redor.

– Meu pai acordou hoje com uma forte enxaqueca. Depois, a tempestade que caiu ontem à noite causou muitos estragos e ele quis pessoalmente cuidar para que tudo esteja consertado para a sua chegada – respondeu Arno, beijando-lhe a mão.

– A doença dele é séria? – perguntou Gabrielle, apoiando-se no braço do enteado e dirigindo-se para a carruagem.

– Absolutamente. Meu pai está feliz com a sua volta, querida Gabrielle, e o seu amor será um reforço definitivo para a sua pronta recuperação. Todos estaremos felizes e em mim você encontrará o mais amoroso e obediente dos filhos – concluiu ele.

Gabrielle agradeceu só com um olhar.

Mal a carruagem partiu, a condessa tirou o chapéu de Tancredo, passou a mão em seus cachos brilhantes e, beijando-o, disse:

– Deixe-me olhar para você, meu ídolo, meu querido Tancredo. Realmente, você cresceu e ficou muito mais bonito. Mas será que você está estudando?

– Ah, mãe! Se soubesse o que tenho para lhe contar e como estou infeliz, você ficaria de cabelos em pé – exclamou o garoto.

– Que infeliz! – repetiu rindo Gabrielle. – Pelo jeito, você não quer estudar, seu pequeno preguiçoso. Ainda lembro como você ficou três meses para aprender a fábula "O corvo e a raposa".

– Agora as coisas ficaram muito mais sérias com a vinda do meu imprestável educador.

– Pare com isso, Tancredo! – interrompeu-o Arno, que também queria conversar com a madrasta. – Sua mãe mal acabou de chegar e você já está importunando-a. Mais tarde terá tempo de se queixar.

Começou então a contar à condessa sobre seus planos para o verão, sobre as festas da aldeia com as quais pretendia diverti-la e sobre a esperada chegada de dois amigos que havia convidado para aumentar o grupo.

Gabrielle e ele conversavam alegremente. Mas, quando a carruagem aproximou-se do saguão principal, ela calou-se e dirigiu o olhar para a alta figura do conde que saiu para recebê-los. Assim que a carruagem parou e antes que Arno ou o criado tivessem tempo para ajudá-la a descer, ela pulou para fora e como um passarinho revoou para a escadaria. Agarrou rapidamente a mão amigavelmente estendida do marido e apertou-a contra os lábios, sem ligar para a presença de toda a criadagem à sua volta.

– Perdoe-me, Willibald, não só com palavras, mas também com o coração – murmurou ela com lágrimas nos olhos.

O conde estremeceu e quis retirar a mão, mas, emocionado, vencido pela expressão suplicante do lindo rostinho, puxou Gabrielle para si, abraçou-a e beijou-a na testa. Em seguida, deu-lhe o braço e conduziu-a para os aposentos que lhe preparara. Assim que ficaram a sós, a jovem mulher, jogando no chão o chapéu e as luvas, atraiu o marido para o sofá e, colocando a cabeça em seu ombro, chorou copiosamente. É difícil dizer se aquilo era um arrependimento sincero ou tensão nervosa, mas aquelas lágrimas assustaram o conde e ele tentava carinhosamente acalmá-la, jurando que o passado fora perdoado e esquecido.

Aos poucos a condessa acalmou-se e quando o marido saiu, convencendo-a de que deveria descansar até o almoço, ela enxugou as últimas lágrimas e começou a examinar com curiosidade todos os preparativos e surpresas que lhe haviam feito. Após examinar tudo e ficando satisfeita, ela enrolou-se no sofá, semicerrou os olhos e, com um sorriso triunfal nos lábios, deixou-se sonhar.

Gabrielle não era uma mulher volúvel e grosseira do tipo que facilmente se distrai e não valoriza a própria honra. Seu orgulho e seu egoísmo resguardavam-na dessa humilhação. Mas, sendo extremamente explosiva e apaixonada, ela impetuosamente se entregava totalmente aos próprios sentimentos: tanto o amor como o ódio que surgissem em seu coração jamais morriam. As circunstâncias haviam desenvolvido ainda mais alguns dos seus defeitos congênitos. Casando-se aos 15 anos com um homem vinte e três anos mais velho, que a endeusava e obedecia a todos os seus caprichos, e cercava-a de luxo e honras, ela tornou-se mimada, acostumada a desperdiçar dinheiro, conquistar corações e não suportar qualquer rivalidade. Sua maravilhosa beleza tornou-se seu ídolo e seu objetivo na vida era a própria adoração. Sua única preocupação era fascinar as mulheres com seus trajes e os homens com seus encantos. Qualquer homem que dela se aproximasse devia tornar-se seu escravo; ela o atraía com a volubilidade que usava com maestria. Mas, assim que a conquista se efetuava, perdia o interesse e o seu olhar de sereia insaciável procurava uma nova vítima. Esse jogo perigoso fora o início das divergências entre o conde e a esposa. Por mais que ele a avisasse, repreendesse, fizesse cenas de ciúme e espionasse, a vontade de conquistar homens e de obrigá-los a palpitar pelo seu olhar acabou-se tornando uma necessidade para Gabrielle. Um descuido desse tipo com um jovem oficial provocara o duelo, seguido da separação do casal.

III

Circe[1]

Gotfried passou o dia fazendo a inspeção. Às sete horas da noite, cansado, ele chegou à casa do juiz. Como de hábito, recebido de braços abertos e cercado de atenção por Giselle, o jovem rapaz sentia-se tão bem que a tarde passou como num piscar de olhos. Quando se despediram, já era meia-noite.

Andando vagarosamente e cantarolando baixinho, Gotfried dirigiu-se para o castelo. A noite estava linda, quente e silenciosa; a lua cheia cobria com luz prateada as sombreadas alamedas do parque. O silêncio triunfal da natureza agia de forma benigna no espírito do jovem rapaz. Ele pensava em Giselle, perdendo-se em sonhos sobre o futuro. Imaginava aquela meiga e discreta garota como a dona de sua casa, cuidando de sua mãe, de sua pequena Líllia e totalmente feliz com ele, em seu lar simples. Aproximando-se da lagoa que tinha de contornar, ele pensou em parar para descansar junto à margem, num banco sob um carvalho secular, seu lugar favorito. De repente, um rugido surdo chamou sua atenção. Ele estancou. Ouviu-se o barulho de galhos sendo pisoteados e novamente o rugido.

– Deve ser o Ali-Babá. O imprestável Tancredo deve tê-lo soltado de novo para assustar as criadas do curral – murmurou Gotfried com irritação.

Ali-Babá era um filhote de urso que o conde tinha comprado no ano passado cedendo aos pedidos do filho. Ele vivia no fundo do parque, numa casinha com

[1] Circe – deusa e feiticeira, conhecida sobretudo pelas narrativas da Odisséia, de Ulisses. A literatura está cheia de alusões a esta fábula. O nome da deusa passa como nome feminino, para designar uma mulher sedutora e perigosa: uma Circe – nota da editora.

uma cerca e, mesmo sendo inofensivo, era sempre mantido preso numa corrente. Por duas vezes Tancredo soltou-o divertindo-se com os gritos e o susto das criadas e com o alvoroço levantado pelas aves e pelos animais domésticos.

Pretendendo pegar o ursinho e levá-lo de volta à casinha, o jovem apressou o passo e saiu na clareira que cercava o lago. O urso havia chegado lá antes dele e, iluminado pela lua, corria para o banco oculto na sombra, onde Gotfried pretendia descansar.

Nesse instante ouviu-se um grito, e uma mulher de branco apareceu por entre as árvores. Louca de pavor, ela corria para todos os lados, perseguida pelo urso que se divertia com aquela caça improvisada. Vendo que a desconhecida corria como uma flecha para o lago no qual ela iria inevitavelmente cair, Verenfels correu atrás dela para segurá-la. As pernas da jovem aparentemente embaralharam-se no vestido e ela, de repente, cambaleou e caiu na relva a dois passos da água.

– Deita, Ali-Babá! – gritou Gotfried erguendo a bengala. O ursinho, ao vê-lo, dirigiu-se até ele rosnando alegremente, deitou obedientemente e começou a lamber as próprias patas. O jovem rapaz aproximou-se da dama e, inclinando-se, viu que esta parecia estar desmaiada. "*Deve ser a condessa*", pensou consigo mesmo, levantando a jovem mulher e examinando com curiosidade e admiração o seu lindo rostinho. Naquele instante ela abriu os olhos e olhou-o assustada.

– Condessa, permita-me levá-la até o banco e chamar a camareira – disse respeitosamente Gotfried.

Mas naquele momento ela viu o urso e, agarrando o braço do rapaz, exclamou nervosamente:

– Não, não vá embora! Estou com medo! Não me deixe sozinha com este feroz animal! Desde quando Willibald inventou a novidade de deixar ursos passearem livremente pelo parque?

– O ursinho é inofensivo, condessa. Não tenha medo e permita-me oferecer-lhe o meu braço.

A condessa aceitou, mas, ao dar o primeiro passo, cambaleou, gritou e cairia se Gotfried não a segurasse a tempo.

– Acho que torci o pé e não consigo andar – disse ela, com voz enfraquecida. – E agora, o que fazer?

– Neste caso, condessa, ordene-me para levá-la para casa. São apenas alguns minutos a pé.

Gabrielle mediu-o com um rápido olhar.

– Concordo, se isso não lhe for difícil. Mas, diga-me, a quem vou dever este favor?

– Sou Gotfried Verenfels, tutor do pequeno conde Tancredo – respondeu o rapaz, levantando-a com seus fortes braços, como a uma criança.

Estranhos sentimentos perturbavam Gotfried enquanto ele dirigia-se para o castelo com a sua leve carga. Um tremor nervoso provocado pelo susto ainda passava pelo corpo da condessa. Esse tremor parecia contatar o coração do rapaz despertando nele alternadamente admiração e um ódio hostil que sentia antes de conhecê-la. E a mãozinha branca enfeitada de brilhantes que descansava em seu ombro pesava-lhe como chumbo.

Ele sentiu-se espiritualmente aliviado quando finalmente colocou a condessa num dos sofás do seu *boudoir*. Aquele lindo quarto, iluminado com lâmpadas de vidros róseos, parecia feito especialmente para Gabrielle. Iluminada por aquela claridade mágica, a jovem mulher parecia a Gotfried de uma beleza irresistível. Ele dizia a si mesmo que nunca na vida tinha visto traços tão perfeitos, rosto com tão delicada cor e olhos tão brilhantes e claros com longas e curvas sobrancelhas.

Gabrielle, por sua vez, somente agora podia ver nitidamente o rosto do improvisado cavalheiro. Por um instante, olhou-o com uma estranha expressão, mas, recompondo-se, estendeu-lhe imediatamente a mão e agradeceu vivamente.

– Vou imediatamente informar o ocorrido ao conde – disse Gotfried, beijando respeitosamente os finos dedos da jovem mulher.

– Mas, não. Wilibald passou a tarde toda com forte enxaqueca e necessita descansar. Não o incomode.

– Neste caso, vou informar ao conde Arno.

– Também não é necessário. A impetuosidade dele acordaria todo o castelo. Não quero que ninguém vá buscar o médico até de manhã, pois não sinto que tenha acontecido algo de grave e posso suportar até lá.

O jovem rapaz, deixando a condessa, foi ter com o castelão[2] e mandou-o enviar um mensageiro à cidade para que o médico chegasse no castelo pela manhã. Também ordenou que o ursinho Ali-Babá fosse novamente recolhido à jaula. Feito isso, voltou ao seu quarto para dormir, mas a imagem de Gabrielle não o abandonava. *"Ela é realmente tão bela que faria enlouquecer a qualquer um"*, pensava Gotfried. *"Pobre Arno, agora entendo o perigo que ronda o seu coração."*

[2] *Administrador do Castelo*

Pela manhã, enquanto os criados vestiam Tancredo, Verenfels foi até Arno e contou-lhe o ocorrido na noite anterior. O jovem conde ficou muito preocupado e apressou-se em terminar de se lavar e foi ver sua madrasta.

– Aposto que foi o Tancredo que soltou novamente o Ali-Babá. Que menino maldoso! Poderia ter acontecido uma desgraça! – exclamou Arno, sentido. Depois, olhando de lado, perguntou, indeciso:

– O senhor viu Gabrielle? Ela não é maravilhosamente linda?

– Linda como uma fada, mas não tão benfazeja como esta – respondeu lentamente Gotfried. – Se ousasse fazer uma comparação, eu diria que a condessa mais parece uma sereia: linda e encantadora, mas mortal para aqueles que não possuírem a sabedoria de Ulisses[3] e se aproximarem dessa sedutora de cabelos negros.

O jovem conde enrubesceu fortemente.

– Entendo a delicadeza e a profundidade de sua observação, Gotfried, que faria jus à sabedoria do próprio Ulisses. Mas agora vamos rápido até lá. Pode ser que ela esteja se sentindo pior.

No vestíbulo eles encontraram o médico que voltava dos aposentos da condessa. Ele tranqüilizou Arno dizendo que o machucado da condessa não era sério, que o inchaço na perna desapareceria em alguns dias e que, no geral, ela estava perfeitamente saudável. A condessa pediu para levarem-na ao terraço para tomar o desjejum com a família.

Quando Verenfels chegou ao terraço com o seu aluno, a condessa já estava lá, deitada numa longa poltrona e sorrindo, enquanto respondia às perguntas de Arno. Gotfried olhou-a com atenção e convenceu-se de que, apesar do acidente, sua espantosa beleza não tinha medo da luz do dia e a cor de safira dos seus olhos claros revelava-se em todo o seu esplendor. Suas roupas, simples mas finas, caíam-lhe muito bem. Vestia um *peignoir* azul-pálido de seda, com bordados e lacinhos brancos. Suas pernas estavam cobertas com uma manta de cetim, e uma echarpe bordada cobria seus cabelos negros arrumados em duas longas tranças.

Tancredo correu para a mãe, abraçou-a e beijou-a com carinho. Gabrielle retribuiu o beijo, depois, afastando-o levemente e respondendo com leve inclinação da cabeça à profunda reverência do tutor, disse:

[3] *Ulisses – um dos mais célebres heróis da mitologia grega. Neste caso o autor faz referência ao episódio da Odisséia, de Homero, em que o herói, Ulisses, ordenou a seus marinheiros que tapassem seus ouvidos com cera para que pudessem resistir ao cântico das sereias que atraíam os marinheiros aos rochedos – nota da editora.*

– Como você é impulsivo, meu filho! Você me desarrumou toda!

Arno puxou o irmão para perto de si e disse, rindo:

– Agora peguei o seu perseguidor e não o solto mais.

Mas o garoto escapou dele e ajoelhou-se diante da mãe.

Nesse instante, o conde apareceu no terraço e, visivelmente nervoso, aproximou-se da esposa.

– Como se sente, querida? Está sofrendo muito? Acabei de saber sobre o seu acidente e fiquei desgostoso por não terem me avisado disso imediatamente.

– Acalme-se, Willibald. Eu proibi que o perturbassem. O médico disse que em alguns dias estarei completamente curada.

– Mas, de qualquer jeito, preciso saber quem soltou o urso.

Tancredo, ao ouvir isso, enrubesceu. A condessa, percebendo a expressão do filho, levantou os olhos para o marido e com um sorriso encantador disse, apertando-lhe a mão:

– Tenho certeza de que o urso escapou sozinho. Mas, se houver algum culpado, então lhe rogo que não o procure. Eu ficaria desesperada se você tivesse de castigar alguém justamente no primeiro dia de minha chegada. Não posso deixar de me criticar pelo susto bobo que levei, pois deveria perceber que o ursinho é manso. Naquele momento, perdi a cabeça. O Sr. Verenfels salvou-me não tanto do urso como de mim mesma.

O conde sorriu e, aproximando-se do médico e de Gotfried, cumprimentou-os, agradecendo a este último o favor prestado. Em seguida, tomou das mãos do criado a bandeja com a refeição da condessa e começou a servi-la pessoalmente, ajudado por Arno. Este não tirava os olhos da madrasta.

Verenfels comeu em silêncio, sem se intrometer na conversa. Aproveitando o momento em que o conde levantou-se, aproximou-se para relatar sobre a inspeção feita na véspera e os dois enredaram-se numa animada conversa. Nesse ínterim, Arno dirigiu-se ao médico pedindo-lhe que voltasse no dia seguinte para trocar o curativo na perna da paciente. A condessa foi deixada por instantes sozinha.

Ela encostou-se nas almofadas, semicerrando os olhos, mas, por debaixo dos seus longos e negros cílios, lançou um olhar escrutinador sobre o tutor com quem o marido conversava tão amigavelmente. Ainda na véspera ela percebera a beleza máscula do rapaz e agora podia ainda mais livremente ver o seu rosto de caráter, a elegante desenvoltura de suas maneiras e a enérgica tranqüilidade de toda sua figura, testemunhando que ele estava mais habituado a mandar do que a obedecer.

Seu olhar encontrou-se com o de Gotfried, mas os grandes e negros olhos do rapaz passaram por ela com fria indiferença. Gabrielle enrubesceu até a raiz dos cabelos, e suas finas sobrancelhas fecharam-se. Aquela indiferença atingiu-a como uma ofensa. Ela estava acostumada a ver os olhos dos homens de todas as idades e de todas as camadas dirigirem-se para ela com admiração e que, mesmo em silêncio, admirassem a sua beleza real. Então, como este seu subordinado ousava ser cego? – perguntava-se ela, irritada. Ele nem aproveitava o favor que houvera feito para tentar ocupar uma posição de maior poder?

Seus pensamentos foram interrompidos por Tancredo, que, terminando de tomar sua refeição, voltou novamente, ficou de joelhos perto dela e, com expressão de desespero, deitou a cabeça nas almofadas.

– Por que está tão triste, meu ídolo? O que significa esta testa enrugada? – perguntou ela, passando o dedo na testa do menino.

– Não quero sair de perto de você e não quero estudar – sussurrou ele. – Se você soubesse o quanto eu devo estudar e como ele judia de mim! E, se eu não o obedecer imediatamente, ele me bate.

– Não me diga! Como isso pode acontecer? – Gabrielle ergueu-se impulsivamente.

Naquele instante Gotfried terminou a conversa com o conde, olhou para o relógio e chamou Tancredo:

– Tancredo, é hora de estudar!

O menino não se mexeu. Gabrielle, lançando um olhar encantador ao jovem rapaz, pronunciou com um sorriso:

– Estou colocando um pequeno veto na sua decisão. Parece-me cruel obrigar uma criança a estudar com o tempo lindo que está lá fora e peço conceder-lhe umas férias.

Gotfried olhou para o conde, parado atrás da poltrona da condessa, mas este balançou a cabeça negativamente.

– Lamento, condessa, ter de contrariar o seu desejo, mas o conde, incumbindo-me da educação de Tancredo, concedeu-me o direito de programar as suas obrigações. Acho que lhe dou bastante tempo para brincar e descansar, mas em virtude de sua desmedida preguiça, não posso concordar com a interrupção de seus estudos.

Gabrielle mordeu os lábios e, medindo Gotfried com um olhar de frio desprezo, deu-lhe as costas e disse com desdenho:

– Imagino, Willibald, que você não abdicou do direito de mudar as ordens do tutor de seu filho, principalmente quando essas ordens obrigam a criança a um trabalho acima de suas forças.

– Condessa – disse Verenfels, ficando levemente pálido –, antes da minha chegada Tancredo teve tantas férias que seus conhecimentos estavam abaixo dos de uma criança de sete anos. Aliás, tudo o que fiz foi com a anuência e a aprovação do conde. Mas se as minhas ordens não são do agrado da condessa, estou pronto a hoje mesmo deixar o cargo.

O conde fechou o rosto.

– Pare com isso, Verenfels. O senhor sabe que eu não suportaria a sua saída. Quanto a você, querida Gabrielle, peço-lhe que não interfira em nada que se refira à educação de Tancredo. Aprovo inteiramente as medidas úteis e racionais do sr. Verenfels e espero que você também seja uma mãe sensata.

Tancredo levantou-se vermelho de raiva e pronto para replicar, mas Gotfried não lhe deu tempo para isso:

– Vá para o seu quarto – disse ele severamente. – Você ouviu o que disse seu pai. Então vá e comece a estudar. E sem discussões.

– Mas este sujeito é muito rude! Como você permite a um serviçal seu falar nesse tom com o conde Reckenstein? – exclamou ela e tão alto que Gotfried ao sair pôde ouvi-la. – Oh! Meu pobre Tancredo!

Seu rosto ardia de ira e os lábios tremiam.

Vendo o escândalo que se armara, Arno, muito pálido, olhava com perturbação para a madrasta.

O conde, entretanto, acostumado desde longa data aos caprichos e cenas agitadas da esposa à menor contrariedade, nem se alterou. Empurrou uma cadeira para perto da poltrona, beijou a mão dela e disse amigavelmente, com seriedade na voz:

– Minha querida Gabrielle. Deus é testemunha da minha felicidade com a nossa reconciliação, e sei que a minha primeira obrigação é fazê-la feliz e satisfazer aos seus desejos. Você não deve pensar que eu seja indiferente à criança com a qual você me presenteou e que eu a entregaria com imperdoável negligência a ordens de alguém rude e cruel e que a judiasse sem motivo. Não estou criticando-a, pois o que passou está esquecido, mas devo lembrá-la de que quando você me devolveu Tancredo, ele era um menino com revoltantes manias, preguiçoso e surpreendentemente ignorante. Uma jovem mãe, frágil e amorosa como você, não pode controlar um caráter como o dele. Para isso é preciso um homem enérgico e firme, resumindo, um homem como Gotfried, que disciplinou Tancredo e obrigou-o a atingir surpreendentes resultados. Por isso, peço-lhe, não arruíne o plano de seus estudos, que aprovo inteiramente, e não se oponha ao poder que concedi a Gotfried.

– Não posso suportar que ele bata na minha criança, meu ídolo em quem ninguém até agora encostou um único dedo.

– Se o ídolo merece que batam nele e não obedece de outra forma, o que fazer? – observou o conde, sorrindo. – Aliás, fique tranqüila. Um insignificante número de castigos, bem merecidos, não prejudicou nem a beleza nem a saúde de Tancredo. Você mesma notou que ele está mais bonito e percebeu que o menino está mais forte e ligeiro como um gato. Quando você conhecer Verenfels mais de perto, terá por ele o mesmo respeito e a mesma confiança que tenho. Então, peço-lhe, não o trate tão ofensivamente e nem como a um subordinado. Esse homem é da melhor estirpe, e nobre de uma linhagem tão antiga como a nossa. Somente as desventuras do destino e a necessidade de prover o sustento de sua mãe e sua filha obrigaram-no a assumir o cargo de tutor.

– Ele é casado? – exclamou Gabrielle, sem levantar os olhos.

– Viúvo. Seu pai, um velho barão, perdeu todas as suas propriedades. Mas como Gotfried já foi proprietário de terras e possui grande conhecimento nesse ramo, com a sua experiência descobriu muitos abusos em Reckenstein que eu não podia perceber por estar doente. Esse homem, incansavelmente e com esforço exemplar, colocou tudo em ordem e economizou desse modo considerável soma de dinheiro. Resumindo, ele tornou-se o meu braço direito.

– É verdade, o sr. Verenfels é um homem digno e justo, apesar de sua severidade com Tancredo. O garoto insubordinado só tem medo dele – interrompeu Arno, feliz com a conciliação que se instalava.

– Senhores, vejo que devo render-me aos vossos argumentos – pronunciou com esforço Gabrielle, com sorriso forçado.

– Agradeço-lhe, querida, por concordar comigo e ceder aos meus desejos – disse o conde, beijando-lhe a testa. – Agora, vou deixá-la, pois preciso tomar algumas providências, e você, Arno, substitua-me: esforce-se para distrair Gabrielle e seja um bom e subserviente filho.

Depois da saída do conde, Arno propôs à madrasta um passeio pelo jardim e mandou trazer a poltrona com rodízios que o pai usava quando estava doente. Quando logo depois o criado levou a poltrona até o terraço, Gabrielle disse, suspirando:

– A minha carruagem está pronta. Mas como vou conseguir chegar até ela com este pé machucado?

– Espero que a senhora me permita levá-la até a poltrona – disse o jovem conde, enrubescendo.

Um sorriso encantador iluminou o rosto da jovem mulher.

– Mas, claro! Não posso negar ao meu filho aquilo que permiti a um serviçal. Só imploro-lhe, Arno, não me fale mais sobre aquele homem rude – acrescentou, enquanto ele a colocava na poltrona.

Dispensando o criado, o jovem rapaz foi empurrando a poltrona de rodízios e, conversando animadamente, entraram nas alamedas sombreadas do parque. Aquele passeio a dois entusiasmava Arno. Gostaria de prolongá-lo eternamente e somente parou perto da sua predileta gruta artificial. A porta feita de casca de árvore e coberta de musgo levava a uma ampla sala de grandes pedras e estalactites. Duas janelas com arcadas pontiagudas lançavam uma penumbra misteriosa naquele abrigo, cheio de frescor. Numa das cavidades da gruta ouvia-se o murmurar de uma fonte que desaguava na piscina sobre a qual havia maravilhosas estátuas de mármore representando Eros[4] e Psique[5]. No meio de plantas raras que formavam um bosque, haviam sido colocados lindos móveis em forma de conchas em volta de mesinhas de palha; do teto desciam lâmpadas.

Com um certo esforço Arno conseguiu empurrar a poltrona para dentro da gruta e, tirando o chapéu de palha da cabeça, enxugou a testa. Depois, deu uma volta pela sala e colheu um buquê de rosas vermelhas.

– Adoro este lugar, o ar aqui é tão fresco e perfumado! – disse ele, aproximando-se de Gabrielle. A jovem mulher, reclinando a cabeça no espaldar da poltrona e com as mãos deitadas nos joelhos, dirigiu o olhar com uma estranha expressão para um grupo de árvores e parecia esquecer tudo à sua volta.

– Em que está pensando, Gabrielle? – Ele pôs as flores em suas mãos. Ela estremeceu.

– Estava pensando – respondeu ela – sobre um dia de minha juventude, que este lugar me recordou.

– Sua juventude? A senhora é a própria encarnação da juventude e da beleza! – Arno riu alegremente.

---

[4] *Eros – divindade do amor entre os gregos, é designado como o deus das paixões, título este que inspirou muitos poetas e artistas; freqüentemente representado asssociado a Psique – nota da editora.*

[5] *Psique – mulher do Cupido ou do amor, personificação da alma. O mito da psique é de origem platônica; simboliza o destino da alma decaída, que depois de muitos anos se une para sempre ao amor divino. Muitos viram nele a promessa de um renascimento, de uma vida futura e de uma felicidade eterna. Psique tinha por símbolo a borboleta, que parece imortal por causa de sua transformação de lagarta em borboleta – nota da editora.*

– Entretanto, é assim. Eu pensava sobre o tempo passado, há mais de dez anos – respondeu Gabrielle, com um profundo suspiro. – Eu tinha na época 15 anos e três meses. Cheguei a Reckenstein para passar férias na casa do meu tutor junto com a minha fiel Lucy, aquela parente que o senhor conheceu na minha casa em Paris. Aqui, nesta mesma gruta, neste mesmo lugar onde o senhor está sentado neste momento, Willibald me propôs casamento. Na época eu sonhava com uma vida totalmente diferente.

E ela suspirou novamente.

– O que a senhora está me contando fará este lugar ainda mais caro para mim – disse Arno, enrubescendo levemente. – Mas, querida Gabrielle, por que suspira? Não seria um suspiro de lamento? A senhora não se sente feliz?

– Sim e não. Seu pai foi sempre bom, muito bom para mim, e foi minha culpa não fazê-lo feliz. Ao ver esta gruta, veio-me à mente cada palavra, cada pensamento que encheu na época o meu coração. Mas, esqueçamos isso, o futuro é tão lindo e claro, sou tão amada e mimada. O que mais posso desejar? – Ela pegou o buquê e passou a aspirar o seu aroma. Em seguida, escolheu duas rosas vermelhas e prendeu-as em seu peito.

– Pena não ter um espelho por aqui. Gostaria de prender uma flor em meus cabelos, gosto muito disso.

– Eu lhe trago lá do castelo – apressou-se o jovem rapaz.

– Não, não é preciso. É só um capricho. Pare, Arno, e seja o meu espelho: prenda uma rosa no meu cabelo, eu confio em seu bom gosto.

O jovem rapaz apressou-se a cumprir o seu desejo. Mas, quando seus dedos encostaram nas mechas sedosas, ele empalideceu e sua mão tremeu.

– Lamento não ser um pintor – disse ele tentando ocultar a emoção.

A jovem mulher parecia nada perceber:

– Ainda me resta uma rosa. Esta é para você, meu bom e amável filho a quem devo tanto.

Ela pegou a última rosa e encostou-a nos lábios. Em seguida, com um sorriso bondoso e amigável e um olhar encantador de olhos úmidos, prendeu a rosa na lapela do rapaz. Percebendo sua emoção e seu embaraço, Gabrielle habilmente mudou de assunto. Passaram a falar de Paris, das festas que Arno pretendia dar, dos amigos a convidar, e o tempo passou tão rapidamente que Gabrielle aparentemente ficou bastante surpresa quando o relógio do castelo bateu as 12 horas.

– Oh, vamos almoçar aqui. Este lugar é tão lindo e fresco e não precisarei ser transportada. Olha lá, vem vindo o jardineiro. Chame-o, Arno, e mande que sirvam o almoço aqui.

Logo apareceu a encarregada acompanhada de dois criados com cestos e num instante foi servido um farto e belo almoço.

– Informem ao conde e a meu filho que o almoço foi servido.

– E ao senhor Verenfels – apressou-se a acrescentar Arno, corrigindo o esquecimento proposital da condessa.

Quando Gotfried entrou na gruta, Gabrielle estava sentada, negligentemente reclinada no espaldar da poltrona. Arno, em silenciosa adoração, abanava-a com um leque. Algo mexeu no coração de Verenfels contra aquela mulher leviana que, aproveitando a própria beleza, excitava os sentimentos do jovem rapaz separado dela por um abismo. Quando chegou o conde com Tancredo, Arno empurrou a poltrona até a mesa e Gabrielle, com um lindo sorriso, cumprimentou o marido e o filho.

– Como Arno se saiu no cumprimento das obrigações de cavaleiro andante? – perguntou o conde. – Você se distraiu?

– Eu sim, mas Arno deve estar amuado. Ele demonstrou uma incrível paciência e me abanou com o leque com a perícia e a persistência de um escravo romano. Depois, conversamos muito. Contei-lhe que nesta gruta você me pediu em casamento. Mas, Deus do céu, agora me lembro que aqui nós também notamos o primeiro dente de Tancredo.

O conde sorriu.

– Pois é. Este é um lugar cheio de recordações.

– Como prêmio, enfeitei Arno. E, para você, querido Willibald, guardei uma de minhas rosas que depois do almoço vou colocar em sua lapela.

Ela continuou a tagarelar e brincar, ignorando completamente Gotfried, que se sentou em silêncio à mesa e não participava da conversa. Aquele desprezo inamistoso constrangia os condes e eles tentavam cercá-lo de amabilidade forçada. Por várias vezes o olhar da condessa passava pelo rosto do jovem rapaz que, com uma fria indiferença, parecia nada notar.

No instante em que Arno enchia a taça de vinho que a condessa, com um sorriso coquete, estendeu-lhe, seu olhar encontrou-se com o olhar de Gotfried. Os olhos escuros do rapaz não expressavam admiração e sob aquele olhar severo e perscrutador ela baixou os olhos. A taça tilintou na mão ligeiramente trêmula da condessa. No olhar do rapaz, ela leu: *estou vendo o seu jogo criminoso e o seu constrangimento ao perceber que foi desmascarada*. O conde, naquele momento, lia uma carta e, em seguida, começou a falar sobre ela com Arno e nenhum deles percebeu a pequena cena. O constrangimento de Gabrielle, porém, foi passageiro. Levantando a cabeça, ela disse desdenhosamente:

– O senhor Verenfels é um severo espartano que aparentemente não aprova que mulheres tomem vinho. Se eu oferecesse ao meu enteado uma taça cheia de veneno, o senhor não me olharia com olhar ainda mais severo.

Gotfried sorriu, e o seu frio e ardido olhar dirigiu-se desdenhosamente para o belo rosto de sua inimiga:

– Lamento, condessa, que o meu inofensivo olhar lhe tenha desagradado. Aliás, imagino que uma mão tão linda e delicada seja incapaz de oferecer veneno numa taça.

– Então, como ela ofereceria?

Gabrielle sorria, mas seu olhar em fogo consumia o atrevido rapaz. Ele inclinou-se e, baixando a voz, perguntou:

– A senhora gostaria de saber como?

– Sim.

– Por exemplo, no aroma de uma rosa. Dizem que o perfume da flor também é um veneno mortal.

Gabrielle, empalidecendo, virou-lhe o rosto. Mas como o almoço havia terminado, todos levantaram e os criados limparam a mesa rapidamente.

– Tancredo, venha cá – chamou a condessa. O menino correu rapidamente até ela e abraçou-a com ardor.

– Ah, meu ídolo, você é demasiadamente fogoso. E, depois, não é bom que você esteja crescendo tanto. Eu nem deveria reconhecê-lo – um menino tão grande me envelhece prematuramente. Você vai acabar sendo somente o filho do pai.

Dizendo isso, ela puxou para si a cabeça da criança e cobriu de beijos seus lábios, olhos e os sedosos cabelos.

– Willibald, você pode orgulhar-se do seu filho, pois ele é bonito como um jovem deus. Em Paris, nas águas, na Itália, todos ficaram loucos por esta criança encantadora. Ele ficará ainda melhor quando vesti-lo nos trajes que trouxe, apropriados para o seu tipo de beleza. Arno – dirigiu-se ela ao enteado –, para o senhor ele será um concorrente perigoso entre as mulheres bonitas e destruirá muitos corações.

– Não preciso me preocupar com isso – respondeu rindo Arno. – Antes de o Tancredo se tornar esse terrível Don Juan eu já terei mais de 30 anos e serei um homem sério.

– Casado e pai de família, espero – acrescentou o conde.

Mas Tancredo entendeu mal as palavras do irmão e, ficando vermelho, correu até ele.

– Você pensa, Arno, que ainda não sei cortejar uma dama? Você está muito enganado. Aprendi tudo com o barão Lene, o conde Bomon, o dom Manoel de Rivaça e outros admiradores da mamãe que nos visitavam. Posso tão bem como você oferecer um buquê, portar um leque ou um livro e lançar tais olhares...

Tancredo levantou os olhos com uma expressão de apaixonado tão cômica que ambos os condes caíram numa incontida gargalhada. Gabrielle enrubesceu.

Somente Gotfried permaneceu sério e olhou com desaprovação para a mãe volúvel, merecedora de profunda crítica por despertar uma vaidade imbecil no coração do seu filho elogiando sua beleza. A condessa percebeu esse olhar.

– Percebo que o nosso severo tutor está insatisfeito – disse ela desdenhando –, e temo que o pobre Tancredo vá pagar em dobro pela minha adoração maternal.

– É verdade. Não lhe darei oportunidade para treinar essas capacidades das quais ele se gabou agora – respondeu calmamente o rapaz.

– Verenfels faz bem em transmitir-lhe conhecimentos mais úteis – observou o conde, levantando-se.

– Você está indo embora, Willibald, mas eu queria oferecer-lhes algumas balas que trouxe de Paris. – E a condessa fez beicinho. – Corra, Tancredo, e diga à Cecília para que ela lhe entregue a caixinha incrustada. Ela provavelmente já a desembrulhou.

– Voltarei a tempo de experimentar as balas, mas antes preciso dar algumas ordens no viveiro de faisões. Venha comigo, Arno. O senhor, Gotfried, fique aqui, entretenha a condessa e passe-lhe um bom sermão sobre as obrigações de uma mãe sensata.

Verenfels pretendia sair, mas essas palavras o retiveram. Ele entendia a intenção do conde de restabelecer de qualquer maneira as boas relações, mas como a jovem mulher imediatamente após a saída do marido recostou-se no espaldar da poltrona e fechou os olhos, então ele, encostando-se a um enorme vaso de porcelana com flores, ficou olhando em silêncio para ela. Numa pose negligente e lasciva ela parecia a encarnação da tentação. Como se sentisse o seu olhar sobre si, Gabrielle abriu os olhos de repente.

– Estou aguardando, meu caro senhor.

– O que ordena, condessa? – perguntou ele com certa surpresa.

– O que ordeno? – repetiu ela ironicamente. – Não ouso lhe ordenar nada, pois isso me foi categoricamente proibido. Mas estou esperando o sermão que o meu marido incumbiu-o de me passar.

– O conde estava brincando quanto ao sermão, condessa. Não tenho nenhum direito de fazer isso. Mas como a senhora levantou essa questão, então permita lhe dizer que fará o seu filho muito infeliz se continuar a tratá-lo com tanta insensatez. A beleza da criança pode extasiar seus pais e todos à sua volta, mas provocar nele a vaidade, falando-lhe sobre as suas qualidades físicas – e isso me parece criminoso. Não existe nada mais asqueroso do que um homem afeminado, janota e fanfarrão, que pensa que a beleza física pode ocultar a sua ignorância e o seu vazio espiritual. Tancredo será assim, já cheio de janotismo, se a senhora não parar com a sua fraqueza para com ele. A senhora está irritada comigo e o que lhe disse agora também não lhe agradou. Mas Deus é testemunha que tudo o que faço é somente em favor do garoto sob a minha tutela.

Gabrielle ouvia, olhando para o bonito e enérgico rosto do seu interlocutor, mas não teve tempo de responder, pois Tancredo entrou correndo acompanhado do criado que trazia uma enorme caixa de bombons; em seguida voltaram os dois condes. Um pouco mais tarde a condessa disse estar cansada e pediu que a levassem para seus aposentos.

Conforme previsão do médico, ao fim de uma semana Gabrielle estava completamente curada, e suas pernas serviam-na com eficácia. Para ela isso era importante, pois sua natureza agitada não suportava ficar parada. A jovem mulher inventava sem parar novos divertimentos e Arno a ajudava com grande dedicação. Organizava cavalgadas, festas na aldeia, e acabou convidando toda a família para passar um dia com ele em Arnoburg, o que deixou a condessa entusiasmada. Ela nunca havia pisado lá e ardia de ansiedade para entrar como vencedora no ninho de seus antigos inimigos.

Dois amigos que o jovem conde aguardava também chegaram e ele os apresentou em Reckenstein. Eram dois irmãos – barões de Lucen. Impressionados com a beleza e a inteligência da proprietária do castelo, eles passaram a adorá-la com entusiasmo, o que era necessário a Gabrielle.

Finalmente chegou o dia tão esperado. O conde protestou dizendo que o número de pessoas participantes era muito pequeno e que aquilo seria muito monótono. Arno prometeu-lhe que estaria tudo em família, que ele ficaria livre de passeios prolongados e que o médico e o juiz chegariam à noite para jogar cartas com ele.

Era meio-dia, a carruagem aguardava junto ao saguão e os fogosos cavalos batiam impacientemente os cascos no chão. O conde e Gotfried, vestindo luvas e com o chapéu nas mãos, andavam de um lado para outro no vestíbulo.

– Haja paciência! – exclamou o conde, olhando para o relógio. – A arrumação das esposas para sair é uma verdadeira tortura dos maridos; mas o senhor, Verenfels, deve entender isso, pois já foi casado.

O rapaz balançou a cabeça, sorrindo.

– Oh, não! Minha pobre falecida esposa era uma mulher simples e modesta para quem se arrumar era o último dos problemas. Ela não fazia disso uma arte e eu não tinha posses para enfeitá-la. Mas é absolutamente natural que uma mulher da alta sociedade como a condessa tenha outras necessidades.

O conde suspirou. Ele sabia o quanto lhe custavam por ano aquelas necessidades mundanas da esposa.

Naquele instante uma das portas se abriu e nela apareceu Gabrielle levando Tancredo pela mão. Atrás vinha a camareira. Gabrielle usava um vestido branco que parecia bem simples, mas um especialista conseguiria avaliar os caros bordados que o enfeitavam de musselina e as raras rendas em sua capa e na sombrinha. Tancredo vestia um terno parisiense de seda de cor ocre com largo colarinho rendado, na cintura uma larga faixa vermelha orlada com uma franja, e uma touca vermelha cobria seus cabelos negros. Ambos estavam realmente tão bonitos que mereciam um quadro. Esquecendo de tudo, o conde olhou-os com amor e orgulho.

Notando o entusiasmo do marido, Gabrielle corou levemente e com amável simplicidade desculpou-se por tê-lo feito esperar.

– Estou inteiramente recompensado pela sua magnífica aparência e o terno do Tancredo é realmente muito bonito! – respondeu amavelmente o conde, ajudando pessoalmente a esposa a subir na carruagem.

O dia estava maravilhoso e quente. Gabrielle abriu sua sombrinha de vermelho vivo e tranqüilamente recostou-se nas almofadas. Ela estava de muito bom humor e conversava alegremente com o conde e até com Gotfried sentado à sua frente. Ela estava deslumbrante em seu traje branco, sob o mágico reflexo da seda vermelha da sombrinha que formava uma espécie de auréola em volta do seu rosto alvo. Não se poderia dizer que a jovem mulher brincando levianamente com o marido ignorasse o seu *vis-à-vis*. Mas este parecia insensível a cada vez que os seus olhares se cruzavam: os olhos grandes e aveludados do jovem rapaz expressavam somente um frio respeito. Desta vez, essa calma ofensiva parecia não irritar Gabrielle. Ela permanecia alegre e falou longamente com o conde sobre sua vontade de fazer um retrato seu com ele e os dois filhos para a galeria da família. O conde concordou facilmente.

Passaram pela floresta que cercava Reckenstein por todos os lados. Ao longe avistaram Arnoburg, elevando-se imponente sobre uma rocha isolada. Era uma enorme edificação, menos afetada pelo tempo e pelas inovações do que Reckenstein.

O castelo do conde Willibald com seus enormes jardins, colunas brancas e terraços – exceto as construções antigas – era um prédio moderno. Arnoburg, entretanto, pela aparência e pela construção, permanecera uma fortificação feudal. Naturalmente, os muros que cercavam o castelo haviam sido derrubados e a ponte levadiça não fora levantada sobre o largo fosso, coberto de folhagens e flores, mas a reforçada torre, com suas janelas estreitas, estava como antigamente, e a parte principal do prédio com telhados pontiagudos estava cercada de fantásticas torrinhas e balcões, semelhantes a ninhos de andorinhas. Na torre mais alta agitava-se alegremente ao sol a brilhante bandeira do proprietário com um brasão duplo.

Quando a carruagem passou sob a escura arcada e entrou no paço central, três homens parados em pé nos estreitos degraus aguardavam já com impaciência os convidados. Arno, todo radiante, abraçou o pai e o irmão, cumprimentou Gotfried pela mão e, em seguida, ofereceu o braço à sua madrasta para conduzi-la para a mesa posta que já os aguardava. Após a refeição foram conhecer rapidamente os quartos e voltaram para a sala. O conde, conversando com os barões Lucen, expressou o desejo de dar uma olhada no cavalo de raça que fora premiado nas corridas do ano anterior e que um dos irmãos trouxera a Arnoburg. Os jovens rapazes, apaixonados por esse esporte, propuseram ao conde ir imediatamente ao estábulo. Tancredo pediu autorização ao pai para acompanhá-lo; Gotfried também quis juntar-se a eles, mas Arno chamou-o:

– Gabrielle deseja que eu lhe mostre a galeria da família. Não gostaria de nos acompanhar, Verenfels? Quero lhe mostrar um retrato que dizem ser da autoria de Golbein: todos queriam vê-lo. Mandei-o para restauração e ontem ele foi entregue de volta.

O jovem rapaz aceitou o convite com prazer. Havia muito tempo que ele queria ver aquela galeria, mas não tinha sido possível porque ela estava sendo reformada. Eles subiram ao primeiro andar e, passando por uma longa série de salões de festa, chegaram a uma ampla galeria iluminada de um lado por altas janelas com arcadas pontiagudas e que ocupava inteiramente uma das fachadas do castelo. Essa enorme galeria com arcada cruzada, como nos corredores de mosteiros, tinha o piso revestido de lajotas em forma de paralelogramos brancos e pretos; nas paredes sobre escuros painéis, distribuíam-se em duas e até em três fileiras retratos de vários tamanhos, de meio-corpo e de corpo inteiro, de condes e condessas de Arnoburg – Reckenstein. Aqui e ali, em pedestais, resplandeciam ou armaduras completas ou pirâmides de armas caras, antigas bandeiras e diversos troféus.

Gabrielle estancou, encantada.

– Oh, que interessante! – exclamou ela, apertando com força o braço de Arno. – Por que em Reckenstein não temos uma galeria como esta? Gosto delas. Nelas se respira o passado, sob a visão imóvel dessas gerações passadas. Aliás, em nenhum outro lugar experimentei a estranha e arrebatadora sensação que senti ao entrar aqui.

– Tais galerias são curiosas, mostrando a história dos trajes no decorrer dos séculos – disse sorrindo o jovem conde. – Como esta reunião de antepassados tem a sorte de interessar à senhora, cara Gabrielle, então vou apresentar cada um individualmente. Comecemos pelo lado direito, a partir dos retratos mais antigos.

– O que é isto? Seriam lápides tumulares? – perguntou a condessa apontando as lápides com inscrições que estavam encostadas na parede.

– Estas lápides tumulares estavam num mosteiro arrasado durante a Guerra dos Trinta Anos. Algum dos meus antepassados retirou-as dos escombros e trouxe-as para cá, pois um dos membros da nossa família foi enterrado naquele mosteiro. Estas lápides pertencem aos séculos XI e XII e não é possível ler as inscrições. Somente em uma dá para distinguir o nome Gontlirom e de sua esposa Bertranda. Mas, eis aqui o primeiro Arnoburg – Reckenstein – Rupert e sua esposa Agnes.

E ele apontou para dois retratos pintados sobre madeira.

– E aqui, o seu neto Ebergard, que virou monge após sufocar sua esposa por falsa suspeita.

– Oh! Que monstro! – exclamou Gabrielle, afastando-se e desviando o olhar do severo príncipe vestindo armadura por cima das vestes monásticas.

Perguntando nomes e conhecendo as histórias sobre a vida das pessoas retratadas eles foram indo em frente. À medida que se aproximavam dos tempos atuais, a galeria tornava-se cada vez mais rica e cheia.

– O que é isso? – exclamou de repente a condessa apontando para duas grandes molduras cobertas por um tecido negro.

– Estes retratos estão ligados à triste lenda familiar e mostram a esposa e o irmão de Arno de Arnoburg, que a senhora pode ver ali.

Ele apontou para um retrato de mesmo tamanho, mostrando um nobre de aparência agradável num elegante traje da época de Henrique II.

– Que lenda? Conte-nos, Arno, pressinto que deve ser algo trágico.

– Sim, é uma história muito triste. Mas é como nos contam as crônicas. Na segunda metade do século XVI, neste mesmo castelo viviam dois irmãos: Jean Gotfried e Arno, dois anos mais novo que o primeiro. Eles se gostavam muito e, quando o irmão mais novo, ao voltar de uma viagem à Itália, trouxe uma jovem esposa, Jean Gotfried recebeu-os de braços abertos. Bianca era filha de um nobre veneziano, linda como um sonho, mas mortal para aqueles que dela se aproximassem; todos deviam amá-la e, conforme as crônicas, em seu olhar existia um demônio que matava aqueles que se rendiam aos seus encantos. Sem compartilhar da opinião do cronista, suponho que Bianca era um ser bonito e perigoso ao qual era difícil resistir. O pobre Gotfried sofreu isso na própria pele. Infelizmente Bianca sentia por ele uma louca paixão. Ele deveria fugir, mas sem forças para isso e esquecendo o irmão, deixou-se levar por ela. Mas isso não foi suficiente para a fogosa e apaixonada italiana; ela decidiu livrar-se do marido que a reprimia e, certo dia, Arno foi encontrado esfaqueado; mas o golpe não foi mortal e o conde recuperou-se. Jean, que amava o irmão, apesar de traí-lo, cercou-o de todos os cuidados. Quando os olhos de Arno se abriram, ele cobriu o irmão de merecidas recriminações. Ao saber que fora Bianca que atentara contra a vida do próprio marido, Jean Gotfried ficou horrorizado e arrependido e foi dizer à cunhada que não queria mais saber dela e que iria se tornar monge para pagar pelo seu crime. Obviamente, aquela louca mulher implorou e conseguiu dele um último encontro de despedida. Nesse encontro, que aconteceu numa das casas de fundo do castelo, Bianca envenenou o seu amante e a si própria. Eles foram encontrados mortos num quarto isolado que Arno mandou emparedar imediatamente sem retirar de lá os corpos. Em seguida, mandou cobrir com pano negro os retratos dos dois criminosos. A partir daquela data ninguém jamais os viu.

Gabrielle ouvia tudo com brilho no olhar e uma atenção agitada.

– Sabe onde fica esse quarto?

– Não. Imagino que essa lenda não tem fundamento. Provavelmente os dois infelizes foram sepultados sem qualquer pompa, o que serviu de motivo para o boato.

– Oh, Arno, mande retirar este pano. Gostaria muito de ver o rosto da pobre mulher que pagou com a vida pelo seu amor.

– Não, não posso, Gabrielle – contestou o jovem conde, balançando negativamente a cabeça. – Não posso contrariar a vontade do meu infeliz antepassado; todos os seus descendentes respeitaram-na. Além disso, sou supersticioso, pois dizem que quem abrir estes retratos trará sobre a família uma série de desgraças.

– Que bobagem! Como se pode, nestes tempos modernos, ainda acreditar nesses contos de fadas? Imploro-lhe, Arno, retire o pano dos retratos. Sr. Verenfels, ajude-me. O senhor não gostaria de vê-los?

Gotfried balançou a cabeça.

– Não. Não se deve brincar com o destino e perturbar esse passado sombrio. Seja firme, conde, e não ceda. Para que ver o rosto de uma mulher traiçoeira que levou dois homens à desgraça, atentou contra a posse ilegal e destruiu a ligação fraternal dos irmãos?

– Meu Deus! Esse pobre Jean Gotfried era, obviamente, mais sensível à beleza. E que ironia ele ter o mesmo nome daquele que o critica tão severamente.

– Tenho pena da torpe fraqueza dele, mas condeno Bianca, pois não posso nem respeitar, nem ter pena de uma mulher leviana, fútil e criminosa, que atentou contra a vida do marido e do amante.

– Não é qualquer um que consegue ser um Catão[6], como o senhor – pronunciou ela, ruborizando de raiva e dando-lhe as costas.

Aproximando-se de Arno, ela começou a implorar-lhe com tal insistência para que descobrisse os retratos que o jovem rapaz foi perdendo a firmeza, e, quando surgiram lágrimas nos lindos olhos azuis, ele não pôde mais resistir. Pegou uma cadeira alta, subiu nela e retirou o pano preto que cobria um dos dois retratos. Debaixo daquele pano havia um outro, terceiro e quarto; o último foi retirado e caiu no chão levantando uma nuvem de poeira. Então Arno e Gotfried soltaram um grito de surpresa olhando para o retrato e depois para Gabrielle. Esta ficou pálida como o seu vestido branco e olhava em silêncio os traços da criminosa tataravó. Os três demoraram a recuperar-se, surpreendidos pela incrível semelhança entre o retrato e Gabrielle. Era o mesmo rosto pálido com traços perfeitos, a mesma expressão caprichosa nos lábios róseos, os mesmos cachos de cabelos negros; a diferença eram somente os olhos negros de Bianca, severos e apaixonados. O retrato fora pintado com maestria por um artista italiano. O vestido de brocado, bordado a ouro, fora pintado com uma

[6] *Catão – homem austero, aquele que aparenta austeridade ou virtude. O nome vem de Marcos Catão, cidadão romano do período republicano, cognominado o Antigo ou o Censor; era conhecido tanto pela virtude e pela sua luta contra o luxo quanto, por outro lado, pela rigidez de caráter, pela avareza e pela dureza – nota da editora.*

surpreendente nitidez. O brocado parecia tremer no alvíssimo pescoço, e o véu de gaze prateada que envolvia a jovem mulher parecia desfraldar ao sopro do vento que irrompia da grande janela aberta junto à qual ela estava parada. O seu rosto resplandecente, voltado para o observador, parecia tão vivo que só faltava falar. Somente o pincel de um artista extasiado poderia criar tal obra-prima.

– Que estranho! – pronunciou finalmente Arno. – Não fosse pelos olhos negros e pelo traje, poderíamos pensar que Gabrielle serviu de modelo para este retrato.

– Sim. Isto é muito estranho, em todo caso, prova que tudo o que parece comigo está destinado a pertencer à família dos Reckenstein – respondeu a jovem mulher, tentando sorrir. – Mas, Arno, agora precisamos retirar o pano do outro retrato. Estou morrendo de curiosidade para ver o rosto daquele que provocou tal paixão na minha antecessora.

Pensativo e também perturbado por uma febril ansiedade, o jovem rapaz, com mão trêmula, arrancou a coberta da outra moldura e o olhar dos três em silenciosa estupefação dirigiu-se para o retrato do conde Jean Gotfried. Era um homem bonito, com aparência ousada e uma boca escarnecedora. Seus grandes olhos cinza-azulados como aço brilhavam de orgulho e energia; a pequena barba cinzenta emoldurava seu rosto; debaixo da boina com uma pena apareciam cabelos da mesma cor cortados curto. Vestia botas de cavalaria e um negro traje de veludo que destacava sua elegante e firme figura. O jovem rapaz estava parado encostado a uma mesa; numa das mãos segurava uma luva e a outra mão repousava sobre o punhal que trazia no cinto. Também esse retrato era obra do mesmo pintor italiano. Mas o espanto dos presentes foi provocado não somente pela perfeição da obra, mas pelo fato de que, exceto pela expressão mais sisuda do rosto e pela diferença da cor dos olhos e cabelos, o conde Jean Gotfried era o fiel retrato de Gotfried Verenfels. Verenfels, pálido e emocionado, olhava aquela estranha figura que retratava ele próprio.

Arno foi o primeiro a voltar a si.

– Que incrível coincidência – pronunciou ele. – Gabrielle e Bianca têm o mesmo rosto; Verenfels é o retrato vivo do meu antepassado. Quem explicaria esse segredo da Natureza? Precisamos chamar meu pai e os outros para lhes mostrar esta maravilha.

E saiu quase correndo.

Os olhos de Gabrielle estavam cravados no rosto de Gotfried, absorto pela visão daqueles estranhos retratos. Instantes depois, ela disse com voz trêmula:

– Agora que vi o amante de Bianca, reconheço estar surpresa com o seu gosto. Como se pode gostar de um homem cujos traços expressam somente seriedade e frieza? Seus olhos frios, provavelmente, nunca expressaram amor e não acredito que ele correspondia à paixão da pobre e insensata mulher.

O jovem rapaz virou-se e dirigiu à condessa um olhar profundo, iluminado por um brilho incomum.

– Mas, por que não? Admito que o jovem conde poderia estar encantado pela beleza de Bianca. Aliás, condessa, é provável que esteja certa. Estar encantado por uma bela mulher que o seduz não significa amá-la. O homem não abandona a mulher que ama, mas morre apertando-a em seus braços. Entretanto, não há dúvida que o ato desonroso sempre traz consigo o castigo, e o homem que entrega seu coração à vontade das paixões de uma mulher morre cedo ou tarde. Condessa, se a sua suposição estiver certa, então a paixão de Bianca é compreensível; a frieza desencadeia a chama, e o amor rejeitado costuma ser o mais persistente.

Gabrielle ouvia sem desviar o olhar. Pela primeira vez ela via fogo em seus grandes olhos negros, e em sua voz, sempre calma, ouvia-se algo imperceptível, indeterminado. Ela estremeceu e, com sorriso forçado, disse:

– O que quer que seja, não é engraçado que duas personalidades tão pouco interessadas uma na outra como nós revelem-se cópias vivas destes antigos Romeu e Julieta? Espero que nesta vida não sejamos fatais um para o outro.

O jovem rapaz curvou-se respeitosamente.

– Condessa, esse perigo ameaça somente a mim, e espero que o destino me poupe.

Gabrielle ruborizou-se, mas não teve tempo de responder, pois seu marido, acompanhado por Arno e os dois barões, entrou apressadamente na galeria. O conde estava emocionado e pálido.

– Isto é imperdoável! – disse ele com irritação. – Como você pôde tratar com tal descaso as tradições de família, perturbar esse passado criminoso e atrair para si as desgraças do destino?

– Arno fez isso a meu pedido, Willibald.

– Oh, eu sei que nada resiste aos seus caprichos.

– Querido papai, como você pode acreditar nessa absurda superstição? – respondeu o jovem rapaz, com tom conciliador. – Graças a Deus, desde aquela época ninguém da nossa família teve morte trágica.

– Ninguém? – pronunciou o conde com amargor. – Você esqueceu do filho de Bianca que também foi morto.

– Como foi isso? – perguntou Gabrielle, perturbada.

– Bem, acalme-se. O que está feito está feito – disse o conde, recompondo-se. – Mas o acontecimento que citei foi realmente muito triste. Bianca deixou um filho que era o retrato vivo do conde Jean, mas tinha a mesma natureza apaixonada e desenfreada da mãe. Quando chegou a idade, ele apaixonou-se pela filha do joalheiro e, como tudo indica, casou-se com ela em segredo. Não conseguindo satisfazer a sua paixão, ele passou a lamentar aquele envolvimento e casou-se com uma jovem nobre. A pobre Rosemond, que já tinha um filho dele, opôs-se a esse matrimônio, mas foi inútil, pois não possuía provas do seu direito sobre o conde. Ela, aparentemente, conformou-se, mas, possuidora de grande beleza, conseguiu conquistar novamente o coração do traidor e marcou um encontro com ele no pavilhão de caça. No dia seguinte, Felipe de Arnoburg foi encontrado estrangulado com um cordame de seda durante o sono; seu filho, também estrangulado, foi deixado no pé da cama. Quanto a Rosemond, desapareceu sem deixar rastros.

– Alguns meses depois, a condessa Elisabeth deu à luz um menino que foi a continuação da família. Percebem, meu amigos, que tudo o que se originou desse casal criminoso trouxe infelicidade à nossa família? E sua incrível semelhança com pessoas vivas dá maior veracidade aos meus maus pressentimentos.

Conjecturando sobre o estranho acontecimento e após apreciar os dois retratos, todos saíram da galeria. A tranqüilidade havia sido rompida, a alegria silenciara: o conde ficara preocupado, a condessa estava triste e calada, e imediatamente após o chá a família dirigiu-se de volta para casa. Viajavam calados, cada um imerso em seus próprios pensamentos, e Gotfried nem suspeitava de que na escuridão do interior da carruagem os olhos de Gabrielle estavam cravados em seu rosto e seguiam cada expressão sua. A imaginação da mulher vestia-o nos trajes negros do retrato, colocava-lhe a boina com a pena e, talvez, brindava-o com os mesmos sentimentos que haviam perturbado o coração do conde Jean Gotfried de Arnoburg.

IV
A luta dissimulada

As semanas seguintes transcorreram sem maiores novidades. A condessa parecia alegre, estava invariavelmente meiga e carinhosa com o marido, leviana e maternal com Arno, imperdoavelmente fraca com Tancredo e somente em relação a Gotfried sua disposição de espírito estava em constante variação. Uma hora ela estava amável, boa e parecia ter prazer em sua companhia, em outra hora ela tornava-se arrogante, mordaz, teimosa, tratando-o como um subordinado, e parecia não suportar nem a sua voz. O jovem rapaz suportava essas imerecidas mudanças de atitude com uma imperturbável paciência, pelo que o conde era-lhe infinitamente grato e tentava de todas maneiras compensá-lo por tal injustiça.

Num dos períodos de disposição hostil, Tancredo estava particularmente preguiçoso e desrespeitoso. Gotfried castigou-o e deixou-o sem almoço. Gabrielle soube disso somente quando estava sentando à mesa; ficou vermelha mas nada disse, vendo que seu marido aprovara o castigo a que fora submetido o seu ídolo. Depois que todos levantaram da mesa ela sumiu.

O conde nada percebeu e sentou-se para jogar xadrez com Arno. Verenfels, adivinhando o motivo de seu desaparecimento, apressou-se a ir aos seus aposentos. Ele estava certo. Ainda de longe ouviu batidas na porta do quarto de Tancredo e, entrando na sala de estudos, viu a condessa. Ela trazia consigo um cesto com bolinhos e carne fria. Vermelha de raiva, tentava forçar a porta que conduzia ao local onde estava preso o seu mimado.

– Dê-me a chave! A chave! – gritava ela imperiosamente. – Quero ver o meu filho.

– Desculpe, condessa, mas enquanto Tancredo não reconhecer a sua culpa, não pedir perdão e não fizer suas lições ele permanecerá de castigo e trancado. Depois, se a senhora quiser, digo-lhe para ir vê-la.

– O senhor está querendo me dar ordens? – gritou a condessa, fora de si. – Ordeno-lhe que abra esta porta. Quero ver o meu filho, este infeliz mártir, exposto às suas atrocidades pelo idiota do pai.

O sangue correu pela face máscula do rapaz.

– A senhora está falando do pai de seu filho num tom que ele pode ouvi-la – disse ele, baixando a voz. – Agora, condessa, peço-lhe deixar esta porta em paz. Enquanto o menino estiver de castigo, ela não vai se abrir.

– Deixe isso, mamãe, e não se zangue – gritou Tancredo do outro lado da parede. – É mais fácil comover uma pedra do que ele, e eu prefiro passar fome a pedir desculpas a esse carrasco.

– Aconselho você a manter a boca fechada. Se eu abrir esta porta para obrigá-lo a calar-se, você não ficará muito contente – disse Gotfried num tom de voz tão conhecido de Tancredo que imediatamente tapou-lhe a boca.

Mas Gabrielle parecia ter chegado à loucura em sua ira. Com uma força que não se podia imaginar naquele delicado e transparente corpo, ela arremeteu contra a porta, puxou a maçaneta e quebrou-a. Gotfried ficou olhando-a por instantes como se olha para uma criança mal-educada, e já queria ceder para pôr um fim àquela cena, pretendendo depois comunicar o ocorrido ao conde. De repente Gabrielle voltou-se, desceu pelo balcão para o jardim e, como uma flecha, passou pela janela. Tomado de um pressentimento de que, pela teimosia, ela podia ter decidido cometer algum ato insano de infeliz conseqüência, correu atrás dela.

Nós já falamos que o local escolhido pelo novo tutor estava junto à parede de uma das casas de fundo do castelo. Ao lado do quarto de Tancredo e separada dele somente por uma sala de estudos havia uma torre redonda que de há muito estava desocupada. Podia-se entrar nela pelo jardim e subir pela escada em caracol para o quarto do primeiro andar. Dessa pequena sala, uma outra escada levava para baixo até o gabinete contíguo ao quarto de Tancredo e que se fechava à chave somente do lado de dentro. Mas a condessa não sabia que a segunda escada apodrecera e fora retirada para reforma; a outra, arcaica e sem corrimão, também deveria ser trocada.

Gotfried estava certo outra vez e alcançou Gabrielle à entrada da torre, mas debalde gritou-lhe: "não suba, isto é perigoso". A condessa, cega em sua exaltação, subiu com a leveza de uma sombra pelos degraus vacilantes. Verenfels empalideceu e, sem pensar no perigo, seguiu o mesmo caminho e alcançou a pequena sala no momento em que a condessa ia começar a descer a segunda escada da qual restavam somente dois ou três degraus. Mais um passo e ela cairia no precipício que viu de repente à sua frente; sua cabeça tonteou, mas alguém a segurou levantando-a como a uma pena. Recuperando-se, mas calada do susto, a jovem mulher percebeu que escapara da morte por milagre. Cambaleando e ajudada por Gotfried ela chegou até um velho divã revestido de tecido aveludado e gasto.

– Não se deve abusar da sorte. Mais um segundo e a senhora cairia e se machucaria – disse ele severamente zangado.

Gabrielle nada respondeu. Tapando o rosto com as mãos, ela desandou num choro convulsivo e essa reação fez desaparecerem a raiva e o medo.

Nenhum homem consegue ser indiferente às lágrimas de uma jovem e bela mulher, principalmente se ainda há pouco ele temia pela vida dela. As lágrimas geralmente deformam o rosto, mas naquela tentadora e perigosa criatura elas até caíam bem demais. Medo, raiva, tristeza – tudo parecia fazê-la ainda mais bela. Gotfried não foi exceção: com a adoração de um pintor, ele olhava para o rosto de Gabrielle coberto de lágrimas e, chegando perto, disse amavelmente:

– Acalme-se, condessa, a senhora escapou do perigo. Nunca poderia esperar da senhora um gesto de teimosia tão insano. Conceda-me um favor: acredite que só desejo o bem de seu filho.

Ela nada respondeu. Entretanto, Gotfried não poderia permitir que ela retornasse sozinha pelo mesmo perigoso caminho, pois facilmente sentiria tontura. Ele afastou-se e, encostando-se à janela, aguardou a mulher se acalmar. À sua frente estendia-se em densa massa o verde do parque sobre o qual abria-se um céu azul, sem nuvens. O rapaz mergulhou nos próprios pensamentos e um pesado suspiro levantou o seu peito, um suspiro de cansaço moral e ânsia de liberdade.

Naquele instante ele sentiu um leve toque em sua mão e o perfume de jasmim, o preferido da condessa. Voltou-se surpreso e viu diante de si Gabrielle. A jovem mulher transformara-se. As lágrimas ainda brilhavam em seus longos cílios, mas os grandes olhos azuis olhavam-no com expressão de sinceridade e arrependimento. Meio embaraçada, meio sorrindo, ela pronunciou: – *Perdoe a minha explosão e por ser injusta com o Senhor*. Mesmo tendo uma natureza de orgulhosa calma, o coração do rapaz bateu mais forte. Ele não esperava ouvir desculpas da sereia e aquele olhar encantador, brilhando com uma expressão vaga, aquela voz baixa e implorante, confundiram-no. Mas, recuperando-se imediatamente, ele pegou a mão que estava sobre a sua e beijou-a respeitosamente.

– Condessa, se a senhora considera-se culpada ante a minha pessoa, então lhe perdôo de todo o coração. Mas com uma condição – acrescentou ele, sorrindo.

– Que condição?

– Que se a maravilhosa dona do castelo repetir suas fraquezas maternais, eu terei direito de lembrá-la de nossa conversa nesta torre.

– De acordo. Mas também tenho uma condição. Não conte nada nem ao meu marido nem a Arno sobre esta louca atitude.

– Se a senhora assim o deseja, ficarei calado. Agora precisamos descer daqui. A senhora agüentaria isso depois do susto por que passou?

A condessa aproximou-se da saída, mas ao olhar a escada recuou, empalidecendo.

– Não consigo, sinto tontura. Como pude não perceber aonde ia?

– Vou descer primeiro e lhe darei a mão. Os degraus são mais fortes do que eu imaginava. Eles agüentarão a ambos.

– Estou com medo, pois podemos perder o equilíbrio.

Gotfried sorriu.

– Nada tema, condessa, não sinto vertigens.

Ele começou a descer, amparando a jovem mulher, mas mal haviam descido dez degraus, Gabrielle parou e fechou os olhos.

– Não posso mais, vou cair – balbuciou ela.

Percebendo que ela balançava e empalidecera mortalmente, Gotfried passou firmemente o braço em sua cintura.

– Segure-se em mim, condessa, e não olhe para baixo.

Ele continuou a descer com cuidado, não amparando, mas praticamente levando a condessa que se segurava nele firmemente. As tábuas apodrecidas estalavam sob os seus pés, e areia e pedras caíam no abismo. Ele respirou aliviado quando completou a última volta. Sua companheira não se mexia: como se tivesse desmaiado, permanecia abraçada a ele. Talvez estivesse se sentindo mal.

– Condessa, o perigo já passou. Já vamos pisar no solo – disse Gotfried virando a cabeça para Gabrielle. Mas naquele instante sentiu como se passasse pelo seu corpo uma descarga elétrica que parou sua respiração. Encontrou o olhar de Gabrielle dirigido para ele com uma expressão de amor tão apaixonado que, imediatamente, as atitudes, o ódio e os caprichos dela em relação a ele adquiriram um novo sentido. Esse olhar passou como um relâmpago, ela já estava olhando o precipício. Mas Gotfried já havia compreendido tudo, e como jovem rapaz influenciado pela beleza, não podia ficar indiferente a tal descoberta. O sangue subiu à sua cabeça e, ofegando, ele apressou-se a descer os últimos degraus.

O ar fresco do jardim aparentemente fez a condessa recuperar-se. Evitando o olhar do seu salvador, murmurou algumas palavras de agradecimento e desapareceu na alameda. O rapaz foi para o seu quarto com a cabeça quente, enevoada, e jogou-se na poltrona.

– Será que fiquei louco ou sonhei? – murmurou. – Não, aquele olhar não engana. Então, devo fugir e deixar o castelo. Aqueles olhos azuis aninham a morte e a desonra. Oh, preferiria mil vezes ter o seu ódio.

Entretanto, à medida que se acalmava, seu raciocínio levantava dúvidas sobre o amor de Gabrielle, e Gotfried perguntava-se se não tomara como amor o que era somente um ardiloso flerte. Por isso decidiu ser cauteloso, vigiar a jovem mulher e ir embora se isso fosse necessário, mas não antes, pois tinha pena de largar a sua posição privilegiada sem um motivo importante.

Os dias que se seguiram reforçaram nele a idéia de que havia se enganado. Gabrielle estava amável e benevolente com ele, mas decididamente não dava nenhum sinal de outros sentimentos. A predisposição cada vez maior que ela demonstrava por Arno convenceu-o finalmente de que aquela perigosa e volúvel mulher não suportava que ninguém ficasse indiferente à sua pessoa.

O mês de setembro terminava. O outono fazia-se sentir; folhas amareladas cobriam as alamedas do parque, chuvas freqüentes batiam nas janelas e muitos castelos vizinhos ficaram vazios; seus habitantes retornaram à capital, para retomar os negócios ou para se divertirem. A aparência triste da natureza parecia refletir-se também no rosto da maravilhosa proprietária do castelo de Reckenstein. Ela parecia preocupada e amuada. Certa vez, durante o almoço, falou-se sobre o retorno à cidade de uma família vizinha, e Gabrielle acrescentou que seguiria de bom grado esse exemplo. O conde deu a impressão de não haver entendido a indireta e declarou calmamente que preferia a pacífica vida familiar ao barulho e à agitação da capital e que iria passar o inverno em Reckenstein.

A partir daquele dia o rosto da jovem mulher ficou completamente sombrio. Ela ficou irritadiça, cheia de caprichos; parou de passear e não saía dos seus aposentos. O conde, aparentemente, não via nem entendia esses sintomas agitados, mas Arno acompanhava-os com muita atenção e, decidido a espantar qualquer sombra do rosto da adorada madrasta, certa manhã dirigiu-se aos aposentos dela.

Encontrou-a recostada numa grande poltrona. O *peignoir* de veludo negro forrado de cetim destacava suas formas elegantes e muito mais a alvíssima cor de seu rosto e de seus braços que apareciam debaixo das largas mangas. O livro jogado no tapete demonstrava que ela pretendia ler. Cumprimentando-a, Arno puxou uma cadeira para perto da poltrona e, beijando a mão da condessa, disse com um certo dó:

– Querida Gabrielle, há muito tempo estou percebendo que a senhora anda triste, insatisfeita e preocupada, mas não sei a razão disso. Diga-me o que está acontecendo e esteja certa de que farei o que dependa de mim para afastá-la de qualquer problema.

A condessa aprumou-se.

– Eu sei que você é bondoso, Arno, apesar disso temo que me considere ingrata e insensata. Prometa-me ser compreensivo e... eu lhe contarei tudo.

Ela pôs a mão no ombro do jovem conde e, aproximando-se tanto a ponto de sua face quase tocar a face dele, olhou-o com olhos francos e implorantes.

Um forte rubor cobriu as faces de Arno e seus olhos brilhavam quando ele encostou os lábios na mãozinha que repousava em seu ombro.

– Conte-me, Gabrielle. A senhora não pode duvidar de mim.

– Gostaria que todos aceitassem com tanta compreensão as minhas fraquezas – pronunciou a condessa com um suspiro. – Então, confesso-lhe, Arno, que a idéia de passar frio durante todo o inverno neste local está definitivamente acabando comigo. Estou acostumada à sociedade e à diversão; sinto a necessidade de freqüentar teatros, ouvir um bom concerto, e não os gritos dos corvos. Isso tudo é possível sem maior trabalho, pois Willibald possui em Berlim uma casa completamente mobiliada, mas ele não quer ir lá porque continua ciumento como antes.

– A senhora está em condições de acusá-lo disso? – perguntou Arno, baixando os olhos.

– Bem, eu entendo que ele, adoentado e preguiçoso, não quer viajar e que o ciúme o atormenta quando viajo sozinha. Mas como poderia ele temer algo agora que você está comigo, Arno? Você é meu filho, meu irmão, meu protetor natural quando meu marido está ausente. Juntos podemos não perturbá-lo e também não mofar por aqui. E ninguém iria me condenar por dançar com meu enteado.

Rindo alegremente, ela apertou a mão do jovem rapaz que, completamente encantado, não tirava os olhos dela. Em sua imaginação, via-se no camarote do teatro sentado ao lado daquela atraente mulher como seu único protetor... via-se no salão de baile valsando com Gabrielle ao som da orquestra. "*Oh, como ela deve ficar maravilhosa num vestido de baile, coberta de rendas e brilhantes...*", pensava ele.

– Papai deve estar em seu gabinete – disse ele levantando-se. – Vou falar com ele imediatamente. Anime-se, Gabrielle, se for possível vencer, vencerei.

Colocando o dedinho nos lábios, ela enviou-lhe um beijo.

– Vá, querido Arno, e volte com boas notícias. Estarei esperando-o como meu salvador.

Animado e decidido, o jovem conde dirigiu-se ao gabinete do pai, que naquela hora ocupava-se tranqüilamente de suas contas. Ao ver o filho, ele parou de escrever e iniciou uma conversa amigável; mas o jovem rapaz, inteiramente absorto pelo seu plano, desviou o tema da conversa em argumentos a favor da vida na capital durante a temporada de inverno. No começo, o conde ouviu tudo calado e, em seguida, riu.

– Estou entendendo. Você veio como um enviado para transmitir o desejo de Gabrielle, pois as declarações diretas não surtiram efeito. Mas, meu filho, existem muitos motivos para não concordar com isso.

– Poderia indicar esses motivos?

– Sim, serei inteiramente sincero. Em primeiro lugar, acho que não se deve tentar minha esposa sem necessidade. Não posso deixar de dizer que ela voltou completamente diferente, que é bondosa e cheia de atenção para comigo. Mas sei por experiência própria o efeito inebriante que a vida mundana provoca nessa jovem e linda criatura, que anseia por admiração. Quando ela é arrebatada pelo turbilhão de prazeres, perde o senso de medidas e a minha saúde positivamente não me permite ir a todos os bailes, almoços, concertos, noitadas, exposições, teatros, etc.. Preciso de tranqüilidade. Para concluir, minha situação não permite gastos tão grandes. Só os trajes de Gabrielle consomem enormes quantias. Precisei de cinco anos de economia e vida isolada para preencher o rombo que três temporadas de inverno causaram às minhas finanças. Voltar a essa vida de loucura seria imperdoável, pois devo pensar em Tancredo e deixar-lhe uma herança sem dívidas.

Arno ouvia tudo atentamente.

– Reconheço a legitimidade dos seus argumentos, papai, mas me permita algumas objeções. Penso que manter uma jovem e bonita mulher trancada e num isolamento ao qual ela não está acostumada não será nada bom e, sem dúvida, perturbará mais rapidamente a paz e a tranqüilidade de que você tanto necessita do que algumas saídas para a cidade, pois, graças a Deus, você não é nenhum aleijado. E, finalmente, será que eu não sirvo para nada? Não seria natural que eu o substituísse ao lado de minha madrasta? Vou guardá-la como a uma irmã e o farei com toda dedicação, pois a honra do nosso nome para mim é tão cara quanto para você e não permitirei a mínima mancha sobre ele. Quanto à questão financeira, entendo a sua importância, mas me permita indicar-lhe uma solução simples. Possuo no banco estatal grande soma que se acumulou em virtude dos juros do capital durante a minha infância e das economias do meu avô, que era, como você bem sabe, um pouco avarento. Não preciso desse dinheiro, pois nunca gastei nem os juros. Peço-lhe que pegue esse capital acumulado para que possamos usá-lo nas despesas da casa e nos trajes de Gabrielle além do que quiser gastar.

– Mas o que você está dizendo, Arno? Nunca irei tocar na sua herança para bobagens! Nunca!

Ele ficou vermelho e balançou energicamente a cabeça. Mas Arno pegou a mão do conde, beijou-a e disse carinhosamente:

– Será que entre nós pode haver a questão do que é meu e do que é seu? Atendendo ao meu pedido você me provará a sua afeição e o definitivo perdão de tudo em que fui culpado diante de si durante tantos anos. Diga sim, papai, e verá como vamos passar um inverno alegre e feliz em Berlim. Subentende-se que a questão financeira ficará em segredo entre nós.

O conde abraçou-o e beijou-o na testa.

– Que seja como você deseja. Não tenho forças para lhe dizer um “não”, o que seria mais sensato. Aliás, prometo vigiar para que as despesas não passem dos limites. Agora vamos comunicar essa novidade a Gabrielle. Imagino a sua ansiedade.

O conde estava certo. A longa ausência do enteado deixara a condessa em tal estado que ela empalideceu quando pai e filho entraram em seus aposentos. O conde disse alegremente:

– Gabrielle, teu enviado ganhou a causa. Vamos passar o inverno na cidade.

Com um grito de alegria que escapou do fundo d’alma, ela jogou-se nos braços do marido e cobriu-o de beijos.

– Obrigada, obrigada, Willibald! Você positivamente é o melhor dos maridos. E queira ou não terá de dançar comigo, e não aceito desculpas.

– Bem, não sei se ainda vai querer dançar comigo quando estiver rodeada de jovens dançarinos – respondeu o conde, rindo.

– Oh, você é o melhor e o mais caro para o meu coração!

E ela encostou a cabeça em seu ombro.

– Mas, tenho um pedido, Willibald. Você me permite beijar o nosso bom Arno para agradecê-lo pelo alegre inverno que teremos? Devo isso aos argumentos dele que conquistaram o seu inflexível coração.

– Mas, é claro! Ele merece o seu beijo. Além disso, você deve procurar ganhar a sua boa vontade, pois ele se dispõe a me substituir e será o seu cavaleiro de honra. Seu Argos[1].

Radiante e alegre, Gabrielle abraçou o seu enteado e beijou-o na boca num longo e quente beijo. – *Meu Argos* – pronunciou ela, brincando. Mas o conde não percebeu o olhar ardoroso e encantador com que ela olhou nos olhos do jovem rapaz.

A notícia da decisão de abandonar Reckenstein foi uma surpresa desagradável para Gotfried. Ele suspeitava que Arno influenciara essa decisão e tinha pena do nobre e honrado rapaz que a sereia leviana atraía para o abismo onde ele poderia acordar tarde demais.

Três dias depois, Arno viajou para Berlim, pois o conde incumbiu-o de arrumar a casa. O rapaz passou a cuidar disso à larga. Renovou parte da mobília e das carruagens, consertou o estábulo e, para satisfazer Gabrielle, renovou também o amplo jardim-de-inverno, cujo estado deplorável a deixava triste. O conde Willibald mandara trancá-lo para evitar grandes gastos na ocasião em que reabrira aquele luxuoso exagero de seu avô.

Graças ao arrebatamento de Arno e ao seu dinheiro, o jardim-de-inverno readquiriu o seu antigo esplendor. Ele representava o fundo do mar com grutas e outras fantásticas edificações de estalactites e conchas; à sombra de arbustos exóticos estavam estátuas e náiades[2]; a fonte descia em cascata para dentro de uma piscina de mármore e os bancos de pelúcia cor de esmeralda convidavam ao descanso. À noite, quando as lâmpadas em forma de lírios e flor de lótus iluminavam os cantos escuros, quando a luz das lâmpadas brilhava como pedra preciosa nos respingos microscópicos da queda d'água, tinha-se a impressão de estar num mundo encantado.

No fim de outubro Arno informou que tudo estava pronto para receber a

---

[1] *Símbolo de vigilância – nota do tradutor.*

[2] *Náiade: as náiades eram as ninfas das águas correntes, rios e fontes. Aparecem já nos poemas homéricos: as lendas colocam-nas como filhas de Zeus. Representam-se como lindas mulheres, coroadas de flores, apaixonadas pelos divertimentos e pela música – nota da editora.*

família, mas os negócios retinham o conde. Quando no início de novembro a viagem ainda não tinha sido marcada, a irritação de Gabrielle atingiu o seu apogeu. Seu marido, percebendo esse seu estado de ansiedade, compadeceu-se dela e disse certa vez durante o almoço:

– Já que os negócios ainda me retêm aqui, então, querida, proponho que vá junto com Tancredo, sem mim. E o senhor, meu caro Verenfels, irá acompanhar e proteger a minha esposa. Não me sinto bem fazendo esperar o meu bom e atencioso Arno, que está lá morrendo de impaciência da mesma forma que aqui sofre a minha querida caprichosa. Daqui a uns 12 dias irei para lá. Nesse ínterim Gabrielle terá tempo somente para arrumar as suas coisas, encomendar novos trajes e descansar até a minha chegada para as visitas que teremos de fazer juntos.

A condessa agradeceu o marido, mas, no mesmo momento, ficando vermelha de raiva e surpresa dirigiu o olhar para Gotfried, pois este em resposta às palavras do conde retrucou:

– Não é melhor eu ficar, conde, para ajudá-lo a terminar mais rapidamente os negócios? A condessa vai acompanhada de uma corte tão grande que me parece que o senhor pode ficar absolutamente tranqüilo quanto à sua segurança.

– Mas, não! Ela vai acompanhada somente de um criado e duas camareiras. Os outros criados irão comigo. Gostaria que fosse, senhor Verenfels. Assim estarei tranqüilo pela minha esposa e por Tancredo.

Após o almoço, quando o conde saiu, Gabrielle, indo para seus aposentos, parou na sala contígua à sala de jantar e, dirigindo-se a Gotfried, disse num tom sarcástico:

– Viajo amanhã. Se não estiver pronto, senhor Verenfels, dar-lhe-ei o prazer de permanecer aqui, mas sem Tancredo, que vai comigo. Como vê, sou generosa e lhe dou a possibilidade de evitar desempenhar o papel de Cérbero[3].

O jovem rapaz fez uma respeitosa reverência.

– Estarei pronto para acompanhá-la, condessa. Quanto ao papel de Cérbero, considerá-lo-ia por demais lisonjeiro para mim se é que há necessidade de tal guardião para a condessa de Reckenstein.

Seu olhar tranqüilo e autoritário transpassava como um sopro gelado o olhar ardente da jovem mulher que lhe deu as costas rapidamente.

Chegando em seu quarto, a condessa, de raiva, jogou-se no sofá. Aquele homem insolente ousara evitar a honra de acompanhá-la. Seria ele invulnerável,

[3] *Cão de várias cabeças que guarda a porta do inferno – nota da editora.*

o único insensível à sua beleza? Para o exagerado amor-próprio de Gabrielle a indiferença era uma ofensa; ela decidiu de todas as maneiras atraí-lo aos seus pés e vingar-se. Agora ela não pensava mais que ele era um subordinado, pertencente à classe de pessoas que costumava desprezar. Depois de ver a semelhança entre ele e o conde Jean Gotfried, a imagem de Verenfels perseguia-a. Uma tormenta desencadeava-se em seu peito, algo a atraía para ele e ela própria nem suspeitava da profundidade daquele vago sentimento.

No dia seguinte a condessa viajou para a cidade junto com o filho e Verenfels. Ela parecia ter esquecido a sua insatisfação e os caprichos. Estava alegre e cativante e, como Tancredo o tempo todo comia, dormia ou olhava pela janela, Gotfried durante toda a viagem serviu de objeto de seu habilidoso flerte. Como uma pessoa bem educada e dissimulada, ele respondia com amabilidades de bom-tom às amabilidades da encantadora mulher. Assim, num clima de amizade, eles chegaram a Berlim, onde Arno os aguardava no desembarcadouro.

A casa dos Reckenstein era antiga, sólida, construída durante o reinado de Frederico, o Grande, e conservava externa e internamente o estilo e a decoração do século XVIII. Ao adentrar no vestíbulo, Gabrielle teve uma grata surpresa ao perceber que tudo fora renovado com luxo. Seu prazer aumentava à medida que eles seguiam em frente pela longa fila de quartos. Ao ver o seu *boudoir*, aquele elegante ninho, com nova mobília, paredes e móveis revestidos com tecido cor de cereja, com espelhos em molduras douradas e muitas flores perfumadas, ela exclamou de satisfação:

– Obrigada, Arno, obrigada! Tenho certeza de que isto é um presente seu. Seu pai não faria isto: às vezes ele é muito calculista.

– Mas, não! Tudo isto é de papai. O meu presente de boas-vindas, minha cara Gabrielle, mostrar-lhe-ei após o almoço.

A condessa foi para o almoço encantadora e descansada. Havia tomado um banho e deixara soltos os seus cabelos, lindos e ainda molhados. Somente dois pequenos pentes de coral prendiam-nos de ambos os lados; as mechas sedosas e brilhantes desciam até o seu vestido simples de casimira enfeitado com uma faixa bordada em volta do pescoço. Parecendo não notar a admiração dos rapazes, ela, rindo, desculpou-se pela negligência de seu traje. Após o almoço, apoiada no braço de Arno, a condessa apressou-se para ver a surpresa prometida. O rapaz, radiante de felicidade, conduziu-a às salas de visita e, passando pelo salão de baile, parou à porta que levava ao jardim-de-inverno que antes estivera selada e coberta. Levantando a cortina, ele deixou Gabrielle passar a frente. Ela estancou, extasiada. Tudo naquele mágico local estava iluminado por uma luz amena e agradável que refletia nas cascatas e fontes; as conchas douradas ardiam em fogo; nas grutas reinava uma penumbra misteriosa. Tancredo e Gotfried também ficaram pasmados, mas o menino foi o primeiro a quebrar o silêncio:

– Arno, você é um mágico! – exclamou ele, batendo palmas.

A jovem mulher pareceu acordar de um sonho. E, sem ligar para a presença do filho e sua admiração, jogou-se radiante nos braços do jovem conde e beijando-o dizia: – *Obrigada, obrigada!*

Encostado em um grupo de estátuas de mármore, Gotfried olhava aquela cena, sentindo pena de Arno e raiva daquela mulher leviana e imoral que, aproveitando-se da honestidade inata do rapaz, deixara-o cego e injetava em sua alma um veneno mortal. É claro que aquele modo de agradecer era condizente com a maneira de uma irmã agradecer a um irmão ou de uma madrasta agradecer ao seu enteado, mas Gabrielle era suficientemente experiente para perceber que sentimentos perturbavam Arno e que se revelavam em seu olhar. Então, por que se permitir expressar agradecimentos daquela forma perigosa? Arno não se dava conta do que se passava em sua alma, mas um acaso poderia abrir-lhe os olhos. E como ficaria sua consciência quando percebesse que estava perdidamente apaixonado pela esposa de seu pai?

Como se percebesse o olhar de desaprovação sobre ela, Gabrielle olhou para Gotfried. Deixou cair os braços e um forte rubor cobriu suas faces.

Arno nada percebeu, pois estava muito excitado.

– Fiquei muito feliz com a sua satisfação, Gabrielle. Agora, permita-me conduzi-la ao divã junto ao qual está uma náiade: ela tem algo a lhe oferecer.

O local que ele indicava era particularmente bonito. Ali, encostada na parede enfeitada de estalactites, havia uma enorme concha dourada e dentro dela um divã de dois lugares. Ao lado da concha uma ninfa de mármore segurava na mão estendida um buquê de flores d'água cujas pétalas escondiam lâmpadas.

Quando Gabrielle sentou-se, Arno pegou dos pés da estátua uma caixa com incrustações de madrepérola e entregou-a à condessa.

– Isto é para mim? – perguntou ela examinando curiosa a linda caixinha com a coroa de conde na tampa.

– É claro que é para a senhora. É um presente que a ninfa oferece à sua maravilhosa rainha.

Dizendo isso, Arno mostrou à jovem mulher como abrir a trava secreta da caixa. Por dentro ela estava revestida de veludo azul-claro e dividida em dois compartimentos. Num deles estava um magnífico colar de brilhantes com fecho de rubis; no outro, um adorno de safiras. Por instantes, Gabrielle emudeceu de alegria e surpresa.

– Arno – disse ela, finalmente –, o que fiz para merecer este presente de rei, que tenho vergonha de aceitar? Isto, provavelmente, é uma jóia da família.

– Não se preocupe, Gabrielle. É claro que não tenho o direito de dispor das jóias da família, mas estes adornos pertenciam à minha avó. E quem, além da senhora, merece usar estes brilhantes, que são a minha lembrança dela, e estas safiras, que são uma cópia imperfeita dos seus maravilhosos olhos?

E ele beijou carinhosamente a mão dela.

Naquele instante entrou o criado e trouxe numa pequena bandeja de prata um cartão de visitas que entregou ao conde. Lançando um olhar no cartão, o rapaz levantou-se bastante contrariado.

– Desculpe-me, Gabrielle, preciso deixá-la por alguns instantes. Devo receber um velho conhecido meu. É um jovem brasileiro que conheci no Rio de Janeiro, depois encontrei em Paris e que agora está aqui. Marcamos um encontro ontem à noite, mas ele não pôde vir, adiando o encontro para hoje, o que esqueci completamente.

Ficando só, Gabrielle mais uma vez admirou os seus presentes; depois chamou Verenfels e o filho para ver. Mas somente Gotfried, que naquele momento examinava o jardim, atendeu ao seu chamado. Tancredo nada ouviu, entretido com o grande aquário que encontrara numa das cavidades da parede.

– Veja, sr. Verenfels, que magnífico presente recebi de Arno. Como ele é atencioso! Os outros enteados detestam as suas madrastas enquanto ele expressa por mim o mais dedicado amor.

Gotfried estava inclinado, examinando as jóias na caixinha; mas as últimas palavras da condessa fizeram-no levantar a cabeça e, dirigindo um olhar profundo e perscrutador nos olhos da moça, disse:

– Sim, condessa, isso é amor. Mas um amor não para a madrasta, mas simplesmente para a mulher. A senhora não pode deixar de perceber o tipo de sentimento que Arno tem para sua pessoa. Por isso, seu senso de dívida e compaixão deveriam proibi-la de pagar o amor dele com o mal, não envenenando a sua vida e a sua tranqüilidade. Obviamente, não tenho nenhum direito de dizer-lhe isso, por ser um estranho e um subordinado em sua casa. Mas o seu marido e o jovem conde sempre me trataram como amigo e minha consciência obriga-me a dizer-lhe: Condessa, não abuse de sua exuberante beleza e não empurre seu enteado para o abismo. Arno é tão nobre que deveria ser tão sagrado para a senhora de modo que não pudesse condená-lo à morte.

Gabrielle ouvia-o pálida e ofegante. Ela estava irada não tanto com suas palavras quanto com a fria tranqüilidade dos seus grandes olhos negros, olhando-a sem qualquer admiração. Aqueles olhos pareciam ler o mais profundo de sua alma e imperdoavelmente condenavam os seus criminosos flertes. Deixando cair os adornos, ela levantou-se e com orgulho e desprezo mediu-o dos pés à cabeça.

– O senhor está delirando em pleno dia, sr. Verenfels. Ou talvez a aparência fantástica desta sala anuviou tanto as suas idéias para julgar a simples amizade de Arno, sua dedicação de filho, seus sentimentos fraternos desta maneira tão vil. Ninguém pode me proibir de gostar de Arno, nem a mais rígida moral pode condenar o meu amor pelo filho do meu marido. Devo lembrar-lhe, meu caro senhor, que não é a primeira vez que se permite ultrapassar os limites que a sua posição prescreve. A amizade de meu marido não lhe dá o direito de ditar-me lições; o senhor foi convidado para educar Tancredo, e não a sua mãe. Sou capaz de guardar a minha honra e a da família sem os seus conselhos.

O ar desinteressado de Gotfried durante essa ríspida resposta, o estranho sorriso que passou pelos seus lábios levantaram uma tempestade de ira no peito de Gabrielle. E quando ele fez-lhe uma reverência e pronunciou sem qualquer emoção: – *Não deixarei de levar em consideração as ordens da condessa* – ela deu-lhe as costas e saiu rapidamente do jardim.

Em sua excitação, a jovem mulher foi para os seus aposentos pelo caminho mais longo através das salas de visita. Numa delas de repente viu Arno e um rapaz desconhecido conversando animadamente. Constrangida, a condessa parou; ela não podia voltar, pois os rapazes perceberam a sua presença e levantaram-se rapidamente.

– Desculpe-me, querida Gabrielle, por não avisá-la de que iríamos usar esta sala – disse Arno. Mas, já que o meu amigo teve esta sorte, permita-me apresentá-la a D. Ramos Dioza, Boello y Arrogo, conde De-Moreira. – Em seguida, dirigindo-se ao visitante: – Minha madrasta, condessa de Reckenstein.

O estrangeiro fez uma profunda reverência, mas os seus negros e ardentes olhos ficaram pregados no rosto da jovem mulher com tão apaixonada admiração, que um leve sorriso mexeu os róseos lábios de Gabrielle. Ela estendeu a mão ao brasileiro, e amavelmente convidou-o em nome do marido a visitar mais assiduamente sua casa. Em seguida, desculpou-se e saiu.

– Meu Deus! – exclamou D. Ramos, e seus olhos ardiam de entusiasmo. – Isso parece um sonho! Será que vi um ser humano ou uma visão celestial? Oh, conde, como o invejo de ser filho de uma mulher como esta! Para vê-la, admirá-la sem parar e pertencer-lhe eu ficaria feliz de me transformar em seu cachorrinho.

– Bem, D. Ramos, seu sangue tropical falou mais alto e de forma incontrolável – disse Arno, rindo. – O senhor poderá ver e admirar a condessa sem passar por essa difícil metamorfose se ficar em Berlim.

– Eu não pretendo viajar – respondeu rapidamente o fogoso rapaz.

Durante o chá, Arno contou a Gabrielle sua conversa com D. Ramos.

– Dizer que a senhora conquistou o seu coração é pouco. A senhora simplesmente fuzilou-o – concluiu ele rindo. – E temo que, na qualidade de guarda da honra, vou ter muito trabalho para manter dentro dos limites do bom senso a torrente de lava de seus sentimentos.

Nos dias seguintes a condessa quase não apareceu. Corria pelas lojas, fazia incontáveis compras e encomendas, preparando seu enxoval de inverno. Gabrielle encontrara na gaveta de sua mesa uma pasta recheada de dinheiro. Ela sabia quem lhe havia dado aquele dinheiro e seu coração enchia-se de alegria triunfante. O poder que ela adquirira sobre Arno e sua carteira abria uma rica fonte para seu gosto por prodigalidade, uma fonte desconhecida do seu marido a qual ela se preparava para usar à larga. Apesar dessa alegria inesperada, da perspectiva de vida de esbanjamento e luxo que lhe preparava o inverno, Gabrielle não estava inteiramente feliz. Um sentimento incômodo e secreto, um incompreensível vazio torturava a sua alma. Essa tristeza mudava para ímpetos de ira ao ver o homem cuja voz e cuja presença entretanto obrigavam o seu coração a bater mais forte, o homem que ela queria odiar mas que lhe era necessário como o ar se ela não o visse por muito tempo.

Após a cena no jardim-de-inverno Gotfried mantinha-se extremamente contido, evitando ao máximo a presença da condessa, limitando-se àquela porção de respeito que ele tinha obrigação de dar à dona da casa. Nunca falava com ela, e quando seus olhos se encontravam, o olhar dele passava pela condessa com fria indiferença parecendo não vê-la. Em tais momentos o coração de Gabrielle parava de bater; ela sentia vontade de matar o insolente, e o desejo de submetê-lo aos seus pés aumentava ainda mais.

Percebendo essa relação tensa, Arno decidiu perguntar a Gabrielle o significado disso. Certa manhã, às vésperas da chegada do conde, Gotfried estava de folga, pois Tancredo, com dor de cabeça, não podia ter aulas e fora dormir.

Aproveitando a oportunidade, o tutor foi à biblioteca ler revistas. Sentou-se junto à janela e concentrou-se na leitura de um interessante artigo científico quando de repente ouviu alguém entrar no quarto vizinho. Em seguida ouviram-se vozes de Arno e da condessa. Inicialmente ele não prestou atenção alguma a isso, mas uma frase do conde dita num tom mais alto obrigou-o a levantar a cabeça.

– Eu há muito quero perguntar-lhe o motivo do frio relacionamento que se estabeleceu entre a senhora e Verenfels. Ele parece evitá-la.

– Realmente, não sei. Eu presto pouca atenção ao estado de espírito de meus subordinados – respondeu negligentemente Gabrielle. – E não entendo como pode haver um relacionamento mais íntimo entre os senhores e a criadagem.

– Dói-me ouvir o que está dizendo, Gabrielle, e imploro-lhe que nunca use expressões tão injustas e descabidas quando tratar sobre uma pessoa tão respeitável que eu considero como meu amigo. Desconfio que Gotfried irritou-a de alguma forma. Mas como pode sentir tanta raiva para colocar ao nível dos criados a pessoa que educa o seu filho? Além disso, devo lembrar-lhe que, mesmo que a infelicidade tenha colocado Gotfried nessa posição de dependência, ele de qualquer modo permanece tão nobre quanto nós. A família dos barões Verenfels segue uma linhagem desde as Cruzadas e seu último representante não se distingue dos seus antepassados nem pela aparência inteiramente aristocrática, nem pelos nobres princípios.

O rosto de Gotfried avermelhou-se com as insolentes palavras de Gabrielle, mas, dominando-se com dificuldade, ele permaneceu no lugar, ouvindo o que se seguiria.

– Meu Deus! Pare de me criticar por causa desse homem pelo qual o senhor e Willibald estão decididamente apaixonados – respondeu brincando a condessa. – Melhor me dizer que cor devo escolher para o primeiro baile a que o senhor irá me levar em 1º de dezembro na casa do barão X.

– Como posso criticá-la, Gabrielle? Será que Verenfels permitiu-se algo assim? Pobre rapaz! Que azar não agradar à mais linda mulher do mundo!

– Falando nele de novo? Isso é simplesmente insuportável. Aliás, o senhor tem o dom da adivinhação. Parece-me que esse palerma me condena pelos atributos que a natureza me deu. Oh, desculpe, Arno, vou refazer a frase do modo que gostaria de ouvir. Esse distinto cavalheiro parece nada entender de beleza. Ele é um agrônomo notável: no campo e no estábulo ele está em seu ambiente, mas na cidade não se sente à vontade. Seu ideal, provavelmente, é uma saudável mulher do campo de grandes e grossas mãos e corada como uma papoula. Obviamente ele trocaria a Vênus de Milo por uma mulher assim, se é que percebe a diferença. Mas o mais provável é que ele não consiga distinguir uma vaca de uma mulher honesta.

A condessa falava com prazer encarniçado, elevando a voz e sublinhando cada palavra. Isso porque, ela de repente percebera Gotfried pelo espelho que refletia através da porta aberta a janela junto à qual ele estava sentado e parecia concentrado na leitura da revista.

Seguindo a direção do olhar de Gabrielle, Arno também viu o objeto da conversa e ficou vermelho até a raiz dos cabelos.

– Meu Deus! Será que ele ouviu? – sussurrou ele.

– Melhor assim – respondeu ela, com riso desafiador. – Mas vamos mudar de assunto. Voltemos ao que mais importa – o meu traje de baile. O senhor ainda não me disse qual a sua cor preferida.

– A cor rósea do amanhecer, juventude e... amor – disse Arno, olhando com veneração o lindo rostinho à sua frente.

– Então está decidido, usarei a cor rosa. Agora, até logo, pois a minha modista já está à minha espera.

Ela enviou-lhe um beijo pelo ar e desapareceu.

Com grande pesar, o jovem conde dirigiu-se à biblioteca, pretendendo de alguma forma justificar o comportamento descabido de sua madrasta. Mas, à sua chegada Gotfried, fechando o livro, levantou-se com tanta fleuma que Arno achou que ele nada ouvira da conversa. E, quando Arno convidou-o a ir à noite ao teatro e Verenfels aceitou o convite com entusiasmo, o conde convenceu-se definitivamente de que aquele episódio passara despercebido pelo rapaz, absorto que estivera na leitura.

No dia seguinte chegou o conde Willibald e foi carinhosamente recebido pela esposa. Depois, quando viu o luxuoso arranjo do jardim-de-inverno e outras coisas, balançou a cabeça e disse ao filho:

– Cumprindo sua missão você foi tão generoso, meu caro Arno, que receio ter em você reunidos o esbanjamento de seu bisavô e o esbanjamento de sua madrasta.

Finalmente chegou o dia do primeiro baile no qual deveria aparecer Gabrielle. O conde queria acompanhá-la, mas, desta vez, um leve resfriado deteve-o e foi decidido que somente Arno iria com a madrasta. À noite, o conde estava na sala de jantar junto com os filhos e Verenfels. Já haviam tomado chá e somente Tancredo continuava a roer torradas, folheando um livro de contos de fadas que havia recebido naquele dia do pai. Arno, calado e distraído, olhava freqüentemente para o relógio. Finalmente, levantou-se e acendeu as velas dos dois candelabros que estavam sobre a lareira.

– Para que esta iluminação? – perguntou surpreso o conde, que andava pela sala com Gotfried discutindo com ele o planejado desmatamento.

– Gabrielle vem mostrar-lhe seu vestido de baile – respondeu Arno, radiante. – Acendi mais luzes para enxergá-la melhor.

– O motivo é justo mas a sua preparação é precipitada – observou o conde, rindo. – Quando Gabrielle está se arrumando, é preciso armar-se de tripla dose de paciência.

Gotfried daria tudo para sair da sala. A lembrança das palavras ofensivas e imerecidas da condessa à sua pessoa deixava-o indignado por dentro; mas o conde voltou ao assunto anterior e tirou do rapaz qualquer possibilidade de desaparecer, mesmo para levar Tancredo para dormir, pois o menino teve permissão para aguardar a chegada da mãe.

Ouviu-se o sussurrar do vestido de seda e todos olharam para a porta. Gabrielle entrou na sala segurando na mão um *"sortie de bal"* e, sorrindo, parou entre a mesa e a lareira, iluminada pela luz da lâmpada e dos candelabros. Ela usava um vestido de cetim cor-de-rosa, coberto de babados rendados, levantados de um lado por longos ramos de rosas; os brilhantes refletiam-se como orvalho nas flores e nas folhas. Uma coroa de rosas semi-abertas enfeitava seus negros cabelos, e no pescoço trazia um colar de pérolas, presente do seu enteado. Jamais a incrível beleza da jovem mulher aparecera com brilho tão intenso; ela parecia ter 18 anos quando olhou para o marido com um sorriso franco e radiante. Até Gotfried não pôde deixar de admirá-la. Ela estava deslumbrante como Armida[4] e tão perigosa quanto esta. Arno, que a olhava em silencioso êxtase, era a prova disso. Os olhos do conde brilhavam de orgulho e amor quando ele aproximou-se dela e, beijando-a na testa, disse sorrindo:

– Hoje, no baile, você fará muitos infelizes.

Com ar de embaraçada a condessa encostou a cabeça no ombro do marido, mas sob os cílios semicerrados o olhar ardente e indeciso procurava o rosto do jovem tutor que, parado próximo ao bufê de madeira trabalhada, parecia inteiramente indiferente. Seus olhos negros passaram por ela como se não a perce-

[4] *Armida: dá-se o nome de "Armida" a uma mulher que, à beleza, junta a arte de seduzir – nota da editora.*

bessem, tão frios e desapaixonados como se olhassem para a mobília. Um tremor de raiva passou pelo corpo da mulher e ela rapidamente levantou a cabeça. O conde mais uma vez olhou-a com admiração.

– Nunca a vi tão linda, minha querida, e lamento não ter aqui um pintor.

– Papai, o sr. Verenfels é pintor – exclamou Tancredo. – Ele pinta lindos quadros e retratos.

– O senhor é pintor? – perguntou Arno, surpreso.

– Não passo de um amador e dos bem fracos – respondeu o rapaz, ruborizando levemente.

– O senhor é muito modesto, meu jovem amigo – disse o conde alegremente. – Mas como um artista, o senhor obviamente compartilha da minha opinião de que, neste vestido, Gabrielle é digna do pincel de um grande pintor.

– Infelizmente, conde, não posso expressar a minha opinião a esse respeito, pois, conforme diz a condessa, não consigo distinguir uma bela mulher de uma vaca. Além disso, segundo a condessa, faço parte da criadagem de sua casa, o que exclui minha participação em qualquer opinião de gosto e admiração, não permitidos aos criados.

A voz e o olhar do jovem rapaz estavam cheios de frieza hostil e, à medida que ele falava, o rosto da condessa foi empalidecendo.

– Gabrielle, o que significa isso? – perguntou o conde, franzindo a testa, com surpresa.

Sem nada responder, a jovem mulher deu as costas ao marido e saiu da sala. Arno seguiu-a e no saguão, ajudando-a a vestir o casaco de pele, sussurrou:

– Eu lhe disse que Verenfels não suportaria as ofensas imerecidas.

– Ótimo. Eu só quero que expulsem esse imbecil desta casa – respondeu ela, e seus lábios tremiam de raiva. – Seria demais se a suscetibilidade da minha criadagem chegasse a ponto de me dizer insolências.

Tentando acalmá-la de todas as maneiras e muito preocupado com a sua irritação, Arno sentou junto com ela na carruagem, esperando que a animação do baile e o triunfo que iria causar lá amainassem aquela situação ruim.

Após a apressada saída da esposa, o conde Wilibald mandou Tancredo para a cama, mas reteve Gotfried que queria seguir o seu aluno.

– Lamento muito – disse o conde ao ficarem a sós – que o senhor tenha sido ofendido tão grosseiramente em minha casa. E, ainda por cima, pela minha esposa. Agora, peço-lhe, Verenfels, conte-me o que aconteceu aqui na minha ausência. Desde a minha chegada, percebo que entre a condessa e o senhor existe uma inimizade oculta. Provavelmente, vocês discutiram de novo por causa de Tancredo. Mas por que ela presenteou-o com tais amabilidades?

– A condessa – respondeu Gotfried – disse as palavras citadas por mim na presença do conde Arno. Ele pode contar-lhe todos os detalhes que o senhor desejar. Em todo caso, entre a condessa e mim existem muitas diferenças. Ela exige de todos que sejam escravos de seus caprichos. Mas eu sou escravo do meu dever. Posso suportar, com o devido respeito, as suas insatisfações, mas permitir que ela me iguale à criadagem, dizer que sou tão imbecil e que o meu lugar não é nos salões, mas na estrebaria, no curral, etc., não está de acordo com a minha dignidade. Não posso ficar numa família onde sem qualquer motivo corro o risco de ser ofendido pela dona da casa. Aproveito a oportunidade, que procuro desde a sua chegada, para lhe agradecer, conde, pela sua bondade para com a minha pessoa, e para lhe pedir que procure alguém para me substituir. O senhor, naturalmente, entende e perdoa a minha decisão de deixar a sua casa o mais rapidamente possível.

O conde, em sombrio pensamento, ouvia-o sem interromper.

– Está bem, Verenfels, vamos deixar este tema por hoje. Falaremos disso depois. Boa-noite.

Ele apertou a mão do rapaz e, contrariado, foi para os seus aposentos.

No dia seguinte, pela manhã, Arno, como de costume, veio cumprimentar o pai e saber de sua saúde. O ar preocupado e irritado do pai fê-lo perceber que estava se preparando uma tempestade.

– O que aconteceu, papai? Você parece insatisfeito com algo.

– Estou e tenho um bom motivo para isso. Ontem à noite Verenfels pediu demissão e disse que quer deixar o mais rapidamente possível esta casa onde está sujeito às mais grossas ofensas. Assim, estou ameaçado de perder o meu braço direito e a pessoa que tem uma influência tão positiva sobre Tancredo. E devemos tudo isso aos estúpidos caprichos e ao revoltante tratamento a que se permite Gabrielle.

– Como isto é desagradável – murmurou Arno. – Mas, talvez, isto seja melhor, pois Gabrielle também exige que ele saia.

– O quê? Ela ainda ousa exigir que ele saia, depois de tê-lo ofendido sem razão alguma – disse o conde, empalidecendo de raiva. – Devo convencê-la do contrário de modo radical. Estou cansado dessas perturbações na minha casa causadas pelos caprichos de Gabrielle. Não quero que Verenfels vá embora e vou imediatamente dizer a Gabrielle que se ela não se desculpar com Gotfried e não fizer com que ele fique, volto com ela a Reckenstein ainda esta semana. Lá ela cuidará sozinha de Tancredo e lhe dará aulas, pois por diversão está expulsando aquele que a livra desse trabalho.

O jovem conde ficou vermelho até a raiz dos cabelos.

– Pai, você vai realmente exigir de sua esposa essa humilhação? Então, digolhe desde já que Gabrielle não vai aceitar fazer isso. O ato de Verenfels também exacerbou os limites. Não se deve dizer a uma mulher direita que não é possível distingui-la de uma vaca.

– Pode-se, sim, se essa mulher direita se esquece a ponto de provocar tal ato, colocando o tutor do seu filho ao nível dos criados. Vou pedir-lhe, meu querido Arno, que não se meta neste caso que se refere exclusivamente à minha pessoa e que deve terminar do modo que desejo. Gabrielle está aproveitando demasiadamente bem os prazeres da temporada de inverno na capital e se esforçará para não ser privada disso. Aliás, você sabe quem enviou para ela uma cesta de flores?

– Deve ter sido o conde De-Moreira. Não fique contrariado com isso, pai. D. Ramos é um excelente rapaz, mas como brasileiro ele é um pouco exaltado e a beleza de Gabrielle certamente ofuscou o seu bom senso.

O conde cerrou o cenho sem nada responder. Arno, extremamente tenso, apressou-se em sair. Preferia tentar acalmar-se ao ar livre e evitar de assistir às cenas que se seguiriam.

Estirada no divã do seu gabinete Gabrielle descansava após o cansativo baile. Ela brincava com a rosa que havia arrancado do cesto de maravilhosas flores colocado sobre a mesa ao seu lado. Distraída e pensativa ela amassava e arrancava as pétalas da flor e ficava evidente que aquele presente perfumado de D. Ramos, assim como ele próprio, não ocupava os seus pensamentos. Os sonhos da jovem mulher foram interrompidos pela camareira que veio informá-la da chegada do conde. Ela levantou-se visivelmente irritada, mas, disfarçando rapidamente este sentimento, deitou-se novamente no divã e, quando o marido entrou, seu rosto estava calmo e afável.

O conde estava preocupado. Fez uma reverência distraída à esposa e, sem beijar-lhe a mão como de costume, pegou uma cadeira e sentou-se à sua frente. "*Já sei, ele veio me recriminar pelo ocorrido de ontem*", pensou ela. Mas, num tom inocente, perguntou-lhe com pena:

– Como você está pálido, Willibald! Dormiu mal?

– Sim, Gabrielle, dormi mal e foi por sua culpa. Ontem, após a sua saída, Verenfels desistiu do emprego.

– Foi uma sábia ação após a desmedida insolência que se permitiu contra a minha pessoa.

– Ele agiu de acordo com a opinião que você expressou suficientemente alto para que ele ouvisse. Reconheço que a rispidez dele, provocada por você mesma, surpreendeu-me menos do que a ausência de tato e boa educação demonstrada pela minha esposa. Ofender com palavras grosseiras e indecentes a um homem honrado, que a infelicidade colocou numa situação de dependência de sua pessoa, é um caso inaudito para uma mulher de sua posição.

A condessa bocejou e, espreguiçando-se, disse:

– Meu Deus! Parece que você está me acusando. Será que eu sou tão prisioneira que na minha própria casa e conversando com meu enteado não posso expressar minhas opiniões? Pior para o sr. Verenfels se ele fica espionando e ouvindo por detrás das portas como um verdadeiro criado. Talvez essa atitude de muito ofendido seja para conseguir aumento de salário. Se ele se sente realmente ofendido, que vá embora! Ninguém irá chorar por ele.

O conde ouvia tudo com crescente raiva.

– Seus caprichos deixam-na completamente cega. Verenfels está decidido a deixar nossa casa, mas eu não quero perder esse homem. Ele é necessário para Tancredo, que se transformou sob a sua influência. Quando você me devolveu o garoto seu vocabulário e maneiras eram tais que parecia que havia crescido num ambiente pior que o da criadagem. Por isso vim aqui para lhe dizer que lhe proponho uma das saídas: voltar a Reckenstein para se dedicar inteiramente à educação do filho ou desculpar-se diante de Verenfels e convencê-lo a ficar, prometendo-lhe que no futuro irá tratá-lo de forma condizente.

– Você perdeu o juízo? – perguntou Gabrielle, sufocando de raiva. Suas finas narinas vibravam e, com dedos trêmulos, ela desfolhava a flor que segurava nas mãos.

– Estou com o meu juízo em ordem e repito que você tem até amanhã à noite para escolher. Depois disso, se Verenfels não mudar a sua decisão, vou levar todos de volta a Reckenstein. Não quero mais cenas desagradáveis em minha casa por causa de seus caprichos e fantasias. E juro pela minha honra que cumprirei a minha palavra: vou levá-la para o castelo e não darei nenhum táler para os seus vestidos. E não conte com Arno em relação a este ponto. Sentindo-se culpado por odiá-la antigamente, ele quer apagar essa culpa com a sua generosidade, como se fosse amor de filho. Eu posso proibi-lo de qualquer interferência neste caso.

Pálida e com olhar em brasa, Gabrielle saltou do divã tão impetuosamente que o cesto de flores rolou pelo chão.

– Você ousa propor uma escolha dessa a mim, sua esposa? – resmungou ela. – Você pretende me expulsar novamente com a sua grosseria? E, desta vez, por causa de uma pessoa qualquer que...

A sua voz falhou.

O conde também se levantou. Estava pálido, mas calmo. Ele já conhecia aquelas cenas de ira e reclamações, aquele inferno que o desgastara e envelhecara precocemente.

– Acalme-se, Gabrielle. Esses ataques de ira são prejudiciais à saúde – disse ele, pondo a mão em seu ombro. – Permita-me lembrar que você abusou demais dessas cenas que já não me impressionam. Eu lhe perdoei, mas não foi para você recomeçar esse joguinho. A minha paciência esgotou e você se esquece dos meus direitos sobre você. Sem a minha permissão você não irá embora como da primeira vez. Se o fizer sem o meu consentimento terei de me divorciar da mulher que abandonou por duas vezes a minha casa. Daí, você nada mais vai receber de mim, além da pensão vitalícia.

A condessa ouvia tudo com os olhos bem abertos e tremendo de raiva.

– Oh – exclamou ela, apertando a cabeça com as mãos – maldito o dia em que implorei pelo seu perdão e me entreguei a você, atada pelas mãos e pelos pés.

O tom autoritário e o duro olhar do marido convenceram-na que a ameaça era para valer. Num ataque de ira insana, ela jogou-se sobre o conde e gritou, batendo os pés:

– Saia daqui! Livre-me de sua presença nojenta! Eu o odeio! Você está ouvindo?

O conde recuou, empalidecendo e franzindo a testa, mas já tinha passado por muitas tempestades parecidas para se assustar com aquilo.

– Também sou de opinião que você precisa ficar só. Agora você já sabe o que eu quero e não vou recuar nenhuma vírgula na minha proposta.

Ao ficar só, Gabrielle foi tomada de um ataque de insanidade. Ela gritava, corria pelo quarto, rasgava o próprio vestido, batia com a cabeça na parede e, finalmente, esgotada, caiu no tapete coberto de pétalas de flores, pedaços de fitas, rendas e panos. Cecília, sua fiel camareira, que estava a seu serviço desde o seu casamento, sabia, por experiência, as medidas que devia tomar em tais casos. Ela levantou a condessa e levou-a para a cama. Em seguida enxugou o rosto dela com água de rosas, colocou uma compressa na testa e deu-lhe gotas de calmante.

A jovem mulher deixou-se à sua disposição; o ataque de insanidade fora substituído por um completo esgotamento. Aos poucos ela acalmou-se e caiu num sono pesado que durou algumas horas.

A condessa não apareceu nem no café da manhã nem no almoço. Tancredo quis entrar nos seus aposentos, mas Cecília não o permitiu.

No almoço o menino contou sobre sua tentativa frustrada de visitar a mãe. Gotfried entendeu imediatamente o motivo daquela doença, mas como o conde nada dissera sobre isso e nem falara sobre a conversa do dia anterior, Verenfels também ficou calado e apressou-se em sair e levar seu aluno para a sala de aulas.

Observando, desta vez distraidamente, o seu aluno que preparava a lição, o rapaz começou a pensar. A necessidade de deixar a casa onde ele contava encontrar um porto calmo e seguro constrangia-o demais. Junto com isso a imagem de Gabrielle perseguia-o. A idéia de aquela mulher estar amando-o em segredo não saía de sua cabeça.

Ele percebera na véspera o olhar ardente e traiçoeiro que procurava o seu. Mas agora ele afastava de si tal suposição, lembrando somente as palavras insolentes e de desprezo que ela dirigira a seu respeito.

V
Pedido de desculpas

Eram cerca de oito horas quando o criado chegou para informar a Govfried que alguém desejava falar-lhe e lhe pedia para sair no corredor. O rapaz levantou-se meio surpreendido e foi tomado de um sentimento de desconforto quando viu Cecília, a camareira da condessa.

– Desculpe incomodá-lo, Sr. Verenfels – disse ela, nitidamente constrangida –, mas a condessa enviou-me aqui para lhe pedir que vá por alguns minutos até os seus aposentos para tratar de negócios.

Verenfels franziu as sobrancelhas.

– Infelizmente, não posso cumprir a ordem da condessa e, que eu saiba, não tenho negócio algum a tratar com ela. Mas se ela quiser mandar me comunicar de que se trata, estarei à suas ordens.

Cecília não saía do lugar e torcia nervosamente a ponta do seu avental.

– Sr. Verenfels – disse ela de repente, baixando a voz –, peço-lhe que não complique ainda mais o que já está por demais complicado e não se negue a uma curta conversa que irá livrar a todos de grandes desgostos. Ouso dizer-lhe que hoje de manhã houve uma cena terrível entre o conde e a condessa. Às vezes, o velho senhor fica muito severo.

Gotfried compreendeu que a condessa decidira pedir-lhe desculpas por exigência do conde. Isso colocava o rapaz numa situação ruim. Mas ele não poderia, apesar de toda a repulsa que sentia, recusar aquele encontro.

– Está certo. Estou indo.

A camareira pediu-lhe para aguardar na pequena sala. Em seguida, levantando a cortina, disse:

– Entre, por favor. A condessa o espera.

Gotfried entrou no *boudoir* iluminado por uma lâmpada no teto; uma outra lâmpada sob um abajur rendado e forrado com seda vermelha estava sobre a mesa ao lado do divã. No quarto parecia não haver ninguém. O rapaz olhou em volta, surpreso, e no mesmo instante viu Gabrielle sentada no espaldar da janela coberto por uma almofada de pelúcia. Ela usava um *peignoir* branco que destacava sobremaneira suas longas e negras tranças.

Gotfried, ao vê-la, compreendeu imediatamente o quanto lhe custara aquele encontro. Ela estava tão pálida quanto seu traje branco, e suas mãos, descansando sobre os joelhos, estavam fortemente fechadas. Aproximando-se dela com uma reverência fria, ele encarou-a e perguntou:

– O que deseja, condessa? Estou às suas ordens.

Gabrielle quis responder, mas o tremor dos seus lábios impediu-a.

– Condessa, estou incomodando-a contra a própria vontade e espero que a senhora em breve esteja totalmente livre da minha presença – disse Gotfried com amargor.

A jovem mulher recuperou-se com grande esforço e, apontando para a cadeira, pronunciou:

– Quis vê-lo exatamente por causa disso: para lhe pedir que prossiga na educação do meu filho e não deixe a nossa casa.

– Condessa, isso é impossível depois do que ocorreu.

– Mas também quero expressar-lhe minhas desculpas por tê-lo ofendido e prometo que no futuro o senhor não terá motivos para se queixar de falta de respeito para com a sua pessoa. Se, mesmo assim, o senhor insistir na decisão de ir embora, poderá provocar o divórcio entre o meu marido e mim. Não creio que o senhor deseje isso.

Ela falava devagar como se lhe faltasse ar; em seguida calou-se e olhou para o seu interlocutor. Uma infinidade de diferentes sentimentos refletia-se no rosto bonito e expressivo do rapaz. Em primeiro lugar, ele teve uma surpresa desagradável; depois, ficou constrangido pela idéia de ter sido a causa de tal ameaça entre o casal. Mas quando seu olhar caiu sobre a inimiga, sobre aquela linda e jovem mulher que se humilhava diante dele, em seu coração acordou imediatamente toda a magnanimidade de cavalheiro; aproximou-se rapidamente de Gabrielle e, com sua característica sinceridade, disse:

– Vou ficar, condessa, e imploro-lhe o perdão pelas ríspidas palavras que me escaparam ontem e que lhe desagradaram. Isso é ainda mais grave, porque eu próprio sou culpado por ousar no jardim-de-inverno levantar descuidadamente o problema que a ofendeu. Vou agora dizer ao conde que ficarei para cuidar de seu filho. Deus me livre de ser a causa involuntária de uma desgraça familiar.

Gabrielle ouvia, encostada na janela e de olhos fechados. Sentimentos caóticos ferviam em seu peito. Ela odiava Gotfried pela sua frieza e pela humilhação que ele lhe custara. Mas, quando a continência hostil dele amainou, quando os olhos dele a olharam com ardente comiseração, toda a sua raiva desapareceu e deu lugar a um estranho e torturante sentimento, um encantamento insuperável, que a levava às nuvens.

As últimas palavras do rapaz fizeram-na levantar a cabeça.

– Por que o senhor diz "desgraça familiar"? Será que realmente imagina que a separação de um homem velho, doente e amargo seria uma desgraça para mim? Quando um quarentão tenta uma garota de 15 anos com seu título, sua riqueza e sua posição, a reação do coração é inevitável. Mas não pretendo mais negar. Sim, gosto de Arno e sua reprimenda no jardim-de-inverno foi bem merecida. Já que não posso pertencer ao meu enteado, então não quero o divórcio. Seria um crime o fato de eu amar Arno e querer que ele me ame?

– Não tenho competência para julgar uma questão tão delicada. Só posso ter pena de Arno. Mas, condessa, penso que a senhora está enganada quanto aos próprios sentimentos.

Gotfried falava sem qualquer segunda intenção, mas as palavras *a senhora está enganada quanto aos próprios sentimentos* provocaram uma forte tempestade em Gabrielle. Ela há muito tempo já desconfiava que tipo de sentimento incutia-lhe Verenfels; agora, sua emoção não lhe deixava nenhuma dúvida quanto à infeliz paixão que dominava o seu vazio coração. A consciência disso é que lhe incutira a idéia de mentir sobre seu amor por Arno.

O que significavam as palavras de Gotfried? Seriam uma opinião fortuita ou ele desconfiava da verdade, da verdadeira razão do seu ódio tão orgulhoso, explosivo e terrível? Parecia a ela que morreria sob o peso da humilhação pela idéia de que aquele frio e contido rapaz descobrira seu segredo. Naquele minuto seus olhos se encontraram e num instante Gotfried percebeu o que somente desconfiava. Os olhos azuis, sob a impressão passageira, revelaram o segredo e o rosto de Gabrielle ruborizou.

A condessa sentia-se derrotada. Todas as fibras do seu corpo tremiam, seu coração batia tão forte a ponto de estourar, tudo escureceu a sua volta e, temendo cair do espaldar da janela, ela levantou-se e, tateando, procurou o encosto da poltrona. Verenfels baixou os olhos involuntariamente e quis sair rapidamente, mas, percebendo a mortal palidez no rosto de Gabrielle – que com o olhar enevoado mal se mantinha em pé –, correu para segurá-la.

– Meu Deus! Está se sentindo mal, condessa?

A voz dele fê-la voltar a si; os dedos frios repeliram o braço dele. Mas, mal ela tentou se mexer do lugar, sua cabeça começou a girar e, esgotada pelas emoções daquele dia, ela caiu sem sentidos no tapete.

Gotfried, tão pálido quanto ela, ficou parado por instantes, olhando para a mulher desfalecida aos seus pés. Em seu peito também havia uma tempestade que obscurecia sua habitual presença de espírito. Saber-se amado é um perigoso veneno.

Recuperando-se com dificuldade de sua paralisia espiritual, ele apertou o botão da campainha e, com a chegada de Cecília, quis sair, mas a camareira reteve-o.

– Por favor, ajude-me a levar a condessa até a cama. A imbecil da Gertrudes ficaria fofocando entre a criadagem se visse que a condessa desmaiou durante a conversa com o senhor. Por isso não quero chamá-la e não conseguiria fazer isto sozinha.

Sem nada responder, o rapaz levantou Gabrielle e, seguindo a camareira que indicava o caminho, levou-a e colocou-a na cama. O dormitório de Gabrielle era um lindo quarto à altura de sua dona. As paredes e os móveis estavam revestidos de *moiré* branco; a cama com baldaquins estava enfeitada com cortinados do mesmo material e bordados a ouro; a lâmpada sob o abajur azul-claro disseminava uma luz suave semelhante ao luar.

Aquele ambiente mágico não podia deixar de impressionar Gotfried. Com o coração apertado, ele parou por instantes olhando para Gabrielle. Ela estava deitada sobre as almofadas rendadas, imóvel, de olhos fechados, pálida e translúcida como uma imagem ideal. Em seguida, ele desviou os olhos da perigosa visão e saiu rapidamente.

Cecília estava atrás dele, preocupada em procurar algo dentro de um armarinho cheio de frascos de remédios. Com a saída do rapaz, ela aproximou-se da cama e começou a cuidar da patroa. A esperta camareira conhecia a condessa nos mínimos detalhes, era sua confidente e tinha sobre ela uma grande influência oculta. Para Cecília, o motivo do ódio de Gabrielle ao tutor não era mistério: ela já o tinha adivinhado. Mas aquele amor oculto de sua impulsiva e manhosa senhora, mais resistente do que todos os outros nos anos que se passaram, não lhe agradava.

Os inúmeros admiradores da condessa traziam grandes lucros à camareira intrigante; mas uma paixão séria da condessa por um homem pobre não lhe serviria para nada. Para tentar conhecer os sentimentos de Gotfried, ela pedira-lhe para levar Gabrielle até a cama, e a saída repentina do rapaz desiludira-a. – *Mas, que idiota!*, – resmungou ela, tentando imaginar algum meio de desestimular Gabrielle. A fria continência daquele homem poderia se tornar perigosa e Cecília não suportava nenhum sentimento a não ser diversão passageira.

Verenfels voltou para o seu quarto muito preocupado. Quanto ao amor da condessa, ele já não tinha nenhuma dúvida. Mas aquela paixão colocava-o numa situação de extrema fatalidade. "*Vá embora, sem dar qualquer satisfação. Seu dever é deixar esta casa imediatamente*", sussurrava-lhe a sua consciência. "*É perigoso lutar contra o amor de uma mulher tão bela. Não brinque com fogo porque pode se queimar!* Mas uma outra voz, sob influência de um inexplicável sentimento, dizia-lhe: "*Você não pode ir embora depois de ter prometido ficar. Você não tem o direito de provocar uma briga familiar.*" Ele sentia-se preso por uma corrente invisível.

O rapaz encostou-se na parede, apertando com a mão a testa febril. Indeciso entre essas idéias opostas decidiu-se por um compromisso, o primeiro degrau da queda. Disse a si mesmo: "*Irei embora, mas não agora. Aguardarei a primeira oportunidade plausível.*"

Querendo acabar logo com aquela indecisão ele levantou-se e foi imediatamente falar com o conde, que naquele momento conversava com Arno, o qual tinha acabado de regressar a casa.

– Conde – disse ele, após um curto diálogo sem importância –, vim aqui me desculpar pela rispidez com que falei ontem e agradecer a sua confiança e bondade que superam os meus préstimos. Com profundo agradecimento resolvi ficar em sua casa e prosseguir na educação de Tancredo.

– O senhor se entendeu com a minha esposa? Ela prometeu ser mais consciencioso?

– Acabei de falar com ela e prometi-lhe nada fazer que a desagrade. Mas, conde, o senhor colocou-me numa situação embaraçosa, pois nunca imaginei que levaria tão a sério esta questão. É difícil ver quando uma mulher é obrigada a ceder. Para a condessa, isso foi tão difícil que ela até se sentiu mal quando saí dos seus aposentos.

Arno ouvia em silêncio, mas as últimas palavras de Gotfried fizeram-no soltar uma surda exclamação involuntária. Assim que Gotfried saiu, ele disse com preocupação:

– Pai, como pôde tratar Gabrielle com tanta severidade? A desculpa pessoal era absolutamente desnecessária. Verenfels, para ficar, contentar-se-ia com algo menor. Ontem, ele já tinha se vingado da ofensa. Pobre mulher! E se a sua saúde se abalar por causa dessa grande humilhação?

– Meu caro Arno, se você tivesse a sorte de ser marido de Gabrielle por 11 anos como eu – disse ele calmamente, com um amargo sorriso –, não se preocuparia tanto com esse desmaio. Deus sabe quanto sofrimento me custou esta felicidade invejável. Desejo de coração que o destino o livre desta sina e lhe envie uma esposa humilde, pura e amorosa como o foi sua mãe. Com ela eu desfrutei a verdadeira felicidade e a paz espiritual. As mulheres possuidoras de beleza demoníaca como Gabrielle, que provocam paixões, mas que nada oferecem ao coração, adorando somente a si mesmas, inevitavelmente fazem o homem infeliz. Estou acostumado a essas cenas familiares. Elas aconteciam sempre em virtude de minha teimosia, de minha negativa em me tornar mendigo. Gabrielle conseguiria empobrecer a qualquer um, mesmo rico como um rei, se lhe dessem liberdade.

O jovem conde baixou a cabeça. Apesar de sua cegueira, ele sentia que o pai tinha razão e que ele naturalmente devia ter sofrido muito para envelhecer prematuramente e ter forças para se opor à mulher que tanto amava.

– Você vai vê-la? – perguntou ele, baixinho.

– Não. Isso provocaria uma nova cena – respondeu o conde, calmamente. – Ela está muito zangada por eu tê-la obrigado a algo e não vai querer me ver. É necessário paciência. Naturalmente, nos primeiros anos de casado tais rusgas faziam-me perder o sono e a paz de espírito. Paguei enorme tributo à minha luta moral antes de adquirir a calma necessária para suportar tais cenas. Mas você, Arno, vá lá. Converse com ela e veja se há necessidade de um médico.

– Já que permite, pai, estou indo agora e tentarei acalmá-la.

O rapaz saiu muito preocupado com as observações do pai sobre as relações maritais e a idéia de entrar no santuário daquela cativante mulher.

Cecília recebeu-o alegremente à porta dos aposentos da condessa.

– Graças a Deus o senhor chegou, conde! – exclamou ela. – A sua presença vai ser boa para a condessa que está terrivelmente nervosa.

E, sem avisar a Arno que a sua senhora já estava na cama, deixou-o entrar.

Pálido, com o coração apertado, ele parou por instantes na soleira da porta; depois, com leve passo aproximou-se da cama e inclinou-se sobre Gabrielle que estava deitada de olhos fechados, enquanto lágrimas silenciosas caíam pela sua face empalidecida.

– Com se sente, querida Gabrielle? – perguntou ele, pegando a sua mão.

A jovem mulher abriu os olhos e, tentando sorrir, indicou-lhe uma cadeira perto da cama. Arno sentou-se e com palavras carinhosas tentou consolá-la e acalmá-la. De início, Gabrielle ouviu em silêncio; em seguida, levantou o corpo, puxou-o para si e, encostando a cabeça em seu ombro, desandou a chorar.

O rapaz ficou confuso e calou-se. Seu coração encheu-se de compaixão por aquela linda criatura, zangada e humilhada. Daria qualquer coisa para consolá-la. Com esse sentimento, que lhe parecia de irmão, ele inclinou-se e deu-lhe um fervoroso beijo na boca. No mesmo instante uma voz oculta gritou-lhe: "*Não se esqueça de que ela é a esposa de se pai!*" Sua cabeça rodou, ele levantou-se e, escapando dos braços de Gabrielle, foi quase correndo para o seu quarto.

Confuso, com o coração apertado, sentou-se na poltrona. Pela primeira vez veio-lhe a idéia de que amava Gabrielle não como um filho ou irmão, mas com uma insana e criminosa paixão. Sob o peso dessa consciência inesperada, apertou com as duas mãos a própria testa coberta por um frio suor. Estava claro que até aquele momento o seu comportamento não dera margem a críticas. De sua boca nunca saíra a palavra "amor"; mas o próprio sentimento parecia agora obrigá-lo a sair daquela casa que se tornara para ele o centro de permanentes tentações.

Mas só a idéia de não ver mais Gabrielle, de separar-se dela talvez por alguns anos, fazia seu coração estancar e todo o seu ser se revoltava. Não, isso nunca. Agora que ele sabia do perigo, tentaria evitá-la e venceria aquela sua fraqueza. Arno acalmou-se aos poucos e jurou a si mesmo nunca se permitir expor aqueles sentimentos que Gabrielle jamais os deveria conhecer. Beijara hoje, mas já houvera feito isso antes, na presença do pai e com seu consentimento. Não proferira uma única palavra que pudesse revelar o seu segredo e doravante seria mais cauteloso e contido.

No dia seguinte, a condessa apareceu para o almoço. Estava pálida, como se estivesse de convalescença, mas, ao ver Arno, estendeu-lhe a mão e disse simplesmente:

– Perdoe-me, Arno, o meu gesto impulsivo de ontem. Parece-me que o assustei. Mas, eu estava em tal estado nervoso, tão zangada que perdi a cabeça.

Essas palavras e o olhar amigável e inocente devolveram imediatamente a tranqüilidade do rapaz, que veio cumprimentá-la ruborizado e tremendo por dentro. Então ela nada percebera e nem suspeitara do significado de sua fuga precipitada. A chegada de Tancredo e seu tutor desanuviou de vez o constrangimento do jovem conde.

Com Gotfried a condessa limitou-se a um breve aceno. Instantes depois chegou o conde Willibald comportando-se como se nada tivesse acontecido e, aproximando-se da esposa, beijou-lhe a mão e disse-lhe algumas palavras afáveis. Em seguida, conduziu-a à mesa.

A partir desse dia houve uma visível mudança no caráter de Gabrielle. Sua alegria leviana e seus caprichos mudaram para uma indiferença a todos os habitantes da casa, começando com o marido e terminando em Tancredo. Com Arno ela era boa e amigável, mas contida, o que correspondia inteiramente à maneira de conduta do jovem conde. Estabeleceu-se entre eles um mudo acordo de evitar falar daquela noite memorável quando a condessa pediu desculpas ao ofendido tutor.

Ela evitava o quanto possível a presença de Gotfried. Dirigia-lhe algumas palavras somente quando isso era absolutamente necessário, e o rapaz poderia pensar que imaginara aquilo que vira por duas vezes se de vez em quando não percebesse o olhar de soslaio que fazia seu coração bater mais forte e despertava nele a vontade de fugir. Mas não aparecia um motivo respeitável para tanto. Aliás, se a condessa era apática e indiferente com os que viviam em sua casa, fora dela procurava diversão com uma ansiedade febril. Tentando aniquilar dentro de si aquele sentimento secreto que a consumia e não a deixava em paz, ela corria de festa em festa, sem perder nenhuma, imiscuindo-se na sociedade e deixando-se levar com insana dedicação pelo turbilhão de prazeres.

Naturalmente, aquela rainha da beleza, a alma e o ornamento de todas as festas, adquiriu uma multidão de fervorosos admiradores. Mas somente um deles parecia ter uma certa condescendência dessa tentadora e caprichosa mulher, zombadora, intocável e que aceitava a admiração como o devido tributo à sua beleza. O feliz escolhido que, como uma sombra seguia a condessa por onde quer que ela fosse, era D. Ramos De-Moreira. Às vezes ele era presenteado com um sorriso de incentivo ou um olhar flamejante. Conversando com o fogoso brasileiro, ela respondia à sua atenção com todos os recursos da sua brilhante e mordaz mente. Quando eles estavam juntos, parecia que algo demoníaco refletia-se nessas duas personalidades, igualmente fogosas, apaixonadas e mordazes. Um observador mais profundo perceberia, naqueles momentos, que a condessa queria extravasar sobre alguém o excesso de sentimento que transbordava de seu coração.

Aos poucos Arno foi tomado por um sombrio e doentio ciúme. Ele via que os olhos de Gabrielle acendiam-se quando ela conversava vivamente e com inteligência com D. Ramos, excitando cada vez mais a paixão do brasileiro com o seu fino flerte. O jovem conde sentia dores infernais, mas, sentindo dentro de si um amor criminoso, sofria em silêncio. Fiel ao seu posto de guardião da honra, ele seguia Gabrielle a todos os lugares, suportando até com exemplar estoicidade a amizade de D. Ramos, que, sem suspeitar de nada, dividia com ele seus segredos. Enquanto isso, o refinado instinto de ciúme dizia a Arno que Gabrielle nada sentia pelo brasileiro, que este lhe servia de brinquedo, um pára-raios para um outro sentimento oculto que consumia o seu coração. E perguntava-se com temor espiritual se não seria ele próprio o motivo das emoções secretas dela.

Somente um homem sabia da verdade – Gotfried. Mas o que ele poderia fazer, preso à sua função pela amizade cada vez maior do conde, que positivamente não podia passar sem ele? O rapaz limitava-se a tentar ficar distante o quanto possível na esperança de que aquele fogo oculto, não encontrando algo que o alimentasse, fosse apagando.

O conde Willibald não gostava nada da corte do brasileiro e do flerte de sua esposa com o fogoso rapaz. Sua insatisfação aumentou ainda mais quando soube que, para satisfazer seu insano luxo, Gabrielle fizera novas e grandes dívidas com seus fornecedores. Teve início uma série de cenas desagradáveis. O conde criticava severamente a esposa pela sua leviandade e ameaçava proibir a entrada de D. Ramos na casa e, somente cedendo a insistentes pedidos, concordou em pagar parte das dívidas, mas proibiu terminantemente novas encomendas. Arno, ao saber da briga, intrometeu-se no caso com o coração e ofereceu a Gabrielle, quando estavam a sós, uma grande soma de dinheiro. Ela aceitou alegremente e pagou além de tudo muitas contas sobre as quais não contara ao marido. Deste modo a paz foi restaurada. O inverno, aliás, estava acabando e chegava o tempo de voltar a Reckenstein. Com o término das cenas desagradáveis, o conde Willibald ficou mais fácil de ser convencido.

Gabrielle queria encerrar a temporada com um grande baile de despedida, e com a colaboração de Arno conseguiu a anuência do marido. Arno, pálido, triste, mas um fiel escravo de todas as manhas de Gabrielle, ocupou-se seriamente dos preparativos da festa na qual estaria reunida toda a alta sociedade da capital.

Alguns dias antes do baile, Gotfried, passeando com seu aluno no jardim botânico, encontrou lá um velho amigo de universidade que morava em Berlim e freqüentemente hospedava-se no hotel de Reckenstein. Verenfels evitava-o cuidadosamente não querendo, na sua posição atual, encontrar-se com seus antigos amigos. Mas, desta vez foi impossível evitar o encontro. O conde Levenstern dirigiu-se até ele imediatamente e, depois de ficar sabendo que viviam perto um do outro durante todo o inverno, cobriu Gotfried de críticas e declarou que iria visitá-lo no dia seguinte para conversarem na hora de folga. O conde Levenstern cumpriu a palavra e uma longa e sincera conversa entre os rapazes reacendeu e reforçou a velha amizade. O conde propôs a Verenfels ajudá-lo a entrar para o serviço público, mas este, agradecendo, disse que tinha esperança de conseguir ser o administrador das propriedades de ambos os condes Reckenstein, o que seria para ele mais vantajoso e mais apropriado ao seu gosto.

Arno e seu pai ficaram muito satisfeitos ao saber do agradável encontro de Gotfried, que agiu de forma estimulante na sua aparência. Ambos gostavam sinceramente de Verenfels e, para dar a ele inteira liberdade de ver seu amigo, convidavam freqüentemente Levenstern para almoçar e, no dia do baile, o conde Willibald e Arno exigiram a presença de Gotfried na festa. Eles só não insistiram para que ele participasse das danças, pois o rapaz recusava-se teimosamente a isso, mas quiseram que ele passasse a festa com o seu amigo, que também não dançava.

Ele foi obrigado a aceitar. Depois de colocar Tancredo para dormir, Verenfels misturou-se à multidão que lotava os salões. Não encontrando o seu amigo naquela confusão, o rapaz, encostando-se na coluna, ficou observando a multidão ao seu redor. Naquele instante acontecia um intervalo entre as danças e em todo lugar reuniam-se grupos separados; uns andavam conversando, outros sentavam e comiam sorvete ou frutas.

Num dos grupos Gotfried notou Gabrielle. Sentada perto de uma velha dama muito elegante, ela estava cercada da sua corte permanente: D. Ramos, Arno e mais alguns rapazes que se haviam tornado objetos de zombaria, por seu amor cego e por seu sofrimento, aos quais os submetia a insensível sereia.

Gabrielle nunca estivera mais bela. Seu vestido de gaze verde, da cor da água do mar, era bordado com prata. Narcisos e flores pantanosas enfeitavam o corpete e seus negros cabelos que caíam em mechas até a cintura. Ela parecia uma verdadeira sereia. Também nunca aquela jovem mulher estivera tão animada e tão atraentemente espirituosa. Cada movimento e cada olhar transbordavam de vida e do fogo incontrolável do seu espírito. Gotfried observava-a com um estranho aperto no coração. A certeza de que ele era amado por aquele tentador e fogoso ser obscurecia a sua alma, introduzindo-se nela como um refinado veneno. Verenfels afastava-se de Gabrielle e, ao mesmo tempo, tinha pena dela. Sabia que ela casara-se sem amor com um homem que nunca soubera domar o seu coração leviano e ambicioso. Mesmo assim – dizia a si mesmo Gotfried –, se ela fosse esposa de um homem enérgico, que ela amasse o suficiente para ter poder sobre ela sem humilhá-la, talvez objetivos melhores e mais nobres a elevassem e a purificassem.

O flerte criminoso com Arno e D. Ramos que ela excitava e torturava, sem o menor sentimento por nenhum dos dois, indignava e entristecia Verenfels. Ele perguntava-se como isso iria acabar. Ele sabia que ela amava-o em segredo e que para ele era facílimo conseguir aquilo que os outros tentavam em vão. A traição, infelizmente, não é uma raridade numa família, e quantos, dizendo-se amigos do marido, sem ruborizar-se, assumem o vergonhoso papel de sedutores de sua esposa. Mas o espírito honesto de Gotfried rejeitava com desprezo a idéia de uma vil traição e, com sua continência e sua tranqüila frieza, ele erigia uma muralha indevassável entre ele e a condessa.

Com um profundo suspiro ele desviou o olhar para outro lado e, percebendo ao longe o conde Levenstern, foi em sua direção. Gotfried não sabia que, alguns minutos antes, a velha dama observara-o com atenção com pequenos binóculos e, inclinando-se para Gabrielle, perguntara:

– Quem é aquele bonito rapaz loiro de olhos negros? Uma figura inteiramente aristocrática, e mesmo assim nunca o vi antes.

– Ele é realmente aristocrata, mas falido. É o barão Verenfels, que agora educa o meu filho e depois assumirá a administração das nossas propriedades.

Ao responder, a condessa tentava esconder a vermelhidão que lhe cobria as faces, enquanto o seu olhar em fogo seguia o rapaz que lhe parecia mais bonito do que nunca.

O baile estava no auge e um enxame de dançarinos girava pelo salão ao som atraente da orquestra. De repente, Gotfried, que conversava com seu amigo e com o conde Willibald, percebeu a condessa aproximando-se deles com um sorriso. Acenando amigavelmente ao marido, ela dirigiu-se a Gotfried e disse amavelmente:

– Estou requisitando-o para esta valsa, sr. Verenfels, e depois vou apresentá-lo a uma velha e respeitável proprietária de um castelo que ficou encantada com a sua pessoa.

O rapaz, extremamente surpreso, fez uma reverência e, sem contestar, passou o braço pela cintura da condessa e levou-a no turbilhão da valsa. Um estranho sentimento apossou-se dele: pela primeira vez ele dançava com Gabrielle e nunca aquela sedutora e perigosa mulher houvera-lhe causado tão forte impressão. A condessa também parecia estar encantada. Com o olhar pensativo e um sorriso inexplicável nos lábios semi-abertos, ela deslizava com rapidez e leveza sobre o parquete, conduzida pelo seu cavalheiro.

Terminada a dança, o rapaz parou e quis levar o seu par até a cadeira, mas a condessa, indicando a entrada do jardim-de-inverno, perto do qual eles estavam, disse:

– Leve-me ao jardim. Quero descansar um pouco.

Instantes depois eles andavam sob as palmeiras e outras plantas exóticas, em direção ao banco de veludo, cercado pelo verde das laranjeiras cobertas de flores e magicamente iluminadas por lâmpadas ocultas pela folhagem. Ainda refazendo-se da dança, Gotfried estava agitado: as faces estavam vermelhas e seus traços haviam adquirido uma expressão mais viva. Gabrielle percebeu isso e disse-lhe com um sorriso desafiador:

– Estou vendo um milagre. A insensível e desapaixonada estátua do dever adquiriu a aparência de um simples mortal.

Verenfels, pela primeira vez com uma voz que em nada parecia com o seu tom normal de fria continência, respondeu-lhe:

– Oh, condessa, Pigmalião deu vida ao mármore. A sua beleza não é o fogo celestial? Como posso permanecer insensível como uma pedra quando a luz vivificante deste fogo tocou-me!

Gabrielle estancou no lugar como se encantada por essas palavras e pelo olhar flamejante sobre ela. Um novo sentimento, uma felicidade infinita nunca antes experimentada, tomou conta de seu ser. Olhando para o bonito e animado rosto de seu interlocutor, ela parecia inebriar-se nele. Em seguida, levou-o até o banco e fê-lo sentar-se ao seu lado. Por instantes ambos ficaram calados. De repente, Gabrielle agarrou o tronco da árvore e agitou-o fazendo uma nuvem de flores brancas cair sobre eles.

– O que está fazendo, condessa? – perguntou Gotfried, estremecendo.

Ela riu e, inclinando-se para ele tão perto que sua respiração batia em sua face, sussurrou:

– A estátua adquiriu vida, é verdade. Mas, espero que o contato com estas flores perfumadas desperte também o coração para que vibre como o de um simples mortal.

No afã do momento, Gabrielle esquecera-se de tudo. Ela amava pela primeira vez com todas as forças de sua alma e não conseguia esconder os seus sentimentos que se refletiam em seu olhar e em seus lábios vibrantes. Aquilo não era um dos flertes passageiros que seu coração leviano e inconstante por vezes experimentava. Não, desta vez era uma forte e profunda paixão, que a queimava por inteira, exigindo, implorando um olhar, uma palavra de amor. A vista de Gotfried escureceu. Gabrielle era a sedução encarnada que dominava seus sentidos com sua beleza e o raciocínio com o amor-próprio existente em cada pessoa. Ele fora o único que ousara opor-se à leoa, domara-a e tornara-se seu dono.

Ele já tinha estendido o braço para puxar para si a Circe que o olhava encantada e seus lábios estavam prontos para pronunciar as palavras fatídicas que os uniriam para a traição e a vergonha, quando, de repente, em sua visão mental surgiram as imagens dos condes Willibald e Arno e, por estranha coincidência, os retratos dos dois adúlteros da galeria de Arnoburg, e que por estranho jogo do acaso, ressuscitados nele e em Gabrielle. Acordando do torpor, Gotfried passou a mão pela própria testa coberta de suor frio e levantou-se de supetão. O fogo apagou-se em seus olhos negros, o rosto estava pálido, mas tranqüilo, e diante da condessa de Reckenstein estava parado o desapaixonado e reservado tutor de seu filho. A condessa não sabia o quanto isso custara à alma honesta do rapaz. Ela somente viu a mudança repentina, entendeu que tudo estava perdido e o sangue ruborizou as suas faces; mas essa cor mudou rapidamente para uma palidez mortal. Ela sabia que havia revelado o seu segredo, mas, reunindo todas as forças, tentava ocultar seus sentimentos.

– O ar daqui está me deixando tonta. Preciso voltar ao salão – disse ela, abanando-se com o leque.

Para sorte de ambos, ouviram-se passos apressados e, instantes depois, apareceu Arno.

– Então, estava aqui, Gabrielle! Estive procurando-a. Mas como a senhora está pálida! O que aconteceu? Sente-se mal?

– Não, só um pouco cansada. Talvez por dançar demais. Pedi ao sr. Verenfels para me trazer aqui por alguns momentos. Não se preocupe, Arno – acrescentou ela, notando o olhar de preocupação do rapaz. – É tão bom para mim, mas também não sabe o quanto eu gosto de você.

Ela apertou a mão do conde e dirigiu-lhe um olhar que nada tinha de maternal.

Raiva e nojo despertaram imediatamente na alma de Gotfried. Como ela conseguia, ainda vibrando de paixão por ele, começar de novo o flerte criminoso com Arno? E quando o olhar da condessa cruzou com o seu, encontrou nele tanto desprezo, que a jovem mulher levantou-se de repente, como se movida por uma força mágica, e, apoiando-se no braço de Arno, afastou-se rapidamente, escondendo com o leque a palidez mortal do rosto.

Eles entraram no salão quando a orquestra recomeçava a tocar. D. Ramos aproximou-se rapidamente da condessa. Sorrindo afavelmente, e mais do que nunca transbordando de alegria, ela imiscuiu-se na roda de seus convidados, provocando animação em todo lugar onde aparecia.

Gotfried saiu imediatamente e foi ao seu quarto. O silêncio e a tranqüilidade da noite devolveram-lhe o sangue-frio, mas a idéia de ver a condessa era-lhe insuportável. Então decidiu que a todo custo arrumaria um motivo para voltar imediatamente a Reckenstein. A volta da família estava marcada para dali a duas semanas. A sorte o ajudou. Quando no dia seguinte encontrou o conde, este estava preocupado: as cartas recebidas do castelo informavam que o rio transbordara, causando consideráveis estragos. E, para completar a desgraça, o auxiliar do administrador sofrera uma queda do cavalo e ficaria preso ao leito por, no mínimo, três semanas.

– Conde, permita-me voltar lá com Tancredo. Com sua indicação, darei todas as ordens necessárias e até a sua chegada vou supervisionar todos os trabalhos. O ar do campo e grandes passeios farão muito bem a Tancredo.

– Agradeço-lhe, Verenfels, e aceito a sua proposta, pois ela me tira de extrema dificuldade. Quando você irá?

– Amanhã de manhã, no trem das cinco horas.

– Ótimo! Então, hoje à noite vou passar-lhe as instruções necessárias.

À tarde, quando todos se reuniram para o chá, Gabrielle não estava. Em virtude do cansaço do baile, ela não saíra de seus aposentos durante o dia inteiro. Quando levantaram da mesa, Gotfried disse a Tancredo que iria viajar com ele na manhã seguinte e mandou-o ir despedir-se da mãe. O menino ficou surpreso, pois nada sabia sobre essa decisão, mas, quando o pai confirmou a ordem, ele correu preocupado para o quarto da condessa.

Gabrielle estava deitada no sofá, absorta em pensamentos agitados, quando seu filho, preocupado e com faces em fogo, irrompeu no quarto. Ao ver a criança adorada o rosto da jovem iluminou-se.

– Mamãe, vim para despedir-me! – gritou Tancredo, jogando-se em seus braços.

– Do que está falando, meu ídolo? Despedir-se por quê? – perguntou Gabrielle, cobrindo-o de beijos.

Quando o garoto contou que iria no dia seguinte para Reckenstein com Gotfried, ela empalideceu e escondeu o rosto nos cabelos encaracolados do filho. Ela entendeu o significado desse ato. A tormenta de paixão mesclada com ódio agitou-se em sua alma contra o enérgico rapaz que a evitava, enquanto ela não conseguia arrancá-lo do próprio coração.

– Pobre menino, seu pai é uma fonte inesgotável de idéias para afastá-lo da única pessoa que o ama. Ele entrega você totalmente desprotegido às ordens do seu rude tutor – sussurrou Gabrielle, e algumas lágrimas quentes escorregaram pela sua face.

Tancredo era muito afeito à mãe. Em seu coração infantil ele orgulhava-se dela, tão linda, condescendente e amada por todos. Por isso, a alegria que sentia pela viagem próxima obscureceu-se. Pensamentos tristes passaram pela sua cabeça e aos prantos ele tentou consolá-la à sua maneira.

– Não fique triste, mamãe. Serei atencioso e aplicado até a sua chegada, para que o sr. Verenfels não tenha motivos para me castigar. E, depois, acredite-me, agora ele está bonzinho comigo e, quando conta episódios da vida animal ou a história da vida de crianças famosas, tenho vontade de escutá-lo a noite inteira. Na verdade, não entendo por que ele insiste em irritar você.

A conversa prosseguiu nesse tom quando, ao ver as horas, o menino exclamou:

– Agora preciso ir, mamãe. Sr. Verenfels vai ficar bravo se eu não for dormir logo. Ele me mandou ir para a cama às dez horas, pois amanhã vamos levantar às quatro da manhã.

Essas palavras provocaram em ambos rios de lágrimas e após uma despedida tão triste como se se separassem para sempre, Tancredo voltou para o seu quarto com o rosto em lágrimas e uma enorme caixa de bombons nas mãos.

Gotfried também tinha acabado de voltar ao quarto. Despedindo-se de ambos os condes ele pediu para transmitir seus respeitos à condessa. Verenfels estava guardando na pasta documentos com várias ordens referentes aos casos que tomara a seu cargo em Reckenstein e Arnoburg quando seu aluno entrou com olhos vermelhos e a caixa de bombons nas mãos.

– Chegue aqui, meu caro – disse o rapaz, chamando Tancredo –, e diga por que está tão triste.

O garoto aproximou-se hesitante.

– Você esteve chorando? Por quê? Você parecia feliz em voltar ao castelo! – perguntou Gotfried, atraindo-o para perto de si.

A relação entre o aluno e o tutor tinha melhorado muito. O comportamento de Tancredo agradava, o que fizera Gotfried abandonar o tratamento severo. Ele tentava desenvolver o garoto, divertindo-o e fornecendo-lhe brinquedos apropriados à sua idade.

– Sim, eu estava feliz com isso – respondeu Tancredo com voz hesitante. – Mas por que o senhor sempre tenta irritar a mamãe? Ela agora chorou lágrimas amargas só de pensar que vou estar abandonado e desprotegido à mercê de sua severidade.

– Então, a mamãe chorou? Estou com muita pena dela, mas você não acha que ela está se preocupando à toa? Você se sente muito bem apesar da minha severidade.

Tancredo olhou-o com simplória surpresa e, em seguida, deu uma gargalhada. Instantes depois, assumindo novamente um ar sério, ele perguntou, preocupado:

– Responda-me com sinceridade, sr. Verenfels, por que odeia a minha mãe? Ela é tão bonita e todos gostam dela. Na semana passada eu próprio vi como D. Ramos ficou diante dela de joelhos e olhava-a com olhos que pareciam querer devorá-la. Não entendo o que ele falava: algo sobre a morte, amor e coração partido. Mas a voz dele estava muito engraçada.

– E o que a mamãe respondeu a essas brincadeiras de D. Ramos? – perguntou Gotfried, tomado de uma sensação desagradável.

– Ela disse: – *Levante-se D. Ramos, e sente-se na cadeira, senão vou deixá-lo aqui sozinho*. Então ele levantou, beijou as mãos dela e parecia chorar. Ela riu e disse a ele: – *Tenha paciência, talvez mais tarde*... e depois, não lembro mais.

– Tancredo – disse Gotfried, com voz surda –, nunca conte a ninguém o que acabou de me contar, principalmente ao seu pai e a Arno. Essas brincadeiras que você não entendeu podem ser mal interpretadas e causar grandes problemas.

– Está bem, vou ficar calado. Mas o senhor ainda não disse por que odeia a mamãe. Ela diz que vocês brigam por minha causa. Mas, se agora sou educado e aplicado, para que brigar? Sempre que falo do senhor mamãe fica vermelha ou pálida de raiva, e mesmo assim pergunta sobre a sua vida. Ela me faz contar tudo sobre o que o senhor faz, o que diz e até a quem escreve. Com certeza, o senhor deve tê-la ofendido. Agora é o senhor que está ruborizado – exclamou de repente Tancredo, observando com suspeita o rosto do seu tutor.

– É que fiquei surpreso pela condessa me julgar tão mal – respondeu Gotfried, levantando-se. – Posso lhe dizer francamente que não tenho nenhum ódio de sua mãe e desejo sinceramente a felicidade tanto dela como do seu pai. Agora, meu caro, vá dormir.

Beijou o menino e este, novamente feliz e despreocupado, respondeu-lhe com um beijo sincero. Ficando sozinho, o rapaz pensou durante muito tempo sobre a estranha e difícil situação em que o colocava o amor de Gabrielle.

No dia seguinte de sua chegada a Reckenstein, Verenfels foi visitar o juiz com quem manteve correspondência de negócios durante todo o inverno. O rosto de Giselle iluminou-se com tal alegria à sua chegada que o rapaz não teve nenhuma dúvida quanto aos sentimentos que ela nutria por ele. A moça ficara ainda mais bonita. Seu rosto dócil e puro, o olhar sincero dos olhos azuis como miosótis, a pureza virginal que refletia em todo o seu ser, tudo isso no primeiro instante influiu em Gotfried como o ar vivificante dos campos após uma atmosfera asfixiante de estufa.

Na calada e na solidão da noite ele raciocinava, comparava, consultava severamente o próprio coração e com horror reconhecia que sem o perceber caíra na trilha perigosa, acostumara-se à luta secreta e sedutora com o flerte refinado, com a fogosa paixão contra a qual ele devia estar constantemente alerta.

Gotfried era de natureza enérgica e decisiva. Ele decidiu firmemente casar com Giselle para apaziguar a louca paixão da condessa. Ao saber que o coração dele estava ocupado por outra pessoa, a orgulhosa e caprichosa mulher iria esquecê-lo e ele encontraria nas obrigações de marido e pai um obstáculo contra pensamentos ociosos.

Resolveu noivar antes da volta de Gabrielle. Certo dia, quando Tancredo, feliz pela permissão concedida, foi com a esposa do juiz ao porão experimentar o queijo e ajudá-la a retirar o creme dos potes de leite, Gotfried aproveitou o momento de estar a sós com Giselle para lhe propor casamento. Com palavras simples e sinceras ele perguntou se ela aceitava ser sua esposa, mãe de sua pequena Líllia, se ficaria satisfeita com uma vida discreta e de trabalho que ele podia lhe oferecer e contou-lhe sobre os seus planos para o futuro. Giselle ouvia-o vibrando de felicidade e emoção. Erguendo para ele os seus lindos olhos, cheios de lágrimas, ela disse com voz baixa:

– Eu o amo, Gotfried, e sua filha será para mim como se fosse minha. Viver para você, trabalhar para adoçar e melhorar a sua existência, será uma felicidade tão grande com a qual nunca ousei sequer sonhar. Não sei se conseguirei, pela minha ignorância e simplicidade, fazê-lo feliz. Mas conseguir isso será o objetivo de minha vida.

Comovido e reconhecido, Gotfried atraiu-a para si e beijou sua noiva, jurando em pensamento amá-la para sempre e expulsar da cabeça a imagem tentadora que tentava aparecer entre ele e a cabecinha loura de Giselle. Naquela mesma noite ele pediu ao juiz e sua esposa a mão de sua sobrinha. A proposta foi recebida com alegria. O rapaz pediu-lhes manter isso em segredo enquanto não comunicasse sua intenção ao conde. Eles prometeram e, assim, ninguém, nem mesmo Tancredo, soube do importante acontecimento na vida de Verenfels.

A ausência do conde foi mais prolongada do que o previsto. Ele voltou somente três semanas depois com a esposa, o filho e um jovem pintor italiano convidado para pintar alguns retratos para a galeria da família.

Arno parecia ainda mais triste e pálido do que há um mês. Seu pai estava sombrio, preocupado e irritável. Sua irritação chegou ao auge quando soube que D. Ramos de Moreira, do qual ele pensava ter-se livrado, adquirira uma propriedade perto de Reckenstein que já estava sendo preparada para sua chegada. Quanto à Gabrielle, ela também estava pálida, nervosa, cansada e indiferente. Ela recebeu Gotfried friamente, e parecia mal notá-lo. A única pessoa que aparentemente a distraía um pouco era o pintor cuja conversa brilhante e interessante tornava agradável a sua presença na casa.

Guido Ceratti – assim chamava-se o italiano – era um rapaz bonito, de uns trinta anos. Seu rosto reto parecia muito com o retrato de Cézar Bórgia pintado por Rafael; mas seus traços cansados e algumas rugas prematuras nos cantos da boca indicavam que ele não era estranho às tempestuosas paixões do personagem histórico com quem tanto se assemelhava.

Ceratti não agradou nada a Gotfried. Parecia-lhe que sob aquela aparência encantadora escondia-se algo falso e mau. Em virtude dessa antipatia secreta, ele evitava, na medida do possível, a companhia do pintor.

Transcorreram alguns dias sem qualquer acontecimento. Mas, certa manhã, num feriado, a condessa chamou Tancredo para o seu quarto e quis ficar com ele até o almoço. Aproveitando a oportunidade, Gotfried foi propor à sua noiva um pequeno passeio. Mal tinham percorrido um pequeno trecho quando encontraram o conde. Vendo Verenfels de braço dado com uma dama, o conde parou surpreso. Um sorriso de suspeita passou por seus lábios. *"Será que o severo tutor começou um caso amoroso?"*, pensou ele. Mas, Gotfried, mesmo contra a sua vontade, acabou com sua suspeita apresentando a sobrinha do juiz como sua noiva. O conde ficou muito feliz com esta novidade, cumprimentou amigavelmente os noivos e conversou alegremente com eles por muito tempo. Verenfels há muito tempo não o via de tão bom humor.

Realmente, a notícia do noivado de Gotfried alegrou ao conde e dissipou a vaga, mas grave suspeita que o torturava havia duas semanas. Certa vez, ao receber uma carta de Verenfels, ele de repente notara no rosto de Gabrielle uma expressão que o fizera pensar e chegar à idéia completamente diferente sobre o ódio suspeito entre eles e a uma conclusão bastante próxima da verdade. Ele, naturalmente, acreditava na honestidade de Gotfried, mas o rapaz poderia ser facilmente envolvido e aprisionado por aquela beleza indefensável. Ao saber do seu noivado, ele criticou-se pelos pensamentos irracionais. Como pudera ele imaginar que uma mulher vaidosa e orgulhosa como Gabrielle, encantada pelo brasileiro, poderia interessar-se por um homem que não tinha uma posição social boa e encontrava-se em situação de dependência.

Após levar Giselle para casa, Verenfels e o conde foram para o castelo.

– O senhor escolheu para esposa uma linda menina que vai fazê-lo muito feliz. Então, quando vai ser o casamento?

– Ainda não sei, conde, tudo vai depender de circunstâncias – respondeu evasivamente Gotfried.

– Se querem o meu conselho, então esperem até outubro. Até lá terminará o contrato de trabalho do meu administrador Petris. Mesmo que eu não esteja satisfeito com ele, não quero desapontá-lo com um cancelamento antecipado do contrato. O cargo dele e a administração das propriedades de Arno lhe darão boa renda. Quanto à casa onde vocês irão morar, permitam-me assumir todos os arranjos. Este será o meu presente de casamento, como um sinal de meu reconhecimento à sua pessoa.

O rapaz agradeceu fervorosamente e voltou feliz para seu quarto, mas, ao mesmo tempo, estava preocupado: a idéia de se defrontar com Gabrielle no almoço torturava-o. Como ela iria reagir ao saber de seu casamento?

Entretanto, o almoço transcorreu muito tranqüilo, num círculo reduzido, pois Arno e Guido Ceratti passariam o dia inteiro em Arnoburg para escolher o local da oficina. Pretendia-se pintar o retrato do jovem conde antes de todos os outros. Para surpresa de Gotfried, a condessa estava absolutamente tranqüila. Não se percebia nem uma sombra de mudança em sua relação com ele. *"Será que me enganei por estúpida presunção?"*, perguntava-se o rapaz. *"Será que tomei um simples flerte como amor?"* Mas a calma que ele sentia ao pensar assim misturava-se com um estranho sentimento parecido com despeito.

Após o almoço, foram tomar café numa pequena sala contígua ao gabinete do conde. Gabrielle sentou-se no espaldar da janela e ficou vendo como Tancredo, com a ajuda do jardineiro, trabalhava num pequeno buquê de flores destinado ao pai. O conde andou de um canto a outro pela sala e depois foi ao gabinete ler as cartas recém-chegadas do correio. Enquanto isso, Verenfels folheava distraidamente revistas ilustradas espalhadas na mesa.

– Teremos visitas hoje à noite, Gabrielle – disse o conde, surgindo na porta do quarto com uma carta aberta na mão. – O meu velho amigo, almirante Vidders, escreveu-me dizendo que voltou do estrangeiro há alguns dias e quer me apresentar o seu filho recém-casado e sua nora. Ficarei muito feliz em voltar a vê-lo. O coitado esteve doente e passou três anos na Itália.

Visivelmente contrariada com a visita anunciada, a condessa, contraindo o rosto, despetalava uma flor arrancada do buquê.

– Falando de recém-casados, preciso contar-lhe uma novidade, Gabrielle. Você pode cumprimentar Verenfels: ele está noivo de uma linda moça que encontrei com ele hoje.

Gotfried olhou involuntariamente para a condessa, que nada respondeu. O horror tomou conta dele e sua testa cobriu-se de um frio suor. De olhos bem abertos e pálida como a morte, Gabrielle parecia pronta a desmaiar. Deixando cair a flor, ela estendeu o braço vacilante tentando encontrar um apoio. O susto do rapaz era justificado. Se o conde tivesse dado uma olhada na esposa, e para isso era-lhe suficiente levantar a cabeça, a verdade apareceria à sua frente.

Gotfried levantou-se com um tremor nervoso, sem saber o que fazer, e esses segundos pareceram-lhe uma eternidade. Mas felizmente o conde ocupou-se com o guarda florestal que entrou no quarto naquele instante e para falar com ele foi ao outro quarto.

Gotfried suspirou aliviado. O feliz acaso salvou-o da desgraça; mas seu alívio durou pouco. Voltando a olhar a condessa, ele viu que ela perdera os sentidos e, escorregando pelo espaldar da janela, ia cair no chão. Ele agiu rápido como uma flecha chegando a tempo de ampará-la e de sentá-la na poltrona; em seguida, correu para o refeitório onde os criados ainda tiravam a mesa, pegou um copo com água e voltou para a condessa agradecendo a Deus ter sido a única testemunha daquele incidente comprometedor. Tudo ficaria escondido em sua alma e seria riscado de sua memória.

Mas, enquanto ele debruçava-se sobre Gabrielle para jogar um pouco d'água em seu rosto, suas mãos tremiam e o coração batia forte a ponto de estourar. Pela primeira vez ele perdeu o sangue-frio e seu espírito compadeceu-se de modo profundo e carinhoso daquela orgulhosa e ardente mulher. Tomada pelo ciúme, ela definitivamente revelara o segredo de seu amor e entregara-se ao seu poder.

O desmaio de Gabrielle não foi longo. Instantes depois, ela abriu os olhos e ao ver o olhar preocupado do rapaz e lendo em seus olhos compaixão e compadecimento, que mostravam claramente que ele sabia de tudo, ela estremeceu como se tocada por ferro em brasa e um gemido surdo escapou de seu peito. Parecia-lhe que ia morrer sob o peso de tal humilhação. Até aquele instante, apesar da paixão que a consumia, ela mantinha-se firme. Gotfried podia somente suspeitar de seus sentimentos. Mas agora ela traíra-se e justamente no momento em que recebera um golpe mortal em seu amor-próprio, quando ele provara que gostava de outra.

Afastando o copo oferecido por seu inimigo, testemunha de sua derrota moral, ela tapou o rosto com as mãos.

– Pelo amor de Deus, condessa, volte a si e tente acalmar-se – sussurrou ele. Não recebendo resposta, cuidadosamente retirou as mãos do rosto dela e apertando-as disse:

– Para compadecer-se de mim, se a senhora ainda guarda um restinho de amabilidade para comigo, saia do quarto e permita-me levá-la ao jardim. Pense nos boatos que surgirão, se qualquer dos criados entrar aqui por acaso. O ar puro lhe dará forças.

Obrigando-a a levantar-se, pegou-a pelo braço e levou-a ao jardim, mas somente suspirou aliviado quando eles, sem encontrar ninguém pelo caminho, chegaram a uma densa e sombreada alameda. Gabrielle, pálida e calada, deixava-se levar. Derrotada, consumida pela vergonha e pelo ciúme, ela nem tentava ocultar seu sofrimento. A tempestade que tomou conta de sua alma apaixonada fê-la perder completamente o autocontrole.

Verenfels fez a condessa sentar num banco e queria ir embora, para lhe dar oportunidade de voltar a si após o choque moral. Mas, mal tinha dado alguns passos quando, de repente, ouviu seu nome gritado por uma voz surda e estancou imediatamente. Dominando a própria emoção ele voltou até Gabrielle. Ela chamou-o, dominada pelo ciúme, e seus expressivos olhos refletiam o caos dos seus sentimentos. Gotfried pegou suas mãos e apertou-as contra os lábios.

– Perdoe-me os terríveis momentos que involuntariamente lhe proporcionei – sussurrou ele, emocionado. – Para o bem da senhora, do seu marido e o meu próprio, vamos esquecer este dia malfadado.

Ele voltou-se e foi para o seu quarto por um atalho. É difícil descrever o estado de sua alma. Aquilo que não puderam fazer nem a beleza, nem o flerte, nem a consciência de ser amado foi feito pelo sentimento de compaixão que tomou conta de seu coração. O flerte refinado e o desprezo indiferente usados por Gabrielle não o afetaram; seu joguinho criminoso com Arno e D. Ramos indignava-o e o fazia invulnerável. Mas agora tudo era diferente. A orgulhosa sereia transformara-se numa mulher que, ao ser atingida em pleno coração, expusera toda a sua fraqueza e sofrera grande humilhação. Gotfried sentia-se desarmado. A lembrança do sofrimento e da paixão que se sentiam em sua voz quando ela pronunciara seu nome, fazia seu coração bater mais forte e seu rosto cobrir-se de rubor. Pobre Verenfels... a inimizade que o protegera até aquele dia da tentação desaparecera e o veneno mortal, com uma força que ele nem suspeitava, enchera seu coração.

Muito perturbado, ele andava pelo quarto perguntando-se como iria acabar aquela complicação. Ele contava que o seu casamento cortaria aquele nó, mas acabara de se convencer que isso somente complicara ainda mais a situação. Ele tentou pensar em Giselle, mas a imagem de sua simplória noiva de cabelos louros ficou obscurecida pelo brilho da beleza demoníaca da sedutora mulher com cabelos negros como piche e olhar flamejante.

A chegada de Tancredo e a necessidade de responder às perguntas do menino e controlar suas lições restabeleceram o equilíbrio de espírito de Gotfried. E quando o criado entrou para informar que o chá estava servido, Verenfels sentia que estava de novo de posse da sua habitual fria continência.

Estavam todos reunidos quando o pequeno conde e seu tutor entraram na sala. Lançando um olhar para Gabrielle, Gotfried percebeu até que ponto as mulheres são capazes de fingir. A condessa trocou de traje e, além de uma leve palidez, nada denotava a crise nervosa que passara. Ela estava sentada no divã ao lado da jovem baronesa Veiders. Arno, Guido Ceratti e o jovem barão conversavam com as damas, enquanto o conde e o almirante andavam pela sala falando de política. Sem o menor constrangimento, a condessa apresentou aos convidados o filho e Verenfels; depois, continuou a conversa com o habitual entusiasmo e logo se tornou o centro de atração de todos os homens presentes, inclusive do recém-casado. Nunca ela estivera tão sedutora e negligentemente alegre. Sua máscara era tão perfeita que Gotfried se perguntava se o orgulho dominara o amor no coração traiçoeiro daquela vaidosa mulher acostumada a ser adorada.

No dia seguinte todos os habitantes do castelo reuniram-se no desjejum e a conversa girava sobre a galeria de família de Arnoburg que entusiasmava o jovem pintor, quando entrou Verenfels, um pouco atrasado. Assim que ele sentou-se ao lado de Arno, este lhe disse com um sorriso e apertando-lhe a mão:

– Desculpe-me se até agora não o cumprimentei. Mas meu pai informou-me somente hoje sobre o seu noivado. Desejo-lhe muitas felicidades. Nunca poderia imaginar que uma mocinha tão inocente poderia conquistar seu coração.

– Mas por quê? Ela não lhe agrada? – perguntou Gotfried, sentindo-se embaraçado. Ele foi o único a perceber que Gabrielle ficou levemente pálida e que a colher em sua mão tilintou em virtude de um tremor nervoso.

– Não é isso! Pelo contrário – respondeu Arno, rindo. – A srta. Giselle é uma linda moça, um verdadeiro tipo de Margarida de Gueto, com louras tranças e um típico olhar de olhos azuis. Eu a parabenizo pelo Fausto que ela fisgou. Mas sempre pensei que o Fausto Gotfried tivesse uma queda por uma beleza mais séria e clássica, do tipo de sua primeira esposa.

Ao ouvir o nome de Giselle, Guido Ceratti perguntou rapidamente a Arno:

– A noiva do sr. Verenfels não é aquela moça maravilhosa que vimos na casa do juiz?

– Ela mesma. E podemos cumprimentar o nosso amigo por essa conquista – disse em tom alegre o conde Willibald. – Mas como vocês dois foram parar ontem na casa do juiz?

– Eu precisava pedir-lhe para ver um caso urgente – respondeu Arno – e, na volta para cá, passamos lá. Enquanto eu conversava com o sr. Lindner, a srta. Giselle encantou tanto Ceratti que ele ficou falando dela toda a viagem de volta para cá. Isso é para o seu conhecimento, Gotfried – concluiu ele, rindo.

Verenfels ficou vermelho. Não conseguia suportar que falassem sobre a beleza de sua noiva em presença da condessa, para a qual cada palavra – cada elogio – era uma facada no coração. Ninguém suspeitava do drama que acontecia em segredo. Ambos os condes espicaçavam o constrangimento de Gotfried, e o italiano agora se dirigia diretamente a ele.

– O senhor me permitiria um favor que gostaria de pedir à srta. Giselle? O caso é o seguinte: recebi uma encomenda para fazer uma imagem da Anunciação para o altar da igreja de Milão. Mas até hoje não consegui achar o modelo para o tipo de Madonna que imagino. Encontrei a encarnação do meu ideal na srta. Giselle. Um rosto tão divino, eu somente encontrei nos quadros de FraAngelico. O senhor me prestaria um enorme favor permitindo-me fazer o retrato dela, ou pelo menos um esboço de sua cabecinha.

Por mais que não gostasse disso, Gotfried não podia negar, para não parecer ciumento, principalmente na presença da condessa. Mesmo sem isso, sua palidez crescente já o deixava muito preocupado e ele apressou-se em concordar.

A conversa tomou novo rumo. Passaram a falar sobre o quadro encomendado e Guido, animado pela amabilidade que lhe prestavam, disse que consideraria seu trabalho inteiramente completo se com uma Madonna tão ideal, a cabeça de Tancredo servisse de modelo para o arcanjo.

Esse pedido foi amavelmente aceito. O conde concordou e até Gabrielle animou-se um pouco. A idéia de ver o seu ídolo, aquele fiel reflexo dela mesma, representando um enviado celestial era-lhe claramente agradável. Mas esse sentimento de prazer durou pouco, pois o resultado da conversa exigiu-lhe novo esforço para se controlar.

Ambos os condes, com sua habitual generosidade, sugeriram ao jovem artista começar imediatamente o esboço do quadro encomendado, para que pudesse terminá-lo sem dificuldades ao voltar de Reckenstein. Querendo dar-lhe a oportunidade de, ao pintar os retratos, trabalhar no quadro nos intervalos, propuseram-lhe passar não dois meses, mas o verão inteiro no castelo. Guido, agradecido, aceitou o convite com alegria. As primeiras sessões deveriam acontecer em Arnoburg, onde já estava pronto o *atelier*. O jovem conde pediu para que no dia da sessão toda a família fosse passar o dia com ele.

– Isto significará que estaremos abusando de sua hospitalidade, Arno – observou a condessa.

– Não diga isso, condessa. Eu é que estou abusando de vossa condescendência por puro egoísmo. Estando em sua companhia, ficarei no melhor do meu estado de espírito para posar, o que fará com que meu retrato saia melhor. Falando nisso, já que Tancredo e a Madonna devem também começar a posar de modelo depois de amanhã, então, minha cara Gabrielle, concordaria em passar na casa da srta. Giselle para apanhá-la?

– Mas, claro. Com muito prazer – respondeu a condessa com voz surda, baixando os olhos.

A situação constrangedora e a preocupação disfarçada de Gotfried aumentavam a cada instante. A fatalidade das circunstâncias obrigava a condessa a ver Giselle e suportar a presença da noiva do homem que ela amava. Gotfried entendia o inferno que isso poderia provocar na alma ardente, tirânica e apaixonada daquela mulher. Ele queria encontrar qualquer oportunidade para atrapalhar as sessões, tentava imaginar um pretexto para afastar Giselle e não provocar, com seu aparecimento, todas as más paixões de Gabrielle, mas, por mais que quebrasse a cabeça, nenhuma idéia salvadora lhe vinha à mente e com o coração apertado ele teve de submeter-se ao inevitável.

No dia seguinte, Gotfried, na companhia de Ceratti, foi à casa do juiz. O pintor quis ele próprio pedir à moça para servir de modelo. Giselle ficou vermelha e embaraçada com o inesperado pedido.

– Não sou digna de posar como a Santíssima Mãe de Deus. Mas se Gotfried permitir e eu puder ser útil, então concordo – disse ela, levantando os seus encantadores olhos azuis para o noivo.

– O sr. Verenfels já deu a permissão – disse alegremente Ceratti.

– Mas não poderei posar com nenhum dos meus vestidos – observou a moça.

– Isto também foi previsto. A sra. Reckenstein disse-me hoje de manhã que mandará sua camareira costurar uma simples túnica branca de lã e um véu, que são necessários para mim. Para a srta. Giselle só restará estar pronta amanhã às onze horas. A condessa passará por aqui para apanhá-la e levá-la junto a Arnoburg.

No dia seguinte, quando o conde, acompanhado dos filhos, da esposa e de Ceratti, saiu na escadaria, duas carruagens já estavam à sua espera.

– Papai – disse Arno alegremente –, imagino que a generosidade exige não separar Tancredo de seu tutor Verenfels e de sua noiva. Assim, vamos deixar a carruagem para eles enquanto você e Ceratti sentam no cabriolé que eu mesmo vou dirigir. Chegaremos a Arnoburg antes de Gabrielle, pois ela deve fazer um pequeno desvio, e chegaremos a tempo de receber as damas.

Sem qualquer objeção Gabrielle, sentou-se na carruagem junto com Tancredo que, feliz da vida, tagarelava sem parar. Dez minutos mais tarde, a luxuosa carruagem parou diante da casa do juiz. Gotfried já estava lá. Pálida, reunindo todas as forças para não trair a própria fraqueza, Gabrielle ficou sentada encostada nas almofadas, mas seu olhar fulminante estava cravado na porta de onde deveria aparecer o jovem casal. Não teve de esperar muito: quase imediatamente saíram na varanda a sra. Lindner e, atrás dela, a noiva com seu noivo. Giselle usava um vestido branco de musselina e um chapéu de palha enfeitado com miosótis. Esse traje simples combinava inteiramente com sua beleza pura e virginal. A vista da condessa obscureceu. Ela não imaginava que a moça fosse tão atraente e imediatamente dirigiu seu olhar para Gotfried procurando ansiosamente em seu rosto os sentimentos que lhe proporcionava sua eleita, procurando ver o fogo da paixão nos olhos calmos e sérios do rapaz.

Desapaixonado como de hábito, Gotfried aproximou-se e, inclinando-se respeitosamente, disse:

– Condessa, permita-me apresentar a minha noiva Giselle Lindner e pedir-lhe não lhe negar a mesma amabilidade que sempre tive a honra de merecer em sua casa.

– Parabenizo-a, srta. Giselle, e peço aceitar os meus mais sinceros sentimentos – respondeu Gabrielle, com voz surda, reprimindo a emoção.

Embaraçada e impressionada com a orgulhosa e ofuscante beleza da jovem mulher, Giselle fez uma profunda reverência e, inclinando-se, beijou a mão enluvada que lhe foi estendida.

O rosto de Gotfried ficou rubro. Aquela atitude de respeito de sua futura esposa não lhe agradou e ofendeu o seu brio. A comparação entre as duas mulheres desta vez não favoreceu Giselle.

A condessa retirou a mão rapidamente e convidou a moça a sentar-se ao seu lado. Enquanto Gotfried e Tancredo sentavam-se no banco dianteiro, ela disse algumas palavras amáveis à srta. Lindner.

Mal a carruagem partiu, o menino inclinou-se para Giselle, puxou-a para si e dando-lhe um forte beijo exclamou:

– Meu Deus! Como estou feliz que o sr. Verenfels vai casar com a senhora. A senhora é tão bondosa que não vai permitir a ele ser severo comigo e vai convencê-lo a me dar férias. Ele não escuta a mamãe e Arno, mas a senhora ele vai escutar.

Giselle respondeu-lhe rindo e o silêncio constrangedor era quebrado somente pela tagarelice inocente. Olhando para a estrada, Gabrielle não dizia uma palavra; Gotfried também estava deprimido por certa opressão.

– Mamãe, como você está pálida! Sente-se mal? – perguntou de repente Tancredo.

– Não, estou bem – respondeu a condessa dominando-se com esforço; mas naquele instante encontrou o olhar preocupado de Gotfried. Ela estremeceu e endireitou-se. Em seguida, imediatamente dirigiu-se a Giselle e iniciou uma conversa sobre seus pais, sua ocupação e formação.

Mesmo assim, a condessa e Verenfels sentiram que caiu um peso do seu coração quando a carruagem parou diante da escadaria do castelo. Arno veio correndo para pessoalmente ajudar a madrasta a desembarcar da carruagem.

VI
Um desesperado atentado

A partir daquele dia, as sessões de pintura prosseguiram regularmente em Arnoburg. Guido Ceratti trabalhava com afinco tanto no retrato como no quadro.

O conde Willibald, cansado das constantes viagens, desistiu de acompanhar cada sessão. Conhecendo o entusiasmo com que Arno cuidava de Gabrielle, o pai, de bom grado, deixava-o divertindo a sua manhosa esposa. Ele nem suspeitava que uma paixão criminosa tomara conta de seu filho, não o deixando em paz e acabando com sua saúde. Ficaria muito infeliz se soubesse dos sofrimentos de ciúme, paixão e dores de consciência que Arno ocultava em sua alma. O conde não ligava para o leve flerte de Gabrielle. Ele a conhecia demasiadamente bem para entender que ela gostava de seu enteado somente como escravo de suas manhas, a mão sempre pronta a despejar dinheiro para satisfazer suas exigências. Mas ele não imaginava que para ela Arno servia de diversão e que ela estava matando a sua paz de espírito.

Entretanto, no presente momento, a condessa pensava em outra coisa e Arno, honesto e nobre, sentindo-se criminoso, mas sem forças para fugir, satisfazia-se com a felicidade de vê-la e ser seu irmão e amigo.

Todos os pensamentos de Gabrielle eram agora para Gotfried e sua posição em relação a ele. Agora ela via quase todo dia os noivos e cada olhar, cada sorriso que eles trocavam provocavam nela um louco ciúme. Giselle, na simplicidade de seus sentimentos, freqüentemente fazia planos para o futuro e o simples tom carinhoso e familiar com que ela pronunciava o nome do noivo – "Gotfried" – doía como uma facada no coração de Gabrielle. Além dos torturantes ciúmes, o orgulho da condessa fazia-a passar por terríveis sofrimentos. Apesar do grande autocontrole, ela não conseguia dissimular as marcas traiçoeiras de seu sofrimento, e aquele que devia ser o último a saber disso lia em seu olhar e entendia o significado de sua palidez repentina e o repentino estremecimento de suas mãos. Tudo indicava que ele conhecia seu segredo: sua reserva para com Giselle, o pesaroso embaraço ante o menor ato mais íntimo da inocente moça e o cuidado para não dar nenhum motivo para ciúmes. Toda aquela preocupação de preservar os sentimentos dela ofendiam o amor-próprio de Gabrielle e ela já não agüentava o peso da humilhação.

Ao ficar só em seus aposentos, a condessa tinha acessos de loucura impotente. Por horas inteiras ela andava pelo quarto e surdos gemidos rasgavam seu peito. "*Oh, se eu pudesse odiá-lo, aniquilá-lo, matá-lo ou morrer para não mais suportar esta compaixão, esta humilhante condescendência para a minha fraqueza.*"

Assim se passaram mais de duas semanas. Certa vez, o almirante Vidders convidou toda a família Reckenstein para passar o dia com ele. Festejava-se o aniversário de sua nora e como o baile poderia acabar muito tarde o anfitrião propôs aos convidados passarem a noite em sua casa e voltarem para casa no dia seguinte após o desjejum. A condessa recusou-se definitivamente a ir àquela festa e como estivesse pálida e não parecesse bem de saúde, seu marido não insistiu muito e ficou decidido que somente ele e Arno iriam à casa do almirante.

Após sua partida o dia transcorria demasiadamente enfadonho. Ceratti estava trabalhando em Arnoburg e a condessa mandou dizer a Gotfried que se ele quisesse podia almoçar e passar a tarde com a sua noiva, pois a própria condessa iria fazer as refeições em seus aposentos e queria que Tancredo almoçasse com ela. Depois ela o enviaria à casa do juiz. O rapaz cumpriu as ordens, mas estava triste e pensativo. Uma tristeza indefinida apertava-lhe o peito e tirava-lhe o apetite. Ficou calado, respondia distraidamente à animada conversa de sua noiva e sentiu um alívio quando o criado trouxe Tancredo e ele, como tutor, misturou-se nas ruidosas brincadeiras das crianças.

O sol já se punha quando Gotfried anunciou que estava na hora de ir para casa, pois Tancredo devia preparar as lições e ele próprio tinha de escrever algumas cartas.

Giselle acompanhou-o até o parque e Gotfried, ao voltar para o seu quarto, sentou-se imediatamente à escrivaninha, pois realmente precisava trabalhar num importante negócio para o conde. Neste ínterim, Tancredo pediu e recebeu autorização para ir dar um beijo na mãe.

Um quarto de hora após, o menino, pálido e em prantos, irrompeu no quarto, pulou no pescoço de Gotfried e, tremendo todo, apertou-se contra seu peito.

– O que aconteceu, Tancredo? Você se machucou?

– Não. Mas acho que minha mãe morreu – sussurrou o menino.

O coração do rapaz estancou e um suor frio cobriu sua testa.

– Pare de falar bobagens. De onde você tirou essa idéia? – perguntou ele, levantando a cabeça de Tancredo e tentando ler em seus olhos cheios de lágrimas.

– A mamãe estava muito estranha hoje; ela nem se vestiu para o almoço e não comeu nada. Depois, no *boudoir*, ela de repente começou a me beijar como nunca. Abraçou-me e lágrimas corriam de seus olhos. Depois ela me disse: – *Tancredo, se eu morrer, você não vai me esquecer? Quando crescer, você vai às vezes lembrar de sua pobre mamãe?* Claro que comecei a chorar. Então ela enxugou as minhas lágrimas, sorriu e disse: – *Eu só estava brincando. Mas não conte a ninguém o que lhe disse. Esteja tranqüilo, eu o verei como um bonito oficial, meu ídolo*. Como ela sempre fala – concluiu o garoto com certo constrangimento.

– Mas onde está a sua mamãe? – perguntou Gotfried, tremendo de impaciência.

– Não a encontro em lugar algum e por isso estou com medo. Quando vi os seus aposentos vazios, corri até a lavanderia, mas lá, além da estúpida Trina que passava roupa, não havia ninguém. Cecília e Gertrudes foram visitar Arnold, o jardineiro-chefe. Hoje ele comemora um batizado e mamãe deixou-as ficarem lá até as 11 horas. Trina me disse somente que mamãe foi para o jardim. Corri para procurá-la, mas não a achei nem na gruta nem na piscina. No caminho encontrei o pequeno jardineiro Charlo que disse ter visto minha mãe na alameda que leva até a estufa. Mas não consegui entrar lá, pois a porta estava fechada e ninguém atendeu por mais que eu batesse nas janelas.

Esse relato deixou Gotfried preocupado e, suspeitando de uma tentativa de suicídio, levantou-se e, beijando Tancredo, disse:

– Acalme-se, meu garoto, você se preocupa por pouco. Sua mãe deve estar em algum lugar do parque lendo ou passeando. Mas, para sua tranqüilidade, vou dar uma olhada para ver onde ela está e durante a hora do chá você verá a sua mãe. Sente-se aqui, faça as suas lições e seja um bom menino.

Ao sair da vista do garoto, o rapaz correu a toda velocidade para a estufa. Ele praticamente não tinha dúvidas de que Gabrielle resolvera acabar com a própria vida aspirando o ar sufocante das flores perfumadas. Se ela tivesse conseguido seu intento seria uma enorme desgraça para ambos os condes e uma grande culpa moral recairia sobre ele. Chegando em alguns minutos até a estufa ele empurrou a porta. Estava trancada. Ele bateu forte, mas nada se mexeu. As estufas de Reckenstein, amplas e ricas, eram compostas de algumas edificações. Se a suspeita de Gotfried se confirmasse, então a condessa deveria estar na estufa das flores exóticas.

Torturado pelo medo e pela impaciência, Verenfels empurrou a porta com o ombro e esta, cedendo à atlética pressão, abriu-se com estalar de madeira. Na estufa das palmeiras e samambaias não havia ninguém; na estufa seguinte onde estavam laranjeiras em flor, rosas, magnólias e outras flores perfumadas, o ar estava extremamente sufocante. Todas as janelas estavam fechadas e à luz fraca do entardecer ele logo viu Gabrielle. Semideitada numa cadeira de madeira, ela não se movia e seus olhos estavam fechados.

Gotfried tocou suas mãos: elas estavam úmidas e frias. A cabeça pendia sem vida e nos lábios não se notava nem a mínima respiração. Levantando a condessa nos braços, como a uma criança, Verenfels levou-a ao ar livre. Se ele chegara a tempo o ar puro iria reanimá-la. Com torturante preocupação o rapaz encostou o ouvido no peito dela: parecia-lhe ouvir somente um leve bater do coração. Sem perder um minuto ele resolveu levá-la ao castelo.

É difícil descrever o que acontecia na alma de Gotfried a caminho do castelo. A certeza de que a condessa queria se suicidar por ele enchia seu coração de piedade, compaixão e acima de tudo de um inexplicável sentimento muito próximo do amor. Naquele instante, Giselle e todo o resto estavam esquecidos: ele via e sentia somente a carga que levava em seus braços.

As portas do terraço estavam escancaradas e não havia ninguém nos quartos. Isso possibilitava ao rapaz prestar socorro a Gabrielle e, talvez, fazê-la voltar a si antes de chamar os criados e mandar buscar o médico.

Colocando a condessa no sofá em seu *boudoir*, Gotfried abriu todas as janelas e acendeu a lâmpada. Em seguida pegou do toucador frascos com sais e vinagre e apanhou da cama um travesseiro para colocar sob a cabeça de Gabrielle.

Inicialmente todos os esforços foram inúteis. Debalde ele massageou com essências suas têmporas, mãos, fê-la cheirar sais e, em desespero, até sacudiu-a. Gabrielle permaneceu imóvel. Tremendo como em febre, Gotfried passou a mão em sua testa. Teria mesmo morrido aquela ardente e jovem mulher, linda como a Psique adormecida? Seria ele culpado dessa morte? Mas o que ele poderia fazer? Nada.

Naquele instante apareceu uma cor quase imperceptível no pálido rosto da condessa. O rapaz estremeceu e apressou-se em colocar o ouvido em seu peito. Ele conseguiu ouvir o bater do coração, e uma leve respiração surgiu nos lábios dela. – *Gabrielle!* – exclamou ele inclinando-se sobre ela. O nome dela saído como um torturante gemido dos lábios do homem que ela amava tão apaixonadamente pareceu despertar as forças vitais da jovem mulher. Ela soltou um longo suspiro e abriu seus olhos azuis. Ao ver Gotfried, uma luz de felicidade iluminou o seu rosto pálido e apagou-se no mesmo momento.

– Gabrielle! Gabrielle, o que a senhora fez? O que pretendia fazer? – sussurrava Gotfried com reprovação. E, sem receber resposta, acrescentou:

– Agora vou trazer-lhe um pouco de vinho e imploro-lhe que se acalme. É preciso que a criadagem não desconfie de nada. Eu volto logo.

Ele cobriu os pés dela com um xale de pelúcia e dirigiu-se rapidamente ao seu quarto.

– Então, o senhor encontrou mamãe? – perguntou Tancredo ao vê-lo.

– Sim. Vim para lhe dizer que a mamãe está em seu *boudoir*, mas não está se sentindo muito bem e pediu-me para eu ler alguma coisa para ela. Seja um bom menino. Mande Ossip acender as lâmpadas e comece a estudar sem mim.

– Eu vou ser bonzinho. Mas por que o senhor está tão pálido? – perguntou ele, olhando-o preocupado.

– É impressão sua. Estou confiando na sua promessa e volto logo.

Gotfried passou rapidamente pelo refeitório, pegou do *buffet* meia taça de vinho e voltou ao *boudoir*. Ninguém o viu, pois a maioria dos criados estava no batizado.

Gabrielle ainda estava deitada de olhos fechados, totalmente prostrada; lágrimas silenciosas escorregavam por suas faces. Com indescritível emoção, Gotfried inclinou-se sobre ela; aquelas lágrimas pareciam cair sobre seu coração queimando-o como fogo. Sentia-se abatido, desarmado, e percebeu naquele instante que não era indiferente à situação, que para ele seria a suprema felicidade amar e chamar de "minha" àquela encantadora mulher. Sabia que lhe bastava somente estender a mão para se aproveitar da criminosa paixão dela, para obrigá-la a deixar aquela casa e segui-lo para onde ele quisesse. Mas novamente o impulso de honestidade venceu a tentação. O senso do dever exigia que ele superasse sua fraqueza e usasse de toda a sua influência para colocar também Gabrielle no caminho do dever, incutir-lhe forças para esquecer a infeliz paixão e ser para aquela jovem mulher não um amante, mas seu médico espiritual.

– Condessa, beba o vinho que lhe dará forças – disse ele, levantando-a.

Gabrielle bebeu sem reclamar, mas seus dentes batiam no cristal da taça e um tremor nervoso agitava seu delicado corpo.

Gotfried puxou uma cadeira para perto do sofá e, apertando nos seus lábios a mão de Gabrielle, disse com tristeza:

– Estamos a sós e, aproveitando o momento para falar livremente, precisamos conversar sobre o segredo que pesa sobre nós. Já aconteceram coisas demais para ficarmos protelando isso e eu imploro-lhe que diga sinceramente: o que fez a senhora, uma mulher casada e mãe, tentar o suicídio?

– Quis pôr um fim à minha humilhação – sussurrou ela com voz embargada.

– Pode-se sentir humilhação somente diante do inimigo, mas nunca diante de um amigo inteiramente dedicado. Ou a senhora me considera um janota leviano, capaz de orgulhar-se de um amor malfadado que lhe incuti involuntariamente e Deus é testemunha disso? Espero que Ele me ajude a devolver à senhora a tranqüilidade perdida, arrancar a amargura do seu orgulhoso coração. Compreendo o seu sofrimento, Gabrielle, mas a senhora poderia perdoar como a um amigo que desejo ser, por ter ele descoberto o seu segredo e do qual gostaria de duvidar.

A condessa cobriu o rosto com as mãos e caiu em prantos.

– Não chore, assim a senhora me leva ao desespero. O que mais posso fazer, senão tentar ampará-la em sua luta moral que causei involuntariamente? Estamos separados por um abismo. – Ele inclinou-se e, olhando profundamente nos olhos da jovem mulher, perguntou: – Será que a senhora gostaria de manchar o seu sentimento para comigo com uma ligação que lhe custaria a honra e o respeito até de um homem suficientemente baixo para aproveitar do seu amor por ele? Creia, onde não há respeito não existe o verdadeiro amor. Possuí-la como legítima esposa, amá-la e ser amado com um sentimento indivisível deve ser a maior felicidade para aquele que o conseguiu. – Estas últimas palavras ele pronunciou com voz surda. – Mas nós devemos viver cada um nas condições que Deus nos deu.

Gabrielle levantou o corpo rapidamente, seus lábios tremiam e com voz cheia de amargura exclamou:

– Será que se pensa nas conseqüências quando se ama? Será que não se fica indiferente a todo o resto à sua volta? Eu confessaria sem medo o meu amor à pessoa que correspondesse à minha paixão. Mas, quando a tratam somente como objeto de compaixão, então não há outro remédio para curar o amor-próprio, senão o suicídio.

– Engana-se, Gabrielle. A verdadeira afeição é provada resistindo-se à tentação. É fácil deliciar-se quando não se carrega nenhuma responsabilidade, pois a maior parte da vergonha recai sobre o marido traído e a família. A mulher que serviu de brinquedo, arrasada moralmente, pode-se afastar, abandonar quando se cansar dela, quando se apagar o fogo desta paixão momentânea. Sei que muitos me acharão insano. Mas tenho o meu ponto de vista. Vou provar-lhe a minha profunda amizade e o respeito que tenho pela senhora, salvando-a de si própria, sem abusar de sua fraqueza. Sei que a senhora preferiria o meu amor e todas as fatídicas conseqüências a estas duras palavras, mas chegará um momento em que a senhora me dará razão e ser-me-á grata.

Gabrielle ouvia estremecendo a cada palavra, como se levasse facadas. De repente, seus olhos acenderam-se:

– Está bem – exclamou ela com ardor, – não tenho a menor importância para o senhor e não vejo nenhum favor no fato de o senhor repelir aquilo que não deseja ter. Neste caso, pergunto-lhe: com que direito o senhor me arrancou dos braços da morte, que escolhi voluntariamente e que quase me libertou de toda esta vergonha e humilhação, desta infernal e maldita paixão antes que ela me leve a cometer um crime?

Apertando as mãos no peito e tremendo de ira, ela prosseguiu:

– Houve momentos em que eu ficava imaginando como matar aquele que gostaria de odiar, mas estou fadada a amar. Ah, nesses pensamentos a minha sentença é a minha humilhação que pesa sobre mim e me mata. Aproveite agora a sua vitória e despreze-me. Eu mereço isso.

Sua voz falhou. Ela quis pular do sofá, mas não teve forças para isso.

Assustado com sua atitude, Gotfried levantou-se.

– Gabrielle, a senhora está deturpando o sentido das minhas palavras e não quer me entender. Percebo que não posso influenciá-la beneficamente e ser seu amigo. Como a minha presença a humilha e a rebaixa aos seus próprios olhos a ponto de cometer suicídio, só me resta livrá-la desta pesarosa testemunha de sua fraqueza. Em alguns dias sairei desta casa. E que Deus a guarde e a ajude a ficar novamente tranqüila e feliz. Adeus.

Ele pegou a mão dela, beijou e voltou-se para sair, mas mal deu alguns passos quando Gabrielle soltou um grito surdo. Preocupado, sem saber o que fazer, ele voltou novamente para perto do divã.

– Fique, Gotfried. Farei tudo o que disser, só não vá embora. Mais uma coisa – disse ela, apertando com a sua mãozinha quente a mão do rapaz. – Jure que vai responder com sinceridade à minha pergunta.

– Prometo.

– Diga-me: o senhor me amaria se eu estivesse livre, se a honra e o dever não ficassem entre nós?

O rosto de Gotfried enrubesceu instantaneamente. Por um momento o passado e o futuro desapareceram. Ele via somente o olhar úmido e encantador encarando-o com expressão de amor e torturante mágoa.

– Sim, Gabrielle, se eu pudesse tê-la sem ruborizar e sem desonra como a minha legítima propriedade, eu a amaria com todas as forças do meu espírito.

Com um sorriso de felicidade nos lábios, a condessa caiu no travesseiro e fechou os olhos. As faces coradas e a respiração uniforme tranqüilizaram Verenfels e deram-lhe esperanças de que aquele malfadado acontecimento não teria más conseqüências. Ele puxou uma mesinha para perto do sofá, colocou sobre ela um sininho de modo que a condessa pudesse alcançá-lo e saiu. Sua cabeça queimava, agitada por muitos pensamentos ruins.

Colocando Tancredo para dormir, após o chá, ele pretendia sair para o jardim para examinar a estufa e pensar numa desculpa se fosse necessário. De repente, Cecília, toda agitada, entrou correndo em seu quarto.

– Oh, senhor Verenfels, o que aconteceu? Parece-me que a condessa está morrendo. É preciso chamar o médico e avisar o conde.

– Como assim? Não é possível! – contestou Gotfried empalidecendo. – Realmente, aconteceu um acidente com a condessa, mas não faz uma hora que a vi e ela estava sentindo-se bem.

– Eu não tinha sossego no batizado. Alguma coisa me dizia para voltar para casa – falava a camareira entre lágrimas. – Às nove e meia eu já estava de volta. Encontrando a condessa dormindo no sofá, saí do quarto, mas como por muito tempo não ouvia o chamado do sininho, voltei para saber se a condessa queria um chá. Aí percebi que ela estava num estado estranho. Seus olhos estavam semi-abertos; ela não me respondia e parecia que não me ouvia. E quando eu, junto com a Trina, levei-a para a cama, seu corpo parecia completamente insensível. Espero que ela não tenha se envenenado. Temo isso há muito tempo.

– Mas, não! Ela ficou assim, provavelmente, pelo forte odor da estufa. Volte para ela enquanto envio um mensageiro a cavalo para chamar o conde e outro para o médico.

– Pelo amor de Deus, Sr. Verenfels, venha por um instante dar uma olhada na condessa. Talvez o senhor saiba o que fazer nesta terrível situação enquanto o médico não vem – implorava a camareira.

– Está bem, eu vou lá depois de dar as devidas ordens.

Dez minutos depois Gotfried novamente debruçou-se sobre Gabrielle. Ela estava deitada na cama completamente prostrada após o choque nervoso. Houve um momento em que ele próprio achou que ela estava morrendo e seu coração contraiu-se dolorosamente. O que fazer? Como ajudar?

– Condessa, pelo amor de Deus, diga o que sente – pronunciou ele com preocupação. Sua voz tinha força mágica e parecia tirar Gabrielle da letargia. Suas pálpebras levantaram-se lentamente e com voz fraca, como um leve sopro, ela sussurrou:

– Não sinto nada, só fraqueza.

Torturado pela preocupação e pelo medo, Gotfried saiu para o jardim e começou a andar para frente e para trás. Ele desejava que o médico e o conde chegassem rapidamente e, ao mesmo tempo, que Gabrielle, em estado febril, não revelasse o seu infeliz segredo. Que complicação terrível! Ele foi à estufa e examinou a porta quebrada. Para sua grande surpresa ele notou que ela estava trancada por fora, provavelmente pelo jardineiro, que nem desconfiou que a condessa se encontrava lá. Essa circunstância poderia servir para explicar o acontecido.

Em sua impaciência, Gotfried foi aguardar o médico e os condes no quintal e logo viu um cavaleiro que corria a toda num cavalo coberto de espuma. Era Arno, pálido e ofegante pela corrida.

– Então, ela está viva? – perguntou ele, pulando do cavalo. – Diga, pelo amor de Deus, Gotfried. Vejo pelo seu rosto que aconteceu algo terrível.

Em poucas palavras e tentando o quanto possível ater-se à verdade, Verenfels contou que a condessa fora à estufa e ficara trancada lá provavelmente por algum dos jardineiros, naturalmente sem qualquer intenção.

Contou também que quando Tancredo voltara da casa do juiz, fora procurar a mãe e não conseguira achá-la em lugar algum. Então ele, Gotfried, temendo que algo tivesse acontecido, fora ao jardim e passando perto da estufa parecera-lhe ouvir um fraco gemido. Então ele arrombara a porta e achara a jovem mulher desmaiada. Mas, como ela logo voltara a si, ele não imaginara que isso teria sérias conseqüências.

– Que incrível leviandade! – exclamou Arno dirigindo-se apressadamente aos aposentos de Gabrielle.

Meia hora depois chegou a carruagem trazendo o conde e logo após apareceu o médico. Examinando a paciente que permanecia imóvel, calada e que parecia não ver nem ouvir ninguém, ele aviou algumas receitas, disse que ficaria até o dia seguinte e insistiu que o conde fosse dormir, pois ficara muito fraco após o choque que o atingira. Em seguida, deixando Arno junto à paciente, o médico foi à sala onde Gotfried, pálido e nervoso, aguardava com torturante ansiedade o resultado do seu exame.

– Foi o senhor que tirou a condessa da estufa? – perguntou o velho médico, dirigindo um olhar perscrutador à bela e elegante figura do rapaz.

– Sim.

– Então, conte-me em que estado a encontrou e se não houve algum forte choque antes ou depois do sufocamento.

Percebendo que o seu interlocutor vacilava, ele acrescentou.

– Com um médico o senhor pode ser tão franco como com um confessor. Para salvar essa jovem mulher, cujo estado é muito sério, devo saber a verdade.

Com grande nervosismo Gotfried declarou que o estado moral da condessa era preocupante e que seus nervos estavam muito excitados antes e após o acidente. Satisfeito com essa resposta, o médico voltou para a paciente.

No dia seguinte, Guido Ceratti chegou de Arnoburg e ficou surpreso ao saber do acontecido na véspera. Mas quando Arno saiu e ele ficou a sós com Verenfels, dirigindo-lhe um olhar insolente e zombeteiro, disse em tom de brincadeira:

– Esse acidente parece demais com tentativa de suicídio.

– Por quê? Não vejo nenhuma indicação disso – respondeu friamente Gotfried.

– Ah, quem pode adivinhar os "porquês" de uma linda mulher? O cansaço moral, ciúme, amor rejeitado, e tudo o mais... E, na ausência de todos, uma morte poética.

Notando com zombaria um rubor passageiro no rosto de Gotfried, Guido levantou-se e saiu. Verenfels voltou para seu quarto, sombrio e taciturno.

O dia seguinte foi muito agitado. A condessa passava mal. O estado letárgico em que se encontrava resistia ao tratamento. O médico e os familiares de Gabrielle, perdiam a esperança de sua salvação. Mas, mesmo assim, a forte e jovem natureza superou a doença: ela começou lentamente a voltar a si e logo o perigo passou. Apesar do final feliz do perigoso acidente, a atmosfera de tristeza continuou a pesar sobre o castelo, e somente Arno e Tancredo voltaram ao seu estado habitual. O conde Willibald permaneceu sombrio, preocupado e, de soslaio, perscrutava o rosto empalidecido de Gotfried, percebendo em sua aparência tranqüila uma certa artificialidade.

Guido Ceratti aproveitou as férias imprevistas para trabalhar no seu quadro. Improvisou um *atelier* na casa do juiz e passava lá dias inteiros. O jovem artista fez um pequeno desenho a pastel dos quatro filhos da sra. Lindner e, desse modo, conquistou seu coração. Ela deu-lhe completa liberdade para trabalhar na imagem de sua sobrinha, mas, certamente, não seria tão bondosa se tivesse notado os olhares ardentes e apaixonados que o jovem pintor enviava, por vezes, ao adorável rostinho de Giselle. A moça, ocupada com seu trabalho manual e absorta em sonhos de amor, nada percebia.

Pobre Giselle... ela não sabia que sua imagem descorara no coração do seu noivo, apagada pela beleza insolente e demoníaca que vencera e prendera o homem amado, e que agora ele estava ligado à noiva somente pela honra da palavra dada.

O estado de espírito de Gotfried durante as três semanas que se seguiram à tentativa de suicídio de Gabrielle foi terrível. Ele não podia opor-se à paixão e sentia-se cada vez mais acorrentado à sedutora mulher que o amava com tanta paixão, mas com um abismo a separá-los. Ele criticava-se amargamente por não ter deixado o castelo no dia seguinte após o baile. Seu coração e sua mão estavam livres naquela hora; agora ele amarrara seu destino ao destino de uma criança inocente, perdera seu coração e ficara numa situação impossível.

Mas Verenfels era por demais honesto e enérgico para vacilar por muito tempo. A palavra dada a Giselle impunha-lhe a obrigação de esquecer Gabrielle. Além disso, a suspeita de três pessoas – a camareira, o médico e Ceratti – demonstrada no dia do atentado da condessa, despertava nele o desejo de ir embora o mais rapidamente possível. Ele sentia-se magoado com a condessa desde o dia do acidente, pois mesmo após ter melhorado ela não saía dos seus aposentos. Gotfried procurava ansiosamente um motivo para ir embora antes do aparecimento de Gabrielle quando, de repente, duas cartas, recebidas ao mesmo tempo, tiraram-no da difícil situação, ao mesmo tempo enchendo de grande pesar o seu coração.

Uma das cartas era de sua mãe. Ela informava que sua saúde piorara repentinamente e, sentindo o fim próximo, pedia-lhe que fosse vê-la o quanto antes: – *Olhar para você pela última vez e abençoá-lo – eis a única alegria que anseio receber nesta vida* – escrevia ela.

A outra carta era do velho parente de sua falecida esposa que era padrinho dela própria e de sua filha Líllia. Gotfried mantinha com ele uma correspondência ocasional. Wilhelm Berg vivia há muitos anos em Mônaco, onde tinha sua própria casa. O velho, diziam, possuía um sólido capital. A casa de jogos em Mônaco representava um amplo campo para especulações e Berg aproveitara isso para fazer sua fortuna. Ele dava dinheiro a juros de agiota aos ricos estrangeiros que a inconstância da fortuna colocava em situação difícil e os obrigava a aceitar quaisquer condições. Também comprava ou penhorava jóias que lhe ofereciam algumas jogadoras em situação difícil. Mas essas especulações não impediam Berg de ter boa reputação em Mônaco.

Berg era aquele parente que quisera ajudar Gotfried quando o rapaz pretendera emigrar para a América. Agora, o velho escrevia dizendo que, em decorrência da gota, ele praticamente perdera as pernas, que a sua vista estava cansada e que precisava de um jovem e forte auxiliar. – *Pensei logo em você, Gotfried* – escrevia ele –, *pois estou fazendo-o meu herdeiro antes de morrer. Você participará dos negócios, enquanto eu irei me deliciar com o prazer de estar cercado de familiares na velhice. Para sua mãe e para Líllia o clima de Mônaco será muito saudável. Além disso, na minha casa mora uma senhora de meia-idade, administradora dos meus bens, que foi professora e pode ocupar-se com a educação de minha neta. Então, venha logo e mande-me notícias para quando posso esperá-lo.*

Apesar de sentir uma secreta repugnância pelos negócios do velho Berg, Gotfried considerou a sua proposta como uma indicação divina. Isso lhe proporcionava uma saída da difícil situação e garantia-lhe um futuro independente. Então, Verenfels decidiu que, se a sua pobre mãe morresse, iria morar em Mônaco com Giselle e Líllia, e o resto arranjaria depois.

Sem perder tempo ele foi ter com o conde e pediu-lhe autorização para, naquela mesma noite, viajar para ver a mãe moribunda e mostrou-lhe a carta. O conde concordou sem problemas e somente perguntou quando ele pretendia voltar.

– Não sei ao certo, pois ainda devo visitar um velho parente em Mônaco que está me fazendo seu herdeiro. Espero que isso não lhe traga nenhum problema, pois Tancredo está bem preparado para a escola militar. Para orientá-lo até a minha volta posso recomendar uma ótima pessoa, candidato a teólogo. Ele é irmão do meu professor de escola.

– Muito bem, então fique por lá o tempo que desejar. O contrato de Pétris termina somente em primeiro de outubro.

Tancredo ficou muito surpreso ao saber da viagem de Gotfried. Mas a idéia de trocar o seu severo comandante por um tímido e bondoso candidato sorria-lhe. Ele ajudou Verenfels a fazer as malas e, num gesto de amizade, presenteou-o com um retrato seu em miniatura que trouxe dos aposentos do pai.

– Isto é para que não esqueça de mim – disse ele maliciosamente.

Gotfried sorriu e aceitou o presente.

– Tive tanto trabalho com você que nunca iria esquecê-lo. Mas mostrarei seu retrato à Líllia, que agora fez três anos, e vou contar-lhe que terrível garoto eu eduquei.

– Ah, não! – exclamou Tancredo, com insatisfação. – O passado deve ficar entre nós. Por favor, não fale mal de mim à sua filha. O que acontecerá se ela lembrar disso quando crescermos?

Achando aquela fatuidade precoce muito engraçada, Gotfried prometeu ficar calado.

Na noite do mesmo dia, Arno foi ver sua madrasta para ler alguma coisa para ela como o fazia habitualmente quando, de repente, lembrou da novidade do dia. Interrompendo a leitura, ele contou que Gotfried estava indo embora e pedira que Arno lhe transmitisse os seus respeitos e o desejo de rápida recuperação.

Para felicidade de Gabrielle a sombra do escuro abajur escondia suas feições, caso contrário, Arno ficaria assustado com a sua repentina palidez.

– Quanto tempo ele vai ficar fora? – perguntou ela com voz indecisa.

– Penso que não retornará antes de outubro – respondeu calmamente o jovem conde. – Sua pobre mãe está à morte, mas isso pode demorar. Também precisa ir a Mônaco tratar de outro compromisso – concluiu o rapaz e prosseguiu a leitura.

Gabrielle nada ouvia, totalmente absorta pelo pensamento de que não veria Gotfried durante alguns meses.

– Quando viaja Verenfels? – perguntou de repente.

– Hoje à noite, para tomar o trem das 5 horas da manhã.

A jovem mulher nada respondeu, mas, pouco depois, alegando cansaço, dispensou Arno. Sentia necessidade de ficar sozinha. Toda a sua paixão por Gotfried despertou com força redobrada e a longa separação por vir levava-a ao desespero.

Desde o dia da tentativa de suicídio ela não falara com Verenfels, mas o via às vezes pela janela aguardando o momento quando ele passeava com Tancredo ou com seu marido por uma das alamedas que se viam do seu quarto. Agora até essa alegria lhe seria tomada. Ele iria embora sem ouvir a sua palavra de despedida. Será que voltaria? Este motivo não estaria acobertando a sua fuga?

A jovem mulher andava pelo quarto com crescente preocupação até que o relógio batendo as 12 horas tirou-a dos próprios pensamentos. Com o rosto em fogo, Gabrielle foi até a janela e encostou no vidro a sua testa febril. Era uma linda noite de junho, quente e perfumada. De dia chovera, mas à noite o tempo melhorara e a lua cheia iluminava as alamedas e os escuros bosques do amplo parque.

De repente, Gabrielle foi tomada de um irresistível desejo de olhar pelo menos as janelas do quarto do homem amado e, quem sabe, ter a sorte de vê-lo em pessoa. Sem vacilar, ela enrolou-se num grande e quente xale de crepe e saiu para o terraço. Viu que todas as janelas do castelo estavam escuras e reinava um absoluto silêncio. Aparentemente todos dormiam e ninguém saberia da sua escapada secreta.

Ágil e leve como uma sombra, ela passou pelo paço coberto de areia e iluminado pelo luar e desapareceu na sombra das árvores dirigindo-se à casa de fundos, ocupada por seu filho.

Seus pés, calçando sapatilhas, afundavam na grama úmida, mas Gabrielle não prestava atenção a isso e prosseguia o seu caminho, escondendo-se nas sombras, receando ser vista das janelas por alguma pessoa.

Por fim ela parou sufocando de nervosismo. Diante dela erguia-se o setor antigo do castelo e no céu estrelado destacavam-se nitidamente a sua massa imponente e a torre com o cimo pontiagudo. Encostada ao velho prédio seguia uma fila de janelas e um amplo terraço adjacente aos quartos de Tancredo. As janelas do quarto do garoto estavam escuras, mas as duas janelas contíguas estavam iluminadas e na cortina fechada aparecia uma sombra em movimento. Os olhos de Gabrielle cravaram-se nesse reflexo. Gotfried, como se atendendo ao mudo chamado, saiu para o terraço e andou por ele de cabeça baixa, pensativo. Em seguida, desceu para o jardim e foi andando pela alameda junto à qual escondia-se Gabrielle.

– Gotfried! – sussurrou ela, saindo da sombra a dois passos dele.

O rapaz estremeceu, olhando para Gabrielle. À luz do luar ela parecia uma aparição mágica.

– A senhora aqui, condessa?

– Não podia deixá-lo ir sem despedir-me – sussurrou ela estendendo-lhe as mãos e dirigindo-lhe um olhar cheio de tanto amor e de tanto desespero que Gotfried sentiu-se escravizado. Ele apressou-se em tomar suas mãos e beijá-las.

– Fico muito grato. Mas, que descuidado de sua parte vir aqui à noite pela grama molhada. A senhora mal sarou e já está se arriscando a resfriar-se.

– Não importa! Eu queria vê-lo antes da longa separação e perguntar... –

ela inclinou-se para ele – poderia o senhor levar de mim somente boas lembranças? Poderia o senhor lembrar sem aversão nem desprezo da mulher que traindo a própria dignidade confessou seus sentimentos para o senhor e obrigou-o a lembrá-la da sensatez e do dever?

As lágrimas impediram-na de prosseguir.

– O que está dizendo, Gabrielle? Como ousaria condenar o sentimento que se apossa tão traiçoeiramente do coração da pessoa, sentimento que lhe causou tanto sofrimento? Se minhas palavras e minha amizade sincera tocaram sua alma, se me prometer lutar corajosamente com essa sua fraqueza, dedicar todo o seu amor ao seu nobre e generoso marido, se for uma mãe sensata para Tancredo e uma verdadeira irmã para Arno, irei lembrá-la com respeito e com sentimento de veneração e as minhas preces sobre a sua felicidade estarão sempre com você.

Vendo as lágrimas que caíam pela face de Gabrielle, ele disse com forte nervosismo:

– A senhora me faz sofrer com estas lágrimas que não posso secar.

– Adeus – sussurrou a condessa estendendo-lhe a mão.

Escravizado e esquecendo de tudo, Gotfried puxou-a para os seus braços e encostou os lábios em seus sedosos cabelos, mas quase imediatamente afastou-a e fugiu. Sua cabeça estava a ponto de explodir e a consciência doía. No último instante ele fraquejara traindo a confiança do conde e a palavra dada a Giselle. "*Nunca mais devo deixar-me seduzir se não quiser ser infame*", dizia para si mesmo, voltando ao quarto.

A condessa ficou imóvel por instantes. Uma louca felicidade apossou-se de sua alma, e somente o pensamento de que ele fora conquistado, ele era seu apesar de tudo, pois a amava, agitava-se em sua cabeça. A jovem mulher transformou-se. Com o rosto em fogo ela voltou aos seus aposentos e jogou-se na cama.

A alegria da condessa duraria muito menos e os remorsos de Gotfried aumentariam cem vezes se eles soubessem que aquele encontro fora notado por duas testemunhas. Um deles era Guido Ceratti que, voltando de um passeio noturno, vira Gabrielle no momento em que ela se aproximava de Verenfels. Movido pela curiosidade, ele escondera-se querendo ver o que iria acontecer. "*Eu estava certo!*", pensava consigo mesmo com sorriso zombeteiro, imaginando que havia algo oculto nisso. "*Sim, ela está louca por este belo rapaz louro. Tais descobertas valem ouro, e isso irá ajudar-me a primeiramente possuir a minha linda Madonna pela qual estou loucamente apaixonado e, depois, garantir a mi-*

nha sobrevivência. Ter esse segredo nas mãos é mais rentável do que a pintura. Mas não invejo Verenfels, pois não é fácil lidar com um demônio destes.

A partir daquele dia a condessa começou a melhorar. Fresca, alegre, feliz, começou novamente a interessar-se pela vida. Era carinhosa e atenciosa com o conde, que parecia triste e um pouco doente, e tratava Arno como a um irmão. A certeza de ser amada por Gotfried enchia o seu coração de alegria. Ela suportava a separação com paciência e nem pensava no que viria a seguir.

As sessões de pintura recomeçaram e Ceratti fazia agora o seu retrato. A cada momento em que ficavam a sós, Guido direcionava a conversa para Giselle e contava inúmeros pequenos episódios que haviam acontecido entre esta e seu noivo durante a doença da condessa. Esses contos habilmente aplicados despertavam na condessa um terrível ciúme e uma tempestade de paixão e, esquecendo qualquer cuidado, ela própria passou a inquirir o pintor.

Certa vez, Gabrielle estava no *atelier* a sós com Guido. Ele, como sempre, levou a conversa para o tema habitual e informou que entre os noivos estabelecera-se uma ativa correspondência. Na véspera, Giselle recebera uma carta que a deixara muito nervosa. Ela relera a carta várias vezes.

– Parece que o assunto era para apressar o seu casamento – acrescentou Ceratti, observando de soslaio o rosto empalidecido e preocupado da jovem mulher.

– Perdoe-me, condessa, por perturbá-la com essas descuidadas palavras – disse ele de repente, olhando-a ousadamente de frente.

Gabrielle estremeceu e, reunindo todas as forças, afirmou, medindo-o com olhar de desprezo:

– Não estou entendendo. O que o senhor disse não podia me perturbar!

– Vejo, condessa, que devo ser mais claro para obter a sua confiança e, por isso, vou contar-lhe um episódio que aconteceu na noite da partida do sr. Verenfels. O tempo estava tão bom que saí para dar um passeio no jardim e o acaso levou-me àquela parte do castelo onde mora o pequeno conde. De repente, vi um belo rapaz louro, que andava impacientemente junto ao terraço. Em seguida ele dirigiu-se à alameda de carvalhos, onde imediatamente da sombra das árvores apareceu uma jovem mulher e o chamou. Ele con...

– Chega, é suficiente – interrompeu-o a condessa, pálida como a morte. – Estou entendendo, o senhor estava espionando e quer que lhe paguemos pelo silêncio. Quanto o senhor quer?

O pintor sorriu zombeteiramente.

– Não se irrite, condessa. Não é sensato tratar mal o possuidor do seu segredo. Quero fazer com a senhora um acordo amigável.

– Quanto o senhor quer?

– Eu lhe direi quando esclarecer todas as circunstâncias. A senhora ama um homem que corresponde ao seu amor, mas é extremamente correto para aproveitar a felicidade proibida. Além disso, esse homem está noivo e nunca vai largar aquela a quem deu a sua palavra. Mas eu posso acabar com esse compromisso e fazê-la indigna e infiel o suficiente para que o sensível rapaz não case com ela. Se, em seguida, a senhora enviuvar, nada irá atrapalhar seu casamento com o homem que ama. E, se... para a consumação destes felizes acasos, o conde Arno morrer em duelo, por exemplo, com D. Ramos De-Moreira, a enorme fortuna dos Arnoburg passará para o seu filho e permitir-lhe-á recompensar regiamente o seu amigo que provocará esses felizes acasos e arranjará a sua felicidade. Sou pobre e devo pensar no meu futuro. Por isso peço-lhe 10 mil francos pelo silêncio e 15 mil para fazer a infidelidade da senhorita Giselle. O preço pela sua viuvez e pela herança do jovem conde nós acertaremos quando chegar o momento.

Gabrielle ouvia tudo estupefata de terror e indignação. Sentia-se como que enredada numa teia e nas mãos daquele cínico e corrupto.

– O senhor ousa me propor uma série de crimes. Não quero que Arno morra, nunca – murmurou ela de repente com voz surda.

– Condessa, estou lhe propondo uma saída da insuportável situação: riqueza e a felicidade no futuro, graças a felizes acasos pelos quais ninguém poderá condená-la. A senhora se arrependerá dessa indecisão quando já for muito tarde. Eis a carta de Verenfels que prova a veracidade das minhas palavras.

Ele retirou do bolso um papel dobrado, colocou-o no colo da jovem mulher e voltou a pegar o pincel.

Tremendo, como em febre, Gabrielle jogou-se no espaldar da poltrona e convulsivamente amassava com a mão a carta de Verenfels. Um inferno de ciúme e paixão fervia em seu peito.

Ela endireitou-se, impetuosamente abriu a carta e começou a ler: *Querida Giselle...*

As letras pulavam e misturavam-se aos seus olhos enevoados; passaram-se alguns minutos antes que ela estivesse em condições de prosseguir a leitura. Sob a influência dos remorsos ocultos, o rapaz estava mais carinhoso e mais propenso a expor seus sentimentos do que o faria sem essa motivação. Em frases sentimentais ele contava sobre o mau estado de saúde de sua mãe e enviava-lhe a bênção e o beijo da moribunda para sua futura nora. Depois, ele escrevia: *Estou triste, algo me pesa e me preocupa e pergunto-me, por vezes, se sou digno de você, Giselle, e se conseguirei fazê-la tão feliz quanto o merece. Mas, afasto estes pensamentos, sabendo como é profundo o seu amor por mim. Quando se tornar a companheira de minha vida, o olhar inocente dos seus olhos azuis, límpidos como o céu, afastará os negros pensamentos deste demônio que me atormenta. Por isso quero apressar o quanto possível o nosso casamento. Sei que o seu amor me trará tranqüilidade e felicidade.*

Gabrielle dobrou o papel com mão trêmula. Fechando o rosto sombriamente, ela empalidecia e enrubescia. Havia entendido o sentido oculto daquelas linhas: o demônio que tirava a tranqüilidade de Gotfried era a sua paixão por ela. Na união com Giselle ele queria encontrar a salvação e a felicidade. Aquela simples e limitada mulher possuiria aquilo que considerava como sua propriedade. "*Não, nunca! É preciso separá-los, de qualquer modo abrir um abismo entre eles!*", pensava consigo mesma, empalidecendo, e um fogo sombrio brilhava em seus olhos. Ela não percebia o olhar zombeteiro e perscrutador com que o pintor acompanhava a sua luta moral e o sorriso de satisfação com que ele voltou-se, encerrando as suas observações.

Um ciúme impotente devorava-a. O demônio sedutor despertara os nefastos sentimentos que se ocultavam nela e estendera as suas garras para capturá-la e transformar a leviana e ardente mulher numa criminosa comparsa de um malfeitor. Permanecendo surda à voz do seu anjo da guarda que lhe gritava: "Controle-se!", ela correu para o italiano e sussurrou:

– Pagarei pelo seu silêncio. E, se o senhor separar Giselle e Gotfried, vou recompensá-lo acima de suas expectativas.

VII
A força do mal

Como é justo que o primeiro passo para fora do caminho correto costuma ser um passo fatídico que freqüentemente conduz à morte, ele sempre fornece uma forte arma ao acaso fatal que nos vigia na forma de uma pessoa que procura seus interesses no pecado e na desgraça do próximo. Arrebatada pela louca paixão, Gabrielle arriscou-se a ir a um encontro noturno com Gotfried e esse desrespeito ao dever de uma mulher honesta jogou-a nas mãos de Ceratti, que usava o seu amor proibido como instrumento para arruiná-la. Por mais que fosse leviana e apaixonada, ela nunca atentaria contra a vida do marido e de Arno mesmo que fosse para casar com Verenfels. Apesar do cego ciúme esse pensamento deixava-a horrorizada e incutia-lhe um sentimento de repugnância misturada com medo em relação ao italiano, que ela devia disfarçar, sabendo que se encontrava em seu poder.

Guido Ceratti era um homem perigoso. Sob a sua agradável, respeitosa e humilde aparência ocultava-se um espírito pérfido, esperto e depravado. Além da esperteza e da energia com que a natureza o presenteara, o acaso pôs em suas mãos uma terrível e secreta arma com que ele contava para cumprir as promessas feitas a Gabrielle. Essa arma era a força hipnótica atualmente estudada com afinco pelos cientistas e amadores; mas na época em que acontece este nosso relato, a hipnose era praticamente desconhecida do povo.

Alguns anos antes Ceratti acompanhara em viagem para a Índia um velho fidalgo italiano que o convidara na qualidade de secretário e pintor para compor um grande álbum de tipos indianos, monumentos notáveis e outros objetos interessantes. Durante essa viagem, Guido tivera oportunidade de prestar um favor a um velho indiano e este, em agradecimento, iniciara-o – achando-o capacitado para isso – nessa ciência que oferece esse poder. O rapaz conseguira, de forma surpreendente, aproveitar as aulas e por várias vezes submetera à sua vontade e a seus interesses as pessoas com quem tratava.

Agora ele pretendia utilizar essa estranha força que cai como chumbo na capacidade mental da pessoa e a submete à vontade alheia. Esse poder é ainda mais perigoso pelo fato de que nenhum dos sentidos do homem, animal ou vegetal, consegue resistir-lhe. Esse poder secreto é capaz de incutir tanto o bem como o mal e cada pessoa se sujeita a ele desde que sejam empregados os meios correspondentes à sua natureza. Por exemplo, a pessoa que não consegue ser influenciada pela visão de um objeto metálico, olhar magnético ou passes hipnóticos, pode ser submetida pelo som de música, sino tocando ao longe, visão de uma cor berrante e odor suficientemente forte para provocar nela um desligamento do sistema nervoso e uma inatividade do cérebro necessários para que a vontade alheia possa escravizá-la.

No cego, por exemplo, a audição e o olfato servir-lhe-ão de guia, dandolhe uma idéia do exterior; no surdo – visão e luz. Mas, além disso, para cada um devem ser utilizadas particularidades correspondentes à sua natureza.

Até hoje essa ciência complexa é pouco conhecida e pouco utilizada, mas aqueles que a pesquisam garantem que o futuro prepara muitas surpresas. Esse poder desempenhará um grande papel na medicina e na vida cotidiana.

Apaixonado e devasso, Guido sentiu uma forte atração por Giselle. A beleza delicada da moça loira inflamava seus sentimentos, mas a honestidade de Giselle e o fato de ela ser noiva de um homem orgulhoso e enérgico com quem não se podia brincar obrigavam o pintor a ocultar seus sentimentos. Protegido pela oportunidade, o esperto italiano decidiu satisfazer o seu desejo sem correr qualquer risco e ainda pretendendo receber por isso uma grande soma de dinheiro, inteiramente oculto pela parceria da condessa.

Para pôr em prática suas intenções, ele começou por entender-se à tarde com Gabrielle e pediu ao conde autorização para mudar seu *atelier* de trabalho para o pequeno pavilhão mauritano que se localizava nos fundos do parque, perto da grande lagoa, e que era composto de dois quartos e uma galeria de vidro.

Assim que Guido se instalou no novo local, foi à casa do juiz e pediu a Giselle que lhe concedesse mais duas ou três sessões.

Fingindo pintar, Ceratti olhava fixamente para a moça, concentrando toda a sua vontade, para lhe incutir mentalmente alguns gestos e palavras. No dia seguinte, trouxe consigo um bandolim e no fim da sessão tocou nele alguns acordes. Em seguida, propôs-se a ensinar a moça a tocar o instrumento. Ela concordou, sorrindo. Ele aproximou-se e, colocando seus dedos nas cordas do instrumento, fez Giselle tirar alguns sons. Enquanto isso, inclinado sobre ela, dirigiu sobre suas testa e nuca toda a força da sua vontade.

– Chega por hoje – disse ele, rindo. – Agora vou cantar alguma coisa para a senhorita.

Guido sentou-se diante dela e, acompanhando-se ao bandolim, começou a cantar uma lenta e estranha melodia. Era uma mescla de sons penetrantes e trêmulos, por vezes delicados, lentos e apaixonados, enquanto seu olhar fixo e ardente parecia grudado às feições de sua vítima. Imperceptivelmente, Giselle foi se sentindo pesada e dominada por um estranho torpor. Seus braços enfraquecidos caíram sobre os joelhos, a cabeça fatigada encostou-se no espaldar da poltrona; os olhos ficaram febris e imóveis, o rosto empalideceu e alterou-se.

– *Dê-me a rosa que enfeita seus cabelos perfumados!* – cantarolou o italiano com voz surda e trêmula.

Maquinalmente, com o olhar imóvel, Giselle retirou a rosa que trazia na cabeça e entregou-a a Ceratti que, continuando a cantar, retirou do monte de pincéis uma varinha de nogueira e tocou com a sua ponta a testa da moça. Ela imediatamente fechou os olhos e parecia adormecida. – *Você me ouve?* – perguntou Ceratti, inclinando-se sobre ela. – *Sim* – sussurrou Giselle. – *Estou mandando você vir ver-me à uma hora da manhã no pavilhão mauritano do parque Reckenstein e submeter-se a mim sem reservas. Agora, acorde e esqueça de tudo o que aconteceu na última meia hora.*

Ceratti falava num tom imperioso acentuando cada palavra. Em seguida, encostou a ponta oposta da varinha de nogueira na testa da moça adormecida e sentou-se no seu lugar. No mesmo instante, Giselle abriu os olhos aparentemente sem perceber que tinha adormecido e calmamente continuou o seu trabalho manual.

O dia transcorreu sem maiores acontecimentos. Giselle esqueceu completamente o italiano, pois após o almoço recebeu uma carta de Gotfried que absorveu todos os seus pensamentos. Depois do jantar, quando as crianças foram dormir e os afazeres de casa estavam concluídos, a moça foi para o seu quarto, releu várias vezes a carta do noivo e escreveu-lhe uma resposta. O relógio bateu meia-noite quando ela terminou a carta, colocou no envelope e selou-a. Levantou-se e quis deitar para dormir quando, de repente, parou indecisa e seus olhos anuviaram. Uma suave e mal perceptível melodia soava ao seu ouvido, a imagem de Ceratti voava e agitava-se em seus pensamentos e parecia atraí-la para ele. A consciência de que devia fazer algo que não conseguia recordar incomodava-a de modo estranho e torturante.

Sem dar-se conta do que fazia, vestiu uma leve capa, saiu para o jardim e por um caminho sombreado dirigiu-se ao castelo.

Os sons trêmulos da canção ouviam-se cada vez mais claramente e parecia que iam à sua frente levando-a consigo com uma rapidez cada vez maior e chamando-a para destino conhecido, que ela entretanto desconhecia.

Os pés da moça corriam rapidamente pelas alamedas arenosas, mas em sua cabeça não havia a consciência de que ela estava no parque Reckenstein, passando pela lagoa, e somente ao ver o pavilhão mauritano ela parou. Seu olhar anuviado vagava inconscientemente pelas finas colunas, pelos arabescos dourados, pela fonte que em murmúrio jorrava água na piscina de mármore. Então, de repente, ela atirou-se inconscientemente para a entrada do pavilhão onde a porta abriu-se imediatamente e no fundo iluminado delineou-se a silhueta elegante de um homem. Instantes depois, Guido Ceratti apertava os seus lábios contra os dela sem qualquer reação e, após fechar a porta, levava a moça para dentro do quarto.

A partir dessa malfadada noite, Giselle caiu num estranho estado de espírito, incompreensível aos seus parentes. Pálida, sombria e calada, ela mantinha distância de todos, estremecia ao menor barulho e teimosamente não respondia às preocupadas perguntas do juiz e da esposa. Mas, com o cair da noite, uma força incompreensível levava-a ao pavilhão para o impiedoso malfeitor que a destruíra por cupidez e negligente devassidão.

Entretanto, essas visitas noturnas não podiam permanecer em segredo por muito tempo. O primeiro a notá-las foi um criado que havia se atrasado; depois uma mulher que voltava da aldeia após visitar um parente doente. Logo o boato sobre esse escândalo chegou aos ouvidos do jovem professor de Tancredo que substituía Gotfried.

O rapaz quis conferir isso com seus próprios olhos e, quando viu Giselle entrando no pavilhão, não teve mais dúvidas e seu coração honesto indignou-se com tal depravação numa menina que mal completara 19 anos. Mas ele não podia decidir-se a comunicar isso a Verenfels e ao casal Lindner, que eram os únicos que não sabiam da vergonha que tinha recaído sobre o seu lar.

O objetivo de Ceratti tinha sido alcançado, sua vontade fora satisfeita e ele resolveu, sem mais protelar, representar o último ato do drama. Quando à noite Giselle chegou ao pavilhão, pegou-a pela mão e, dominando-a com o olhar como a cobra domina um passarinho, disse: *Você vai escrever ao seu noivo o que irei ditar agora. Pegue a pena e o papel.* A infeliz, sem qualquer reação, escreveu: *Gotfried, sou indigna de ti, amo a outro e entreguei-me a ele. Esqueça-me, perdoe-me e, se tiver um restinho de pena de mim, livre-me da vergonha de encontrá-lo alguma vez.*

A pena caiu da mão de Giselle e seus olhos fecharam-se. Então Ceratti disse-lhe imperiosamente: – *Amanhã de manhã você escreverá uma carta a Verenfels com estas palavras. Você não vai mais vir aqui; mas vai lembrar o que aconteceu e que você vinha aqui de boa vontade, por amor a mim.* Como num pesadelo a moça voltou para casa e acordou num abismo de vergonha e desespero.

No dia seguinte, Ceratti aproveitou a primeira oportunidade de ficar a sós com a condessa para lhe passar a carta que realizava o rompimento entre Gotfried e sua noiva.

– Isto é uma cópia da carta que hoje foi enviada a ele – informou o italiano.

Pálida, com a testa coberta de suor, Gabrielle leu a missiva, fruto de um crime mais baixo que o assassinato, e sentimentos de alegria, horror e dor de consciência misturaram-se em sua alma. Finalmente, Gotfried estava livre; isso tranqüilizava o seu coração ciumento. Mas o crime a fazia estremecer. Seu bom senso negava-se a entender como Giselle, sendo noiva de um homem como Verenfels, conseguia mesmo olhar para um outro homem, sem falar de se entregar a uma paixão rasteira por Ceratti.

– Está bem. Hoje à noite o senhor receberá a quantia combinada – sussurrou ela, levantando-se.

Mas, imediatamente após o acordo com o italiano, uma preocupação secreta começou a torturar Gabrielle, e à medida que se desenrolava a intriga que arruinava a infeliz Giselle, essa preocupação febril crescia cada vez mais. Para se acalmar e reprimir aquele caos de sentimentos tempestuosos, ela novamente jogou-se no turbilhão de divertimentos. O barulho da sociedade encobria a sua consciência, a admiração da multidão exaltava-a.

D. Ramos voltou e recomeçou o seu flerte. Ele parecia mais apaixonado, e Gabrielle, com uma leviandade cega, flertava com ele excitando ainda mais o fogoso rapaz. Arno sufocava de ciúmes e até sugeriu ao pai que seria razoável proibir a entrada do brasileiro na casa. Mas o conde permanecia sombrio e indiferente, e parecia não dar qualquer importância ao flerte entre D. Ramos e sua esposa.

Após o rompimento de Gotfried com sua noiva, a preocupação secreta da condessa aumentou ainda mais. Com uma insaciável avidez ela procurava diversões, mas sob aquela fingida alegria ocultavam-se a dor de consciência e o desejo de reparar o crime na medida do possível.

Então, certo dia, quando os dois condes estavam ausentes de casa, Gabrielle aguardou Ceratti e, ao vê-lo indo ao pavilhão mauritano, aproximou-se do rapaz.

– Precisamos ter uma conversa séria, senhor Ceratti – disse ela, sem qualquer preâmbulo. – O senhor me pegou desprevenida e aproveitou-se do meu ciúme momentâneo para me fazer cair numa armadilha e explorar um segredo que descobriu por acaso. Mas o mal está feito e é preciso aplacar as conseqüências. A idéia de que o senhor em parceria comigo destruiu um ser inocente não me deixa em paz. Vim propor que o senhor case com Giselle. Darei à moça um dote rico e, já que ela o ama, então sua honra e sua felicidade estarão igualmente defendidas.

O rosto do pintor ruborizou-se fortemente, e ele franziu a testa. Mas, recompondo-se imediatamente, ele respondeu com sua habitual esquiva:

– Então é a sua vez, condessa, de me pegar desprevenido. Nunca pensei em casamento, mas a sua generosidade torna possível tal união e estou quase decidido a atender ao seu pedido. Entretanto, pedir-lhe-ei um tempo para pensar antes de aceitar definitivamente a proposta.

A condessa acenou afirmativamente com a cabeça e afastou-se. Ela não percebeu o olhar venenoso e zombeteiro que a acompanhava.

– Mulher estúpida e vaidosa – resmungava Guido –, pensa que vai me obrigar a pagar com minha liberdade, pelas suas aventuras amorosas. Preciso me apressar a dar-lhe uma ocupação mais produtiva do que acalmar as dores de consciência.

Alguns dias depois dessa conversa houve uma festa no castelo. Um grande volume de pessoas reuniu-se no baile da aldeia organizado por Gabrielle com seu habitual gosto e luxo. Dançavam no jardim, no salão de baile especialmente construído e no castelo onde todos os terraços abertos estavam muito bem iluminados; ao som de duas orquestras os alegres grupos de pessoas bem vestidas dançavam e passeavam pelas alamedas do jardim.

Acabou a valsa e Gabrielle, após dançar com D. Ramos e apoiada em seu braço, ia pela alameda que levava ao castelo. Com o rosto em fogo e inclinando-se para a sua dama o brasileiro contava-lhe algo com grande animação. Nenhum dos dois percebeu que alguém escondido na sombra das árvores seguia-os tentando ouvir a sua conversa.

Acompanhados por este espião oculto, D. Ramos e Gabrielle alcançaram um terraço menos iluminado do que os outros, que era próximo à sala que conduzia ao refeitório e na outra extremidade ao gabinete do conde. As lâmpadas penduradas entre as plantas perfumadas iluminavam com luz amena o terraço que estava separado do gabinete por uma cortina abaixada.

Vendo que a condessa e seu cavalheiro dirigiram-se naquela direção, Guido Ceratti – pois era ele quem espionava – rapidamente se adiantou a eles, passou abaixado por trás das plantas e escondeu-se nas dobras da cortina.

Alguns instantes depois o par espionado subiu os degraus e Gabrielle, sentando-se no pequeno divã de vime, disse brincando:

– Sente-se, D. Ramos, e acalme-se; as danças deixaram o senhor muito exaltado.

– Não – respondeu o brasileiro com a voz sufocada pela paixão. – Preciso falar-lhe, conseguir uma explicação ou acabo enlouquecendo.

Sem ouvir mais nada, Guido abandonou o seu esconderijo, passou pela sala onde não havia ninguém, depois pelo refeitório que os criados preparavam para o jantar. – *Mas, onde estaria o conde?* – sussurrava Ceratti com impaciência. Como se respondendo ao seu chamado, o conde apareceu à entrada do quarto vizinho, saindo do salão de baile.

– Sr. Ceratti, viu Arno por aí? – perguntou ele com voz cansada.

– Parece que acabei de ver o jovem conde e a condessa. Eles passaram pela sala e agora estão conversando no terraço.

– Grato – disse o conde, dirigindo-se ao local indicado. Ceratti, por sua vez, correu para o jardim por outro caminho.

Chegando a alguns passos da cortina o conde parou repentinamente. Ele ouvira nitidamente uma voz que dizia com ardor:

– Sim ou não, Gabrielle? Ama-me ou não? Seus olhos ou me acendem ou me gelam. Preciso saber o que é isto – um simples jogo ou amor.

Com o rosto ficando vermelho o conde aproximou-se e olhou por entre as dobras da cortina. Não havia se enganado: lá estava D. Ramos. Com o olhar ardente e os lábios trêmulos ele inclinou-se sobre Gabrielle, que respondia displicentemente:

– Meu Deus! D. Ramos, o senhor sabe que não tenho o direito de amá-lo.

– Sim, mas esta tortura está acima de minhas forças. Devo beijar pelo menos uma vez os lábios da sereia que não pára de me prometer o céu e me obriga a suportar as torturas do inferno – exclamou o rapaz perdendo totalmente o autocontrole. Parado, de joelhos junto ao divã, ele queria abraçar a condessa.

Gabrielle, assustada por aquele seu ímpeto, exclamou surdamente:

– Deixe-me, seu louco!

Naquele instante apareceu o conde e, agarrando o brasileiro pelo pescoço, jogou-o com força para longe da condessa.

– Seu miserável, como ousa em minha própria casa ofender a minha esposa? – gritou com voz embargada pela ira. – Eu exijo satisfações.

Ele soltou D. Ramos, que, perdendo o equilíbrio, cairia nas lajotas se não se segurasse no balaústre.

Gabrielle, quase sem sentidos, caiu no divã, enquanto o rapaz, ficando vermelho de raiva, não conseguia pronunciar nada. Finalmente, ele falou com voz rouca:

– Estou às suas ordens, conde. Aguardo os seus padrinhos de duelo e ofereço-lhe a escolha das armas.

Nenhum dos presentes percebeu que Arno aproximava-se do terraço. Ele, ouvindo as últimas palavras, parou por instantes nos degraus e, em seguida, aproximou-se deles com decisão.

– O que aconteceu? – perguntou preocupado, dirigindo o olhar para o rosto abalado do pai.

O conde Willibald, sentindo de repente uma fraqueza, agarrou-se ao espaldar da cadeira.

– Não é difícil adivinhar – continuou Arno, dirigindo-se a D. Ramos – que o senhor ofendeu a condessa e meu pai o desafiou para um duelo. Mas eu também sou um representante da honra do nome dos Reckenstein e o senhor irá duelar comigo e não com uma pessoa doente que o senhor ofendeu tão desonrosamente, ignorando o dever da honra e da hospitalidade.

– O que você está dizendo, Arno? – exclamou o conde, tentando endireitar-se. – Nunca permitirei que você me substitua. Eu mesmo darei conta deste miserável.

– Neste caso, irei duelar depois de você – declarou energicamente Arno.

– Aceito o desafio de ambos – respondeu D. Ramos e fugiu rapidamente para o jardim.

Um pesado silêncio reinou por instantes no terraço. O conde foi o primeiro a quebrá-lo:

– Precisamos voltar para os convidados, pois eles não precisam saber sobre este escândalo. Vou para o salão. Mais tarde, Arno, passe no meu gabinete para acertarmos os detalhes do duelo. Eis o resultado final do flerte desavergonhado, a louca perseguição do amor de qualquer homem, para se divertir com a paixão que provocar nele.

Jogando sobre a esposa um olhar de raiva e desprezo, o conde desapareceu atrás da cortina. Mal deu alguns passos pela sala, sentiu uma vertigem, parou e, balançando, apoiou-se na mesa. A vertigem foi passageira, mas a repentina fraqueza deteve-o no lugar. Queria chamar alguém, mas a sua atenção foi atraída pelas palavras que chegaram aos seus ouvidos do terraço fazendo corar o seu rosto pálido.

Mal o marido saiu, Gabrielle levantou-se rapidamente do divã, correu para Arno e disse com voz embargada:

– Desista do duelo, Arno, peço-lhe de joelhos! D. Ramos acerta um pássaro em vôo. Fico louca só de pensar que ele pode matá-lo.

Gabrielle dizia a verdade: ela não previa nem queria duelos. Mas se era preciso uma vítima, então ela preferia que essa vítima fosse o seu marido, pois a sua morte a deixaria livre. Mas a idéia de perder Arno, seu fiel escravo, enchia seu coração de aflição e terror.

O jovem conde estremeceu à inesperada explosão de sentimentos da condessa.

– Gabrielle, a senhora teme pela minha vida – sussurrou ele. – Oh, com que felicidade eu a sacrificarei pela senhora. E nem suspeita como a morte será uma redenção para mim.

– Não – repetiu Gabrielle, coberta de lágrimas e estendendo-lhe as mãos, semi-cerradas. – Como prova de que me ama, desista do duelo. Se eu perder a única pessoa que me apóia, que me ama e me entende, então tudo estará perdido para mim.

Num ímpeto de loucura Arno agarrou suas mãos e puxou-a para si.

– Gabrielle, o que significam estas palavras? Que sentimento fez você pronunciá-las? Se me ama, diga-me isso uma única vez e todos os meus sofrimentos estarão esquecidos.

– Sim, sim, eu o amo, Arno, e você deve viver para mim!

– Não, devo morrer após a criminosa confissão que me escapou – disse o jovem conde, com voz trêmula. Como posso viver sob este teto, quando o meu coração está pleno de paixão criminosa pela esposa do meu querido pai? Eu deveria afastar-me, mas a vida longe de você é pior do que a morte. Deixe-me morrer pela bala do brasileiro, para que o meu sangue lave a ofensa que sofreu o meu pobre pai e me livrará da existência criminosa e desgraçada.

– Não quero que você morra – repetiu insistentemente a condessa. – Deixe Willibald duelar, foi ele que desafiou a D. Ramos.

O barulho da queda de um pesado corpo na sala vizinha, acompanhado de um ronco surdo, interrompeu sua conversa. Pálido e emocionado, Arno levantou a cortina e ao ver o pai esparramado imóvel no tapete, ele soltou um grito surdo e correu feito louco para acudi-lo.

– *Eu o matei com a minha infame confissão!* – sussurrava ele, levantando a cabeça desacordada do conde. – *Deus me amaldiçoou e abandonou!*

A notícia de que o conde Willibald tivera um ataque do coração interrompeu o baile de uma forma triste. Os convidados despediram-se rapidamente, chocados com a infelicidade que atingira aquela tão agradável e hospitaleira casa.

O conde, sem sentidos, foi levado ao seu quarto. Por um feliz acaso, o velho médico, amigo do conde, estava entre os convidados e pôde assistir o doente.

Mortalmente pálido, Arno ajudava-o, sem tirar os olhos do rosto do conde que adquiriu uma cor roxa. Após tomar alguns remédios, o paciente mexeu-se levemente, mas seus olhos permaneceram fechados. O médico chamou Arno para um canto do quarto.

– Devo preveni-lo, conde, que o estado de saúde de seu pai é irremediável. Um lado do seu corpo foi inteiramente perdido e ele está com os minutos contados.

Um surdo gemido escapou do peito do rapaz.

– Penso que ele recuperará a consciência e se, como espero, a língua não foi afetada, será preciso aproveitar esses instantes para conhecer a sua última vontade.

Abatido e sem forças Arno caiu na poltrona e cobriu o rosto com as mãos.

O médico sentou-se novamente junto ao leito e, como previra, o conde logo abriu os olhos, recuperando a consciência. Seu olhar vagou pelo quarto, parou por instantes no filho e, em seguida, dirigiu-se ao médico.

– Meu amigo, diga sinceramente a verdade – sussurrou ele. – Parece-me que estou morrendo. Não temo a morte, mas devo dar algumas ordens. Tenho tempo para fazer isto?

O médico, com lágrimas nos olhos, inclinou-se sobre ele e apertou-lhe a mão.

– A vida e a morte estão nas mãos de Deus – disse ele com emoção –, mas para a ciência humana seu estado é muito grave e eu apóio sua intenção de acertar imediatamente seus negócios.

– Agradeço. Agora, faça-me um favor de amigo. Mande virem para cá imediatamente o tabelião, o juiz e um padre! Vou ditar o meu testamento e quero comungar. Depois, não deixe ninguém entrar aqui, pois preciso falar com meu filho.

– Será tudo feito. Tome estas gotas calmantes, elas lhe darão forças.

O médico deu-lhe o remédio, arrumou os travesseiros do paciente e saiu, lançando um olhar compadecido ao jovem conde que, constrangido pelo remorso e pelo desespero, parecia nada ver nem ouvir.

– Arno! – chamou o moribundo, com voz enfraquecida.

O rapaz estremeceu, levantou e, aproximando-se da cama, caiu de joelhos e encostou os lábios na mão do pai.

– Levante, meu infeliz filho, e tente ouvir-me com tranqüilidade, pois me resta pouco tempo.

– Oh, pai, você não me afasta com desprezo e nem me amaldiçoa pelo fato de eu, tomado por uma criminosa paixão, ter-lhe roubado o coração de sua esposa desferindo-lhe assim um golpe mortal? Oh, como sou traiçoeiro e criminoso! – concluiu ele, tremendo de vergonha e arrependimento.

– Acalme-se, meu pobre e querido filho. Em meu coração não há nenhuma gota de fel contra você. Como posso condená-lo por ceder aos encantos daquela beleza mortal que, como fogo que a tudo consome, matou também a mim? Sou culpado, pois em minha cegueira incompreensível não percebi o perigo que você estava correndo. Não foi a sua declaração de amor que me golpeou mortalmente, mas a revelação de que você estava muito infeliz, pois sendo jovem, bonito e rico, maldiz a vida e procura a morte. Dê-me um beijo. Nada tenho a lhe perdoar, pelo contrário, abençôo-o pela alegria e pelo amor com que você adoçou os últimos dias de minha vida.

Lágrimas caíam pelo rosto de Arno. Ele inclinou-se e com lábios frementes beijou a face do pai.

– Agora, meu filho, quero que jure cumprir aquilo que lhe pedirei.

– Juro.

– Prometa-me nunca atentar contra a própria vida.

– Mas, e se D. Ramos me matar? – sussurrou Arno, indeciso.

– O resultado de um duelo está nas mãos de Deus. Estou falando de suicídio. Você deve arrancar do seu coração esta paixão fatídica que o está destruindo; deve afastar-se e tentar esquecer. Isso você vai conseguir, pois não se morre de amor. O tempo cura qualquer ferida, a ausência afasta de nossos pensamentos as mais torturantes recordações. Você está separado de Gabrielle pela impossibilidade, pois não pode se casar com a viúva de seu pai. Apesar de tudo, fico feliz com isso, pois essa mulher não é capaz de oferecer uma felicidade segura e verdadeira. Como você, Arno, eu endeusava Gabrielle enquanto era mal suportado por ela. Ela abusaria de sua fraqueza como abusou da minha e você, como eu, seria vítima de vergonha e ruína. Para superá-la e discipliná-la é preciso um homem de índole diferente da nossa. Você agora se criticava por ter roubado o coração de minha esposa. Acalme-se, pois Gabrielle mentia quando dizia que o amava. Ela ama você somente como a um fiel escravo cuja mão está sempre pronta a despejar ouro para satisfazer seu tresloucado luxo. Ela pedia-lhe para não brigar com D. Ramos, temendo perder você – um obediente escravo – no duelo e desejando que eu morresse. Deus é testemunha que neste solene momento não quero julgar a minha esposa, e condená-la por este acidente ocasional que ela não previa. Mesmo o seu desejo de ser livre é justo até certo ponto, pois é natural que um marido velho e doente seja um fardo pesado e desagradável para essa linda e ardente mulher, loucamente apaixonada por outro homem.

– O que está dizendo, pai? Você supõe que Gabrielle ama D. Ramos? – exclamou Arno, levantando-se. Seu rosto alterou-se e ele tremia todo.

– Não, não a D. Ramos. Ela ama loucamente Verenfels. Na noite de sua partida ela teve um encontro com ele que eu, por acaso, testemunhei. Depois disso, não tive mais dúvidas sobre os sentimentos dela.

– Mas, que pérfido patife! – exclamou Arno, caindo na poltrona como se levasse um tiro. Seu coração rasgava-se de desespero e o ciúme sufocava-o.

Com lágrimas nos olhos, o conde olhou por instantes no rosto alterado do filho e, em seguida, disse carinhosamente:

– Controle-se, meu filho, seja firme e não culpe injustamente a um homem honesto e nobre. Verenfels não procurou nem queria aquele encontro. Gabrielle foi procurá-lo levada pela paixão por ele, mas de seus próprios lábios ouvi que Gotfried já havia antes tentado chamá-la ao caminho do dever e da virtude. Apesar de tudo isso, ela finalmente enfeitiçou-o e conquistou seu coração. É uma fraqueza humana que perdôo a ele. Aliás, eu já tinha certas suspeitas que se confirmaram com certos detalhes que Tancredo me contou em sua inocência. O caso da estufa não foi nada mais do que uma tentativa de suicídio. Tenho certeza de que, após a minha morte, ficando livre, ela casará com Verenfels e estou satisfeito com isso. Ela precisa de um marido assim. Ele domou-a e quebrou o seu temperamento, como quebrou o de Tancredo.

O conde calou-se, fatigado. Arno nada respondeu. Encostando a cabeça nos travesseiros, reprimia os gemidos que apertavam seu peito.

Alguns instantes depois, bateram levemente na porta: era o médico, que viera avisar que o padre e os outros convocados pelo conde aguardavam na sala vizinha.

Quando os convidados entraram, Arno levantou-se com uma aparência surpreendentemente tranqüila e deu as ordens necessárias para a ocasião. Em seguida, sentou-se ao lado do leito do pai e somente uma expressão especial no rosto do rapaz traía sua emoção interior.

O conde começou a ditar o testamento. Ordenava que, naquele mesmo outono, Tancredo fosse colocado numa escola militar, nomeando como seu tutor o coronel barão Ottokar Wefengagen, seu primo e colega superior na tropa. Designava uma soma em dinheiro destinada à educação e à manutenção do garoto, que ao atingir a maioridade tomaria a posse de todos os lucros; mas havia um parágrafo especial que o proibia de mexer no capital, vender ou transferir a outra pessoa qualquer coisa de sua fortuna até que completasse a idade de 25 anos. Para sua esposa o conde deixava uma pensão vitalícia que seria paga a ela até o fim de sua vida, mesmo em caso de ela contrair um novo matrimônio. Ele deixava a ela o direito de morar no castelo Reckenstein e, da mesma forma, em sua casa de Berlim.

Durante a redação desse parágrafo Arno inclinou-se para o pai e disse sussurrando: – *Pai, aumente a pensão dela. Acrescente-lhe um dote de 30 mil talleros que tenho sobrando. Ela está acostumada ao luxo e Verenfels é pobre; devemos retirar os obstáculos para a felicidade deles.*

O conde olhou com amor para o generoso rapaz, que não queria descontar na mulher amada seu próprio sofrimento. Sem questionar, cumpriu o desejo do rapaz, incluindo no testamento o dote supracitado.

Quando o documento foi concluído e assinado por todas as testemunhas, o conde quis receber a comunhão. Enquanto o moribundo ficava a sós com o confessor, Arno foi ao quarto de Tancredo para acordá-lo e levá-lo ao pai que queria abençoá-lo.

A lâmpada noturna pendurada no teto iluminava fracamente o quarto e a cama com cortinas de seda onde dormia o garoto em sono profundo. Sombrio e preocupado, Arno aproximava-se do irmão, quando de repente estremeceu e estancou. Junto à poltrona, aos pés da cama, viu Gabrielle: ela estava de joelhos, tapando o rosto com as mãos. Essa pose de desespero fazia um forte contraste com seu vestido de seda cor-de-rosa, ombros desnudos e rosas amassadas em seus negros cabelos.

Ao ouvir o som de passos ela levantou-se de repente e correu para Arno, mas, percebendo a mudança na expressão do seu rosto e em seu olhar, parou e sussurrou com voz que denotava medo e irritação:

– O que está acontecendo? Parece que esqueceram de mim, pois Cristóforo ousou não me deixar entrar no quarto de Willibald.

– Isso foi porque meu pai está morrendo e não queria ser perturbado enquanto ditava seu testamento. Acalme-se, Gabrielle, a senhora estará livre e não precisa mais temer, pois ele não vai mais duelar – respondeu Arno, com uma crueldade nunca antes revelada. A jovem mulher soltou um grito e, espantada, caiu na poltrona. Ao ver essa manifestação de real emoção, o olhar do rapaz abrandou-se e, inclinando-se para ela, ele disse:

– A senhora não queria isso, não é verdade, Gabrielle? E a senhora também não ama Verenfels?

Naquele instante a condessa não conseguiu fingir e, sem nada responder, tapou com as mãos o rosto pálido e emocionado.

Arno sorriu amargamente e, deixando-a, aproximou-se da cama e acordou o irmão.

– Levante logo, Tancredo; papai está muito doente e quer vê-lo.

Ele ajudou o garoto assustado a vestir-se e levou-o sem um olhar sequer para a madrasta. Mas, junto à porta, ela alcançou-o e agarrando sua mão sussurrou com voz embargada pelas lágrimas:

– Arno, implore a Willibald para me receber. Não o deixe morrer sem que eu lhe peça perdão pela minha ingratidão.

– Está bem – respondeu ele, respirando pesadamente e retirando a mão –, farei tudo para convencê-lo disso.

Coberto de lágrimas, Tancredo correu para o pai e, em sua infelicidade infantil, implorava-lhe que não morresse. Com o olhar anuviado o conde pôs a mão na cabecinha do menino e abençoou-o. Em seguida, recebeu a extrema-unção com devoção. Quando a solene cerimônia acabou, Arno inclinou-se para o moribundo e disse baixinho:

– Papai, Gabrielle implora que a deixe despedir-se de você e pedir-lhe perdão.

Notando no conde um movimento de preocupação e um ríspido gesto de protesto, o rapaz acrescentou, implorando:

– Não lhe recuse isso; parece-me que seu arrependimento é sincero. E, num momento solene como este, após receber a extrema-unção – símbolo do amor e do perdão –, como poderia querer passar para um mundo melhor deixando aqui alguém sem o seu perdão?

– Você está certo, meu filho, não se deve levar para a eternidade nenhum sentimento de inimizade. Talvez a visão da morte obrigue essa mulher leviana a encarar a vida com maior seriedade. Chame-a logo, pois me sinto cada vez mais fraco.

Arno encontrou a madrasta em seu *boudoir*. Escondendo o rosto nas almofadas do divã, ela chorava amargamente.

– Venha, Gabrielle, meu pai está chamando-a – disse ele, tocando levemente a sua mão. A jovem mulher levantou-se imediatamente e seguiu-o; mas junto à porta do conde ela parou, estremeceu e ameaçou cair. Arno amparou-a. A voz do padre recitando a prece de despedida, causara-lhe profunda impressão.

– Reúna todas as suas forças, senão vai se atrasar – sussurrou-lhe Arno.

Vacilando e pisando timidamente, Gabrielle aproximou-se do leito e caiu de joelhos encostando os lábios na mão do marido que repousava pálido nos travesseiros, com a marca da morte no rosto. Um sentimento torturante de arrependimento e medo tomou conta dela. A voz interior, sempre compreensível à consciência do homem, sussurrava-lhe que, perdendo o marido, tão complacente e generoso a ponto de dar a uma pobre órfã nome, riqueza e posição, perdia a tranqüilidade e a vida pacífica onde estava cercada de honras. Apesar da liberdade, apesar do amor de Gotfried, o futuro parecia-lhe um profundo abismo para onde a arrastaria o maldoso destino. Tomada de supersticioso terror, ela agarrou a fria e úmida mão daquele cuja morte desejava, mas lhe parecia naquele terrível minuto, que com ele ela perdia tudo.

– É você, Gabrielle? – perguntou o moribundo com voz enfraquecida.

– Oh, Willibald, perdoe a minha baixeza, a minha ingratidão e todo o mal que lhe causei em pagamento de sua bondade – exclamou a condessa, com voz sufocada por lágrimas.

– Eu lhe perdôo, Gabrielle. Perdôo tudo e de todo o coração. Que esta hora de arrependimento melhore e enobreça você. Seja uma mãe sensata para Tancredo e uma esposa amorosa e honesta para aquele que seu coração escolheu. Sei de tudo e não quero que a minha lembrança seja uma barreira à sua felicidade.

Constrangida pela vergonha e pelo arrependimento, Gabrielle levantou-se e colocou a cabeça no peito do marido.

– Deus lhe abençoe por sua nobreza, Willibald. Mas, para mim, esse perdão é mais doloroso do que uma reprimenda. Sendo uma mulher inconstante e leviana, fiz você infeliz e o matei. Oh, ultimamente cometi tantos pecados por causa desse sentimento fatídico, que temo que a maldição divina irá me alcançar e vingá-lo, mesmo que você não o deseje.

– Acalme-se, minha filha, e procure na prece um apoio às suas fraquezas. Agora, beije-me pela última vez em sinal de nossa completa reconciliação.

Gabrielle apertou os seus lábios quentes nos lábios do moribundo, mas, percebendo que os olhos do conde de repente se apagaram e o rosto cobriu-se de uma palidez mortal, soltou um grito surdo. O médico aproximou-se rapidamente e, vendo que o corpo esfriando sofrera uma convulsão, persignou-se, enquanto o padre pronunciava solenemente: – *Espírito de cristão, volte ao seu Criador.* Um minuto depois, tudo estava acabado.

Emocionada e pálida como um lençol, a condessa levantou-se. Abrindo bem os olhos ela ficou olhando por um instante para o falecido e, em seguida, caiu sem sentidos no tapete. Arno, que ainda ontem esqueceria de tudo e largaria tudo para ampará-la, levantou a cabeça vendo-a cair, mas não moveu um músculo. E enquanto o médico ajudado por um velho criado levava a condessa, o rapaz ajoelhou-se, puxou Tancredo para perto de si e entregou-se a uma prece.

Gabrielle recuperou-se logo do desmaio, mas estava deprimida. Sentia-se aniquilada e desgraçada; parecia-lhe que tudo ruía ao seu redor. Ao lembrar do duelo marcado, ela foi tomada por uma louca preocupação. E se Arno morresse agora, vítima de sua leviandade?

Com repentina decisão, a jovem mulher correu para a escrivaninha e com mão trêmula escreveu:

D. Ramos, sua diversão de ontem à noite teve conseqüências mortais: meu marido faleceu de ataque do coração. O senhor consegue compreender o meu desespero e a tortura da minha consciência? Após esta desgraça, como poderia o senhor duelar com o meu enteado? Se ele caísse vítima de suas mãos, acho que enlouqueceria. Se o senhor valoriza o meu respeito e amizade, escreva a Arno algumas palavras de desculpas e vá embora daqui. Se tudo o que o senhor me falou ontem é verdade, respeite o meu pedido.

Gabrielle.

Ela selou a carta e mandou a sua fiel Cecília enviá-la imediatamente. Duas horas mais tarde, ela recebeu a seguinte resposta:

Condessa, seu desejo para mim é sagrado. Também é justo que eu tente redimir a minha culpa e envie desculpas ao conde de Arnoburg. Seu desafio foi provocado por uma justa indignação. Estou desesperado por ter-me deixado levar pela própria impetuosidade e imploro-lhe que me perdoe. A louca paixão que tenho pela senhora é a minha única desculpa, mas considero vil derramar sangue entre nós. Saio em viagem por alguns meses e peço a Deus que a guarde e lhe dê forças. Até logo.

Ramos de Moreira

Aliviada da enorme carga, Gabrielle adormeceu extremamente fatigada.

No dia seguinte pela manhã, um cavaleiro trouxe uma carta do barão De-Moreira ao conde de Arnoburg.

Sr. Conde – escrevia D. Ramos –, *espero que não considere como covardia estas minhas palavras. O senhor me conhece o suficiente para saber que nunca recusei um duelo, mas ao saber da morte de seu pai, a idéia de que a minha insana paixão motivou-a é terrível para mim. Devido ao caixão que ainda não se fechou, o duelo com o senhor, para mim está fora de questão. Vou embora daqui imediatamente e peço-lhe desculpas pelo meu comportamento de ontem. Mas, como poderia o senhor me condenar por estar cego de paixão por esta encantadora mulher? Feliz daquele que é capaz de enfrentá-la.*

Com um pesado suspiro Arno fechou a carta. A vida era-lhe odiosa e morrer pela mão de D. Ramos seria uma saída. – *Sim, feliz daquele que consegue enfrentar este ser traiçoeiro, mortal para os Reckenstein* – sussurrou ele amargamente.

Após o enterro do conde Willibald, o castelo Reckenstein foi invadido por um sombrio silêncio. Arno recolheu-se em sua propriedade e não saía de lá, ocupado na preparação de uma longa viagem. Decidira colocar um oceano entre ele e Gabrielle e, conforme promessa feita ao pai, tentava expulsar do coração a tentadora imagem. No presente momento o estado de sua alma era terrível. A paixão e o ciúme torturavam-no tirando-lhe a tranqüilidade e o sono, subvertendo sua saúde e obrigando-o às vezes a temer a loucura.

Pensava que não suportaria tais sofrimentos, mas o espírito juntado ao corpo é um tecido elástico. O homem sofre em convulsões como um verme quando é pisado pela bota do destino, mas, rasgado e abatido, ele levanta... e continua a viver.

Certa noite, quando o rapaz, sem encontrar paz, andava pelo dormitório, acabou empurrando com o pé seu genuflexório, e a cruz que estava sobre este caiu no chão. Assustado, Arno ergueu-a e recolocou-a no lugar junto com o breviário que também havia caído. Imediatamente, veio-lhe a idéia de que aquilo talvez fosse um sinal de seu pai ou sua mãe lembrando-lhe que em vez de desesperar e entregar-se à fraqueza, deveria rezar e procurar amparo e ajuda do Pai Celestial, misericordioso com todos.

O rapaz ajoelhou-se e, dirigindo o olhar para a imagem do Messias celestial que dera a própria vida para salvar a nossa, começou a rezar calorosamente. Essa é uma ação em que a consciência não participa e os lábios permanecem calados, mas nesses ímpetos a alma se eleva à sua origem celestial e, apesar dos grilhões corporais, das ilusões e de uma infinidade de imperfeições, reacende e purifica sua chama no fogo celestial.

Esse gesto não foi em vão. A alma arrasada e ofendida reforçou-se ao contato com a perfeição celestial recebendo desta uma partícula da tranqüilidade serena. Desapareceu a opressiva tristeza, e as paixões agitadas deram lugar a uma sensação de relativa calma. Logo, um sono profundo e reparador trouxe-lhe o esquecimento de todos os problemas cotidianos.

Quando Arno acordou, sentia-se mais forte, tranqüilo e, com energia renovada, voltou a preparar-se para a viagem. Pretendia visitar Egito e Índia e nesses dois berços da humanidade e da ciência ocupar-se de sérias pesquisas sobre o início do mundo. Na véspera de sua viagem decidiu ir despedir-se de Gabrielle. Não queria deixá-la talvez por longos anos sem desculpá-la, sem uma reconciliação, como fizera seu pai.

Após a morte do marido, a condessa trancou-se em seus aposentos e não recebia ninguém. Afastou-se até de Tancredo. O menino, amuado no castelo, passava a maior parte do tempo em Arnoburg ou com Folkmar, para onde o arrastava o seu bondoso e fraco tutor.

A notícia da breve partida de Arno chegou até Gabrielle e aumentou a sua sóbria tristeza. De repente todos a abandonavam. De Gotfried não havia notícias. Ela nem sabia se ele ouvira falar do que acontecera no castelo. O isolamento silencioso que a cercava pesava-lhe como um pesadelo, e por vezes aquele amplo castelo parecia-lhe um sarcófago que se fechara sobre ela.

Certa noite, a condessa estava sentada em seu *boudoir*. A lâmpada sob o abajur iluminava fracamente a sua cabeça reclinada no espaldar da poltrona, o rosto empalidecido e os braços cruzados, cuja brancura destacava-se no seu vestido negro e fazia-a parecida a uma surpreendente visão. Imersa em pensamentos, a jovem mulher não percebeu que a cortina foi levantada e Arno parou na entrada. Sem desviar os olhos, ele olhava para a mulher amada que lhe parecia mais tentadora do que nunca e um pesado suspiro escapou-lhe do peito.

Gabrielle estremeceu e levantou-se.

– Arno! – balbuciou ela com voz indecisa estendendo-lhe a mão. A mudança que ocorrera na aparência de seu enteado apertava-lhe o coração.

– Vim me despedir da senhora, Gabrielle – disse o jovem conde, aproximando-se. – Estou saindo para uma viagem de alguns anos e talvez para sempre.

– Por que tão tristes presságios? – sussurrou ela convidando-o a sentar.

– Não é presságio, mas uma previsão perdoável a um viajante. Sabe-se quando se despede, mas não se sabe quando vai se encontrar novamente. Então, como talvez hoje estejamos nos despedindo para sempre, não quero que tenha uma má recordação de mim e que um sentimento de raiva fique entre nós. Eu a amo, Gabrielle, e esse sentimento seguirá comigo no exílio. Mas quero deixá-la sem indignação, pois o verdadeiro amor tudo suporta e a tudo perdoa.

A condessa baixou a cabeça e algumas lágrimas amargas rolaram pelas suas faces.

– Ah, Arno, não me considere tão ignóbil. Juro que nunca brinquei com seu coração com tanta leviandade quanto com os corações de todos os outros. Nunca quis fazê-lo infeliz. Amo-o como a um irmão, como a um amigo, e se pudesse devolver a tranqüilidade ao seu coração eu o faria de qualquer modo. Se quiser – ela agarrou a sua mão –, desisto de casar outra vez! Eu o farei se isso lhe trouxer a paz.

O rosto de Arno enrubesceu por instantes, mas, reprimindo a própria tempestade de sentimentos, ele disse com firmeza:

– Gabrielle, não quero promessas que logo lhe pesariam e talvez provocassem a sua maldição. Nunca vou possuí-la e não tenho dentro de mim o desejo egoísta de atrapalhar a sua vida. Seja livre, feliz e escolha o homem do seu coração. Uma jovem e linda mulher precisa de um protetor.

A conversa prosseguiu num tom mais calmo, mas o conde recusou o convite para ficar para o chá.

– Devo partir – disse ele, levantando-se. – Gabrielle, dê-me alguma coisa para que possa lembrá-la no meu exílio.

A jovem mulher foi apressadamente até a escrivaninha e retirou de lá um estojo que continha um retrato dela com 16 anos de idade num vestido de noiva e uma coroa de flor de laranjeira na cabeça.

– Tome, Arno. Quando posei para este retrato eu era inocente e feliz e meu coração estava cheio de amor pelo seu pai.

– Agradeço – disse o rapaz, guardando o estojo no bolso do seu traje.

– Vai escrever para mim, Arno?

– Não. A partir de amanhã, corto com o passado. Reckenstein e tudo o que habita nele deixarão de existir para mim. Não quero saber de nada enquanto meu coração não estiver curado. Mas, se algum dia precisar de alguma coisa, procure o meu banqueiro em Berlim, sr. Flur. Continuo sendo seu irmão, ajudante e amigo, não se esqueça disso. Agora, adeus.

Num rápido gesto ele puxou-a para si, beijou-a nos lábios e correu para fora. – *Oh, sou uma louca! Afugentei o meu melhor amigo* – murmurou Gabrielle caindo na poltrona e desandando a chorar.

Num lindo dia de setembro, um leve cabriolé equipado com um par de cavalos de correio corria pela estrada que levava ao castelo Reckenstein. Na carruagem estava Gotfried trazendo consigo uma pequena mala. O rapaz dirigiu um olhar pensativo para o castelo, que começava a aparecer no fim do vale, todo cercado de jardins. Como tudo havia mudado desde aquele dia, há dois anos, quando ele passara por aquele mesmo caminho... Tomado de uma tristeza e tênue esperança, suspirou e perguntava-se como seria o seu encontro com Gabrielle, agora que ambos estavam livres. O rapaz soubera por meio do tutor que o substituíra sobre os acontecimentos ocorridos. As notícias da morte do conde e da viagem de Arno haviam-no arrancado da torturante paralisia que o dominara como resultado do rompimento com Giselle. A repentina mudança da moça, a depravação moral que se manifestou na sua ligação desavergonhada com o pintor incutiam a Gotfried repulsa e horror. Mas, quando em suas lembranças surgia a carinhosa imagem da inocente Giselle de olhar puro e sincero, sua queda ficava-lhe incompreensível.

A morte da mãe, que acontecera logo em seguida, e todos os arranjos com a mudança para Mônaco haviam absorvido inteiramente o rapaz. Wilhelm Berg recebera-o com sincera amabilidade e logo se afeiçoara à pequena Líllia com aquele carinho que freqüentemente toma conta de velhos solteirões. Gotfried, tranqüilizado e reforçado espiritualmente pelo amor de seu parente, começou a pensar novamente sobre Reckenstein e seus habitantes. Escreveu ao seu substituto, pedindo-lhe notícias e perguntando se Giselle casara com Guido Ceratti. Não recebeu nenhuma resposta e, depois de muito vacilar, decidiu ir passar uns dois dias no castelo para saber o que acontecera nestes três meses após a morte do conde.

No instante em que o cabriolé se preparava para entrar na alameda, Gotfried mandou desviar para a estrada que levava à aldeia, deixá-lo à entrada do parque e entregar suas malas na casa dos empregados. Não quis parar diante da entrada principal.

Uma pesada sensação encheu a alma do rapaz quando ele vislumbrou a torre da igreja e o telhado vermelho da casa do juiz que aparecia por entre as árvores semidesfolhadas. Cedendo a um repentino desejo, ele dirigiu-se ao cocheiro que vivia naquela aldeia e que Gotfried conhecia.

– Rupert, você lembra do pintor estrangeiro que vinha pintar os retratos da condessa e do conde Arno? Sabe quando ele foi embora?

O cocheiro voltou-se e disse, olhando de lado:

– Então o senhor não sabe que aquele gabola afogou-se há três semanas?

– Afogou-se? – repetiu Gotfried, surpreso. – Mas como? E por que você o chama de gabola? – acrescentou ele num tom mais calmo.

– Só sei o que me contou o meu irmão que trabalha como cavalariço no castelo. Pois bem, após a morte do velho conde, a condessa não tinha mais tempo para retratos e o pintor poderia ir embora, mas ele encontrou um trabalho nas imediações e passava seu tempo por aí. Sua principal moradia era no pavilhão mauritano do parque. Certa vez ele recebeu lá a visita dos irmãos Rumberg que o convidaram para uma pescaria. O dia estava quente e eles resolveram nadar. Mal entraram na água quando de repente o italiano gritou e começou a se afogar. O Rumberg mais velho correu até ele e tirou-o da água, mas apesar de o rio não ser fundo naquele lugar e de o pintor ter ficado de baixo d'água por poucos minutos, ele não sobreviveu. Não sou o único que pensa que o diabo o afogou. Os feiticeiros que matam inocentes sempre terminam desse jeito. O espírito maligno vem buscar a sua alma negra.

O cabriolé parou. Gotfried desceu e, pensativo, foi andando pelo parque. Mas seus pensamentos tomaram de repente uma outra direção quando na curva da alameda ele percebeu uma mulher que andava vagarosamente e cabisbaixa. A longa cauda do seu vestido de luto fazia barulho passando sobre as folhas secas, e um grande véu cobria a sua cabeça. Seu coração bateu mais forte e ele apressou o passo para alcançá-la.

Sim, aquela era Gabrielle. Desanimada, amuada pela saudade e pela tristeza, ela havia saído para uma volta no parque. O sombrio isolamento que a cercava agia de modo relaxante sobre aquela jovem mulher mundana, que, além disso, era consumida pela própria paixão. As terríveis sensações provocadas pela morte do marido, os remorsos e a viagem de Arno haviam calado temporariamente aquele sentimento, mas aos poucos ele voltara a apossar-se dela. Não parava de pensar em Gotfried, irritava-se com o seu silêncio, ficava desesperada e não conseguia se decidir a escrever-lhe. Naquele instante, estava absorta em tais pensamentos, quando o som de passos apressados chegou aos seus ouvidos. Levantou a cabeça e viu Gotfried. De seu peito irrompeu um grito de uma tão franca alegria que ficou com vergonha de si própria e, enrubescendo e empalidecendo, pronunciou:

– Ah, o senhor surgiu tão inesperadamente que me assustou, sr. Verenfels.

– Desculpe-me, condessa, por assustá-la aparecendo tão de repente – respondeu o rapaz, tão emocionado quanto ela e beijando-lhe a mão. – Pensei que seria melhor se eu não chegasse pela entrada principal.

– Ah, fico feliz com a sua presença, não importando como chegou, mas estou por demais nervosa. Os tristes acontecimentos que caíram sobre nós e a vida neste enorme e vazio prédio me deixam doente.

Conversando, eles dirigiram-se para o castelo e Gotfried soube que Tancredo fora passar alguns dias com Eugênio Folkmar, que o seu substituto fora embora pois conseguira um lugar na universidade e que na semana seguinte a condessa pretendia viajar para a capital junto com o filho que deveria entrar para a escola militar.

Gabrielle e seu convidado almoçaram e à tarde beberam chá juntos e a sós. A condessa parecia ter-se transfigurado. A presença do homem amado agiu sobre ela como o sol age sobre a flor murcha: as faces ficaram rosadas, havia brilho em seus olhos e os lábios sorridentes tentavam até esconder o reflexo da felicidade que enchia a sua alma. Nervosa e ardente, ela entregava-se inteiramente ao momento presente, deliciando-se sem limites com a presença, a imagem e a conversa daquele que amava.

A sensação dessa forte e envolvente paixão com a consciência de que agora ambos estavam livres agia também na fria e sensata natureza de Gotfried. Ele viera com a intenção de manter-se nos limites da mais rígida contenção em respeito ao luto da condessa, deixando o futuro decidir o destino de ambos, mas sob o fogo vivificante dos olhos de Gabrielle, todas aquelas idéias haviam desaparecido. Ele próprio não percebia a mudança que ocorria nele. A respeitosa continência fora substituída pela amabilidade e pelo desejo de agradar. Sua conversa animou-se, os grandes olhos negros brilhavam com indisfarçável entusiasmo e olhavam nos olhos de Gabrielle com uma ousadia cada vez maior.

Eles separaram-se tarde e ao voltar para seu quarto Gotfried sentia-se como que inebriado. A noite trouxe-lhe uma certa tranqüilidade e no dia seguinte, quando Cecília veio chamá-lo para o desjejum, ele já havia decidido – contra a vontade do próprio coração – voltar para casa na tarde do mesmo dia. O rapaz sentia que estava enfraquecendo, cedendo à força do amor e temia que num ímpeto maior as palavras cruciais saíssem de sua boca antes do prazo que lhe prescrevia seu sentimento de delicadeza e respeito à memória do conde.

A condessa recebeu Verenfels em sua sala e, aguardando servirem a refeição, pediu-lhe que sentasse perto de sua mesa de bordagem: ela estava bordando um tapete para a igreja da aldeia. A jovem mulher conduziu a conversa com a mesma animação do dia anterior, mas Gotfried sentia-se constrangido, sem saber como lhe dizer que iria embora no mesmo dia, à tarde.

Finalmente, ele pediu licença para pegar uma carruagem após a refeição e ir a Folkmar para ver Tancredo, pois não queria ir embora sem se despedir de seu pupilo.

Ao ouvir essas palavras o rosto de Gabrielle ficou mortalmente pálido. O pensamento de perder Gotfried, não vê-lo nem ouvi-lo arrasou-a; parecia-lhe impossível suportar aquela separação. Os sentimentos que perturbavam a jovem mulher refletiram-se tão ostensivamente em seu rosto transfigurado que Verenfels ficou cativado. Seu coração batia fortemente e, esquecendo todas as suas idéias sensatas, toda a delicadeza dos sentimentos, ele inclinou-se e encostou os lábios na mãozinha trêmula que debalde tentava acertar a agulha no bordado.

– Devo partir – sussurrou ele –, mas poderia voltar daqui a um ano para lhe fazer uma proposta que decidirá o nosso destino?

Gabrielle baixou o rosto enrubescido sobre o bordado com os olhos em chamas.

– Oh, Gotfried – respondeu ela também baixinho –, por que pergunta aquilo que sabe há muito tempo? Volte daqui a um ano quando poderei, abertamente e diante de todos, dar-lhe o meu "sim".

O criado que entrou para comunicar que a refeição estava servida interrompeu a sua conversa, mas a palavra decisiva já havia sido proferida e quando a conversa foi retomada mais tarde, resumiu-se num beijo entre os noivos. O dia passou como uma flecha. A felicidade finalmente conquistada refletia-se como uma auréola no lindo rosto de Gabrielle e ela parecia sob uma nova luz. Gotfried, entusiasmado, entregava-se cada vez mais ao seu amor.

O chá foi servido no *boudoir*, pois a novidade ficou conhecida pela esperta camareira: seu instinto ou ouvidos lhe desvendaram o segredo. Os noivos continuaram livremente a sua conversa sem fim. Ficou decidido que o compromisso assumido por ambos seria guardado em completo sigilo, que a condessa, após voltar de Berlim onde entregaria Tancredo à escola militar, ficaria no castelo até o término do luto, e que em outubro, um ano e quatro meses depois da morte do conde Willibald, eles iriam casar-se.

– Mas você vem me ver no Natal, Gotfried?

– Sem dúvida e espero até lá poder lhe dizer onde será a nossa futura moradia.

– Então não vamos morar aqui ou em Berlim na casa dos Reckenstein? Willibald deixou-me o direito de morar nesses locais mesmo casando-me novamente.

Verenfels, sorrindo, balançou a cabeça.

– E você considera isso possível, Gabrielle? Como poderia eu morar no castelo do falecido conde e ser o administrador do filho de minha esposa? Não, devo sozinho preocupar-me com a manutenção da minha família e de modo que isso não fira a minha dignidade. Você está se casando com um homem sem riquezas, minha querida, e deve acostumar-se à idéia de perder muitos costumes de luxo. Nós não teremos criados, cozinheiros e você própria terá de cuidar da casa.

Franzindo levemente a testa, a condessa disse com indecisão:

– Você se esquece de que recebo uma pensão anual que nos garante a possibilidade de viver bem e não entendo por que não morar aqui ou em Berlim, onde a casa já está inteiramente montada.

– Suas palavras me obrigam a iniciar imediatamente um assunto sério que estava protelando para mais tarde – respondeu Gotfried.

Ele conhecia a condessa suficientemente bem para compreender a luta que teria de suportar antes de conseguir obrigar a ser sensata essa mimada e manhosa mulher. Mas ele estava firmemente decidido a lhe tirar a mania de esbanjar dinheiro e a não suportar o seu flerte com todos.

– Primeiramente, vou responder à sua objeção. A casa inteiramente montada a que você se refere pertence ao novo conde Reckenstein. Seus dividendos pagam a manutenção desta casa e você como viúva do conde tem todo o direito de utilizá-la. Deste modo, a sua pensão anual é suficiente para satisfazer os seus caprichos. Mas, a partir do momento em que se tornar minha esposa, eu não poderei viver por conta de seu filho. Agora, vou expor-lhe os meus planos para o futuro. O meu velho parente que mora em Mônaco está me fazendo seu herdeiro e coloca agora à minha disposição uma soma considerável de dinheiro que me permite adquirir uma pequena propriedade. Os lucros dessa propriedade, junto com a pensão que você recebe, permitir-nos-ão viver bem confortavelmente e manter cavalos e carruagem, o que, aliás, é necessário na aldeia. Eu cuidarei para que a casa seja bonita, confortável e arrumada com elegância suficiente para não ferir o gosto refinado da minha querida caprichosa. Mas os seus outros costumes, minha querida, terão de sofrer completa modificação. Não poderá haver mais o luxo dos trajes. O conde Willibald não conseguia suportar tais despesas e eu não vou suportá-los mesmo que sejam feitas com o seu dinheiro. Aliás, o luxo dos trajes estaria descartado por várias razões. Eu não me sentiria em casa se me parecesse que a condessa de Reckenstein perdeu-se e por acaso chegou ao meu humilde lar. Sua esfuziante beleza não precisa de panos para ser notada. E, acima de tudo, não quero que a minha pequena Líllia se acostume a ver o luxo que o futuro não lhe reserva. Aliás, você nem vai ter oportunidade de mostrar os seus trajes, pois a sociedade que você recebia na cidade não virá à nossa casa, e os proprietários vizinhos serão provavelmente pessoas simples ocupadas com seus afazeres e pouco interessadas em visitas.

À medida que ele falava, um forte rubor cobria o rosto de Gabrielle, seus lábios tremiam nervosamente e era com dificuldade que ela continha as lágrimas prontas para jorrarem de seus olhos. Quando ela sonhava com o amor de Gotfried e a felicidade de ser sua esposa, nunca pensou sobre essas partes obscuras da questão. Ela estava arrasada com o que acabara de ouvir agora. Recusar os trajes, o prazer de agradar às pessoas e ser objeto de adoração como a rainha de todos os bailes. Enfurnar-se numa pobre propriedade, para se tornar uma simples dona de casa – tudo isso seria para ela um sofrimento tal como se lhe arrancassem o coração. Mas o tom de voz de Gotfried não deixava dúvidas de que ele não cederia e que chegara o fim do luxo e do flerte. Ela não ousava retrucar com medo de ele recusá-la e sabia ser ele capaz de tal decisão. Mesmo conhecendo o poder das lágrimas sobre os apaixonados e mesmo tendo milhares de vezes abusado desse recurso, naquele momento não podia contar com ele. Tinha vergonha do olhar severo daqueles olhos negros e temia perder o homem amado justamente no momento do nascimento da felicidade. Isso seria para ela pior que a morte.

Com carinho e preocupação, Gotfried acompanhava a luta moral que se refletia no lindo rosto da jovem mulher. Ele não se iludia sobre as dificuldades que o aguardavam e as inúmeras tempestades que perturbariam a sua vida de casado, mesmo no caso de Gabrielle, no ímpeto da paixão, concordar com tudo. Mas sentia-se suficientemente forte para suportar essa luta e arrancar do coração daquela mulher os defeitos que, em sua opinião, havaim sido sistematicamente desenvolvidos pela fraqueza do conde Willibald e pela adoração de Arno.

Agora, vendo a coragem com que ela tentava vencer a tempestade que se levantara dentro dela, ficou sensibilizado e seu coração bateu mais forte. Puxou-a para si e, beijando seus lábios palpitantes, sussurrou:

– Minha querida Gabrielle, para mim é difícil exigir-lhe tantos sacrifícios, mas não posso fazer de outra forma e, entre nós, deve haver uma completa sinceridade.

– Concordo com tudo, Gotfried e, por você, rompo com o passado – sussurrou a condessa com voz intermitente. Essa promessa pareceu aniquilar as suas últimas forças. Ela desandou a chorar e apertou a cabeça no ombro do seu domador, a única pessoa cuja vontade ela não ousava contrariar.

A luz da felicidade e de orgulho brilhou nos olhos do rapaz com essa primeira vitória e ele não tentou estancar as lágrimas dela, pois as via como uma manifestação de uma reação salvadora. Quando ela acalmou-se um pouco, ele disse carinhosamente:

– Agradeço-lhe, minha querida, por esta prova de amor. Acredite-me que a ausência de luxo e da vazia vida de distrações, você lamentará menos do que imagina. O verdadeiro amor lhe trará tanta felicidade no estreito âmbito familiar, que a sociedade mundana tornar-se-á descartável. Eu vou viver somente para você e não terei outros pensamentos a não ser a sua felicidade.

Ele levantou-se e, preparando um copo de limonada, serviu Gabrielle. Ela tomou alguns goles e depois disse, sorrindo por entre lágrimas:

– Ah, o meu poderio chegou ao fim! Sinto que você vai me educar como educou a Tancredo.

O rapaz desandou a rir.

– Em todo caso, em sua educação pretendo aplicar um método especial e medidas mais amenas, pois a metade do poder permanecerá em suas mãos.

Ele passou a mão em sua cintura e colou os lábios em sua delicada face. Naquele instante a cortina se abriu e Tancredo estancou na entrada, surpreso, sem compreender a inusitada cena.

– Mamãe, você está dormindo? – exclamou ele repentinamente, com voz irritada.

A condessa voltou-se, ruborizada.

– Sr. Verenfels, por que está beijando a mamãe? Quando papai estava vivo o senhor nunca fez isto – prosseguiu o garoto, muito impressionado.

– Tancredo, meu ídolo – disse Gabrielle, atraindo o filho num abraço –, se você me ama então também vai amar o sr. Verenfels. Ele é meu noivo e substituirá o pai que você perdeu.

O menino ficou vermelho e baixou a cabeça com expressão de insatisfação. Apesar disso, deixou Gotfried beijá-lo, aos poucos ficou alegre e prometeu guardar zelosamente o segredo descoberto por acaso. Somente ao se despedir para ir dormir ele disse num suspiro.

– Entretanto, eu gostaria que o meu segundo pai fosse D. Ramos.

– Bem, agora você vai ter de se conformar com a situação, pois sua mãe tem um gosto diferente do seu – respondeu Gotfried rindo.

Passaram-se alguns dias de intensa felicidade. Mas, certo dia, o administrador veio pedir a Gotfried para ajudá-lo a despachar os objetos de Guido Ceratti que haviam ficado no castelo.

– Na mesa do pavilhão mauritano – disse o velho – há uma gaveta cheia de papéis do pintor. Eles foram esquecidos quando despacharam toda a sua bagagem. Está tudo escrito em italiano e, como não entendo esse idioma, e o senhor entende, então lhe peço que me ajude a separá-los e colocá-los em ordem. Talvez seja possível despachá-los direto para a família do falecido.

– Com prazer, sr. Petris. Deixe comigo a chave do pavilhão. Irei lá agora para ver se há algo que vale a pena despachar.

Decidindo resolver imediatamente o caso, Gotfried foi avisar Gabrielle de que iria ao pavilhão. A jovem mulher empalideceu levemente. O nome de Ceratti e a lembrança dele causavam-lhe uma torturante e má impressão.

– Vou acompanhá-lo até a área da fonte – disse a condessa. Quando eles andaram um certo espaço, ela perguntou timidamente:

– Queria lhe perguntar se você tem algum sentimento desagradável por causa do meu passado.

– Mas, que pergunta! Não tenho nem direito nem vontade de ocupar-me do passado. O futuro e o nosso amor são tudo o que me interessa.

– Então você me perdoa tudo o que fiz antes do nosso noivado? Eu podia ser muito má!

– Sim, sim, dou-lhe a completa absolvição de todos os pecados – respondeu Gotfried, rindo.

Ao entrar no recinto que Ceratti ocupava, o sentimento de desprezo e nojo tomou conta do rapaz. O pintor sempre lhe fora antipático e o cinismo com que seduzira Giselle e depois abandonara sua vítima fazia-o ainda mais asqueroso aos olhos de Gotfried. Aliás, tudo o que aparentemente lembrava o italiano já havia sido retirado dali. Quanto à mesa esquecida durante o inventário, ninguém sabia que o pintor a utilizava, pois ficava numa profunda saliência da janela do primeiro quarto. Gotfried sentou-se àquela pequena escrivaninha e abriu sua única gaveta. Nela havia cadernos, formando um tipo de diário, diversas anotações, contas e alguns croquis. Sobre tudo isso havia um envelope em branco contendo uma folha de papel.

Esperando encontrar alguma indicação de endereço, Verenfels retirou o papel, abriu-o para conhecer rapidamente seu conteúdo, quando de repente seu rosto ficou rubro e o olhar passou a devorar as frases escritas pelo falecido artista:

Meu caro José, seu ceticismo ultrapassa todos os limites e se não fosse meu irmão, eu o deixaria permanecer na ignorância; mas, desta vez o poder secreto, que você nega com tanta teimosia, deu resultados tão tangíveis, que qualquer dúvida seria uma heresia. Como pretendo ficar aqui por mais três semanas ou um mês, para satisfazer a sua curiosidade, vou contar em poucas palavras como tudo aconteceu. Não dá para contar tudo mas pelo menos os resultados obtidos.

Em seguida vinha uma curta mas clara descrição da intriga desencadeada em Reckenstein a partir da conversa do pintor com a condessa até o falecimento do conde. Ceratti achava-se o provocador daquela catástrofe com suas espertas intervenções e esperava receber mais uma grande soma em dinheiro por isso.

Mortalmente pálido, Gotfried guardou a carta e passou a mão na testa coberta de suor frio. Parecia-lhe que um abismo se abrira sob seus pés. A mulher que ele amava e com quem queria casar era uma criminosa que destruíra todos os obstáculos que haviam ficado em seu caminho. Em que precipício sua fatídica paixão jogara a infeliz Giselle! O horror e o amor lutavam no coração do rapaz. Sua rígida honestidade afastava-o da condessa, mas a sensação daquela fervente e absorvente paixão atraía-o para essa sedutora mulher, cuja imagem revoava à sua frente, excitando todos os seus sentidos e levando-o ao êxtase.

De repente lembrou de Giselle, a inocente vítima daquela maldade. Ele fora o responsável pela ruína da infeliz garota por tê-la escolhido como escudo de sua fraqueza. Não teria ele a obrigação de reparar tudo o que ela sofrera e cobrir com seu nome a vergonha imerecida? Respirando pesadamente, Gotfried levantou-se da cadeira e começou a andar pelo quarto. O dever da honra prescrevia-lhe casar com Giselle, mas a idéia de recusar Gabrielle era-lhe tão dolorida que havia momentos que esse sacrifício estava acima de suas forças. Aos poucos ele assumiu externamente uma aparência tranqüila e, guardando a carta no bolso, saiu do pavilhão.

Rapidamente, como se temendo voltar atrás em sua decisão, ele foi à casa do juiz. Lá tudo tinha uma aparência triste e silenciosa. Somente o menino mais novo estava sentado nos degraus da varanda estudando a lição. Ao ver Verenfels, o garoto levantou-se, ficou vermelho e constrangido e sussurrou que o pai não estava em casa e que a mãe estava ocupada na lavanderia, mas que a tia Giselle estava lá em cima, no seu quarto.

Sem muito pensar, Gotfried subiu a escada e pela porta entreaberta viu Giselle. Ela estava sentada junto à janela, tão pensativa que nada via nem ouvia. Não acreditando nos próprios olhos, Gotfried parou na soleira da porta e um dó infinito tomou conta de sua alma ao ver a terrível mudança que ocorrera com a moça em alguns meses fazendo-a irreconhecível. Os raios do sol poente iluminavam o seu rosto, pálido como cera e incrivelmente magro. Seus grandes olhos emoldurados por escuras olheiras olhavam o nada e uma expressão de sombrio desespero parecia congelada em seus traços.

– Giselle! – sussurrou Gotfried, inclinando-se sobre ela e tomando sua mão.

A moça estremeceu. Reconhecendo seu ex-noivo, soltou um grito surdo e, cobrindo o rosto com as mãos, quis correr. Mas Gotfried deteve-a, sentou-se ao seu lado e disse carinhosamente:

– Sente-se e acalme-se, pobre criança. Você não tem motivos para se sentir envergonhada diante de mim e o que vou lhe contar provará que você não foi culpada, mas vítima.

Sem falar da participação da condessa no caso, ele explicou-lhe de que modo Ceratti submetera-a à sua vontade e obrigara a moça a entregar-se a ele. Gotfried conhecia os milagres do magnetismo e da sugestão e essas questões o interessavam.

Giselle ouvia tudo, muda de horror e surpresa.

– Oh – disse ela finalmente –, agora entendo o que acontecia comigo. Agradeço-lhe, sr. Verenfels, por ter-me revelado esse segredo. Isso me livra do desprezo que sentia por mim mesma e que por várias vezes me fazia pensar em suicídio. Agora posso morrer feliz por conseguir reaver a minha auto-estima.

– Para que esses pensamentos negativos? Você vai viver para mim, Giselle, longe deste infeliz lugar você irá renascer para a felicidade e esquecerá esse pesadelo. Ceratti morreu, o que não me permite cobrar dele a patifaria. Mas, quanto a você, Giselle, serei um marido tão amoroso que farei você esquecer o passado.

Um rubor passageiro apareceu nas faces pálidas da moça. Em seguida, ela balançou a cabeça e disse com total desespero e fadiga:

– Agradeço a sua nobreza, Gotfried, mas pressinto que não irei aproveitá-la. Algo dentro de mim está quebrado e sinto que estou morrendo.

– Se esta for a vontade de Deus, você morrerá como minha esposa – respondeu o rapaz, levantando-se. – Até logo! Devo agora voltar para casa, mas voltarei para acertar os detalhes necessários com seu tio. Avise-o para me aguardar, pois quero sair de Reckenstein hoje mesmo.

Verenfels voltava para o castelo cabisbaixo e vagarosamente. A consciência dizia-lhe que ele havia agido corretamente, mas a cena que o aguardava com Gabrielle pesava como chumbo em seu peito. Com um esforço da vontade obrigou-se a se acalmar e internamente criticava-se pelo constrangimento de romper com a criminosa e indigna mulher.

Gabrielle aguardava-o em seu *boudoir*. Sua longa ausência deixava-a impaciente, mas ao primeiro olhar para o rapaz ela levantou-se pálida. Nunca antes ela o tinha visto tão sombrio e rígido e seu olhar severo penetrava como uma lâmina fria em seu coração.

– Estamos totalmente a sós? – perguntou ele, trancando a porta atrás de si.

– Absolutamente sós. Até Cecília está na lavanderia. O que aconteceu, Gotfried? Meu Deus, pressinto desgraça – exclamou a condessa aproximando-se dele.

Mas Gotfried afastou-se, retirou do bolso a carta do italiano, entregou-a a ela e disse laconicamente: – Leia.

A jovem mulher passou os olhos maquinalmente pela reveladora carta. O quarto ficou em silêncio mortal interrompido somente pelo farfalhar do papel nas mãos frias e trêmulas da condessa. Em seguida, em prostração, ela deixou-se cair na cadeira. Seus pensamentos embaralharam-se. O que iria dizer ele, por quem ela estava disposta a tudo?

O rapaz ficou parado, silencioso, encostado na mesa, mas em seus olhos ardia um sentimento misto de desprezo e tristeza e as palavras estancaram em seus lábios.

– Imagino que a senhora entende que está tudo acabado entre nós – disse Gotfried com voz baixa. – A morte de seu marido é caso entre a sua consciência e a justiça divina, mas remediar o mal causado à infeliz que a senhora arruinou é meu dever. Portanto, vou casar-me com ela. E permita-me dizer que lamento profundamente ter sido a causa involuntária de tantos crimes e desgraças.

Gabrielle ouvia, pálida e de olhos bem abertos. Parecia que ela não acreditava no sentido daquelas palavras. De repente, soltou um grito e, caindo de joelhos, estendeu-lhe as mãos:

– Gotfried! Perdoe-me, castigue-me como quiser, mas não me rejeite! Você me amava! Como pode me rejeitar sem dó nem piedade? Não posso viver sem você e peço de joelhos o seu perdão!

Esse lamento e a expressão de louco desespero que soava nas palavras da condessa balançaram a firmeza do rapaz e a paixão pela encantadora mulher incitava-o a tomá-la nos braços, esquecer de tudo e com um beijo conceder-lhe o perdão. O esforço que ele fez sobre si mesmo provocou uma rispidez no tom de sua voz que não havia em seu coração. E, afastando Gabrielle, ele disse rispidamente:

– Não! Não quero dar o meu honesto nome a uma mulher sem princípios que faz parceira com malfeitores e lhes paga. Você me causa nojo!

Gabrielle levantou-se rapidamente, como uma pantera ferida, e pôs as duas mãos na cabeça.

– Gotfried, retire imediatamente essa terrível palavra e perdoe-me! – exclamou ela, fora de si. – Livre-me do que está acima das minhas forças: perdê-lo.

O amor por você já me levou a cometer um crime e perto de você eu ainda consigo mudar. Se me rejeitar, serei a ruína de qualquer pessoa que se aproxime de mim e sinto que nem a sua cabeça será sagrada para mim. Tenha pena de mim! Livre-me de novos pecados!

Sentido e impressionado pela tempestade moral que estremecia todas as fibras da jovem mulher, Gotfried aproximou-se dela rapidamente e segurou-a, dizendo:

– Sua infeliz! Para que precisou manchar o seu amor recorrendo ao crime? Se a minha fraqueza a faz pensar que posso perdoá-lhe pelos males cometidos e que a amarei apesar de tudo, está enganada. O túmulo do conde Willibald e a promessa que fiz a Giselle nos separam definitivamente. Adeus, Gabrielle, nunca mais a verei.

Gabrielle ficou como que paralisada por instantes e, em seguida, desabou sem sentidos no tapete.

Todo trêmulo – e como num pesadelo –, Gotfried levou-a para o divã. Ficou olhando-a por alguns instantes, como se quisesse gravar na memória aquele rosto desfalecido. Em seguida, saiu rapidamente do quarto.

Quando Gabrielle voltou a si, pensou inicialmente ter tido um pesadelo, mas essa ilusão não durou muito. Tomando consciência da amarga realidade, um novo furacão de desespero tomou conta dela. Perder o homem que amava loucamente e no momento em que achava que o teria para sempre. Perdê-lo porque ele a desprezava! Esses pensamentos faziam a sua cabeça girar. – *Ah, você estava certo, Arno* – sussurrava ela torcendo as mãos e respirando pesadamente –, *o verdadeiro amor a tudo perdoa; não se rejeita a mulher amada como Gotfried me rejeitou, quando eu me arrastei diante dele de joelhos implorando o perdão. Willibald! Arno! Vocês foram cruelmente vingados.*

Com a cabeça em fogo a jovem mulher andava rapidamente pelo *boudoir*. Ela sufocava, e abrindo a porta do balcão, correu para o jardim. O ar frio refrescou-a e ela, prostrada, sentou-se no banco do jardim, mas, instantes depois, levantou-se de repente como se galvanizada e escondeu-se na sombra dos arbustos. Ela ouviu os passos de Gotfried; ele passou por ela sombrio e preocupado, sem perceber sua presença. Na escuridão não dava para perceber a expressão de seu rosto. Depois, aconteceu um momento em que nitidamente delineou-se a sua rígida silhueta. Um tremor nervoso correu pelo corpo dela; ela encostou a cabeça no tronco da árvore, contendo com dificuldade o grito de desespero e ira. Ela sabia aonde ele ia: ia ver Giselle, aquele ser odioso, que apesar de tudo o possuiria.

Como se incitada por fúrias, Gabrielle voltou para seus aposentos. Sob a influência de feroz ciúme aconteceu uma mudança instantânea em sua ardente alma. Naquele instante ela odiava Gotfried tanto quanto o amara até então e não desejava mais nada a não ser vingar-se e aniquilá-lo.

Apoiada na mesa e dirigindo o olhar em fogo ao vazio, ficou pensativa. Do fundo de sua alma, essa esfinge com milhares de curvas, daquelas profundezas ressurgiram os demônios das más ações, que estavam adormecidos, mas não domados, que empanavam a sua consciência e qualquer tipo de constrangimento. A pobre mulher transfigurava-se nessas malfadadas horas e os demônios excitavam nela o ódio ao extremo.

Gabrielle levantou-se pálida, mas decidida. – *Você irá pagar caro, Gotfried, por ter-me rejeitado* – sussurrava ela com crueldade. – *Já que você não quer me dar o seu nome honesto, então não terá mais nome honesto para dá-lo a qualquer outra mulher. Se eu lhe causo repulsa, então, como uma mulher sem princípios posso, sem me envergonhar, cometer mais um crime se isso me der o prazer de rebaixá-lo.*

Ela voltou rapidamente para seu *boudoir.* Pegou da escrivaninha um pequeno punhal de cabo com incrustações, enfiou a lâmina na fechadura da mesa, apertou e quebrou o fecho. Em seguida, retirou da gaveta uma carteira cheia de cédulas de dinheiro e guardou-a no bolso. Eram os 30 mil talleros que Arno havia-lhe dado como herança do pai.

Como uma sombra ela esgueirou-se no quarto de Tancredo. O menino não estava lá e ela passou rapidamente para o quarto de Gotfried iluminado por uma lâmpada pendurada no teto.

A jovem mulher estudou o ambiente. Aparentemente, Gotfried, antes de sair, praticamente concluíra os preparativos para sua partida. Dois sacos de viagem já estavam fechados, mas a mala ainda aberta estava sobre duas cadeiras e na mesa havia uma caixa destinada provavelmente a documentos e papéis. Gabrielle tentou abrir a caixa, mas esta estava fechada e não havia chave. Então, rapidamente, ela foi até a mala, retirou um paletó, colocou a carteira num dos bolsos do paletó, dobrou-o cuidadosamente e enfiou-o novamente por baixo de outras roupas.

– Mamãe, o que você escondeu nas roupas do sr. Verenfels? – ouviu-se a voz de Tancredo no instante em que ela acabava com todos os vestígios dos seus atos na mala.

Se um raio caísse aos pés de Gabrielle ela não ficaria mais espantada. Parecia-lhe que o chão lhe escapava quando ela encontrou o olhar surpreso do garoto.

Ela correu para Tancredo, levou-o para fora do quarto e, fechando a porta à chave, sentou-se na poltrona num estado de espírito impossível de descrever.

– O que você tem, mamãe? – perguntou o garoto, assustado.

– Tancredo – sussurrou ela, puxando-o para si –, se você me ama, se quer que eu viva, jure que nunca, ouça bem, nunca vai dizer a ninguém que me viu perto da mala de Verenfels. Se você, meu ídolo, não cumprir esta promessa, eu morrerei no dia em que você falar.

A criança olhou-a com medo e surpresa. O rosto pálido, transfigurado e o olhar em fogo e estranho da mãe fizeram-no perceber, apesar de sua inocência, que algo ruim estava acontecendo e, desandando a chorar, correu para a mãe e balbuciou:

– Nunca vou dizer isso a ninguém! Só não morra, mamãe!

Absortos na própria infelicidade e em suas lágrimas, nem a mãe nem o filho perceberam que a porta abriu-se e entrou Gotfried. As últimas palavras do menino, que Verenfels ouviu nitidamente, fizeram seu coração apertar-se. Ele imaginou que a condessa exigia do filho que este não falasse do noivado desfeito tão rapidamente. Em seguida, aproximou-se da mala e fechou-a com estrondo.

Gabrielle estremeceu e levantou-se imediatamente. Apertou mais uma vez Tancredo junto ao peito com a certeza de que ele ficaria calado, e, cambaleando, voltou aos seus aposentos. O acaso foi-lhe favorável, pois nenhum dos criados a viu e nem Cecília suspeitou que a sua senhora deixara o quarto. Quando ela retornou, logo reparou na carta de Ceratti caída no tapete. Apanhou-a e cuidadosamente a queimou na chama da vela. Em seguida, caiu no sofá – suas forças haviam acabado. Quando, uma hora mais tarde, Cecília, espantada pelo fato de a condessa não chamá-la durante tanto tempo, entrou para perguntar sobre o almoço, ficou assustada com o estado em que encontrou Gabrielle e imediatamente a acudiu sem alterar sua costumeira reserva.

A esperta camareira soubera pouco antes que Verenfels ia deixar o castelo, e essa viagem inesperada ligada ao desespero e à fraqueza da condessa revelou a Cecília praticamente toda a verdade.

Completamente apática, Gabrielle deixou-se despir e ser deitada na cama, quando disse com voz cansada:

– Amanhã à tarde vamos viajar a Berlim. Cuide dos preparativos, Cecília, e diga à governanta que ela deve ir antes de mim no trem das 11 horas da manhã.

– Tudo será feito como ordenou, cara condessa. Tome algumas gotas de calmante e tente dormir. Vou dar algumas ordens e volto imediatamente para cá.

Mas Gabrielle não conseguia dormir. Apesar da cena que acontecera naquela manhã, apesar do ódio e da ignóbil vingança, a idéia de que Gotfried deixaria o castelo e que ela nunca mais o veria cortava-lhe o coração. Todos os seus sentimentos, aguçados ao extremo, concentraram-se na audição. Mas foi mais com o coração que ela ouviu a chegada da carruagem e o som da partida que sumiu ao longe.

Quando Cecília voltou e sentou-se perto do leito, os frios dedos da condessa apertaram sua mão e ela lhe perguntou com voz entrecortada:

– Ele já foi embora?

– Sim, condessa, há uns dez minutos – respondeu a camareira, nem por um segundo duvidando de quem estavam falando.

Com a ajuda das gotas calmantes que lhe deu Cecília, Gabrielle adormeceu por algumas horas e quando acordou, o seu desespero foi substituído por uma tranqüilidade relativa e uma determinação ditada pelo ódio.

Alegando querer controlar sozinha a preparação para a viagem, a condessa levantou-se cedo, deu instruções detalhadas à camareira e à governanta e, em seguida, mandou chamar aos seus aposentos o administrador para lhe deixar as últimas instruções.

Petris estava adoentado, e, em seu lugar, veio o ajudante Laube. Após passar as instruções de praxe, Gabrielle aproximou-se da escrivaninha para pegar o dinheiro reservado para auxílio aos pobres e outras necessidades, mas, colocando a chave na fechadura, ela soltou um grito de surpresa e constatou junto com Laube que a fechadura estava quebrada e a carteira com 30 mil talleros havia desaparecido.

– Não suspeito de ninguém, mas o roubo é tão grande que não sei se poderia passar sem chamar a polícia – disse a jovem mulher após uma certa hesitação.

– Mas, condessa, nem se pode imaginar deixar sem um inquérito este crime. Vou imediatamente chamar o comissário, para fazer uma investigação e uma busca em toda a criadagem.

– Isso vai ser terrível. Espere um pouco, Laube, não quero que meu filho seja testemunha deste escândalo. Vou mandá-lo para Berlim junto com a sra. Steiger, que de qualquer modo nada tem a ver com o caso, pois passou três dias na casa da irmã doente e retornou somente hoje de manhã, conforme me contou Cecília. E ontem, após o almoço, a carteira ainda estava aqui. Nada impede, porém, de mantê-la sob observação na cidade. Então traga o comissário enquanto eu vou despachar o meu filho.

Ela mandou chamar Tancredo e disse-lhe que os negócios obrigavam-na a ficar por mais um dia e que ele iria viajar para a cidade junto com a governanta. O menino não contestou. Estava triste e pensativo, e antes de sair perguntou de repente:

– Mamãe, você brigou com Verenfels? Ontem à noite, depois que você saiu, ele disse-me que vai viajar e nunca mais volta. Ele estava bonzinho como nunca e parecia tão infeliz. Ambos choramos.

– Não me fale dele. Nunca mais pronuncie o seu nome – disse Gabrielle, empalidecendo. – Lembre-se, meu ídolo, que esse homem causou um grande mal à sua mãe e a fez infeliz.

A investigação e a busca do comissário não deram qualquer resultado.

– Condessa – disse Laube –, a grande soma roubada e o fracasso da busca obrigam-me a suspeitar do ex-tutor do pequeno conde. Apesar da aparência decente do sr. Verenfels, algumas pistas apontam para ele. Sabe-se que ele esteve na parte da tarde no *boudoir* e que a sua partida foi mais do que inesperada, pois ele próprio me disse ontem de manhã que ficaria aqui por alguns dias. Finalmente, encontrei hoje o juiz que me disse que Verenfels ficou novamente noivo da srta. Giselle – o que acho abaixo de sua dignidade – e que ele pretende comprar uma propriedade. Isso é mais do que suspeito, pois se sabe que ele não tem meios para tanto.

Gabrielle ouvia tudo cabisbaixa. Apesar de tudo, seu coração palpitava, mas era difícil recuar e a insolente frase – *não quero dar a você o meu honesto nome* – soava novamente em seus ouvidos.

Pálida, mas inflexível, ela levantou-se e, tranqüilamente, disse:

– Por mais que pareça inverossímil a sua suposição, sr. Laube, não me considero no direito de ignorar quaisquer pistas. Devo confessar que vi quando o sr. Verenfels ficou examinando ontem o pequeno punhal que aparentemente foi usado no arrombamento. Deixo o caso para as autoridades resolverem à sua maneira.

VIII
Morte civil

Sem suspeitar da tempestade que se desencadeava sobre sua cabeça, Gotfried estava completamente imerso em seus tristes pensamentos. O trem levava-o rapidamente para longe do local onde deixara metade do seu coração. Taciturno, cheio de tristeza, o rapaz evitava os outros passageiros, não conversava com ninguém e só saía do seu compartimento para comer.

Eram seis horas quando o trem parou na estação de uma grande cidade. Como a parada era de uma hora, Gotfried desceu na estação e começou a andar para cima e para baixo. Ele não percebeu que o chefe da estação, acompanhado por um senhor de traje oficial, andava pela multidão como se procurasse alguém e quando o viu, examinou-o cuidadosamente e, após um curto diálogo, aproximou-se.

– Com licença, permita-me perguntar: tenho a honra de falar com o barão Gotfried Verenfels? – perguntou o chefe da estação com leve reverência.

– Sim, sou eu. O que os senhores desejam?

– Eu lhe pediria entrar por alguns minutos em meu gabinete para tratar de um importante assunto.

Surpreso e aborrecido, Verenfels seguiu-os. Mas, assim que a porta fechou-se atrás deles, o senhor de traje oficial aproximou-se de Gotfried e entregou-lhe um cartão.

– Barão, sou agente de polícia e sou obrigado a submeter o senhor e sua bagagem a uma busca em decorrência de uma grave acusação contra a sua pessoa.

– Acusação contra mim? – perguntou Gotfried, vermelho de raiva. – Esta é uma confusão muito estranha! Eis minhas chaves e o bilhete da bagagem –

acrescentou ele, jogando os objetos na mesa. – Pelo menos poderia saber quem me acusa? – perguntou ele com irritação, instantes depois.

– Ninguém diretamente. Mas aconteceu um grande roubo no castelo Reckenstein e o seu nome consta entre as pessoas suspeitas – respondeu o policial examinando-o com olhar perscrutador.

Gotfried recuou como se tivesse sido atingido por um raio e, cambaleando, encostou-se na parede. Se Gabrielle interviera na acusação, algo terrível o ameaçava. Sua visão obscureceu e ambas as testemunhas entreolharam-se significativamente. Naquele instante trouxeram as malas e começou a busca. A revista dos sacos e do caixa não trouxe nenhum resultado. Pálido, com o olhar em fogo, o rapaz seguia com os olhos cada movimento do policial. Ele próprio agora esperava que alguma coisa seria encontrada, só não sabia o quê. De repente, ele lembrou que Gabrielle fora visitar o filho, mas antes podia ter estado em seu quarto. Isso significava que era um crime a mais para aquela mulher.

Depois de tudo, abriram a mala, examinando cuidadosamente cada objeto. De repente o agente retirou do bolso do paletó a carteira de couro e constatou que ela estava cheia de dinheiro.

– 30 mil talleros – disse ele, contando o dinheiro. – Está tudo certo, sr. Verenfels, em nome da lei estou prendendo-o por roubo.

A raiva e o desespero tiraram de Gotfried a capacidade da fala. Mas, sentindo o braço do agente em seu ombro, ele esquivou-se enojado e disse com voz surda:

– Que patifaria! Colocaram essa carteira nas minhas coisas.

– Ah, meu senhor, essa é a desculpa de todos os ladrões pegos em flagrante – respondeu o agente com desprezo.

Ao ouvir essas palavras que ofendiam todos os seus sentimentos, o infeliz rapaz sentiu que as forças o abandonavam. Uma forte dor apertou o seu coração, tudo escureceu a sua volta e ele caiu sem sentidos como um carvalho arrancado com a raiz.

É difícil descrever o estado de espírito de Gotfried quando a porta da cela da prisão fechou-se atrás dele. Ele percebia que estava arruinado, pois não podia fornecer nenhuma prova convincente de sua inocência. Nem tinha a carta de Ceratti que jogaria uma luz de suspeita sobre o caráter de Gabrielle. Em desespero, pensou várias vezes em suicidar-se, mas o senso de nobreza e a lembrança de sua filha sempre o detiveram. A imagem da condessa perseguia-o como num pesadelo. Ele lhe perdoaria mil vezes uma punhalada; mas aquela ignóbil traição, aquele assassinato de sua honra por vezes enchiam seu coração de um ódio cego e de um insaciável desejo de vingança.

Quase um mês depois da prisão de Gotfried, certa manhã o guarda trouxe-lhe o almoço, entregou-lhe junto uma pequena caixa e se retirou. O rapaz abriu-a com indiferença e, para sua surpresa, encontrou nela uma rosa fresca envolta em papel de seda. Examinando a flor ele percebeu uma faixinha de papel amarrada ao seu caule. Na faixinha, com caligrafia fina e alterada, estavam escritas palavras cujo sentido ele compreendia inteiramente: *Você já não tem um nome honesto, mas continuo a amá-lo. Perdoe e concorde em ficar comigo, Gotfried. Eu conseguirei libertá-lo a qualquer preço e o seguirei a qualquer lugar do mundo!*

Estupefato, Gotfried olhava com surpresa aquelas linhas, aquela nova prova da teimosa e louca paixão daquela tigresa que ele descuidadamente irritara.

Num instante, milhares de pensamentos diferentes e sentimentos opostos ferveram dentro dele. Mas imediatamente ele lembrou da sua ruína moral e a amargura do ódio ferveu em seu coração, consumindo tudo. Enojado, jogou a rosa no chão, esmagou-a com o salto do sapato e rasgou o bilhete.

Quando o guarda entrou novamente, encontrou o preso deitado na cama virado para a parede. O servidor em silêncio apanhou a flor esmagada e os pedaços de papel e devolveu esta eloqüente resposta à Cecília que aguardava em sua sala.

Passaram-se dois meses após esse incidente. Certa vez, Gabrielle estava deitada no divã do seu gabinete na casa dos Reckenstein em Berlim, imersa em profundos pensamentos. Desde que a camareira trouxera-lhe os pedaços pisoteados de sua carta, a prova definitiva do desprezo de Gotfried por ela, uma raiva contida fervia em seu peito mudando para ataques de remorsos durante os quais a imagem de Gotfried a perseguia tirando-lhe a capacidade de saborear a vingança e incutindo-lhe uma aversão à vida. Naquele momento ela também tentava alterar o rumo de seus pensamentos, obrigando-se a dirigi-los para D. Ramos, que aparecera novamente em Berlim e, mesmo com grande continência, reiniciara seu flerte.

Na manhã daquele mesmo dia, ela teve uma conversa com o ardente brasileiro, que lhe propôs casamento respeitosamente. Sua resposta foi equivalente a uma promessa e o rapaz saiu radiante e cheio de esperanças. Novamente diante da jovem mulher abria-se um futuro de riquezas e delícias. Naturalmente, o milionário apaixonado cumpriria todos os seus desejos e iria cercá-la do luxo feérico de que ela tanto gostava. Ele era seu escravo. Mesmo assim, pensando nisso, ela suspirou pesadamente, tendo plena consciência de que abdicaria de tudo isso por um simples sorriso daquele que a domara e até no abismo em que ela o jogara a rejeitava com desprezo.

A jovem mulher levantou-se com o rosto em fogo e respirando pesadamente. Seu olhar caiu sobre a pilha de jornais, revistas e na carta que estava em sua mesa. Ela abriu a carta mecanicamente e olhou-a rapidamente. Era o relatório da administradora da granja dos Reckenstein com informações sobre o envio de diversas provisões e detalhes de produção. Mas, no final do relatório, a administradora acrescentava:

Condessa, sabendo que a senhora sempre foi atenciosa com a sobrinha do juiz, a srta. Giselle Lindner, permito-me informá-la que esta infeliz moça morreu na semana passada. A notícia do ignóbil crime de seu noivo foi um choque para ela. Ela se esvaiu como uma vela e que Deus misericordioso perdoe os seus pecados.

Pálida e com as mãos trêmulas, a condessa fechou a carta. Aquela morte prematura fora obra sua. Aquele túmulo clamava ao Juiz Supremo a vingança contra ela. Mesmo assim, o crime não atingira o resultado almejado. Mas para que aquelas lamentações tardias? O que fora feito, não se podia mudar. Ela pegou o jornal e começou a ler. Mas, de repente, estremeceu e concentrou-se numa coluna com o seguinte teor:

*Na corte da cidade de C... foi julgado um caso triste e inusitado. Este caso prova que, infelizmente, a desmoralização e a vergonha atingem até as mais respeitáveis famílias e que a sede de deliciar-se a qualquer preço leva ao crime pessoas de nomes mais tradicionais. Tal representante da raça de cavaleiros, barão de-V***, foi pego por praticar um roubo com arrombamento na propriedade da condessa de-R***. Apesar de sua aparência decente, de suas negativas e da inflamada defesa de seu advogado, o réu foi condenado a dois anos de prisão.*

A página caiu das mãos de Gabrielle e em seus olhos surgiu um fogo selvagem. Em pensamento, ela dialogava: "*Estou vingada! Você já não tem mais este nome honesto de que sou indigna. O golpe que lhe desferi foi pior que o que me atingiu e sei que você preferiria morrer.*" Ela apertou com as mãos a testa em fogo. "*Sim, estou vingada, mas não sinto a alegria que esperava por satisfazer a minha vingança. Não encontro paz, pois mesmo que todos pensem que ele é ladrão, eu sei que ele é inocente e ele sabe que sou desonesta e criminosa.*" Ela apertou a cabeça nas almofadas e desandou a chorar. "*Oh, Gotfried, por que você com a sua impiedosa severidade obrigou-me a fazer-lhe tanto mal e deixou-me com remorsos? Ah, se alguém pudesse me revelar o segredo do passado e me explicasse se é mero acaso ou premeditada decisão do destino dar-me às feições de Bianca e a ele as de Jean Gotfried de Arnoburg. Como fantasmas, saídos do túmulo, nós destruímos um ao outro da mesma forma que aquelas duas infelizes e criminosas criaturas, que parece que se espelharam em nós.*"

Um ano e 45 dias após a morte do conde Willibald Reckenstein, a sociedade seleta reuniu-se na igreja católica da capital, onde com grande pompa realizava-se o casamento de D. Ramos e da condessa Gabrielle. Entre a multidão aristocrática e bem trajada estava Tancredo, já de uniforme da escola militar, com um sorriso de felicidade nos lábios.

Felicidade e orgulho iluminavam as feições do noivo, mas a noiva estava pálida como o seu vestido de cetim. Novamente ela estendia as mãos para obter riquezas e delícias da vida que lhe oferecia um homem que a amava, entretanto seu coração apertava-se dolorosamente e a coroa de rosas brancas e o véu rendado pesavam como chumbo sobre a sua cabeça inclinada.

Na mesma hora, quando a jovem Condessa De-Moreira, apoiando-se no braço do marido, recebia em seu salão totalmente iluminado os cumprimentos dos convidados, numa cidade afastada às margens do rio Reno, um preso solitário estava sentado sozinho na cela da prisão. Seu rosto pálido expressava sofrimento e desespero. O infeliz não sabia que naquele mesmo instante aquela que o arruinara, usando elegante traje e portando jóias, cercada de honras e inspirando inveja, respondia sorridente aos brindes e vivas dos convidados, festejando o novo triunfo da beleza e do orgulho. Gotfried nada soube dessa ironia do destino. Tapando o rosto com as mãos, ele estava mergulhado em pensamentos e do seu coração maltratado escapava sempre a mesma pergunta: – *Onde está a verdade Celestial, se não há a verdade humana*?

Se a sua visão clareasse ele veria seres alados e indetectáveis que revoavam nos cinzentos fluxos atmosféricos e inclinavam-se para ele. Ele entenderia a resposta que eles lhe sopravam:

Existe o passado. Oh, ser humano! Nas desgraças do cotidiano procure o seu passado coberto de escuridão e lá encontrará a razão de seus sofrimentos.

Fim da Parte 1

Lília

2ª PARTE

I
Doze anos depois

Além dos limites da cidade de Mônaco, perto da estrada que leva a Ventimil, havia uma casa isolada, de aspecto bastante sombrio. Três grandes janelas que davam para a rua estavam sempre cobertas por cortinas escuras; dos dois lados da casa, englobando uma ampla área, erguia-se um muro cinzento, bastante alto, do qual aparecia a densa folhagem do jardim; alguns degraus de pedra levavam a um estreito e maciço portão por meio do qual se entrava no interior daquela residência sempre silenciosa e, aparentemente, desabitada. Somente a brilhante placa de bronze com a inscrição W. Berg atestava que havia moradores na casa.

Vamos introduzir nossos leitores na grande sala de entrada dessa casa, numa tarde de um belo dia de abril. Na sala havia muita luz vinda de duas grandes janelas e da porta de vidro que saía para o terraço, cercado de um balaústre de mármore e enfeitado de flores em vasos vermelhos de pedra. A mobília da sala, luxuosa e confortável, era, porém, muito antiga e tanto a sua cor escura quanto à do papel de parede dariam um aspecto sombrio não fosse a grande quantidade de buquês de diferentes flores que a animava e enchia com seu perfume.

Junto à janela aberta, numa cadeira de rodas, estava uma mulher de uns 50 anos cujas pernas estavam cobertas por um cobertor de lã. Os cabelos ficando grisalhos emolduravam seu rosto ainda atraente, apesar da magreza doentia; a expressão de extrema bondade e os meigos e tristes olhos davam-lhe uma beleza especial. Ela lia com atenção o último lançamento de um periódico inglês e na mesinha perto dela havia uma pilha de livros e jornais.

No pequeno divã próximo à outra janela, acomodou-se uma moça inteiramente absorta na costura de uma blusa infantil; à sua volta estavam jogados gorros, blusas e sapatinhos brancos de lã.

Era uma garota de uns 16 anos de fraca formação e aparência doentia. Seus magros membros, os ombros altos e estreitos e o porte mal desenvolvido eram indubitavelmente conseqüência de rápido crescimento. O rosto magro e anguloso com lábios descorados demonstrava claramente que ela passara por uma enfermidade séria, mas os olhos negros e aveludados ardiam com vida e energia. As sobrancelhas quase se juntavam e davam um caráter original aos seus traços que se destacavam sobremaneira em virtude da exagerada magreza; duas tranças ruivo-douradas, surpreendentemente longas e cheias, destacavam-se lindamente no seu vestido de casimira azul e desciam até o chão.

De tempos em tempos, ela interrompia o seu trabalho para afagar o cãozinho que estava deitado perto dela no divã e para dar uma olhada na vareta colocada na janela sobre a qual balançava um papagaio.

– *Líllia, Jacó quer açúcar* – gritou de repente o louro, interrompendo o silêncio que reinava na sala.

As mulheres levantaram a cabeça e trocaram sorrisos.

– Como está indo o trabalho, minha filha? – perguntou a mais velha.

– Muito bem, tia Irina, amanhã poderei vestir o meu afilhado dos pés à cabeça – respondeu a moça, dando uma bala ao papagaio. – E você, tia, encontrou alguma novidade no *Banner of right*?

– Oh, sim! Coisas muito interessantes. Aconselho você a ler um artigo muito curioso sobre a transmissão de pensamentos. Isso vai lhe interessar muito. Bem, parece que seu pai está chegando.

Instantes depois a porta abriu-se e na soleira da porta apareceu um homem alto. Não era difícil reconhecer nele Gotfried Verenfels, pois na aparência pouco mudara. Apesar de seus 42 anos, ainda era um homem bonito, de aparência aristocrática, e os fios prateados eram dificilmente notados em seus cabelos loiros. Somente um observador atento notaria que uma palidez amarelada substituíra o frescor do seu rosto, que na testa haviam aparecido algumas profundas rugas, que os lábios haviam assumido uma forma rude e maldosa e que algo amargo e severo escondia-se em seu olhar outrora tão claro e orgulhoso.

– Cheguei, minha querida, para tomar chá e experimentar a torta para a qual você me convidou ao seu reino particular – disse ele, sorrindo e beijando Líllia.

Ela levantou e aproximou-se dele, assim que ele entrou.

– Obrigada, papai. No dia em que completo 16 anos você deve deixar os seus livros enfadonhos e dedicar a mim toda a noite. Mas não sente no divã, senão pode esmagar o Pacha.

– Deus me livre causar-lhe tal desgraça bem no dia do seu aniversário. Pelo contrário, gostaria de lhe proporcionar algo agradável e se você tem algum desejo em particular diga-me e ficarei feliz em realizá-lo.

– Como você é bondoso, papai. Mas deixe-me pensar no que vou querer. Ah, achei! Se quiser me fazer feliz, compre para o Pacha uma coleira de prata com seu nome escrito com corais e esmeraldas. Vi uma coleira dessas numa cadelinha de uma dama inglesa e desde então já faz dois anos que sonho em ter uma igual.

Gotfried balançou a cabeça e sentou-se na poltrona ao lado de Irina.

– Você tem uma verdadeira adoração por este cachorrinho e o mima como outras pessoas não mimam nem crianças.

– É que além de mim, Pacha não tem ninguém para cuidar dele. E, se for verdadeira a suposição de que a alma de animais progride e se transforma em alma humana, então Pacha será uma pessoa decente. Ele tem muito bom gosto – disse Líllia, rindo e afagando com a mão o seu cão, que se espreguiçava aceitando o seu carinho.

– Que idéias estranhas! E, evidentemente, aqui está a fonte de onde você as encontra – observou Verenfels, pondo de volta na mesa livros e revistas cujos cabeçalhos tinha acabado de ler. – Minha querida Irina – dirigiu-se ele à senhora –, sei que a senhora está contaminada por esta doença moderna que tem o nome de espiritismo e nada tenho contra isso quando se refere à senhora; mas não deveria incutir essas idéias em Líllia.

– Gotfried, o senhor sabe que essa crença foi o meu farol da salvação, o apoio durante os pesados suplícios de minha vida. Aquilo que me ensinava e consolava como poderia prejudicar Líllia?

– É porque isso são utopias sem provas e toda essa literatura irracional pode prejudicar o desenvolvimento físico e moral da moça.

– O que está dizendo, papai? Trata-se de uma alta ciência cujo lema é: "Sem amor ao próximo não há salvação", e cujo objetivo é iluminar a consciência humana, fazer de todos os homens uma única família de irmãos. Como essa ciência pode me prejudicar? – exclamou Líllia.

– Fazer de todos os homens uma família de irmãos, transformar chacais, prontos a dilacerar um ao outro, em pombinhos... (Ri)! Para mim é suficiente só essa pretensão para perceber que toda essa ciência é um completo absurdo.

Gotfried riu com um riso seco e de desprezo.

– Mesmo admitindo que esses sonhos vazios não causam mal, eles somente são aplicáveis entre quatro paredes. Quando se vive em isolamento, longe do mundano e de suas paixões, pode-se sonhar com ideais e fazer planos para melhorar a humanidade; mas basta entrar em contato com as pessoas, sua ingratidão e seu rude egoísmo, para se desiludir radicalmente.

– Mas como, pai? Você não acredita no progressivo melhoramento da humanidade?

– Imagino que as pessoas sempre serão pessoas. O alto ensinamento de Cristo não conseguiu endireitar seus corações. E eis a sua gratidão: eles crucificaram Jesus! Torturaram-no e ofenderam-no da mesma forma que fizeram com todos os seus benfeitores. E o que o cristianismo não conseguiu fazer, o espiritismo não conseguirá.

– Mas você nunca leu os livros que critica tanto.

– Ele não quer se ilustrar – observou Irina com tristeza.

– Minhas senhoras, levantem as suas cabeças tristes e cabisbaixas – disse alegremente Gotfried. – Vou ler todos os seus livros para atingi-los com as suas próprias armas. Mas, lá vem Rita com o chá e a famosa torta. Não vamos mais discutir.

Pelas dez horas da noite todos foram dormir. Gotfried voltou para seus aposentos na biblioteca e sentou-se à grande mesa abarrotada de livros e manuscritos. Mas, em vez de trabalhar, encostou-se no espaldar da poltrona e, semicerrando os olhos, entregou-se aos próprios pensamentos. Um indescritível cansaço e uma sombria amargura substituíram a alegria que ele demonstrava para sua filha, e por vezes seus lábios tremiam nervosamente, revelando a irritação interior.

Sua condenação e os dois terríveis anos que passara na prisão haviam feito uma profunda reviravolta na alma do orgulhoso rapaz. Inicialmente pensava que iria enlouquecer e era perseguido pelo desejo de suicídio, para se livrar pela morte da tortura moral. Porém, a sua honesta e profunda nobreza e o pensamento na criança que ficaria órfã faziam-no vencer a tentação. O velho Berg escrevera a Gotfried dizendo que o considerava inocente da baixeza de que o acusavam. Quando este saiu da prisão, recebeu-o de braços abertos e adotou-o para lhe dar o direito legal de usar seu nome. Mas Gotfried estava física e moralmente arrasado e, logo após a sua volta, adoeceu perigosamente. A bondosa Irina cuidou dele como uma fiel irmã e ele começou a melhorar lentamente. Mas em seu espírito algo se quebrara em definitivo. A vergonha que cobrira o seu tradicional e imaculado nome e a necessidade de ocultá-lo agora, deixando para a filha um nome vulgar de plebeu consumiam a orgulhosa alma de Verenfels e, por vezes, era-lhe difícil suportar olhar para Líllia. O sofrimento físico que a incurável doença do coração que ele trouxera do confinamento causara aumentava seu desarranjo psíquico. A notícia da morte de Giselle entristecera-o profundamente e ele, religiosamente, venerava a memória dessa vítima inocente que Gabrielle destruíra como a ele.

A lembrança da condessa fazia-o ferver por dentro, despertando em seu coração uma selvagem sede de vingança. Parecia-lhe que se ele, por sua vez, pudesse destruir aquela mulher cuja teimosia e impura paixão o jogaram no abismo, isso aliviaria seu coração.

Motivado por esse sentimento, logo após o seu restabelecimento fez uma investigação e soube que Tancredo estava na escola militar e Gabrielle casara-se com o conde De-Moreira e fora com ele para o Brasil. Gotfried voltou a Mônaco ainda mais sombrio e calado, evitando as pessoas e a sociedade e procurando na leitura e no estudo da ciência o esquecimento e a paz. O velho Berg, enquanto vivo, continuava os seus negócios e era ajudado por Verenfels, que podia viver como quisesse. Depois da morte desse parente, ele teve de assumir tudo e, apesar de sua repulsa por aquele tipo de ocupações, prosseguiu com as especulações do velho Berg, pois queria ficar rico e garantir à Líllia pelo menos um futuro tranqüilo no sentido material. Como a intermediação de Gaspar o livrava na maioria das vezes das relações diretas com os clientes, o negócio não lhe trazia maiores preocupações.

Líllia crescia só, naquela triste e severa atmosfera. Ela amava e temia o pai que por vezes demonstrava por ela um imenso amor e, por vezes, evitava-a como se a visão da própria filha lhe causasse dor.

Ela nunca estivera em qualquer orfanato. Irina, parente de seu padrinho, servia-lhe de mãe e era sua tutora. Muito estudada, ela, junto com Gotfried, ocupava-se da educação da moça que, deste modo, aos 16 anos parecia mais séria e mais versada que a maioria das moças de sua idade. O rápido crescimento e o físico muito delicado fizeram-na adoecer, e o seu restabelecimento resultou na palidez e na magreza.

Naquela mesma noite, quando Verenfels em seu gabinete pensava em sua filha, cujo aniversário abrira velhas feridas, nas salas iluminadas do cassino de Monte Carlo uma dama ricamente vestida e apoiando-se no braço de um rapaz passava lentamente pela multidão dirigindo-se para as salas de jogos.

Era um bonito casal. Sua elegante aparência e a incrível semelhança de um com o outro atraíam a atenção geral. A dama parecia ter por volta de 30 anos. Seu lindo rosto semipálido destacava-se pelos cabelos negros como piche, enrolados à moda grega e presos com um grampo de brilhantes. O fogo consumidor que ardia em seus olhos azuis como centáureas e as feições da boca expressavam profundas paixões e davam à sua beleza um ar demoníaco. O rapaz que a levava pelo braço não tinha mais de 23 anos e parecia-se extraordinariamente com ela. Seu rosto, por demais bonito para um homem, expressava uma fria indiferença, mas em seus olhos ocultava-se a preocupação.

– O senhor conhece aquele interessante casal, sr. Fenkelstein? – perguntou um rapaz ao senhor ao lado. – Já há dias que noto essa dama. Ela está fazendo um jogo diabólico!

– Sim, tenho a honra de conhecer a condessa De-Moreira. Ela está acompanhada pelo filho do seu primeiro casamento, o conde Tancredo Reckenstein – respondeu o judeu financista, despedindo-se do rapaz e indo apressadamente para a sala de jogos.

Gabrielle e seu filho foram entrando naquele redemoinho de paixões desenfreadas que pode ser, com justiça, chamado de portões do inferno. Entraram na sala onde pilhas de ouro espalhadas no tecido verde excitam a cobiça que chega à loucura; onde a febril e embriagante sensação de sucesso e fracasso obriga o coração a bater mais forte e acende o fogo nos olhos; mas onde, junto com isso, podem-se ver todos os sentimentos animalescos nos rostos vermelhos de cobiça ou mortificados pelo desespero. Muitos deixam essa pomposa sala após arruinar a si e a seus próximos não vendo outra saída para a sua desgraça a não ser o suicídio. Se estes pobres de espírito que procuram a morte para se livrar das conseqüências de suas loucas diversões e que pensam, com o suicídio, salvar pelo menos a sua honra; pudessem entender que uma bala não pode retirar a mancha que sobre ela recai, pois a honradez pertence ao espírito e não ao corpo... Se soubessem que além dos limites da existência terrena, onde eles pretendem se esconder da responsabilidade, aguarda-os um castigo ainda mais inclemente do que o castigo humano – a dor de consciência pela vida destruída...

Gabrielle sentou-se a uma das mesas, inteiramente absorta pelo jogo "vermelho e negro" e, com olhar febril, seguia a espátula do *crupier*. Tancredo estava em pé atrás dela, de braços cruzados e, com expressão sombria no rosto, seguia com os olhos como diminuía a pilha de dinheiro colocada ao lado da condessa.

– Pare de jogar, mamãe, você perdeu tudo novamente – sussurrou ele, inclinando-se para a mãe.

– Eu vou recuperar tudo, a sorte irá voltar – respondeu Gabrielle com voz entrecortada, retirando da carteira o restante do dinheiro.

– Vou ao bar tomar um copo de limonada. Termine de jogar assim que eu voltar para que possamos ir embora imediatamente – disse Tancredo, ao sair.

Mal ele desapareceu na multidão, o banqueiro judeu, que estava parado a alguns passos e não tirava os olhos da condessa, aproximou-se dela e disse:

– Condessa, estou à sua disposição. Pode jogar qualquer quantia. Sua sorte vai voltar. Sinto que a senhora vai ganhar.

Gabrielle levantou os olhos e viu Fenkelstein, que por várias vezes a ajudara no passado emprestando-lhe dinheiro. Ela inclinou a cabeça em sinal de agradecimento e, sem contar, trouxe para si o dinheiro e o cartão no qual o banqueiro escreveu o valor cedido. Duas horas depois, mal se segurando em pé e pálida como a morte, a condessa deixava o cassino apoiada no braço do filho.

– O que você fez, mamãe? Você perdeu o nosso último dinheiro e nem sei como sairemos da cidade.

Gabrielle não cerrou os olhos a noite inteira. Mais do que a crítica do filho, ela sentia remorsos e, muito perturbada, andava pelo quarto sem descanso, pensando: "*Mas o que é isso?*", perguntava-se. "*A paixão pelo jogo tomou conta de mim. Sou uma mulher desonesta que arruína e destrói a todos que me amam. O que seria isto? Seriam meus crimes ou a maldição de Gotfried que me arrasta de lugar para lugar como uma pária e não me dá sossego?*"

No dia seguinte, às doze horas, Cecília entregou à sua senhora o cartão de visitas do banqueiro Fenkelstein que desejava ver a condessa. Gabrielle empalideceu, mas tinha obrigação de recebê-lo. Após a troca de cumprimentos, o banqueiro tirou da pasta um maço de papéis timbrados e disse:

– Condessa, estas letras de câmbio, junto com o valor que a senhora recebeu ontem, representam um considerável capital. Eu vim para saber quando e como a senhora vai acertar isso comigo.

Gabrielle pegou os papéis, leu-os e uma palidez mortal cobriu seu rosto. Queria falar, mas seus lábios trêmulos não queriam obedecer. O banqueiro, que não lhe tirava os olhos, inclinou-se para ela:

– Condessa, sou seu amigo e estou pronto a tudo para agradá-la. Sei que a senhora está inadimplente, mas, se quiser, podemos fazer um acordo.

– Que acordo? – perguntou Gabrielle com esforço.

O banqueiro era um homem ainda jovem e de aparência bastante agradável. Sem ocultar mais a paixão que ardia em seu olhar e soava em sua voz, ele inclinou-se ainda mais e, agarrando a mão da condessa, disse:

– Diga-me uma palavra, condessa, e estes papéis serão rasgados. Sou milionário e tudo o que a riqueza pode trazer colocarei aos seus pés. Se, infelizmente, eu não fosse casado lhe proporia casamento, mas agora só posso pedir o seu amor e implorar-lhe não rejeitar os meus sentimentos.

Gabrielle ouvia tudo em silêncio e de olhos bem abertos. Sua cabeça girava. Será que ela descera tanto que qualquer judeu pensava que poderia comprá-la como amante por alguns milhares de francos? Sua natureza explosiva e orgulhosa despertou de repente. Levantou-se com um grito e deu um tapa no rosto do banqueiro.

– Eis a minha resposta! – conseguiu pronunciar ela, fora de si.

– Como, mamãe? Este cão judeu ousou ofendê-la? – exclamou Tancredo entrando correndo no quarto e agarrando o financista pelo pescoço.

– Deixe-o! – disse a condessa, separando os dois.

– O senhor pagará por todas estas ofensas, conde Reckenstein – sibilou o banqueiro, roxo de raiva. – Se em 24 horas vocês não pagarem o que me devem, vou envergonhá-los na justiça.

Ele agarrou os papéis jogados na mesa e, precipitadamente, saiu.

Por instantes, tudo ficou em silêncio. Depois o conde perguntou:

– Quanto você lhe deve?

– 30 mil talleros. Oh, Tancredo, perdoe-me – sussurrou a condessa, baixinho.

– Chega, mamãe, não a culpo. Agora não é hora de desculpas, mas de pagar a esse salafrário e sair de alguma forma desta situação. Que desgraça eu não poder dispor das minhas propriedades devido ao testamento. O que acha de telegrafar ao banqueiro de Arno? Talvez ele nos ajude.

– Nunca! Eu o proíbo! – exclamou nervosamente a condessa. – Além disso, nós somente perderíamos tempo quando cada minuto é precioso. Pode ser que Arno já não exista mais. Há mais de 12 anos ele não dá sinais de vida. É melhor eu lhe entregar as minhas jóias que valem, no mínimo, o montante que devemos – acrescentou ela com grande tranqüilidade.

Gabrielle foi ao dormitório e trouxe de lá algumas caixas. Quando ela entregava ao filho os colares de brilhantes e safiras suas mãos tremeram febrilmente: aquele era o colar que Arno tinha-lhe dado.

– De manhã, mandei chamar Nebert e ele, provavelmente, já está aqui. Vou mostrar-lhe estas jóias e pedir-lhe para arranjar o negócio – disse o jovem conde, guardando as jóias num saquinho e saindo do quarto.

Ele era aguardado por um homem de meia-idade com um rosto enérgico e esperto. Era Nebert, uma espécie de cambista e negociante que servia a Tancredo como fiel agente para tratar de seus pequenos negócios amorosos e financeiros. Nebert fora por muitos anos o secretário e administrador de D. Ramos de Moreira. Conseguindo juntar um certo capital, ele agora se ocupava de seus próprios negócios. Vivia parte do ano em Mônaco, onde tinha uma irmã casada com o dono do hotel, e o resto do tempo em Berlim. Tancredo conhecia-o como uma pessoa fiel, honesta e de confiança.

Sem entrar em detalhes, o conde contou-lhe a necessidade de efetuar um pagamento em 24 horas e entregou-lhe as jóias, pedindo penhorá-las ou mesmo vendê-las, se preciso fosse.

Nebert balançou a cabeça, preocupado.

– Conde, realmente não sei como efetuar este negócio – disse ele, enxugando a testa. – Vender tão rápido está fora de cogitação. Penhorar não é difícil, só que nenhum dos agiotas vai pagar o valor de que precisam. São umas hienas. Pagam um franco por aquilo que vale cem francos, isso sem contar os enormes juros que cobram e o prazo curto que estabelecem.

– Então, o que fazer? – perguntou Tancredo enxugando o suor que cobriu sua testa.

– Espere um pouco, conde, tive uma idéia. Existe por aqui uma pessoa que empresta dinheiro com penhora e sem penhora. Na verdade ele só faz negócios certos, mas são bem mais honestos e seus juros são suportáveis. Se o sr. Berg aceitar este negócio, tudo vai dar certo. Vou imediatamente falar com seu agente, sr. Gaspar, e em duas horas trago-lhe a resposta.

Gotfried estava sentado em seu gabinete controlando as contas quando seu velho criado informou que Gaspar chegara com um negócio urgente. Ao ver seu agente com um embrulho nas mãos, o expressivo rosto de Verenfels ficou sombrio. A necessidade de efetuar a avaliação de penhora era-lhe repulsiva. Toda vez ele tinha grande dificuldade de dominar os seus escrúpulos em negócios deste tipo.

Gaspar fez um rápido relatório de todos os negócios e colocou as caixas na mesa.

– Estes objetos foram trazidos por um corretor chamado Nebert e, antes de vir aqui, passei no joalheiro para avaliar as pedras. São muito boas, mas acho que o valor pedido é muito alto.

– De quem são estas jóias?

– Nebert recusou-se a dizer o nome do seu representado. Mas ele está aguardando na sala de visitas. Talvez, com o senhor, sr. Berg, ele seja mais explícito.

Com repulsa interior, Gotfried abriu as caixas, começou a examinar o colar de safiras e, de repente, estremeceu. A última caixa continha um objeto muito original que se destacava no fundo de veludo negro: era um pequeno pavão de rabo empinado que brilhava com pedras multicoloridas. O trabalho de ourivesaria era notável e aquela jóia ele já tinha visto antes. Mas onde? Ah! Com aquela maldita... Quantas vezes o brilho colorido daquele pavão brilhara nas dobras da manta de Gabrielle. Pálido e com a mão trêmula ele virou o broche e pegou a lupa. Sim, ele estava certo. No verso, semi-oculto pelas dobras das asas, via-se o brasão dos Reckenstein, que ele bem conhecia, com sua coroa de nove pontas.

– Chame aqui a pessoa que trouxe estes objetos, Gaspar – ordenou Verenfels com voz surda.

Bastante surpreso com a repentina agitação do seu patrão, Gaspar apressou-se em cumprir a ordem e, em alguns minutos, voltou ao gabinete acompanhado por Nebert.

Gotfried mediu longamente com o olhar perscrutador o enviado de Tancredo.

– Meu caro senhor, devo fazer-lhe algumas perguntas para saber onde obteve estes objetos e por que o senhor quer penhorar jóias pertencentes a uma família que, conforme sei, é muito rica para apelar para tais medidas – disse ele severamente.

– Sr. Berg, não posso dar o nome de quem represento – disse Nebert, constrangido.

– Então pegue de volta estes objetos. Eu não me envolvo em casos escusos. Se o senhor não pode dizer de quem recebeu estas jóias, então não posso negociar com o senhor.

Nebert, em completo desespero e sem saber o que fazer, ficou amassando o próprio chapéu.

– Vou contar, mas somente ao senhor, sr. Berg – disse ele, por fim. – E só se me prometer guardar isso em absoluto sigilo.

– Deixe-nos a sós, Gaspar. Então, diga-me – dirigiu-se Verenfels a Nebert assim que seu agente saiu –, quem está penhorando objetos com o brasão dos condes Reckenstein?

– O próprio jovem conde. Ele está aqui com a sua mãe, condessa De-Moreira. Eles foram infelizes no jogo e a necessidade de pagar a dívida em 24 horas obrigou-os a apelar para isso. Mas este é um negócio limpo, sr. Berg. Mesmo se eles não resgatarem estes colares, o senhor não irá perder nada.

– Ah! Então o conde é um jogador?

– Não ele. É a condessa que ficou envolvida por esse fatídico vício – respondeu Nebert, suspirando.

– O sr. De-Moreira também está aqui?

– Não, D. Ramos suicidou-se há dois anos, num acesso de melancolia, conforme dizem os médicos.

– *Aquela tigresa matou mais um* – pensou consigo Gotfried.

– Quanto o senhor quer receber?

Nebert disse o valor.

– Certo. Agora, vou pedir-lhe para sair e dar-me meia hora para pensar e fazer umas contas antes de lhe dar a resposta definitiva.

Ficando só, Gotfried levantou-se da poltrona e começou a andar pelo quarto extremamente agitado. Ela estava na cidade e seu comparsa também, pois Tancredo devia saber o que tinha acontecido. Para entrar no quarto de Gotfried e colocar a carteira na mala Gabrielle deveria passar pelo quarto do filho, pois a porta que saía para o corredor Verenfels tinha fechado e levado a chave consigo. Com torturante clareza as palavras que ele ouvira naquela hora soaram novamente em seus ouvidos: – *Tancredo, meu ídolo, jure que nunca vai falar nenhuma palavra...* O que ela podia pedir ao garoto senão para que ele não contasse a patifaria que ela fizera? Agora, aquela oportunidade de vingar-se, pela qual ele ansiava, parecia procurá-lo, aparecendo em sua casa e entregando em suas mãos o chicote para desferir um sentido golpe naquela odiosa mulher. Mas golpear não era suficiente. Era preciso destruir aqueles que o haviam transformado em ladrão, destruído sua vida e roubado de sua filha a nobreza de família. De repente, Gotfried ficou pálido, franziu a testa e caiu na cadeira, apertando a mão junto ao coração doente e sufocando devido às batidas aceleradas e erradas. A súbita tensão psíquica era tal que superava até o sofrimento físico e instantes depois ele levantou-se com um severo e cruel sorriso nos lábios. "*Pois é* – pensou ele – *a própria Némesis trouxe para cá o conde Reckenstein. Vou tomar o seu nome em troca do meu que você manchou. O que pode ser mais simples do que a solução que Líllia Verenfels, a filha do ladrão, readquira a sua posição na sociedade casando-se com você? E vai ser assim.*"

Tocou a campainha e mandou chamar Nebert.

Mas, repentinamente, veio-lhe a preocupação de que Tancredo podia já estar casado, o que era possível, pois já tinha 23 anos.

– Pensei bastante e eis a minha decisão – disse ele ao corretor que aguardava ansiosamente a resposta. – O valor pedido é bastante alto, mesmo assim não vou recusá-lo. Mas, para isso, preciso falar com o próprio conde e estabelecer com ele pessoalmente as condições. Aliás, o conde é maior de idade, casado e serve em algum lugar?

– O conde Reckenstein tem 23 anos, é solteiro e serve na cavalaria pesada branca.

– Perfeito. Então, se o conde desejar acertar comigo este negócio, peça-lhe para vir aqui sem maiores delongas. Estarei aguardando-o.

Tancredo ouviu o relatório de seu enviado um pouco mais tranqüilizado e insatisfeito ao mesmo tempo.

– É uma pena que o senhor teve de citar meu nome, Nebert. Mas por que será que este maldito agiota quer me ver?

– Dê graças a Deus, conde, que ele aceitou o negócio, senão não sei o que faríamos. O valor é tão grande que naturalmente ele quer discutir o negócio sem intermediários.

– Bem, já que não se pode fazer nada, mande preparar a carruagem enquanto me visto.

Sombrio e preocupado, o rapaz vestiu-se com a ajuda do camareiro. Ele quase não dormira a noite inteira e a cena ocorrida pela manhã arrasara-o completamente. Agora, quando cada minuto era precioso, perdia-se tempo em conversações, e se isso não levasse a lugar algum... que escândalo! Ele nem queria pensar nisso.

Ao sair da carruagem à porta de Gotfried, Tancredo não suspeitava que o seu ex-tutor, oculto nas cortinas da janela, examinava com um olhar de curiosidade e inimizade o seu futuro genro. Alguns instantes depois o conde entrou no gabinete. O homem de quem dependia o seu destino estava sentado encostado na escrivaninha e parecia imerso em pensamentos.

– Sr. Berg, conforme seu desejo, vim pessoalmente para acertarmos o negócio que já é de seu conhecimento – disse o rapaz.

– Muito bem, conde. Vamos conversar sobre isso e sobre muitas outras coisas – respondeu Gotfried com voz trêmula e, levantando-se, deu alguns passos em direção ao recém-chegado.

Tancredo empalideceu e arregalou os olhos como se estivesse vendo um fantasma.

– Verenfels! – exclamou ele com voz entrecortada e agarrando-se ao espaldar da poltrona, pois sentiu vertigens.

– Sim! Verenfels, ladrão, criminoso, preso em flagrante. Você ainda lembra dele, garoto desonesto? Agora, confesse como sua digníssima mãe arranjou junto com você aquela infâmia!

Imaginando o constrangimento do rapaz como prova de sua cumplicidade no caso, Verenfels, fora de si, agarrou o seu braço e puxou-o com tanta força que parecia pronto a matá-lo. Mas Tancredo não reagiu. Os 12 anos passados pareceram sumir e da mesma forma como antigamente o garoto tremia e se rendia àquele olhar feroz e à férrea força daquele braço, agora o rapaz ficou submisso e indefeso. Quando Gotfried, dominando a própria raiva, largou-o, o conde, arrasado, deixou-se cair na cadeira, fechou os olhos e pendeu a cabeça. Esta última emoção fora demais para ele. Sentia medo e vergonha do homem caluniado e arruinado com tanta infâmia.

Pálido e com o rosto franzido, Verenfels ficou olhando-o por alguns instantes. Em seguida, pôs a mão em seu ombro e disse:

– Seja homem, Tancredo. Agora não é hora de desmaiar, mas sim de relembrar o passado. Primeiramente, confesse como tudo aconteceu, quero saber.

O conde estremeceu e levantou-se de supetão.

– Não vou confessar nada – exclamou ele com um olhar flamejante.

– Então você realmente acha que eu roubei a carteira?

– Não, fui eu que a coloquei em sua caixa e estou pronto a responder por isso – retrucou Tancredo com voz surda, afastando as mechas negras dos cabelos da testa úmida.

Gotfried soltou um riso entrecortado.

– Você? E nem sabe onde a colocou! Em todo caso, a sua mentira lhe faz as honras. Sua mãe foi a culpada.

– Mas não a desonrarei com uma confissão que, aliás, seria inútil, pois não lhe restituiria seu bom nome. Mas, agora que sou um homem, posso perguntar-lhe: foi sensato de sua parte levar uma mulher ao desespero sabendo da louca paixão que ela tinha pelo senhor? Sr. Verenfels, não se pode brincar com fogo impunemente. Compreendo que o senhor me chamou aqui para me ofender e ter-me em seu poder. É natural que o senhor, após saber por acaso da situação desesperadora em que nos colocou o infeliz vício de minha mãe pelo jogo, queira aproveitar esta oportunidade. Também entendo que o senhor tem o direito a exigir uma satisfação pela terrível ofensa à sua honra. Então, pegue em troca a minha vida. Em vez de me suicidar no quarto de hotel, eu prefiro um honroso duelo. A minha morte será tão dolorosa para minha mãe que isso talvez satisfará a sua sede de vingança.

Gotfried ouvia-o em silêncio.

– As suas palavras mostram que em você corre um pouco do sangue de cavaleiro do conde Willibald. Mas não quero a sua morte, Tancredo. Você agora mesmo disse que sua confissão não restaurará a minha honra e sua morte seria para mim ainda menos útil. Mas eu tenho uma filha que em decorrência do inaudito crime de sua mãe foi privada do bom nome e da posição social. De você eu exijo satisfações para a Líllia. Você se casará com ela e substituirá o nome que vocês mancharam com o nome de Reckenstein.

Tancredo recuou, exclamando:

– Casar com sua filha que eu nunca vi? Pense no que está falando, Verenfels. Isso não seria uma satisfação, mas uma vingança infernal. E depois... dentro de algumas horas, não terei mais nenhum nome honrado.

– Entendo o que quer dizer. Mas quando se trata de um assunto como este entre duas pessoas de bem, a questão monetária vem por último. Eu me preocuparei para que a condessa Reckenstein tenha um nome imaculado, mas, cuidado, se você for suficientemente desonesto para recusar esta justa satisfação.

O conde respirava pesadamente.

– Está bem – disse ele após alguns instantes –, vou pagar a má ação de minha mãe e cobrirei seu nome desonrado com o meu nome. Faça os arranjos para o casamento o mais rápido possível, pois quero deixar Mônaco o quanto antes. Quanto ao dinheiro que o senhor vai mandar ao judeu, dar-lhe-ei um recibo.

Ele aproximou-se rapidamente da escrivaninha, redigiu e assinou o documento e entregou-o a Verenfels.

Gotfried pegou o papel e colocou-o de volta na mesa.

– Talvez eu nem pensasse em pegar esta garantia – disse ele. – Apesar da dura lição que a vida me ensinou, ainda confio na honestidade das pessoas. Mas, seja como for, vou pagar Fenkelstein. Quanto ao senhor, conde, aguardo-o amanhã para acertar todos os detalhes e apresentá-lo à sua noiva.

Tancredo fez uma reverência em sinal de concordância e saiu rapidamente do gabinete.

– Meu Deus, por que está assim, conde? Não me diga que ele recusou? – perguntou Nebert assim que eles sentaram na carruagem.

– Não, tudo ficou acertado, mas a que preço! – respondeu Tancredo com indescritível desespero e raiva.

Ficando só, Verenfels encostou-se em sua escrivaninha e entregou-se aos próprios pensamentos. Um sentimento cruel de vingança cumprida enchia o seu coração, cegando-o a ponto de ele não pensar no futuro que preparara para sua filha com semelhante casamento. Ele só pensava que a vergonha e a lama que Gabrielle jogara sobre ele passariam para o seu filho, seu ídolo; que ao lado de Tancredo ela sempre iria ver a filha do homem que sem ligar para nada rejeitara-a e desprezara-a pela desonestidade.

Finalmente, ele levantou a cabeça, suspirou e tocou a campainha.

– Informem à minha filha que gostaria de vê-la imediatamente em meu gabinete – disse ele ao criado que atendeu ao chamado.

Era preciso avisar Líllia da decisão tomada. Quando alguns minutos mais tarde a moça entrou no gabinete, ele olhou-a pela primeira vez não como pai, mas como homem que avalia a beleza da mulher. Naquele momento, a pálida e frágil menina, trajando um simples vestidinho cinzento, de cabelos presos, não se poderia chamar de bonitinha, mas prometia tornar-se linda, pela graça elegante de seus membros, por enquanto demasiado magros, e principalmente por seus grandes olhos, negros e aveludados, que faziam um picante contraste com os cabelos ruivo-dourados.

– Chamou-me, papai? – perguntou ela, sentando-se num banquinho ao lado da escrivaninha.

– Sim, minha filha. Preciso revelar-lhe um segredo – respondeu Gotfried, puxando-a para si num ímpeto de carinho que ela nunca antes havia notado nele.

– O que você tem, papai, está doente? – perguntou Líllia preocupada, dirigindo ao pai o seu olhar delicado e claro.

– Quando você souber sobre os sofrimentos que me consomem e que me transformaram neste misantropo sombrio e calado que você conhece desde a infância, então você entenderá esta minha preocupação. Chegou o momento de revelar-lhe o triste passado, pois a partir de hoje você deixa de ser criança e está se tornando mulher e deve saber e entender o porquê de usar um nome que não é seu e sobre a obrigação que a nossa honra mútua faz recair sobre você.

Com voz baixa e entrecortada ele começou a revelar-lhe o sombrio drama que arrasara a sua vida. Aos poucos, foi se entusiasmando e às vezes esquecendo que estava contando aqueles fatos à própria filha. Pálida e trêmula, ela ouvia o relato que abria diante de seus olhos infantis o precipício das paixões mundanas. Quando Gotfried chegou na parte sobre a sua acusação e condenação por roubo, teve um ataque do mal que sofria e, respirando pesadamente, recostou-se em sua poltrona. Faltavam-lhe a voz e a respiração.

Em torturante preocupação e com o rosto coberto de lágrimas, Líllia inclinou-se sobre ele. Num instante ela entendeu o que tivera de suportar aquele nobre e orgulhoso homem.

– Meu pobre e querido papai, não se preocupe. Deus sabe da sua inocência e, naturalmente, exigirá uma satisfação daquela indigna mulher pelo seu sofrimento imerecido.

– Sim, Deus sabe os sofrimentos infernais que suportei – sussurrou Verenfels, endireitando-se instantes depois. – Estou vegetando desde o momento da minha morte como cidadão e nunca pude esquecer a vergonha não merecida. Mas a justiça divina às vezes acontece aqui mesmo, na Terra. A oportunidade de vingança apareceu sozinha. Hoje de manhã veio aqui Tancredo, filho de Gabrielle.

– Tancredo! – exclamou Líllia – Aquele lindo menino cujo retrato eu achei em sua velha caixa mas titia não me deixou mostrá-lo a você.

Um leve sorriso passou pelos lábios de Gotfried.

– Sim, é ele. E estou contente que ele tenha-lhe agradado. O menino tornou-se um homem bonito e atraente. Agora você pode cumprir sua obrigação sem repulsa e adquirir novamente sua posição social.

Em poucas palavras Verenfels contou-lhe sobre o ocorrido naquela manhã, sobre a precária situação de Gabrielle e seu filho e, por fim, contou sobre como obrigara o rapaz a dar à sua filha o seu honrado nome em troca do que ele tomara do pai dela.

As últimas palavras fizeram Líllia empalidecer mortalmente e ela gritou em desespero:

– Isto é impossível, pai! Volte atrás em sua decisão. Como você pode me entregar a um homem desconhecido que irá me odiar por esta coação? Será que este negócio indigno, esta vingança que recai sobre dois inocentes irá pagar os seus sofrimentos?

Vendo que o pai lhe dava as costas, ela caiu de joelhos e agarrou a sua mão.

– Papai, eu lhe imploro! Não manches o feito de ter suportado nobremente esta desgraça! Perdoe, como um bom cristão. Ajude a condessa, mas não a preço de sacrifícar o futuro de sua filha. Não me entregue, a esse nobre exigente e indiferente que, como a mãe dele, irá me desprezar. Que me importa a opinião das pessoas? Sei que você é inocente e sempre levarei com orgulho o nome do mártir da honra.

Por instantes as lágrimas de sua filha e seus rogos ardentes sensibilizaram Gotfried, mas a tempestade de sentimentos, a amargura de toda a sua vida arrasada, a selvagem sede de vingança reprimiram esse bom sentimento.

– Levante-se, Líllia! Se você me ama, livre-me de pedidos que não posso cumprir – disse ele com voz surda. – Minha honra e meu dever me obrigam a devolver-lhe os direitos cujo valor você ainda não entende. E, se eu ainda não morrer, Líllia Verenfels, a filha do ladrão, será dentro de alguns dias a condessa Reckenstein.

A moça levantou-se calada e, cambaleando, saiu do quarto. Pela voz do pai ela entendeu que nenhum rogo adiantaria. Somente nos braços de sua velha amiga ela deu vazão ao seu desespero e medo diante do futuro desconhecido a que fora condenada tão inesperadamente.

A bondosa tia Irina ficou estarrecida com aquela novidade. Mas conhecia demasiadamente bem a vontade férrea de Gotfried; acompanhara a sua lenta agonia moral. Por isso, lamentando profundamente que, em sua cegueira, ele se distraísse com seu orgulho e uma vingança injusta, não conseguia avaliar completamente o seu desejo de dar à filha um nome e uma posição social. Tentava acalmar a moça, convencendo-a a aceitar a vontade de Deus e incutindo-lhe que naturalmente naquela ou em outra vida, ela merecera aquela dura provação. Para concluir, dizia à Líllia que seu mérito seria grande se ela se tornasse a mensageira da paz para aquela mulher criminosa e para seu filho, cujo coração talvez conseguisse conquistar.

Gotfried não estava inteiramente calmo. Por vezes, do fundo de sua alma surgia a dúvida e algo parecido com dor de consciência, mas a reação era por demais forte, a raiva acumulada durante tantos anos explodira com tanta força que subjugara qualquer outro sentimento. Numa atividade febril ocupava-se de todos os preparativos para apressar o casamento.

No dia do primeiro encontro, Verenfels recebeu de Tancredo uma carta e um envelope com seus papéis. Escrevera o jovem conde:

Não consigo vir pessoalmente, pois estou arrasado física e espiritualmente. Preciso de algum tempo para me recuperar. Verenfels, faça o que for necessário e não me torture com novas condições. Vou ver sua filha na igreja. Isso será suficiente, pois o que nos une não é amor. É preciso esclarecer uma outra questão: o senhor deseja que eu leve embora a minha esposa imediatamente, o que não seria muito confortável em relação à minha mãe, ou o senhor concordaria que eu fosse embora por umas duas ou três semanas e voltasse para buscar Líllia, quando terei tudo preparado para recebê-la? Comunique-me da sua decisão sobre isso e sobre o dia do casamento. Irei embora imediatamente após o noivado, pois não suporto mais ficar em Mônaco.

Gotfried respondeu que aprovava a sua intenção de levar a mãe embora e voltar para buscar a esposa quando ele tivesse tudo preparado, o que poderia ser em três semanas ou até um mês, se isso lhe fosse conveniente. Esse adiamento, dizia ele, daria aos noivos tempo para se acostumarem à sua nova situação. Em resposta a essa carta, Tancredo escreveu que convidava Verenfels e a noiva para almoçar com ele no hotel para que pudesse passar juntos algumas horas antes de sua partida com a mãe para Berlim.

A carta de Verenfels deixara o conde mais aliviado. Inconseqüente e leviano, acalmara-se com a idéia de que durante pelo menos algumas semanas estaria livre da presença da odiosa e desconhecida mulher que seria obrigado, como um condenado, a levar consigo a todos os lugares. Ele pensava agora na surpresa que causaria a todos a louca fantasia de trazer da viagem uma esposa totalmente desconhecida no seu meio social. O que iria dizer sua prima Eleonora De-Wolfengagen, apaixonada por ele e que lhe declarara que acabaria com a própria vida se ele a traísse?

Mais ainda, como seria essa Líllia? Se ela fosse parecida com o pai, então provavelmente seria bonita. Mas, e se não fosse? Teria de renunciar à maravilhosa Eleonora para viver com um monstro? Tal pensamento fez Tancredo estremecer e, num gesto nervoso, afastar da testa as negras mechas de cabelo.

A preocupação do conde era reforçada pelo fato de ele agüentar sozinho aquele castigo, pois não conseguia se decidir a contar à mãe toda a verdade. Conhecendo seu caráter explosivo e rebelde, temia que ela cometesse algum ato impensado de desespero que complicaria ainda mais a situação. A condessa, por sua vez, quando soube que o caso com o banqueiro ficara resolvido, queria sair logo daquela malfadada cidade, sem entender o que significava a disposição sombria de seu filho e sua intenção de prolongar sua estada em Mônaco. Preocupada e com dor na consciência, trancou-se em seus aposentos. Esse isolamento voluntário permitiu a Tancredo ocupar-se livremente dos preparativos necessários. Encomendou o almoço de noivado e contou parte do seu segredo à camareira Cecília, em quem podia confiar, pois nascera em sua presença e não tinha dúvidas de sua lealdade. Em seguida, o rapaz escreveu uma carta para a mãe e incumbiu Cecília de entregá-la à condessa assim que ele viajasse para se casar.

Na carta ele relatava em poucas palavras o seu encontro com Gotfried, contava sobre a suspeita do antigo tutor quanto à sua cumplicidade, já que Verenfels ouvira os pedidos da condessa ao filho para que guardasse silêncio e, por fim, informava da compensação que Gotfried exigira para sua filha. *Não tive coragem de lhe dizer isto pessoalmente, minha pobre e querida mãe. Mas, peço-lhe, aceite o impiedoso destino que é o castigo pelo meu criminoso silêncio naquele tempo. Estou pagando agora dando à filha o nome honrado que roubamos do pai. Aceite com dignidade e tranqüilidade o inocente e infeliz homem que você arrasou, pois é inevitável o seu encontro com ele e com a minha esposa.*

Tancredo foi à cerimônia de casamento acompanhado somente por duas pessoas: Nebert e seu genro, que deveriam servir de testemunhas. A igreja estava vazia pois de comum acordo ficara decidido que ninguém, além dos protagonistas, estaria presente à cerimônia. Pálido e sombrio, como um condenado à morte à espera do carrasco, o rapaz encostou-se na parede. Com torturante clareza ele ouviu o som da carruagem chegando e um minuto depois apareceu Verenfels acompanhado de suas testemunhas: Gaspar e um velho banqueiro, seu amigo. Gotfried levava pelo braço uma mulher coberta por um véu e enrolada numa capa escura.

O conde aproximou-se maquinalmente, fez uma profunda reverência, mas não levantou os olhos: temia ver aquela que dentro de alguns minutos deveria ligar-se a ele para sempre. Aliás, nem teria importância ela ser bonita ou não, pois de qualquer modo deveria ligar sua vida à dela. Calado, o rapaz ofereceu o braço à noiva assim que Verenfels tirou a capa de seus ombros e conduziu-a até a mesa onde imediatamente foram assinados todos os papéis e cumpridas todas as formalidades. Somente diante do altar iluminado Tancredo decidiu-se a olhar para a mulher parada ao seu lado.

Um longo véu cobria-a por inteiro, mas por trás de suas dobras aparecia uma espessa trança com fortes reflexos dourados. O conde odiava ruivos e olhou para o rosto de Líllia com medo sincero. Pálida como a morte, de olhos baixos, ela parecia abatida pelo medo ou aflição. A pobre menina não estava atraente naquele momento em seu vestido branco que expunha a sua magreza, a cor doentia do rosto e a grande testa descoberta, pois ela ainda não aprendera a pentear-se de acordo com o rosto. Sua beleza principal, os grandes olhos aveludados, estavam ocultos sob as pálpebras inchadas e vermelhas de tanto chorar.

A cabeça do rapaz tonteou. Ele foi tomado de tal desespero e raiva que quase gritou. Esta sombra, esta criatura feia e mirrada, sem qualquer cor no rosto, era sua esposa, que ele devia apresentar à sociedade como condessa Reckenstein! Quanta zombaria iria provocar a sua escolhida entre os amigos e todas as belas mulheres que procuraram o seu amor. Ninguém saberia o verdadeiro motivo daquele enlace. "*Oh, este Verenfels é um demônio! Aproveitando a opor-*

tunidade ele compra um conde como marido para este repulsivo monstro que nem o mais humilde trabalhador desejaria", pensava Tancredo.

Todos esses pensamentos atormentavam a cabeça de Tancredo. A vergonha e o desespero tornaram-no surdo ao rito sagrado. Quando o padre perguntou se ele aceitava voluntariamente a noiva, a palavra "sim" escapou como um gemido surdo de seus lábios e ele nem olhou para a linda mãozinha quando colocou em seu dedo o anel simbólico.

Finalmente, estava tudo terminado. Superando com dificuldade a raiva que enchia o seu coração, Tancredo levou aos lábios a mão fria de sua esposa, mas quando Gotfried, após beijar a filha, voltou-se para ele, o rapaz olhou-o com ódio e desprezo e, levando Líllia em direção à porta de saída, disse rispidamente: – Venha.

Na hora em que todos saíram da igreja, uma carruagem de aluguel parou junto à calçada. Dela saltou o criado de Tancredo que, pálido e preocupado, correu para o seu patrão e disse baixinho:

– Conde, aconteceu uma desgraça! A condessa envenenou-se e está morrendo. Cecília enviou-me para avisá-lo disso.

Tancredo cambaleou. Esse último golpe estava acima de suas forças. Levantou os braços à procura de um apoio, seu olhos fecharam e ele caiu nos braços de Verenfels que chegou a tempo de socorrê-lo.

Vendo que Tancredo desmaiara, Gotfried achou como obrigação tomar as medidas necessárias.

– Gaspar – disse ele –, leve minha filha para casa, pois preciso levar o conde para o seu quarto no hotel.

– Chamaram o médico? – perguntou ele ao criado, ajudando-o a deitar Tancredo dentro da carruagem.

– Não, senhor. Não ousamos fazer nada sem ordem do conde.

– Então, Nebert, vá e traga um médico o mais depressa possível.

Mortalmente amuada, e atormentada por um triste pressentimento que não sabia explicar, Gabrielle passara toda a manhã no divã. Ela soltara os cabelos, pois sua cabeça ardia e pesava como chumbo. Sua mão brincava nervosamente com a fita que cingia na cintura o seu *peignoir* de cetim. Ela não notava que Cecília por várias vezes levantava a cortina e olhava-a com ar preocupado. A camareira conhecia o teor da carta que deveria entregar à sua senhora.

Mas percebendo que a condessa estava num estado nervoso e doentio, vacilou por longo tempo. Sabendo do papel de Verenfels na vida da condessa, a esperta camareira suspeitava que a acusação de roubo que caíra sobre aquele orgulhoso rapaz de aparência aristocrática teria agora uma vingança. Como a condessa iria reagir quando soubesse dos acontecimentos? Finalmente, Cecília decidiu-se, entendendo que era necessário entregar a carta.

– De quem? – perguntou a condessa pegando a carta visivelmente amuada. – De Tancredo? O que significa isso?

– O conde, ao sair de casa, incumbiu-me de entregá-la à senhora – respondeu Cecília, retirando-se rapidamente para o vestíbulo, onde já havia preparado um copo com água, gotas de calmante e um frasco com vinagre para quaisquer eventualidades.

Desta vez Gabrielle não teve uma crise nervosa. Não gritou nem derramou lágrimas ao ler a carta. Por instantes, não acreditou nos próprios olhos. Em seguida, sua cabeça caiu no encosto do divã enquanto a mão amassava espasmodicamente a carta do filho. Aquele passado que ela tentava esquecer no turbilhão de tantos divertimentos ressurgia diante dela como um impiedoso *memento mori*; e Tancredo, seu adorado filho, pagava pelo crime que ela cometera. Daquele caos de pensamentos torturantes surgiam como relâmpagos muitas lembranças do passado e a imagem de Gotfried, seu tirano e sua vítima – cujo poder sobre ela nunca se apagava –, escondia-se no fundo de sua alma. Agora devia vê-lo novamente, novamente aturar o frio olhar de desprezo daqueles olhos negros cuja lembrança fazia seu coração bater mais forte. Novamente sofreria a tortura daquele momento em que se decidira a liquidar Verenfels. Agora, o eterno sofrimento a esperava, pois a filha dele seria a esposa de seu filho.

Estremecendo, Gabrielle levantou-se e enxugou com um lenço a testa úmida. "*Não, definitivamente eu fui amaldiçoada, pois destruo a todos a quem amo e quem me ama, até mesmo Tancredo. Mas a maior humilhação é ver você, Gotfried, que me entregou à maldição e ao esquecimento, pois não consigo arrancá-lo do meu coração, encontrar o seu olhar cheio de ódio e desprezo! Oh, esta vergonha está acima de minhas forças. Então, que morra este rebelde coração que não escuta nem o bom senso, nem o orgulho, nem a consciência. É o único meio de libertar-me destes sofrimentos.*"

Com repentina decisão, ela levantou-se, foi ao dormitório e ajoelhou-se diante do crucifixo colocado diante de seu genuflexório. – *Deus misericordioso! Entrego-lhe a minha alma pecadora* – sussurrou ela com ardor. – *O Senhor, que perdoou aos seus assassinos, terá pena de mim. Willibald e Arno, que tão bondosamente me perdoaram tudo, sejam meus intercessores, se nós nos encontrarmos no céu.*

Persignou-se. Em seguida, foi até o armário e retirou de lá uma caixa que abriu com uma pequena chave que trazia pendurada no seu bracelete. Da pilha de papéis e outros objetos retirou um pequeno frasco cheio de um líquido incolor, olhou-o por instantes com um sorriso amargo e pensou: "*Ramos, poderia você imaginar, ao mostrar-me este veneno de seu país e afirmar que em uma hora ele mata sem sofrimentos, que com a ajuda dele vou seguir atrás de você? Graças a Deus que eu guardei este frasco. A sua vingança, Gotfried, não será completa: você encontrará aqui somente um cadáver.*"

Com surpreendente calma, encheu uma taça com um pouco de água, acrescentou algumas gotas de veneno e jogou o restante num vaso de flores. Em seguida, tirou a cruz pendurada na cabeceira de sua cama, voltou ao *boudoir* e deitou-se novamente no divã. Rezou em silêncio durante alguns minutos e, de repente, agarrando a taça, tomou-a de vez e voltou a rezar. No começo ela nada sentiu, mas, repentinamente, um estranho calor correu por todo o seu corpo, a cabeça girou, a cruz caiu de suas mãos e, com os olhos semicerrados, ela caiu para trás.

Naquele instante, na soleira do *boudoir* apareceu uma linda menina de uns 11 anos. Era Sílvia, sua filha com D. Ramos. Parecia que o egoísmo de Gabrielle e sua adoração pela própria beleza refletiam-se em seus filhos. Sílvia, como Tancredo, era idêntica à mãe.

Vendo a mãe caída como morta, a menina correu para ela, tremendo de horror:

– Mamãe, mamãe! O que você tem?

Esses gritos atraíram Cecília, que veio correndo do vestíbulo e, vendo a taça vazia, adivinhou instintivamente a verdade. Fora de si, correu para os aposentos do conde e mandou atrás dele o seu camareiro para avisá-lo do ocorrido. Em seguida, voltando para sua senhora, tentou debalde reanimá-la. Por isso, quando ouviu o barulho da carruagem chegando a todo vapor, correu como louca para o vestíbulo. A pequena Sílvia, extremamente amedrontada, levantou a cruz caída no tapete, parou atrás do divã e começou a rezar sofregamente.

Cecília quase se sentiu mal quando viu que o criado, ajudado por um senhor, carregava Tancredo ainda desmaiado. A camareira logo reconheceu Verenfels e, aproximando-se dele rapidamente, disse:

– Sr. Verenfels, enquanto o mordomo vai ajudar Ossip a levar o conde aos seus aposentos, por favor, vá ver a condessa. Ela envenenou-se e talvez o senhor saiba o que fazer em tais casos. Eu estou completamente perdida.

– Mandei Nebert chamar o médico, mas me leve à condessa e depois traga um limão e café preto. Isso é um bom antídoto.

Cecília deixou Gotfried entrar no *boudoir* e correu para buscar os ingredientes pedidos. Perturbado por diferentes emoções, Verenfels aproximou-se do divã e olhou para Gabrielle. Pálida e imóvel, ela estava morrendo. Por vezes soltava um leve estertor e os braços roxos passavam febrilmente pelo vestido como se procurassem algo.

– Água! Estou ardendo por dentro... – sussurrou a moribunda.

Gotfried estremeceu. Pela porta aberta viu na mesa do quarto vizinho uma jarra com água. Foi até lá, encheu um copo e voltou vacilando por diversos sentimentos: ódio, desprezo e piedade lutavam em seu coração. Mas quando Gabrielle repetiu com indescritível sofrimento: – Água! Estou sufocando! –, ele superou a sua repulsa e, levantando-a, encostou o copo em seus lábios. O contato daquela mão, a presença do homem que ela amava com tanta infelicidade, agiu sobre Gabrielle de uma forma inexplicável. Com um tremor nervoso ela abriu os olhos e, encontrando o olhar de Verenfels, levantou-se como se tivesse levado um choque.

– Ah, apesar de tudo, nós tínhamos de nos encontrar outra vez. Mas fique tranqüilo, Gotfried, morro suficientemente castigada. As dores de consciência me perseguiram como a uma miserável. Naquele tempo você me rejeitou e eu me tornei criminosa; agora, não me deixe morrer sem o seu perdão.

Ela estendeu a mão à procura da mão dele, mas Gotfried esquivou-se rapidamente. Tudo ressurgiu em sua memória: todas as humilhações e todos os sofrimentos que aquela mulher lhe causara. Seus olhos brilhavam quando ele, com amarga raiva, respondeu-lhe com voz rouca:

– Condessa, a senhora imagina que perdoar é tão fácil quanto fazer o mal? Está equivocada. Não se pode esquecer num instante 12 anos de sofrimentos e a destruição moral. Em meu coração não há perdão para a senhora e não vou tocar a mão criminosa que colocou a carteira em minha mala. Eu perdoaria uma punhalada provocada pelo ciúme feminino e pelo orgulho ferido, mas não posso perdoar essa vingança baixa e desonesta. A senhora agiu pior que um assaltante de estrada e, fiel ao seu imutável egoísmo, está se suicidando para não ter de remediar a sua culpa contra a sua vítima. Mas eu tive de esperar por causa de minha filha. Não, Gabrielle, pague sozinha por seus crimes, vá enfrentar o Juiz Celestial levando junto as minhas maldições.

Gotfried parou. Perturbado por torturantes lembranças do passado, sufocava e não podia continuar.

– Maldita seja, maldi... – conseguiu dizer ele com dificuldade e, pálido e trêmulo, dirigiu-se para a porta.

Mas, mal deu alguns passos para sair, alguém agarrou a sua mão. Gotfried estremeceu e, olhando para trás, viu com surpresa uma menina. Pálida, de olhos bem abertos, ela agarrou-se a ele e sussurrou com emoção:

– Não amaldiçoe a mamãe!

A incrível semelhança da criança com Gabrielle não deixava dúvidas que aquela era a filha dela com D. Ramos.

– Não amaldiçoe a mamãe, não a deixe morrer sem perdoar-lhe tudo de que a acusa – continuou a implorar a menina, ficando de joelhos, enquanto grossas lágrimas caíam por suas faces.

Verenfels ficou sensibilizado. Parecia-lhe que daqueles olhos claros e inocentes saía uma luz que tranqüilizava e abrandava seu coração martirizado. O crucifixo que a menina apertava contra o peito com a outra mão parecia um sinal do Divino Sofredor que, pregado na cruz, rezava pelos seus inimigos.

Levantando Sílvia do chão, ele acariciou seus cabelos negros e disse carinhosamente:

– Deus abençoe você, criança, pelo seu amor de filha que enche seu coração inocente. A misericórdia divina fala através de seus lábios.

Ele tomou de suas mãos o crucifixo e, aproximando-se da condessa que o olhava de olhos esbugalhados, colocou em suas mãos esse símbolo de paz e vida eterna.

– Que a sua alma vá em paz, mulher infeliz. O pedido de sua filha me desarmou. Que minha maldição não pese sobre o seu túmulo e que a misericórdia divina lhe perdoe.

Ele inclinou-se e pôs a mão sobre a úmida e fria testa da moribunda. Os olhos de Gabrielle imediatamente brilharam, um leve rubor apareceu em suas faces e por instantes voltou-lhe a maravilhosa beleza.

– Adeus, Gotfried, até nosso breve encontro – sussurrou ela com voz quase inaudível.

Em seguida, como se exausta por aquele esforço, sofreu um último tremor e o seu rosto adquiriu a palidez da morte.

Naquele instante Cecília entrou acompanhada do médico. Enquanto Gotfried aproximava-se dele para dizer que estava tudo acabado, entrou o conde muito abatido e mal se contendo de pé.

– Tancredo, mamãe morreu! – exclamou Sílvia, correndo para o irmão.

Ele, calado, apertou-a contra o peito. Em seguida, ajoelhou-se ao lado da falecida e com um choro contido, escondendo o rosto nas dobras de seu vestido, permaneceu surdo a tudo o que se passava à sua volta.

Quando o médico foi embora, Verenfels encostou-se na porta e olhava pensativo para o corpo de Gabrielle e para seus filhos que, abraçados um ao outro, estavam inteiramente absortos em sua tristeza. Uma profunda reação aconteceu na alma de Gotfried, tão elevada e bondosa, se uma desgraça não a tivesse deixado cruel. Agora, toda a amargura que escapara deixava atrás de si um vazio. Todas as contas terrenas estavam acertadas. A mulher que ele amava e odiava morrera. Mas será que acabara a sua ligação com ela? Ou a alma revive lá, além dos limites do terreno, naquele mundo desconhecido que ansiamos conhecer?

Com um profundo suspiro, Gotfried desviou o olhar do triste grupo e saiu do quarto. Compreendia que a sua presença era difícil para o jovem conde e que hoje, pelo menos, ele deveria ser deixado a sós.

Quando Gotfried voltou para casa, Líllia, preocupada, correu para ele perguntando:

– O que aconteceu, papai?

– Ela morreu – respondeu ele baixinho.

– Será que vocês não se reconciliaram antes de ela morrer? Não me diga que você deixou-a morrer sem dar-lhe o seu perdão! Roguei a Deus o tempo todo para que Ele abrandasse o seu coração e enviasse um de seus anjos para lhe incutir o sentimento de misericórdia – acrescentou ela com lágrimas nos olhos.

– Suas preces foram ouvidas, minha filha. O anjo enviado por Deus apareceu como a filha de Gabrielle. Eu perdoei àquela que me fez tanto mal. Ah, como são fúteis esses nossos sentimentos terrenos! Mas só percebemos isso após eles nos levarem ao pecado. Estou me sentindo muito exausto e vou para o meu quarto. Você também precisa de descanso depois de um dia de tantas emoções.

Realmente, Líllia estava muito cansada tanto física como espiritualmente. Ela foi para seu quarto e trancou-se, pois sentia necessidade de ficar sozinha. Despindo o vestido de noiva que ainda trajava, vestiu um *peignoir*, sentou-se junto à janela e, cruzando as mãos no colo, mergulhou em pensamentos. De repente, estremeceu: seu olhar caiu no anel de noivado que brilhava em seu dedo. Então, era verdade, estava casada. Aquele anel era o símbolo que a ligava por toda a vida àquele bonito rapaz de rosto pálido a quem ela também lançara um olhar disfarçado. Depois de algumas semanas seguiria com ele e começaria uma nova vida como condessa Reckenstein. Mas como seria o seu futuro? O dia de seu casamento não prenunciava nada de bom: ela estava só e seu jovem esposo chorava a morte da mãe. Ele não lhe dirigira uma única palavra, mostrara que não a desejava e que se submetera à necessidade. De que modo encontraria o caminho para o coração dele?

Líllia suspirou e passou a mão pela testa. Será que ele viria antes de partir e lhe diria algumas palavras amáveis? Oh, ela então lhe faria a promessa de amá-lo e de tudo fazer para torná-lo feliz.

No dia seguinte, após o desjejum, Gotfried decidiu ir ver Tancredo para saber quando ele pensava sepultar a falecida condessa e ajudá-lo na organização da triste cerimônia. Assim que o pai saiu, Líllia foi ao seu gabinete com intenção de esperá-lo lá para saber mais rapidamente do resultado de sua decisão. Totalmente imersa em pensamentos, a jovem sentou-se na profunda moldura da janela que formava um balcão e estava separada do gabinete por uma cortina. De repente, alguém abriu a porta de supetão e uma voz sonora disse:

– *Está bem, como o vosso amo vai retornar logo eu o esperarei aqui. Entre aqui, Nebert, preciso lhe passar algumas instruções.*

Ruborizando e vacilando, Líllia levantou-se do seu lugar. Aquele era Tancredo e não estava sozinho. Enquanto ponderava se deveria aparecer para ele ou não, sem conseguir se decidir, o conde andou pelo gabinete e, ao parar, disse:

– Nebert, pegue uma caneta, vou lhe ditar uma carta ao administrador da propriedade Birquenvalde. Aliás, o senhor mesmo pode escrever. Diga somente a Homero para que faça na casa todos os preparativos, pois levarei para lá, para o tempo de luto, a minha esposa e a minha irmã junto com a governanta.

– O senhor vai levar a condessa para Berlim ou para Reckenstein? – perguntou, surpreso, Nebert.

– Vamos para Birquenvalde, que é uma localidade muito afastada onde eu poderei por, no mínimo um ano, ocultar dos olhos da sociedade a mais feia de todas as condessas Reckenstein, pois na galeria da família não há ninguém pior do que ela.

– A verdade é que a condessa é fraca e pálida e que a linda senhorita Eleonora seria o par ideal para o senhor – observou Nebert. – Aliás, a condessa parece tão mirrada que provavelmente morrerá com a primeira doença mais séria.

– Queira Deus! Pois nunca vou amar aquela assombração. E pergunto-me como vou suportar aquele monstro ruivo.

Na voz do conde soava a raiva e o desprezo.

– Tremo só de pensar como vou aparecer diante de meus colegas de farda com uma esposa assim. Como todos ficarão surpresos com a sua feiúra e a expressão de coruja imbecil de seu rosto. Como todos vão rir de mim... Bem, chega de falar disso. Escreva, Nebert.

Líllia ouviu quando ele caiu na poltrona. Aturdida e convulsivamente apertando as mãos, ela mal respirava. Tudo girava diante de seus olhos e nos ouvidos havia um zumbido ensurdecedor. Sem poder continuar de pé, ela lentamente caiu de joelhos e apertou a cabeça nas almofadas da poltrona. Quando se recuperou desse pequeno desmaio, ouviu a voz do pai que conversava com o conde. Tancredo informava-o calmamente sobre as providências que tomara relativas à esposa e à sua pequena irmã que deveria vir buscar em três semanas. Também disse que naquele mesmo dia iria levar o corpo da mãe, pois resolvera não embalsamá-lo devido à sua rápida decomposição. Por fim, falaram sobre dinheiro e as jóias que Gotfried devolvera ao genro. Em seguida, o rapaz levantou-se.

– Posso ver Líllia? – perguntou ele. – Gostaria de conversar um pouco com ela e me despedir.

– Mas é claro. Vamos para a sala, mandarei chamá-la imediatamente. Mas, pela última vez devo lembrar-lhe, Tancredo, de que a sua honra obriga-o a fazer a felicidade de sua esposa. Eu vou vigiar para que você a ame e respeite.

– Vou sempre tratar com respeito a condessa Reckenstein. Quanto ao amor, o futuro dirá, pois não é possível obrigar-se a amar alguém – respondeu Tancredo calma, mas friamente. – Agora, por favor, vamos ver a condessa, pois hoje para mim cada minuto é precioso.

Assim que eles saíram do gabinete, Líllia saiu rapidamente por outra porta e como uma corça assustada correu pelos quartos, subiu a escada e somente quando se trancou à chave no pequeno quartinho que lhe servia de oficina sentou-se na cadeira e apertou as mãos no peito ofegante. Tremia dos pés à cabeça. De forma alguma queria ver o conde naquele momento e nem sentir o seu olhar, agora que conhecia a sua opinião sobre ela e sabia como ele a odiava. Logo ouviu que a estavam chamando e procurando por toda a casa. Em seguida viu que seu pai e Tancredo estavam saindo pelo jardim. Voltou-se imediatamente, mas aquele olhar foi suficiente para que os traços do conde ficassem fixados em sua memória. Finalmente tudo silenciou. Passou-se mais de uma hora e Líllia decidiu-se a voltar para seu quarto. Seu marido provavelmente já fora embora. Fechando a porta à chave, sentou-se junto à janela e entregou-se aos próprios pensamentos, enquanto lágrimas quentes escorregavam lentamente por suas faces. Nunca contaria ao pai a humilhação que sofrera. Ninguém no mundo, nem mesmo a tia Irina saberia o que ela ouvira. Mas, qual seria o objetivo de sua vida? O homem a quem uniu o seu destino, além de odiá-la ainda amava outra, a bela Eleonora sobre a qual falara Nebert. Enquanto ela, um monstro ruivo, ele tinha vergonha de levá-la pelo braço e apresentá-la aos seus colegas. Em silenciosa tristeza ela apertou com as mãos a própria cabeça e parecia ouvir novamente o som ríspido e desprezível da voz de Tancredo quando ele proferia essa impiedosa condenação.

De repente levantou-se, aproximou-se rapidamente do espelho e começou pela primeira vez na vida a analisar criticamente a própria aparência e, sob a influência de forte excitação, julgava-se com impiedosa crueldade. Sim, ela era feia. Os membros magros, o peito chato, o rosto pálido com traços angulosos, olhos desproporcionalmente grandes e de brilho febril e aquela juba ruiva faziam-na ainda menos atraente. Sim, ele tinha razão, ela era um monstro repulsivo. Mas nunca seria um peso para ele.

Com uma expressão amarga e severa nos lábios e de rosto fechado, Líllia afastou-se do espelho. "*Ele não terá motivos para se envergonhar. Devo ir com ele quando ele vier me buscar, mas ficarei para sempre neste isolado Birquenvalde. Seus colegas nunca irão me ver e se quiser me obrigar a ir a Berlim eu jogo na cara dele as suas próprias palavras. E, talvez, até me decida a contar a ele e ao papai que não quero seguir um homem que não deseja nem se dar ao trabalho de descobrir se por trás do feio invólucro oculta-se um coração amoroso e dedicado. Seria desonesto viver com um marido que se desdenha, de quem se desconfia e a quem se odeia. Mas, não! Deus proíbe que odiemos as pessoas, o espiritismo também não permite. O orgulho também é pecado, mas o mérito humano é a virtude. Permanecerei fiel a este sentimento. Oh, será que na vida passada eu era linda e criminosa como a condessa Gabrielle e Deus está me castigando fazendo-me feia nesta vida?*"

Ela fechou os olhos tentando equilibrar seus sentimentos. Aos poucos, as suas emoções rebeldes acalmaram-se; porém a tempestade por que passara fizera dela uma nova pessoa. Líllia não se dava conta de que nela se justificavam as palavras ditas pelo pai alguns dias atrás. O primeiro confronto com as pessoas, a primeira experiência, obscurecera o âmago da fé cristã e espírita, aquela misericórdia e aquele amor ao próximo que perdoam as ofensas e pagam o mal com o bem, e a inabalável fé na Providência Divina que faz a pessoa aceitar qualquer sofrimento sem perder a sua paz interior. Na agitada alma da moça, de repente haviam-se enfraquecido todos os ímpetos do devotado idealismo. Ela não tinha consciência da estranha indiferença para com o sofrimento humano que tomara conta dela. Não suspeitava de que aquele mérito que queria manter em relação a Tancredo ocultava somente o orgulho ferido, uma sombria desconfiança, uma amarga revolta contra o destino que a fizera feia e sem graça e o desejo de afastar de si as pessoas para ocultar de todos o seu coração ferido. Naturalmente, desejava fazer o bem, evitar o mal e cumprir rigorosamente os dez mandamentos. Mas essa dura e impiedosa virtude baseada na lei, infelizmente, era somente uma embalagem vazia da verdadeira virtude, aquela enviada celestial para a qual não há lei senão o amor e que aplica na prática o grande lema: "*Sem misericórdia não há salvação*".

O relógio bateu cinco horas e isso fez Líllia voltar à realidade. A refeição, provavelmente, já estava servida e devia ir ao refeitório. Sem olhar para o espelho, vestiu seu vestido cotidiano, ajeitou os cabelos e saiu do quarto.

Gotfried andava preocupado pela sala. Ao ver a filha, ele parou e disse com irritação:

– Não entendo onde você se meteu quando seu marido estava aqui! Procuramo-la em todos os lugares. Ele queria conversar com você e despedir-se, mas teve de viajar sem vê-la!

– Espero que o conde não esteja aflito; a felicidade de casar comigo foi bastante inesperada para ele.

Surpreso com o tom de amarga zombaria que soava em sua voz, Verenfels olhou-a, mas Líllia recolhia as partituras espalhadas no piano e quando voltou-se, seu rosto não expressava nada.

O tempo que transcorreu a seguir foi particularmente enfadonho. Todos sentiam um certo pesar. Líllia trabalhava mais do que de costume, dedicando-se febrilmente ao estudo da pintura e da música.

Gotfried retomou os seus estudos científicos, mas seus pensamentos estavam ocupados com outra coisa. A preocupação secreta e a dor de consciência torturavam-no cada vez mais. Sim, ele vingara-se, mas aquela vingança, por mais justa que fosse, não dera os resultados esperados. Gabrielle morrera enquanto Líllia fechara-se em silêncio em si mesma, perdera toda a sua alegria, toda a despreocupação juvenil e era suficiente pronunciar o nome de Tancredo para provocar nela um grande pesar. Duas semanas depois de viajar, o conde enviou uma carta na qual declarava que o seu serviço e circunstâncias diversas iriam atrasá-lo por mais umas três semanas, mas que iria buscar a esposa em fins de junho. Ao ler a carta, Líllia sorriu amargamente. *"Ele está criando todos os pretextos para se ver livre de mim"*, pensou consigo mesma.

Gotfried notou a sua repentina palidez, a ostensiva expressão amarga em seu rosto, e uma torturante preocupação preencheu ainda mais o seu coração. Será que em seu desejo egoísta de satisfazer o amor-próprio mortalmente ofendido ele tornara a sua filha infeliz para toda a vida? Sob o jugo dessa permanente irritação, sua doença piorou em virtude das recentes fortes emoções. E, um dia, quando foram chamá-lo à mesa para almoçar, encontraram-no caído na poltrona e completamente frio. Seu pobre coração em frangalhos parara de bater.

O desespero de Líllia foi profundo e sincero. Desapareceu qualquer sofrimento egoísta e ela entregou-se com todo o seu ser a uma fervorosa prece pela alma de pai. Pensava somente nele, sobre os seus sofrimentos morais e suas duras provações e queria, através da prece, facilitar os seus primeiros passos na vida além-túmulo, a nossa grande pátria, para onde nos seguem os nossos feitos bons e maus, o amor e o ódio daqueles que deixamos na Terra.

Somente após a triste cerimônia fúnebre, Líllia começou a pensar no futuro. Dentro de duas semanas deveria chegar Tancredo e ela decidiu firmemente não só não ir com ele como até evitar vê-lo. Ele não sabia da morte de Verenfels, pois ela proibira que o informassem disso com um telegrama. Assim, quando ele viesse de má vontade buscar a monstruosa condessa Reckenstein, ela já não estaria por ali. Houve momentos em que a moça pensou em divórcio, mas um sentimento inexplicável para ela própria obrigou-a a esquecer essa idéia. Não queria devolver a liberdade a Tancredo, sem se dar conta do que exatamente a controlava: se era o sentimento de vingança ou o temor das formalidades que acompanham as ações de divórcio.

Rapidamente, com uma energia que surpreendeu a bondosa tia Irina, ela preparou-se para viajar. Gaspar e o banqueiro amigo de seu pai assumiram a tarefa de liquidar todos os negócios e, uma semana após o enterro de Gotfried, Líllia viajou para Pisa junto com a tia Irina, Pacha e o papagaio. De seus criados ela não levou ninguém, inclusive a sua camareira, para evitar a falação e boatos que poderiam atrapalhar a sua permanência incógnita. Robert, o velho camareiro, e sua esposa, que ficaram para guardar a casa, receberam ordens para não dar o seu endereço a ninguém, nem mesmo ao conde, e nem deixar escapar que eles sabiam onde ela estaria.

Sem desconfiar da surpresa que o esperava, Tancredo chegou a Mônaco alguns dias após a viagem de sua esposa. Previamente, ele levou Sílvia e sua governanta para Birkenvalde, uma grande propriedade localizada no interior da Silésia, pertencente à sua irmã. Quando D. Ramos percebera que estava falido, querendo garantir o futuro da filha comprara aquelas terras em nome dela e, por meio de testamento, salvara a pequena propriedade do esbanjamento de Gabrielle.

Sombrio e com raiva oculta no coração, o jovem conde dirigiu-se à casa de seu sogro. Qual não foi a sua surpresa quando Robert, levando-o à sala de visitas, informou, com lágrimas nos olhos, que Verenfels morrera de repente do coração.

– Informe à condessa da minha chegada – disse Tancredo, olhando pensativo para os quartos que tinham aparência de vazios e inabitados.

– A condessa viajou – respondeu o velho criado com embaraço.

Percebendo que o conde ficara vermelho e franzira a testa, Robert explicou com voz indecisa que a sua senhora viajara com a sua velha parente sem deixar nenhuma carta ao marido, nem seu endereço, e sem avisar quando voltaria. –Talvez o velho banqueiro, sr. Saldi, soubesse de algo mais substancial – disse o criado.

Muito interessado, Tancredo foi ver o banqueiro, mas aquele também disse que não sabia para onde fora a moça e nem quando voltaria. Ele acrescentou que Líllia lhe dissera que iria escrever ao marido.

Pensativo e um pouco constrangido, o conde voltou ao hotel decidido a ir embora naquele mesmo dia. "*Mas, que surpresa! Verenfels morreu e o monstro ruivo viajou sem notícias. Será que aquela mulher tem inteligência para me rejeitar e propor o divórcio? Não, ela não vai me largar.*" O aborrecimento e a alegria lutavam em seu coração. Após pensar durante uma hora, a leviandade e a despreocupação venceram. "*Vamos ver no que isto vai dar. Em todo caso, como ainda não contei a ninguém do meu casamento, não há necessidade de contar agora*", disse ele alegremente para si mesmo. "*Enquanto a minha feia esposa não der o ar de sua graça, vou aproveitar dos privilégios de solteiro com as damas.*" Tirou do dedo o anel de noivado e guardou-o na caixa da sua mala de viagem. É preciso citar que aquele anel tinha sido retirado daquela mesma caixa algumas horas antes, quando ele ia ao encontro de sua esposa pela qual não sentia nada, além de repulsa.

II
Nova provação

Líllia passou cerca de um ano em Pisa em absoluta solidão. Nos primeiros meses foi tomada de uma grande apatia e adoeceu em conseqüência de tudo o que passara. Isso reforçou sua repulsa em relação à vida e às pessoas. Aos poucos, a bondosa tia Irina conseguiu acalmar a dolorida alma da moça e obrigá-la e retomar seus afazeres de costume. Tentando encontrar o esquecimento na leitura e no trabalho, Líllia retomou as aulas de pintura, música e canto com um fervor ainda maior do que antes. Mesmo assim, a vida na cidade pesava-lhe, pois ela temia encontrar de repenve o conde Reckenstein entre os visitantes estrangeiros. Achando no jornal um anúncio de aluguel de uma pequena propriedade nas imediações de Tubinguen ela foi até lá na companhia de sua camareira para vê-la. Gostou e assinou imediatamente um contrato de aluguel em nome de tia Irina.

A propriedade escolhida pela jovem condessa Reckenstein consistia de um pequeno e isolado castelo cercado por um bosque que se encontrava num panorâmico vale. Líllia tinha um bom capital e cercou-se junto com a tia Irina de todo luxo e conforto. O silêncio da maravilhosa natureza, o ar puro e vivificante das montanhas agiram de modo benfazejo no organismo enfermo da moça. Seguindo o conselho do médico, aprendeu a andar a cavalo e gostou tanto desse tipo de passeio que logo se tornou uma ótima amazona: passava longas horas andando a cavalo e desse modo visitou todos os recantos da propriedade onde se instalou.

Nessa despreocupada tranqüilidade passaram-se três anos e meio e, naturalmente, aqueles que conheceram Líllia em Mônaco dificilmente a reconheceriam agora. A vida ao ar livre e os exercícios físicos que reforçavam o corpo transformaram-na. Junto com isso recuperou a sua paz de espírito: ela cedeu ao destino que lhe reservara aquela triste sina. Nada sabia sobre Tancredo. É óbvio que ele não a procurou e ela decidiu firmemente nunca mais aparecer diante de seus olhos. Restou a Líllia somente uma fraqueza provocada por um episódio infeliz de sua vida: a indiferença e o desprezo pela própria aparência e uma invencível repulsa de olhar-se. Do castelo foram retirados todos os espelhos e a sua camareira considerava extremamente estranho pentear e vestir a sua senhora sem espelhos. Ela mal conseguia convencer Líllia a deixá-la fazer um penteado moderno; mas esta se recusava terminantemente a ver no espelho como esse penteado lhe caía bem. Se fosse possível, não queria nunca mais ver aquele rosto que ele achara feio a ponto de ter nojo. Mesmo tendo-se passado tanto tempo, ao lembrar aquele momento em que ouvira a sua condenação, um forte rubor cobria as suas faces.

A saúde cada vez mais debilitada de Irina começava a preocupar muito Líllia e ela já se preparava para levar a tia a Paris para aconselhar-se com os médicos, quando um acontecimento inesperado mudou completamente toda a sua vida. Ela recebeu uma carta de Gaspar na qual ele informava que a crise financeira que acontecera em Paris provocara uma série de falências e que tudo indicava que toda a fortuna dela também se fora.

O banqueiro, sr. Saldi, que também sofrera grandes perdas, convocava Líllia para comparecer imediatamente a Mônaco, pois era necessário esclarecer a situação dela.

No primeiro instante, Líllia ficou estarrecida com aquela notícia, mas o mais estranho é que essa desgraça que aparentemente a arruinara não lhe causou tanta dor quanto a humilhação que sofrera o seu orgulho feminino. Estava mais triste pelo fato de a pobre tia Irina ter de passar necessidades nos últimos dias de sua vida. Com todo o cuidado que lhe incutia o amor à bondosa senhora, foi informá-la sobre a desgraça que se abatera sobre elas.

– Querida tia, seja forte – disse. – Somente agora começam as verdadeiras provações. Mas eu acredito que Deus me ajudará a suportar isso melhor do que aquelas infantilidades que eu levei tanto ao coração.

A tia abraçou-a carinhosamente.

– Eu não seria cristã nem espírita – respondeu ela – se desse tanto valor a reviravoltas do destino e, além disso, resta-me tão pouco para viver! Mas, por você, minha querida, vou rezar para que as forças do bem a ajudem e a dirijam nesta nova provação.

Líllia tomou as medidas necessárias com calma e energia. Toda a bagagem foi preparada para partir, mas, como o aluguel da casa estava pago adiantado em alguns meses, as caixas empacotadas foram deixadas no castelo para resgate posterior. Em seguida, dispensou todos os criados e, acompanhada somente de tia Irina e de seus prediletos Pacha e o papagaio, viajou a Mônaco uma semana após receber a carta com a triste notícia.

O trem chegou ao destino pela manhã e Líllia sentiu uma compreensível emoção quando desembarcou na plataforma de onde saíra há quase quatro anos. Naquela época, uma desgraça espantava-a daquele lugar e agora outra desgraça a fizera retornar.

A moça andava vagarosamente em direção à saída amparando tia Irina. Já durante a viagem, Líllia percebeu que muitas pessoas, principalmente os homens, viravam-se para olhá-la quando ela passava perto deles, e toda vez isso provocava nela uma sensação desagradável. Será que ficara tão feia a ponto de chamar a atenção?

Agora, na plataforma, o fato repetia-se. Irritada e ruborizada ela tentava apressar o passo, quando de repente junto aos portões de saída um rapaz dando passagem disse baixinho ao seu colega: – *Veja, que linda cabecinha. Uma verdadeira Lorelei!*[1]

Líllia ficou confusa. Será que ele falava sobre ela? Mas a volta para casa e a primeira conversa com o velho Robert e sua esposa, que lhe contaram pessoalmente sobre a visita de Tancredo, obrigaram-na a esquecer a impressão que causara. Mas quando a moça foi para o seu quarto lembrou-se disso e em seu coração despertaram todas as tristes impressões que suportou naquela casa antes e após o casamento.

Com repentina decisão, Líllia aproximou-se do espelho e retirou a cortina que o cobria. Queria dar uma olhada em si mesma e novamente avaliar a própria aparência. Mas, ao olhar-se no espelho, ficou estarrecida. Aquela figura elegante, uma cabeça mais alta que a antiga Líllia, com formas maravilhosamente arredondadas e delicadas e uma cor transparente no rosto seria ela mesma? Os grandes olhos, de negro veludo, e as sobrancelhas que quase se juntavam permaneceriam os mesmos, mas combinavam demais com seu lindo rosto destacando-o e dando-lhe um ar enérgico que lembrava seu pai. Com grande cal-

[1] *Conforme tradição germânica, ninfa que vive no penhasco de mesmo nome existente à beira do rio Reno e que com seu canto atrai os nadadores que se estraçalham nas pedras daquele penhasco – nota do tradutor.*

ma, a moça começou a examinar-se detalhadamente analisando cada traço de sua fisionomia como se a imagem fosse de outra pessoa. Mas ela era uma pintora bastante boa para não perceber que a sua incrível e original beleza deveria atrair atenções e despertar desejos nos corações de muitos homens. Com um pesado suspiro ela afastou-se do espelho.

– Se me visse agora, ele nunca diria *monstruosa de dar nojo* – sussurrou ela. – Agora que estou separada dele para sempre e fiquei pobre, o destino me dá a beleza, este perigoso dom para uma mulher sozinha.

Ela sentou-se junto à janela e ficou pensativa. Aos poucos esse sentimento amargo deu lugar à alegria misturada com orgulho. Não precisava mais sentir vergonha de si própria: aquela magnífica beleza era uma poderosa força. Talvez chegasse um momento em que Tancredo se arrependeria de ter descartado tão impiedosamente a feia condessa Reckenstein. A bonita não o queria e nunca iria usar o nome que seu pai comprara à força e que o conde jogara-lhe como uma esmola.

O acerto dos negócios de Líllia tomou mais tempo do que se supunha, mas desde o início estava claro que de sua fortuna podiam-se salvar somente algumas migalhas. Nestes dias difíceis, o destino parecia querer prejudicá-la com todas as desgraças possíveis, tirar-lhe tudo o que lhe restara de mais caro no mundo: uma grave enfermidade em poucos dias derrubou e levou a bondosa tia Irina.

Líllia sentia-se indescritivelmente infeliz e solitária. Entretanto, não tinha tempo de deixar-se abater pela desgraça, pois era preciso decidir o que fazer no futuro e como sobreviver.

Praticamente nada restara para ela exceto a casa em Mônaco, que além de nada render, exigia despesas para pagamento de impostos e manutenção. Mesmo assim, desejava de qualquer modo guardar aquele lugar cheio de lembranças onde ela crescera, onde morrera seu pai. Além disso, se vendesse aquela casa que lhe era tão cara, o velho Robert e esposa ficariam sem o teto onde planejavam morrer, e o pouco dinheiro que haviam juntado não daria para viverem de modo suportável.

Após muito pensar, Líllia decidiu alugar a casa e com o dinheiro que iria receber disso pagaria as próprias despesas e, deste modo, permaneceria dona do imóvel. Acima de tudo, ela queria deixar para si a casa de fundos onde estavam o seu quarto e uma parte da horta. Num dos quartos ela calculava instalar o velho Robert e esposa para que estes pudessem cuidar da casa. Os quartos restantes ela pretendia encher com móveis e diversos objetos que lhe haviam sido deixados de lembrança e dos quais ela não queria dispor. Quanto a si própria, decidiu achar um emprego de professora, dama de companhia ou algo semelhante com que pudesse ganhar o pão de cada dia.

Quando a moça contou seu plano ao velho banqueiro Saldi, que a tratou sempre como um pai, ele disse, balançando a cabeça com desaprovação:

– Minha querida filha, antes de enveredar pelo caminho do acaso na função de professora, você deveria, pelo sentimento do dever, consultar o seu marido. O conde deve decidir se sua esposa pode viver como dama de companhia. Em todo caso, ele tem obrigação de devolver-lhe uma considerável soma em dinheiro que, me parece, foi-lhe dada pelo seu pai. Isso lhe garantiria novamente uma boa fortuna.

– Não! Nunca vou procurar o conde Reckenstein – respondeu Líllia, pálida e com a testa franzida. – Não tenho o que exigir dele, pois a soma em dinheiro a que o senhor se refere foi-me devolvida. E, se o senhor ainda é meu amigo, então me ajude a encontrar um emprego numa boa família onde, naturalmente, usarei o nome Berg.

Após muito hesitar, o banqueiro teve de concordar. Voltando para casa preocupada e com o rosto em fogo, Lília pensava: "*Prefiro morrer de fome que procurá-lo e fazer este homem indigno lembrar de mim, um homem que durante quatro anos nem se preocupou em saber sobre a infeliz e jovem órfã, como se tivesse esquecido que ela é a sua legítima esposa.*"

Sim, para Líllia, o espírito do belo Tancredo era mais disforme do que a deformidade de sua aparência. Ele, portanto, merecia que ela jogasse na lama o nome Reckenstein do qual ele tanto se orgulhava.

Passaram-se mais de duas semanas sem qualquer notícia do banqueiro. Líllia já pensava em colocar um anúncio nos jornais ou procurar agências de empregos, quando certa manhã o sr. Saldi chegou para comunicar à moça que encontrara para ela – por meio de uma parente de sua esposa – um ótimo emprego.

– Essa parente – disse ele – é amiga de infância da dama de companhia da baronesa Zibakh, uma jovem viúva pertencente à mais alta sociedade. A pobre moça que ocupava esse cargo sofre da vista, o que a obriga a total inatividade. A pedido de minha esposa, a senhora foi recomendada e, como corresponde a todas as exigências do cargo, isto é, como é musicista, suficientemente boa na pintura para poder ajudar em caso de necessidade de pintar e fala vários idiomas, então a baronesa concordou em admiti-la para o cargo. O salário é muito bom e o tratamento – como diz minha prima – não deixa nada a desejar.

– Onde mora a baronesa?

– No verão, em sua propriedade na Silésia, e no inverno, parece-me que em Berlim. Mas isso não vem ao caso.

Líllia vacilou por instantes. Tancredo servia em Berlim. Aliás, isso não era importante, pois numa cidade tão grande podia-se viver dezenas de anos sem se encontrar uma única vez. E, mesmo que eles se encontrassem, ele não a reconheceria. Assim, ela aceitou as condições e ficou decidido que partiria em duas semanas.

Triste, mas inabalável, a moça fez seus preparativos para a viagem. Ela não tinha ilusões, pois sabia perfeitamente como é duro ganhar o pão de cada dia e quanta tristeza e humilhação a esperavam. Parecia também que com a sua entrada numa nova vida cortaria a última relação com o passado: seu querido de tantos anos, Pacha, morrera de velho. O destino livrara o pobre animal da desgraça da despedida de sua dona.

Após rezar fervorosamente nos túmulos de seu pai e de sua fiel tutora, Líllia deixou Mônaco. Uma sombria conformação com o destino enchia a sua alma. O passado morrera, o futuro era escuro como uma nuvem de tempestade.

Após uma viagem de alguns dias que a desanuviou um pouco e refletiu-se beneficamente no seu estado psíquico, Líllia chegou à propriedade da baronesa Zibakh. Era uma bonita, grande e confortável casa cercada por um jardim. Depois de descansar um pouco e trocar de roupa, a moça desceu ao andar térreo para ser apresentada à baronesa.

Foi conduzida a uma grande sala que saía para o terraço. À mesa abarrotada de livros, revistas e pequenos trabalhos manuais femininos, estava sentada uma bonita e jovem mulher de uns 23 anos, muito morena, de tipo parcialmente italiano. Seus olhos grandes, negros e úmidos cheios de fogo dirigiram-se com franca surpresa para o lindo rosto da nova dama de companhia que lhe fez uma reverência discreta, mas com elegante nobreza.

– Bem-vinda, senhorita Berg. Disseram-me muita coisa boa a seu respeito – disse amavelmente a baronesa. – Sente-se, por favor, e vamos conversar um pouco. Mas vejo que está usando luto. Perdeu algum parente?

– Sim, baronesa, morreu uma tia minha que me educou. Com ela perdi a minha última amiga, pois sou órfã de pai e mãe.

– Sinto muito! – falou, compadecida, a sra. Zibakh. E percebendo que aquele assunto causava má impressão à moça, mudou a conversa para artes, literatura e poesia, informando ser ela própria um pouco poeta e que pretendia editar um compêndio de baladas e canções populares.

– Espero que a senhorita se sinta bem aqui. Tenho um caráter muito pacífico e a senhorita me agradou muito – acrescentou a sra. Zibakh com sua característica animação. – Deveria deixá-la descansar hoje, mas gostaria muito de ouvi-la tocar piano. Por isso vou incomodá-la mais um pouco e pedir-lhe que toque algo.

– Não estou cansada, baronesa, e ficarei feliz se o meu parco talento a satisfizer – respondeu Líllia com um sorriso. O tratamento simples e amigável da jovem mulher causava-lhe a melhor das impressões. Tinha muito medo que a fossem tratar como uma camareira qualquer.

A execução artística ao piano da nova dama de companhia agradou inteiramente à baronesa e ela declarou rindo que se os outros talentos da nova dama fossem iguais àquele, teria que ficar feliz com o fato de a doença de olhos da senhorita Henriette Shtreber tê-la obrigado a deixá-la. A conversa foi interrompida pela chegada da ama com o filho da baronesa, um menino de uns três anos. Em seguida, todos foram tomar chá no terraço.

As boas relações estabelecidas desde o primeiro encontro aumentavam a cada dia. A jovem mulher tornava-se cada vez mais satisfeita, enquanto Líllia, inteligente e perspicaz, logo percebeu com o que poderia agradá-la. A senhora Zibakh era exaltada, caprichosa e extremamente apaixonada. Além disso, tinha a mania de considerar-se artista em todas as artes, mas, sendo uma mulher mundana e leviana, não tinha paciência para trabalhar e destacar-se em qualquer coisa sem intermediação. Em tons eloqüentes lia para Líllia as suas poesias privadas de qualquer talento; compunha valsas e fantasias que copiava inteiramente de diversos compositores; por fim, pintava em cerâmica, no marfim, no cetim e com tintas a óleo, inúmeros objetos destinados a presentear uma infinidade de parentes. Naturalmente, tal volume de ocupações tirava-lhe a possibilidade de dedicar um mínimo de tempo ao próprio filho. O pequeno Loter estava sempre aos cuidados da ama, e Líllia, que gostava de crianças, ocupava-se com ele todo o tempo que podia. Tomou para si também a responsabilidade de preparar muitas obras artísticas que a baronesa enviava aos seus parentes como de sua própria execução. Todos aqueles objetos eram feitos com tanta mestria e destacavam-se tanto pelo bom gosto e delicadeza que a baronesa estava entusiasmada.

– Realmente, querida senhorita Berg, sua pintura é tão boa que nem se distingue da minha – declarou ela com impassível inocência. – Se quiser, posso ensiná-la a única arte que lhe falta – a equitação – acrescentou ela alegremente.

– Agradeço-lhe, baronesa, mas sei andar a cavalo. Como trouxe comigo o meu traje de equitação, se a senhora quiser posso acompanhá-la em seus passeios – respondeu Líllia, sorrindo.

– Que maravilha! Mas, diga-me, por favor, Líllia é o seu primeiro nome?

– Não. Chamo-me Nora.

Em seu passaporte Líllia colocara seu segundo nome.

– Que nome lindo. Vou chamá-la assim. A partir de amanhã vamos sair juntas a cavalo.

Passou-se cerca de um mês de plena satisfação para Líllia. A baronesa era realmente boa para ela e tratava-a quase como uma igual. Como o salário era bom, a moça pretendia economizar para juntar uma quantia suficiente para viver sobriamente na casa adjacente de sua residência, mesmo pobre, mas independente. A única coisa na baronesa que não agradava a Líllia era o seu nome – Eleonora. Esse nome lhe era desagradável em virtude das lembranças sobre aquela odiosa manhã do dia seguinte do seu casamento. Quando ela ouviu pela primeira vez que a baronesa chamava-se Eleonora, pensou inicialmente se não seria aquela que amava Tancredo, mas imediatamente descartou essa hipótese por achá-la ridícula.

Certo dia, a sra. Zibakh avisou de repente que estava cansada daquele lugar num fim de mundo e que pretendia voltar a Berlim. A preparação para a viagem foi muito rápida e alguns dias depois a baronesa e Líllia instalaram-se numa bela vila próxima à cidade. Essa residência elegante, com duas torres laterais, estava cercada por um jardim e tinha uma alta cerca de bronze separando-a da estrada.

No dia seguinte de sua chegada, a senhora Zibakh mandou selar os cavalos de passeio.

– Venha comigo, senhorita Nora, quero mostrar-lhe os arredores – disse ela. – Poderemos passear assim por mais alguns dias, mas, logo que souberem pelo meu pai que voltei, virão aqui tantos visitantes que teremos de dar adeus à nossa tranqüilidade e à nossa liberdade.

O dia estava magnífico, mas demasiado quente, e Líllia estranhou um pouco aquele passeio em pleno meio-dia. Durante meia hora elas andaram em frente quando de repente na estrada apareceu uma nuvem de pó. Algo que refletia um brilho metálico aproximava-se rapidamente.

A baronesa olhou atentamente e de repente ficou muito vermelha e soltou o cavalo a galope. Líllia correu atrás dela e logo viu que o cavaleiro que vinha ao seu encontro era um oficial usando um uniforme da cavalaria pesada. Aproximando-se a alguns passos, ele estancou o cavalo, bateu continência e gritou alegremente:

– Bem-vinda, prima!

No mesmo instante o cavalo de Líllia empinou com tal fogosidade que atraiu a atenção do oficial para a outra amazona e ele estendeu o braço para agarrar o cavalo pela correia; mas a amazona já tinha acalmado o cavalo e, obrigando-o a dar uma meia-volta, dispensou qualquer ajuda.

Mortalmente pálida, a moça inclinou-se afagando o cavalo e tentando recuperar-se, pois percebeu que o bonito rapaz de uniforme branco que destacava as suas elegantes formas era Tancredo. Ele estava mais másculo, uma sedosa barba emoldurava a parte inferior de seu rosto, os olhos azuis eram os mesmos e brilhavam sob o capacete que ostentava a águia imperial. Com nítida surpresa ele olhou para o rosto imóvel e sombrio da desconhecida, mas Eleonora chamou a sua atenção:

– Que surpresa agradável! Não esperava vê-lo hoje, Tancredo, mas já que está aqui não o deixarei ir. O senhor terá de me acompanhar no desjejum e passar todo o dia em minha casa.

– Com grande prazer. Ontem Leo me contou que a senhora voltou e vim para cá direto da parada militar. Terminei com todos os meus compromissos.

– Seu felizardo! Qualquer um gostaria de ter compromissos como os seus. Receber uma herança como a que o senhor ganhou do seu primo Develar. Mas, desculpe senhorita Berg, permita-me apresentar-lhe o meu primo, conde Reckenstein.

O conde fez uma reverência encostando levemente a mão no capacete e mais uma vez olhou com curiosidade a elegante figura da nova dama de companhia e seu bonito e pálido rosto com olhos negros e faiscantes.

A cavalgada retornou e com passo leve dirigiu-se à vila. Líllia ficou um pouco mais atrás, tentando colocar em ordem os próprios pensamentos. Que ironia do destino fora este encontro, na própria casa onde ela trabalhava, com o homem que fugira dela e rejeitara-a com desprezo. Felizmente ele não a reconhecera e somente os cabelos ruivos podiam lembrar-lhe a monstruosa idiota. Nada mais restava à moça além de ficar firme.

Quando chegaram à vila, o conde ajudou sua prima a apear do cavalo enquanto o cavalariço ajudava Líllia.

– Tenha paciência por um quarto de hora, Tancredo, vou trocar rapidamente de roupa e vamos comer. Aposto que o senhor está com fome – disse a baronesa sorrindo.

– Mas é claro. Estou com apetite de leão. Mas, diga-me Eleonora, de onde vem esta moça, a sua dama de companhia? Ela tem um rosto muito original – perguntou Tancredo acompanhando com os olhos Líllia, que subia as escadas.

– Ela me foi recomendada. Aliás, é uma ótima moça, ativa e com grande tato. Ao senhor ela não agrada, pois tem cabelos ruivos. Ah, Tancredo, um dia o senhor vai me confessar o motivo de sua antipatia pelas ruivas – acrescentou ela rindo.

– Prefiro não lhe revelar este segredo. E espero nunca ser obrigado a confessá-lo – respondeu o rapaz com um sorriso forçado.

O desjejum foi servido no terraço. Quando Líllia trocou de roupa e desceu ao andar térreo, encontrou a baronesa e seu primo conversando animadamente. O assunto era a herança recebida e em geral sobre a onda de felicidade que acompanhava o rapaz.

– Sorte é algo relativo, querida prima – objetou o conde, abrindo o guardanapo. – Como saber se entre todas estas graças do destino não se esconde dentro de mim algo que atormenta e envenena minha vida?

Líllia, sentada calada à sua frente, levantou a cabeça e em seus olhos brilhou um ar de zombaria. O conde percebeu isso e um rubor passageiro passou pelo seu rosto. Ele dirigiu um olhar hostil e perscrutador sobre a moça, que não se intrometia na conversa e mal tocava na comida, mas parecia que também o observava.

"*Se não fosse ridículo, eu pensaria que esta moça me odeia; ela me observa com uma expressão muito estranha. Mas tem lindos olhos*", pensou o conde, e percebendo que Líllia pegava o copo para estendê-lo ao criado, pegou a jarra e encheu-lhe o copo. Por acaso seu olhar recaiu sobre a mão da moça e ele percebeu em seu dedo um maciço anel de noivado. Eleonora, que seguia com os olhos os seus movimentos, disse sorrindo:

– A senhorita Nora insiste em não dizer se é casada ou está noiva. E não usa outro anel a não ser o de noivado.

– Talvez seja um casamento ou um noivado secreto – observou o conde com leve ironia.

– Se eu tivesse tal segredo, então seria fácil ocultá-lo simplesmente escondendo este objeto simbólico. Convenhamos, conde, será que um anel é prova de compromisso de uma pessoa? O anel que uso é uma lembrança de meu pai.

A voz de Líllia era amável e respeitosa, mas os olhos dirigidos a Tancredo expressavam uma fria ironia que o irritou. Pela segunda vez no olhar e na voz daquela subordinada havia algo que fazia enrubescer seu rosto. Sem responder, o conde voltou-se para a prima e retomou a sua conversa com ela, ignorando com desprezo a dama de companhia.

A moça permaneceu calada e recatada, observando Tancredo de soslaio e percebendo que ele tinha a aparência de um homem indiferente, que em seus olhos aparecia uma fria arrogância e que entre os ricos anéis em sua bela e branca mão não havia um anel de noivado. "*Um homem imprestável, fátuo e enganador*", pensou consigo mesma Líllia, percebendo os olhares amorosos que o rapaz dirigia à sua prima.

Terminada a refeição, Eleonora permitiu a Líllia retirar-se até o almoço. Com o coração apertado e cabisbaixa a moça dirigiu-se à torre onde se localizavam seus aposentos compostos de um *boudoir* e um dormitório. Sentou-se junto à janela e descansando a cabeça no encosto da poltrona fechou os olhos, enquanto lágrimas silenciosas corriam por suas faces. Em seu peito desencadeava-se uma tempestade de indignação contra o impiedoso destino que depois de lhe tirar tudo colocava-a frente a frente com aquele homem rico, feliz e independente, enquanto ela, a quem ele rejeitara como a um réptil, era obrigada a desempenhar as obrigações de uma serva. Ficou por muito tempo nesse estado. Quando finalmente levantou-se, cansada, e dirigia-se à mesa a fim de arrumar algumas coisas espalhadas, por acaso, olhou para o jardim que se estendia sob a janela do *boudoir*: daquela altura era possível ver todos os caminhos do pequeno parque. De repente estremeceu e ficou vermelha. Numa das alamedas ela viu a baronesa e Tancredo. Eles iam de braço dado e a julgar como o conde inclinava-se para sua dama e como ela encostava-se nele, não era difícil perceber que falavam de amor. Em seguida sentaram-se no banco e ficaram rindo. De repente, o conde passou o braço pela cintura de Eleonora e beijou-a. Líllia não pôde distinguir se aquele beijo fora forçado ou correspondido.

Baixou a cortina com um gesto nervoso e, caindo no divã, escondeu a cabeça nas almofadas. Não queria ver aquela baixeza, aquela intriga amorosa entre a mulher privada de qualquer dignidade e um homem sem princípios que, ocultando estar comprometido, abusava da confiança da mulher que provavelmente pretendia casar-se com ele. E ela, Líllia, sua esposa, não podia parar à sua frente, retirar-lhe a máscara e gritar: *mentiroso*! Lágrimas amargas molhavam seu rosto. Um sentimento até então desconhecido, ácido e tão dolorido que quase a fazia gritar torturava seu coração e fazia tremer todo o seu ser. Naquele instante ela queria destruir Eleonora e ele, aquele traidor que, apesar de tudo, era sua propriedade. Aquela tempestade de sentimentos acalmou-se rapidamente, como qualquer forte emoção. "*O que está acontecendo comigo? Não consigo entender. Não seria insensato de minha parte considerar perdido aquilo o que me pertencia? Devo superar este indigno e inexplicável sentimento; devo ser firme, pois muita coisa ainda me espera".*

Líllia levantou-se e quis voltar à tarefa que pretendia fazer, mas teve de desistir pois se sentia muito mal. Suas têmporas doíam; a cabeça quente parecia pronta a estourar. Respirando pesadamente, a moça foi ao dormitório e deitou-se na cama. Queria dormir, na esperança de que uma hora de sono a faria recuperar as forças enfraquecidas pelas emoções passadas. Logo caiu num pesado sono e quando vieram chamá-la para o almoço, sentiu que não podia descer e mandou pedir desculpas à baronesa.

Após o almoço, Eleonora foi saber o que acontecera com a sua dama de companhia. Essa sua ação não fora provocada pela solidariedade, mas sim pelo desejo de mostrar a Tancredo como era boa com todos que a cercavam.

– O que aconteceu, querida Nora? – perguntou ela inclinando-se sobre Líllia e encostando em sua mão. – Sinto que está com febre. Vou mandar chamar imediatamente um médico.

– Não precisa, baronesa! Por favor, não se preocupe – respondeu Líllia, ocultando com dificuldade o nojo e o ódio que ferviam novamente em seu peito. – Isso é simplesmente uma enxaqueca que vai passar até amanhã, se a senhora me permitir passar a tarde inteira no meu quarto.

– Mas claro! Fique deitada. Só que se dispa e solte os cabelos, para aliviar. Como é possível deixar sobre a cabeça dolorida um peso tão grande como suas tranças? Até logo, vou mandar trazer-lhe algo para refrescar.

Quando a baronesa voltou ao terraço, Tancredo, sentado com um charuto e uma xícara de café, perguntou negligentemente:

– Bem, o que aconteceu com a sua misteriosa dama de companhia?

– A pobre moça parece doente e não sei se devo mandar chamar um médico.

– Mande chamar Folkmar. Eu o encontrei ontem e ele queria visitá-la hoje. Pela impressão que ele causa às suas pacientes, talvez a sua aparência faça mais bem a elas do que os seus remédios.

– Pare com isso, Tancredo, o senhor está insuportável. Na verdade, eu ficaria contente se Folkmar viesse.

– Parece-me que é ele que está chegando agora – observou o conde. – Ele tem um surpreendente faro! Onde quer que adoeça uma mulher bonita, ele já está por perto.

Pela alameda que conduzia ao terraço ia apressadamente um rapaz alto e elegantemente vestido. Seu rosto inteligente e fino incutia simpatia; mas os grandes e escuros olhos, frios e objetivos, denotavam um observador e cientista. O jovem médico beijou a mão da baronesa e, em seguida, cumprimentou o amigo de infância com quem mantinha as melhores relações.

– Olá, Eugênio! Quantos ataques de melancolia, enxaquecas, insônias e principalmente arritmias você curou hoje? Sua presença cura ou provoca isso?

– O suficiente para despertar o seu ciúme, que provoca palpitações em tantos corações e não cura nenhum deles – respondeu alegremente Folkmar.

– Naturalmente ele tem inveja dos privilégios de sua profissão e da simpatia geral que lhe demonstram as damas. Mas chega de falar disso. Diga-me, doutor, o senhor já almoçou? Acabamos de levantar da mesa, mas dentro de um quarto de hora tudo poderá lhe ser servido se o senhor, como um bom amigo, disser a verdade.

– Agradeço e aceito sua gentil proposta, baronesa. Uma paciente me atrasou e eu estou com muita fome.

Quando Eleonora saiu para providenciar o almoço, o terraço ficou por alguns momentos em silêncio. O conde estava pensativo, parecia preocupado e brincava com o charuto na mão sem perceber que ele já tinha apagado.

– O que você tem, Tancredo? Está pálido e sonolento em pleno dia. Não posso imaginar que você esteja amuado neste local – acrescentou ele, maliciosamente acentuando a última frase. – O que você tem?

– Nada. Só que a vida passa de tal forma que por vezes torna-se insuportável – disse o conde bocejando e com um gesto nervoso jogando o charuto pela janela.

– Você está enjoado da vida quando a natureza e o destino o presentearam tão generosamente? Isso indica que você precisa de um tratamento radical. Ouça meu conselho, Tancredo, e case! Você está com 28 anos, já é tempo de sossegar. Graças a Deus você aproveitou bastante a sua juventude e agora tem obrigação de ter dois filhos para continuar a geração dos Reckenstein e dos Develar.

– Vá para o inferno com este seu conselho! Ele é pior que qualquer doença. Só aceito uma obrigação: viver com o máximo de prazer. Lá vem Eleonora. Nem uma palavra sobre isso, peço-lhe.

Durante o almoço o médico contou inúmeros casos humorísticos, realmente cômicos, que haviam acontecido na sua prática médica. Depois passou a falar sobre as novidades da cidade e da corte. Muito tempo depois, quando Folkmar tomava o café e já estava escurecendo, Eleonora exclamou de repente:

– Ah, doutor, esqueci de pedir-lhe para dar uma olhada na minha dama de companhia que parece doente.

– Ah, a senhora já tem uma nova dama? Ela é tão encantadora como a bondosa senhorita Shtreber?

– Bem, ela não é exatamente uma solteirona como a senhorita Henrietta, mas é muito original e, além disso, é ruiva – disse Tancredo, dirigindo ao primo um olhar significativo.

O médico fez uma careta.

– O que fazer? Minha profissão não permite escolher. Mas, se o caso não é grave, então, baronesa, permita-me terminar de fumar o charuto antes de visitar a doente.

– Sim, pode fumar tranqüilamente e depois o levo até lá, apesar dos suspiros – respondeu maliciosamente a jovem viúva.

Seguindo o conselho da baronesa, Líllia despira-se e soltara completamente seus incomparáveis cabelos; em seguida, vestindo um leve e branco *peignoir*, deitara-se no divã. Sua camareira Nani, muito servil, colocara uma almofada sob sua cabeça, baixara as cortinas, puxara uma mesa para perto do divã e colocara sobre ela um copo de limonada e uma lâmpada com um abajur verde. Quando a paciente adormecera, Nani retirara-se.

Folkmar, sem pressa, entrou no quarto seguindo a baronesa e no primeiro instante nada pôde distinguir na semi-escuridão.

– Ela está dormindo – disse a sra. Zibakh, apontando para o divã.

O médico colocou calmamente o pince-nez[2], quando, de repente, estancou. Seu olhar caiu sobre Líllia que, com a cabeça debruçada sobre a almofada, dormia um profundo mas agitado sono. Nesse estado imóvel, os traços finos e clássicos de seu rosto destacavam-se como traços de um camafeu, enquanto a massa de magníficos cabelos ruivos cobria-a como uma manta com suas mechas sedosas até o tapete. O rosto do jovem médico ficou imediatamente vermelho. Dando uma olhada na baronesa que mordia um lenço para não gargalhar, ele aproximou-se rapidamente do divã e inclinou-se sobre a bela adormecida. Olhou-a por instantes como se estivesse enfeitiçado e, finalmente, pegou sua mão. Líllia acordou de repente e seus grandes olhos ardendo em fogo febril encararam assustados o homem desconhecido inclinado sobre ela.

– Acalme-se, sou médico. Tenha a bondade, diga-me o que sente?

– Sim, senhorita Berg, o doutor Folkmar é nosso amigo e estou certa de que pode ajudá-la.

[2] *Pince-nez ou pincenê – óculos sem haste, preso ao nariz por uma mola – nota da editora.*

– Oh, baronesa, para que incomodar o médico com um mal tão insignificante? – respondeu a moça com leve dissabor, tentando livrar a mão. Mas Folkmar segurava-a com uma autoridade que não admitia objeções.

– Permita-me tirar minhas próprias conclusões sobre o seu estado – disse ele com sua voz sonora e agradável, virando-se para a mesa e retirando o abajur da lâmpada.

– Desculpe, mas a meia-luz não me deixava vê-la – acrescentou ele, notando que Líllia fechou os olhos quando a luz caiu sobre seu rosto.

Fazendo algumas perguntas e sentindo o pulso, ele pediu-lhe para levantar o *peignoir* para que pudesse ouvir seu coração. A moça ficou vermelha, mas nada disse quando ele encostou o ouvido em seu peito.

– A senhorita possivelmente sofreu um forte choque psíquico, uma forte emoção.

– Não, doutor. Isso é somente uma enxaqueca, que tenho freqüentemente.

Folkmar sorriu.

– Não insisto em nada, somente constatei que a senhorita está com fortes batidas no coração, pulso alterado e alta temperatura. Vou prescrever-lhe umas gotas. Precisa tomá-las a cada duas horas. Amanhã virei vê-la e espero que esteja melhor. Além disso, peço-lhe que não saia o dia inteiro, pois precisa de repouso absoluto.

Quando Folkmar saiu, a baronesa ficou mais alguns minutos com Líllia e disse-lhe que aquele era um dos melhores médicos da capital e, além disso, uma pessoa muito agradável.

– Tancredo, ou você enlouqueceu ou quis zombar de mim dizendo que a paciente não era uma solteirona do tipo da Shtreber – exclamou o médico irrompendo no terraço. – Mas, o que encontro é uma encantadora Lorelei.

O conde voltou-se para o seu amigo e dirigiu-lhe um olhar perscrutador.

– Já ficou aceso? Você que sempre critica que me inflamo como pólvora – disse ele zombando. – Mas aconselho um certo cuidado. Essa ruiva que você acha tão bonita é extremamente misteriosa e tem algo desagradável, você vai ver.

– Eu sei que ela é tão bonita que pode enlouquecer. Se você a visse como eu acabei de vê-la, com um brilho febril nos olhos negros e os cabelos ruivo-dourados soltos que a cobriam inteira como um manto imperial, talvez você também se inflamaria – disse Folkmar passando os dedos nos cabelos cheios e escuros. – Confesso que desta vez a sua repulsa por ruivas me agrada, pois assim você não será meu concorrente.

– Não se preocupe, de minha parte você nada tem a temer. Nunca serei seu concorrente em suas intenções casamenteiras – respondeu Tancredo, rindo. Folkmar não percebeu que aquele era um riso forçado e que um amargo sorriso passara pelo rosto do amigo.

No dia seguinte, Eleonora, antes de ir à cidade fazer compras, subiu ao quarto de sua dama de companhia. Queria aconselhá-la a cuidar-se, descansar bem e também lhe pedir para cuidar do pequeno Loter. Em seu egoísmo inocente, a baronesa não percebia que essas coisas eram incompatíveis. Ela encontrou Líllia de pé, trajando um vestido caseiro. Ainda pálida e fraca, a moça estava sentada à mesa de trabalho e escolhia desenhos; diante dela estavam um grande vaso de porcelana e uma caixa com tintas e pincéis.

– Deixe por hoje qualquer trabalho. O médico pediu para que descanse. Devido à impressão que a senhorita causou sobre ele, faria um escândalo se soubesse que não está cumprindo as suas ordens – disse Eleonora, rindo.

– Ah, os médicos sempre exageram. Sinto-me bem e me ocupar com pintura vai me distrair -respondeu sorrindo Líllia. – Mas, baronesa, aproveite para escolher o tema que deseja para os medalhões: estes grupos Vatto, estas paisagens, uma seqüência de cenas da história da Psique, dos contos de fadas ou da fábula.

– Oh, mas que boa idéia! Pinte uma fábula ou um conto das mil e uma noites. Isso será muito original. Pode escolher o tema, pois sei que tem muito bom gosto.

Voltando ao assunto que mais lhe interessava, a baronesa voltou a falar de Folkmar, contou sobre o seu sucesso na sociedade, sobre a sua independência financeira e maliciosamente aconselhou a moça a não ignorar aquela brilhante conquista.

– O doutor, aparentemente, apaixona-se muito facilmente e por conseqüência é capaz somente de uma paixão passageira. Por isso é mais sensato não tecer muitas esperanças nessa conquista momentânea.

– Mas, não. A senhorita está enganada considerando Folkmar volúvel. Mesmo sendo amigo de Tancredo, ele é muito sério e ponderado. Mas, falando do conde, não o achou muito bonito?

– Sim, ele é bonito...

Como Líllia nada mais acrescentou, Eleonora exclamou surpresa:

– O que quer dizer o seu silêncio? Seria a primeira mulher a encontrar manchas no sol da beleza.

– Não, o conde é sem dúvida belo. Belo como uma estátua, talvez demasiado belo para um homem, mas nada simpático. Deve ser volúvel, arrogante e caprichoso. Resumindo, demasiado consciente de sua superioridade. Ele é casado?

Eleonora, que a olhava com surpresa, soltou uma gargalhada.

– Não, ele não é casado. Mas estou rindo da semelhança da opinião de um sobre o outro. A senhorita o acha antipático etc., enquanto ele a acha desagradável e sombria. Portanto, deste jeito, vocês nunca se darão bem. Tancredo, aliás, tem o defeito de odiar ruivas, o que o faz motivo de troça... Mas agora preciso ir. Até logo, querida Nora.

Com um amargo sorriso, Lília dizia para si mesma: *"Ele odeia a minha lembrança em todas as ruivas. Mas, já não me acha feia a ponto de sentir repulsa. Isto eu percebi tão bem quanto percebi o seu feio espírito sob a enganadora máscara de beleza clássica."* Ela passou a mão pela testa como se tentasse afastar os incômodos pensamentos e pegou no pincel. Sabia por experiência que o trabalho é o melhor meio para restabelecer a tranqüilidade emocional. Mas naquele instante não quis ficar escolhendo os temas e passou a pintar os arabescos e flores que os cercavam. Aos poucos ficou tão concentrada no trabalho que estremeceu como se tivesse acordado quando Nani levantou a cortina e informou que o médico chegara. Líllia levantou-se imediatamente.

– Permita-me agradecê-lo, doutor, pela visita de ontem e a de hoje – disse ela estendendo-lhe a mão. – O remédio que receitou ajudou-me muito. Como vê, estou completamente curada.

– Vejo somente que a senhorita é tão ativa quanto enérgica – respondeu Folkmar sentando à mesa e olhando com admiração o lindo rosto que à luz do dia destacava-se ainda mais pela delicadeza e pela brancura de lírio. – A senhorita está pálida e fraca e já está de pé, trabalhando. Não, vou falar para a baronesa que precisa de absoluto repouso por alguns dias.

– Pelo amor de Deus, doutor, não faça isso – interrompeu-o Líllia enrubescendo. – Não estou em casa, mas a serviço da baronesa que tem direito ao meu trabalho. Sempre me sinto bem quando posso cumprir minhas obrigações e qualquer amabilidade exagerada é difícil para mim. Mas, se o senhor me prescrever algo para reforçar os nervos, ser-lhe-ei muito grata. Na infância eu sofria de anemia e isso, provavelmente, ainda repercute em mim.

– Verdade? Eu não penso assim, apesar da palidez transparente do seu rosto, a sua saúde me parece ótima, exceto os nervos que é preciso tratar com seriedade.

Ele lhe fez algumas perguntas sobre a sua situação atual e passada. Em seguida, vendo as flores que ela pintara no vaso, disse:

– A senhorita é uma verdadeira artista! Para quem está fazendo esta maravilhosa obra? Espero que não seja uma pergunta indiscreta.

– Nem um pouco. O vaso pertence à baronesa e ela vai dá-lo de presente a alguém. Como não tem tempo de pintar, pediu-me para fazê-lo. Mas tenho pouco tempo e devo me apressar para terminar no prazo.

– Se a pessoa que irá receber este caro presente nunca viu as obras da baronesa, poderá pensar que foi ela que pintou – observou o médico, rindo involuntariamente. -Aliás, tenho uma suspeita. Para que dia o vaso deve estar pronto?

– Para 25 de setembro.

– Então, adivinhei. É um presente ao Reckenstein, pois seu aniversário é em 25 de setembro. Mas, por favor, não me entregue – acrescentou ele, notando a impressão desagradável que suas palavras haviam provocado.

– Naturalmente, não vou falar nada. Aliás, que me importa a quem a sra. Zibakh vai dar esta obra? – respondeu Líllia, superando a própria emoção.

– O que me surpreende – prosseguiu Folkmar – é que a baronesa quer fazer Tancredo pensar que ela teve um progresso incrível. O conde pinta muito bem e é um especialista nesta arte.

Quando o médico saiu, Líllia, triste e pensativa, encostou-se na mesa. "*Deus do céu! Tomara que este jovem petulante me deixe em paz com a sua admiração fora de hora. Não posso incentivá-lo e, ao mesmo tempo, devo tratá-lo com cuidado para não arranjar um inimigo.*" Com um profundo suspiro pegou novamente o pincel. Mas, de repente, jogou-o na mesa e desandou a rir nervosamente. "*Estou pintando um presente a Tancredo! Isso é muito original. Ah, se eu pudesse pelo menos introduzir alguma indireta aguda nestes quadrinhos.*"

Após pensar um pouco, ela foi rapidamente até a estante e retirou de lá um livro de contos de fadas ricamente encadernado e cheio de ilustrações – uma recordação de infância que ela trouxera consigo na bagagem. Ficou por longo tempo folheando-o e, de repente, um sorriso zombeteiro iluminou o seu rosto. "*Achei o que precisava.* 'O califa transformado em cegonha' *até parece que foi feito para esta ocasião. O califa enfeitiçado em cegonha é obrigado a casar com uma coruja. Vou dar-lhe traços do conde; as cenas da metamorfose serão muito engraçadas. Sim, vou pintar este contos de fadas, pois a baronesa deixou-me escolher o tema dos quadrinhos.*"

A animação na vila aumentava a cada dia. Além do pai de Eleonora, o general De-Wolfengagen, e dos dois irmãos dela, chegavam visitas de muitos oficiais e damas, mas os visitantes mais assíduos eram Tancredo e Folkmar. As recepções, os passeios a cavalo e as festas da aldeia alternavam-se sem fim. Líllia ficava contente toda vez que podia não comparecer. E a baronesa freqüentemente consentia na ausência dela para lhe dar tempo de terminar a pintura do vaso, pois esse trabalho evoluía lentamente.

No primeiro instante Eleonora ficou um pouco insatisfeita com o tema dos quadrinhos nos medalhões, achando-o estranho. Mas depois mudou de opinião achando que Tancredo realmente poderia ser o protagonista daquele contos de fadas, que o traje oriental ia-lhe muito bem e que tudo aquilo era uma divertida brincadeira.

Líllia era demasiado bela para não atrair a atenção dos rapazes que freqüentavam a casa da baronesa; porém, com fria dignidade, ela mantinha todos a uma certa distância. Entretanto, nada desencorajava um oficial de cavalaria pesada – o barão Fridberg. Ele não saía de perto da moça assim que ela aparecia, apesar de ela ostensivamente não lhe dar nenhuma atenção.

Esses flertes irritavam o médico. Ele próprio entregava-se inteiramente à sua atração pela Lorelei. Mas, apesar de ela tratá-lo melhor do que ao barão Fridberg, no olhar claro e frio da moça havia algo que não lhe permitia ultrapassar os limites estabelecidos por ela em suas relações amigáveis. A própria Líllia também estava triste e no fundo, desencorajada e infeliz. Os constantes encontros com Tancredo causavam-lhe uma dor de coração quase física. Ela percebia que o conde olhava-a de soslaio e nesses instantes era tomada de um ácido desejo de ofendê-lo. Então, expressava com os olhos o que não podia dizer com palavras. Tancredo sentia aquela aversão, sua permanente zombaria e, irritado, dava as costas àquele estranho ser que ao mesmo tempo atraía-o e repelia-o.

Nos primeiros dias de setembro, a baronesa deixou a vila e mudou para um magnífico apartamento que ocupava numa das melhores ruas da capital. Agora ela estava mais do que nunca atarefada preparando tudo para a temporada de inverno, corria pelas lojas e fazia visitas.

Na manhã de 25 de setembro, Tancredo estava em seu vestiário junto com o seu amigo médico. Este, deitado no sofá, fumava um charuto observando o conde que trajava um elegante robe de veludo vermelho, esfregava com pasta aromática suas róseas unhas e depois, com uma escova umedecida com um líquido perfumado, penteava suas mechas de cabelos negros e os finos e sedosos bigodes.

– O que você tem, Eugênio? Emudeceu ou está sonhando com a sua insensível Lorelei? – perguntou Tancredo virando-se para o amigo.

– Não é nada. Estou olhando-o e me divertindo com a sua preocupação detalhada com a própria aparência. Como consegue ser tão feminino? O seu toucador tem tantos frascos, caixinhas, escovas, pastas e perfumes que não encontrei na mais coquete de minhas pacientes. Chega de apreciar a própria barba e os próprios olhos azuis! Mesmo sem isso você sabe que agrada às mulheres.

– Ah, estou cansado de agradar, mas não dá para deixar de cuidar de si, feito um selvagem.

– Se você está cansado de agradar, então prefere que o amem por dinheiro? A herança que Develar lhe deixou transformou-o num Creso[3] – disse o médico com um sorriso.

– Bem, isso não me assusta. Nunca vou casar e, portanto, ninguém me pegará pelo dinheiro. Mas a sorte faz brincadeiras de mau gosto conosco: chega quando não é esperada e nos abandona no momento em que é mais necessária.

Com um gesto nervoso ele afastou todos os frascos e escovas do toucador e, enfiando as mãos nos cabelos, desarrumou todo o penteado que tinha feito com tanto cuidado.

Naquele instante entrou o camareiro trazendo numa pequena bandeja de prata um bilhete perfumado.

– É uma carta da baronesa Zibakh; o presente que acompanhava a carta coloquei em seu gabinete – informou ele.

– Vamos, Eugênio. Vamos ver os novos borrões com que Eleonora me presenteou – disse Tancredo, passando os olhos pelo bilhete. – Não entendo por que uma mulher tão bonita tem essa mania de artista.

No gabinete havia um embrulho bastante volumoso. O conde retirou o papel de seda em que o objeto estava embrulhado e ao primeiro olhar para o vaso com um grande buquê de flores raras ele exclamou surpreso:

– Desde quando a baronesa aprendeu a pintar? Veja, Eugênio, estas fantásticas flores foram incrivelmente bem pintadas.

O médico, colocando o pince-nez, examinava o vaso com uma atenção cada vez maior. De repente, ele soltou uma gargalhada e caiu da cadeira num acesso de riso.

– O que você tem, Eugênio? O que tem de engraçado no presente de Eleonora?

O médico recuperou-se com dificuldade.

– Em primeiro lugar – disse ele, enxugando as lágrimas de tanto rir, – como você pode ser tão inocente para acreditar que a baronesa virou artista em

[3] *Rei da Líbia, de 560 a 540 a.C., que possuía uma enorme fortuna – nota do tradutor.*

poucos meses? Mas repare nos quadrinhos dos medalhões. Ah-ah-ah! A história do califa que foi transformado em cegonha e obrigado a casar com uma coruja para obter a liberdade. E o califa tem o seu rosto. Ah-ah-ah!

E Folkmar desandou novamente a rir.

Extremamente surpreso, Tancredo inclinou-se e começou a examinar os quadrinhos muito bem pintados e cheios de humor. Neles estavam reproduzidas todas as peripécias desse interessante contos de fadas. No primeiro quadrinho aparecia o califa com o vizir no instante em que compravam do vendedor ambulante a tabaqueira encantada. A metamorfose que deixou no vizir somente a cabeça humana e o califa andando imponente com pernas de cegonha era muito cômica. O rosto de Tancredo, extremamente parecido e bonito sob o turbante oriental, transmitia fielmente o seu jeito de ser: a arrogante negligência em relação ao objeto comprado, a zombaria quando viu a transformação do vizir e, finalmente, a divertida expressão de horror e aversão que a necessidade de casar com a coruja provocava no jovem sultão.

– O que significa esta brincadeira idiota? O que Eleonora pensava quando desenhou esta besteira? – exclamou Tancredo sem saber se ria ou ficava zangado.

– Este vaso foi tão incomparavelmente bem pintado não pela baronesa, mas pela senhorita Berg – disse Folkmar – Eu a encontrei fazendo este trabalho.

– Ela sabia que este vaso era destinado a mim? – perguntou o conde, fechando o rosto, mordendo os lábios e pensando consigo mesmo: *"Mas eu estou casado com uma coruja! Isto é uma alusão direta. Como ela pode saber do meu segredo?"*

– Sim – respondeu o médico –, penso que sabia, pois deu o seu rosto ao herói do contos de fadas.

– Eu vou dar uma lição a esta mal-educada e insolente e vou colocá-la no devido lugar. E também vou desmascarar Eleonora – falou Tancredo exasperado.

– Não faça isso! – interrompeu-o Folkmar. – Assim você me compromete diante da baronesa. Ela nunca me perdoará por ter descoberto por acaso o segredo do seu rápido progresso na pintura.

– É verdade. Aliás, nem vale a pena desperdiçar uma única palavra com esta brincadeira idiota. Vamos voltar ao vestiário, que preciso fumar um charuto para colocar os nervos no lugar. Depois, preciso trocar de roupa, pois logo será meio-dia e os colegas chegarão para o desjejum.

Mal os rapazes acomodaram-se no grande sofá turco, quando vieram entregar outra carta. Desta vez o conde olhou para o endereço do remetente e um bondoso sorriso iluminou o seu rosto.

– Carta da Sílvia – disse ele, abrindo apressadamente o envelope.

– Como está a saúde de sua irmã? – perguntou o médico, quando Tancredo terminou de ler a carta.

– Bem, graças a Deus. Ela escreve que está com saudades e anseia vir finalmente morar comigo e que vai chegar a Berlim em 20 de outubro. Portanto, preciso preparar tudo para ela e para a sra. Herbert. Naturalmente, a pobre menina, com seu coração amoroso e caráter melancólico, sente-se sozinha longe do único parente que tem no mundo.

– A condessa Sílvia é uma linda menina! É uma pena que a sua saúde seja tão fraca. A morte repentina de sua mãe deve ter-lhe causado uma terrível impressão.

O rosto de Tancredo ficou sombrio.

– Sim, a pobrezinha suportou grandes provações. Não sei se já lhe falei que o primeiro choque que repercutiu muito na sua saúde foi a morte de D. Ramos.

– Sei que o seu padrasto suicidou-se com um tiro, mas você nunca me contou os detalhes.

– Sim, ele se matou. Infelizmente, Sílvia brincava por perto no jardim e ao ouvir o tiro correu para o gabinete e encontrou o pai que adorava deitado agonizante numa poça de sangue. Dizem que ele viveu ainda alguns minutos e Sílvia esteve presente durante a sua agonia. Mamãe não estava em casa e, quando voltou, encontrou Sílvia debruçada sobre o corpo num estado de torpor. Pobre Ramos! Tenho dele as melhores recordações. Esse homem me amava como seu próprio filho. E quanto à Sílvia, ele a endeusava. A pobre menina mal estava se recuperando desse terrível choque quando repentinamente morreu a mãe. Isso deixou-a num estado em que eu temia pela sua sanidade. Então instalei-a em Birkenvaldene.

Tancredo calou-se por um instante e, com um pesado suspiro, passou a mão pelos cabelos. Mas, livrando-se dos tristes pensamentos que o incomodavam, prosseguiu:

– A solidão somente piorou o seu estado. A conselho dos médicos levei-a à Suíça e coloquei-a numa pensão da família de um pastor. Naquele ambiente ela sentia-se bem e vivia lá todo o tempo exceto algumas curtas visitas a Reckenstein. Seis meses atrás, quando terminou a sua educação, levei-a a Sorrento e deixei-a lá com a sra. Herbert, uma boa velhinha, nossa parente.

– Agora quer apresentá-la à sociedade e casá-la?

– Sim, quero tentar diverti-la com os prazeres mundanos, pois ela permaneceu nervosa, arisca e com tendência a ataques de melancolia. Quando chegam visitas ela evita as pessoas. Ah, Eugênio, se você pudesse curá-la! Eu até ficaria muito satisfeito se ela se encantasse por você como as suas pacientes e você mudasse seu gosto e se apaixonasse por ela.

– Você está indo muito rápido e exagerando quanto à minha força de atração. Mas prometo-lhe ocupar-me da saúde de sua linda irmã como se fosse a minha própria.

– Eu lhe agradeço. Agora, está na hora de chamar Ossip. Os colegas devem estar chegando.

Pensando melhor, o conde não demonstrou que descobrira o segredo e que sabia quem pintara o vaso. Limitou-se somente a agradecer amavelmente à sua bela prima e elogiar o maravilhoso trabalho. Mas, observava disfarçadamente Líllia, guardando no coração um sentimento de raiva e desconfiança em relação a ela. Em seu olhar e em seu sorriso ele às vezes notava algo que o intrigava; nas raras vezes em que lhe dirigia a palavra, em suas curtas respostas soava uma hostilidade quase aberta. Mas o que mais irritava Tancredo era que ele sentia-se atraído por aquela estranha criatura. Apesar de tudo, a beleza luxuriante da moça provocava a sua admiração.

Folkmar, que notava aquela hostilidade secreta, arriscou certa vez a dizer para Líllia:

– Gostaria de fazer-lhe uma pergunta indiscreta e até ousada, senhorita Nora. Responda-me somente se me achar digno disso.

– Pergunte, doutor. Se puder, responderei com prazer – disse a moça, sorrindo.

– Então, diga-me por que odeia o conde Reckenstein? Ele é tão bonito e tão cheio de sentimentos cavalheirescos que os corações de todas as mulheres submetem-se ao seu poder: pelo menos ele é simpático a todos, menos a senhorita. O que é ainda mais estranho é que essa hostilidade é mútua entre vocês.

Líllia ouvia tudo sem demonstrar qualquer constrangimento. Em seguida, levantando os olhos para o rapaz, disse tranqüilamente:

– Está enganado, sr. Folkmar. Por que eu odiaria o conde Reckenstein? Imagino que ele também nem note a minha presença. Mas o que realmente não me agrada é que ele se ocupa demasiado consigo mesmo. Resumindo, exagera na auto-admiração.

Em virtude dos sentimentos contraditórios que lhe incutia Líllia, Tancredo passara a visitar a baronesa com menor freqüência, alegando estar atarefado com os preparativos para a chegada da irmã que precisavam de sua supervisão. Três ou quatro dias antes da chegada de Sílvia, o conde e Folkmar foram almoçar na casa da baronesa, que incentivava abertamente o namoro do jovem médico com a sua dama de companhia e convidava-o com bastante freqüência.

Durante o almoço, Eleonora perguntou de repente:

– Diga-me, Tancredo, o que aconteceu com o barão Fridberg? Não o vejo há mais de um mês. Será que está doente? Já faz um tempo que queria perguntar-lhe sobre isso e sempre esqueço.

Tancredo olhou com curiosidade e de modo zombeteiro para Líllia, mas, notando que ela com a maior indiferença e calma continuava a cortar a codorna assada, virou-se para a prima:

– Ah, Fridberg transformou-se em herói de um acidente tragicômico. Primeiramente, aconteceu com ele uma terrível desgraça.

– E o senhor chama isso de acidente tragicômico?

– Calma. O cômico proveio do trágico. Em primeiro lugar, já fazia um mês que ele estava muito nervoso para pedir ao seu comandante uma licença de três meses. Quando a obteve, foi embora e não ouvimos mais falar dele. Mas, uma semana atrás, ele enviou um pedido de dispensa do serviço e por meio do irmão de um colega nosso, proprietário de terras em Westfália, soubemos o que aconteceu com ele. Fridberg tinha uma tia muito rica da qual esperava receber a herança e, de olho nesse dinheiro, vivia à larga e gastava dinheiro sem conta. Naturalmente, estava todo endividado, mas os credores aguardavam paciente e amavelmente, pois a tia com a herança estava doente e mais dia menos dia devia morrer. Mas imagine como ficou Fridberg quando soube que a maldita solteirona deixou todo o seu capital para causas filantrópicas. A casa ela deixou para seu afilhado, enquanto para ele, uma soma em dinheiro suficiente para pagar o alfaiate e o sapateiro. O pobre Carl pensou que ia enlouquecer. Mandando a alma da velha para os diabos, ele decidiu ir a Hamburgo onde morava o seu credor principal, um ex-cervejeiro, milionário, mas mesmo assim um avarento concussionário. O pobre Fridberg esperava fazer um acordo com aquele salafrário. Mas este pertence ao tipo de pessoa que sabe aproveitar esse tipo de situação e como Sheilok – o impiedoso agiota do *Mercador de Veneza* de Shakespeare – obrigou-o a pagar com pedaços do próprio corpo. Ontem à noite estávamos conversando no clube dos oficiais quando, de repente, entra correndo Levental aos gritos: – *Vocês sabiam que Fridberg voltou para cá casado?* Cercamos Levental e ele contou que encontrara o barão saindo de casa de braço dado com uma dama que ele apresentou como sua esposa. A nova baronesa era nem mais nem menos do que a filha do ex-cervejeiro, feia, estúpida, baixinha, gorda e com sardas no rosto inteiro. Levental diz que ela é muito engraçada e que Fridberg tem a aparência de uma pessoa que suportou grave enfermidade. É compreensível. Pobre coitado! Ele nunca imaginou que seria obrigado a um acordo desse tipo. De qualquer jeito, mesmo a preço da própria felicidade, a honra do nome está salva, o que é consolador.

Essa história fez Líllia empalidecer e seu coração apertou-se dolorosamente. Mesmo sabendo que o seu pai tivera um motivo totalmente diferente, ele também aproveitara a desgraça de um homem para amarrar o seu destino com o destino daquele orgulhoso aristocrata que fugira, rejeitando-a.

Levantando os olhos, ela encontrou por acaso o olhar zombeteiro do conde. Sua voz soava com ironia quando ele disse:

– A senhorita Berg, como entendo, também se compadece do destino do pobre barão. Na verdade é terrível ter no coração um ideal, sonhar com a felicidade e ser obrigado a ligar o seu destino com um monstro e ver-se acorrentado a ele pelo resto da vida.

A palidez de Líllia mudou para um forte rubor. Será que ele imaginava que ela lamentava a perda de um insistente admirador? Seus olhos brilhavam sombriamente e, com um olhar flamejante cravaram-se nos olhos do conde que a mirava zombeteiro.

– Se existe uma sina que me causa piedade então é a sina daquela pobre mulher que o pai talvez obrigou a esse casamento lisonjeiro para o orgulho do ex-comerciante. Quanto ao barão, que com seus divertimentos chegou a ponto de vender a si mesmo, acho que teve o castigo merecido de ter a obrigação de dar a essa pobre infeliz o direito – adquirido a alto preço – de usar o seu nome e viver com ele para sempre. Aliás, se aquela mulher lhe é repulsiva ele pode livrar-se dela facilmente.

– Mas, Nora, nem todos têm coragem de suicidar-se! – exclamou a baronesa.

– Por que suicídio? Existem meios muito mais simples – objetou Líllia e uma estranha expressão de zombaria passou pelo seu rosto. – Ele poderia, por exemplo, instalar a sua inadequada esposa em algum lugar afastado, dizendo-lhe que a honra de um oficial do exército e de um nobre de antiga estirpe não lhe permitiria apresentar aos seus amigos um monstro como sua esposa ocasional. Ou, melhor ainda, ele poderia mudar-se para uma cidade onde ninguém soubesse do casamento, ocultar que era casado e até tirar do dedo o anel de casamento, este desagradável símbolo da união da qual se envergonha, e viver alegremente, fazendo-se de solteiro.

À medida que ela falava, o rosto do conde ia ficando cada vez mais vermelho e imediatamente mudou para uma palidez mortal.

– Senhorita Berg, por quem toma os oficiais do exército? – perguntou ele, sufocando de raiva e colocando com tanta rispidez na mesa o copo que segurava na mão, que este quebrou e o vinho vermelho derramou-se na toalha da mesa.

– Tancredo! O que é isso? A senhorita Nora estava brincando e o senhor fica furioso – exclamou a baronesa que, tanto quanto o médico, não conseguia entender nada daquela cena.

– Tem razão, prima, sou por demais explosivo. Mesmo assim, senhorita Berg, aconselho-a a tomar cuidado com o que diz e não tratar com suposições ofensivas a honra de um nobre.

Líllia, sem o menor constrangimento, respondeu calmamente:

– Peço desculpas, conde, se as minhas palavras lhe pareceram ofensivas. Mas entendo diferente o conceito de honra e julgo de modo diferente o valor de um nobre que, sendo obrigado a pagar por suas diversões e infelicidades, escolhe não a pobreza e o trabalho, mas um acordo matrimonial e, após realizar tal especulação, não se submete honestamente ao destino, mas lamenta aos colegas a sua amarga sina e tem vergonha de mostrar aquela que chamou de sua esposa.

Franzindo a testa, Tancredo deu-lhe as costas e, quase cortando a fala de Líllia, dirigiu-se ao médico:

– Você vai hoje à recepção da condessa Ferner?

Folkmar e Eleonora trocaram olhares de surpresa. O que teria acontecido com o conde para que ele, um fino homem da sociedade, se comportasse tão desrespeitosamente com uma mulher por causa de algumas palavras insignificantes que nada tinham de ofensivas para ele? Além do mais, os problemas dos outros não costumavam lhe interessar. O médico dirigiu o olhar para Líllia temendo perceber que ela estivesse sentindo-se ofendida. Mas a moça estava com uma aparência tranqüila e satisfeita e seus olhos negros brilhavam zombeteiramente.

"Decididamente, esses dois são um mistério para mim", pensou consigo mesmo Folkmar e começou novamente a observar Tancredo. O conde superou-se, desmanchando-se em galanteios diante da prima e bebendo sem parar água gaseificada. Eleonora estava radiante; ela notava no brilho dos olhos do rapaz uma confissão de amor e um mudo pedido de desculpas pela explosão que ele se permitira em sua presença.

– Pare de beber! Baronesa, ajude-me a não deixar este louco encher o estômago de água fria – disse Folkmar, segurando a mão de Tancredo e tirando-lhe o copo.

– Ah, meu Deus, estou morrendo de sede!

– Neste caso, tome café.

– Sim, primo, vamos tomar café em meu gabinete. Minha querida Nora, não fuja como de costume, mas toque algo para nós. Sabe como gosto de ouvir música após o almoço.

Enquanto a baronesa e o conde instalaram-se no gabinete, Líllia sentou-se ao piano e com habitual habilidade executou a *Fantasia* de Lizt da qual a sra. Zibakh gostava. Folkmar ficou ao lado da moça como se para ajudar a virar as páginas da partitura, mas na verdade para admirar o seu lindo rosto e as tranças ruivo-douradas que o encantavam cada dia mais.

Uma situação inesperada interrompeu a execução. Entrou correndo um criado e, após ouvir o seu relato, Eleonora saiu imediatamente para encontrar no vestíbulo da casa o prelado que tinha acabado de chegar.

– Ah, reverendíssimo, que inesperada alegria vê-lo por aqui. Não sabia que o senhor já retornara de Roma.

– Cheguei há poucos dias. Mas, por favor, não se acanhe e, principalmente, não interrompa a artística execução que ouvi ao entrar na casa – disse o prelado amavelmente.

Era um homem de meia idade, rosto pálido e com aquela dobra nos lábios que caracteriza os padres católicos.

O prelado aproximou-se do médico e do conde e cumprimentou-os amigavelmente. Em seguida seu olhar profundo e perscrutador parou sobre Líllia, que o cumprimentou com uma profunda reverência. Quando a baronesa a apresentou, o prelado pediu-lhe amavelmente que voltasse a tocar e executar a obra desde o início, pois ele gostava muito de música. Em seguida, a sra. Zibakh levou-o consigo ao seu gabinete.

Líllia obedientemente sentou-se ao piano, mas, tocando, ela prestava atenção à conversa que Folkmar e Tancredo trocavam atrás dela, à meia-voz.

– Você não vem comigo? Não suporto as conversas veneráveis das quais Eleonora está gostando ultimamente.

– Vamos embora. Também prefiro descansar em seu gabinete. Assim que a senhorita Berg terminar de tocar, vou despedir-me da baronesa.

– Vá agora. Eu o substituo aqui.

Folkmar cedeu seu lugar e dirigiu-se ao gabinete.

Líllia fingiu não perceber a mudança e, após concluir a peça, levantou-se.

– Ah, é o senhor, conde! Estou grata – disse ela com uma leve reverência.

– Sim, senhorita Berg, sou eu. O doutor foi despedir-se da minha prima, pois vamos sair agora.

Líllia nada respondeu. Recolheu as partituras e colocou-as na prateleira. Tancredo, que a olhava em silêncio, perguntou de repente, com certa hesitação:

– Senhorita Berg, fala italiano muito bem. Onde aprendeu essa língua? Por acaso já morou em Mônaco?

Ela voltou-se para ele. Seus grandes olhos brilhavam maliciosamente.

– Não, conde, nunca estive em Mônaco. Mas por que o senhor achou isso? Será que as minhas descuidadas palavras durante o almoço fizeram-no pensar que naquela cidade eu vi homens do tipo que descrevi?

– Nem pensei naquela conversa. Mas começo a imaginar que a senhorita insiste em brigar comigo – disse ele com irritação.

– Isso seria incompatível com a minha situação de subordinada e não teria nenhum objetivo nem motivo – observou Líllia, friamente dirigindo-se para a pequena sala onde bordava uma tela que a baronesa começara há muito tempo à qual, de tempos em tempos, acrescentava um ou dois pontos.

– Se você não tem nenhuma consulta para hoje e nenhum outro compromisso, então fique em minha casa. Mais tarde vamos juntos à recepção da condessa Ferner – disse Tancredo ao médico, sentando-se com ele na carruagem.

– Com prazer. Não tenho nenhum compromisso – respondeu Folkmar. Em seguida, cada um ficou imerso nos próprios pensamentos.

Chegando a Reckenstein eles instalaram-se no gabinete, mas a conversa não saía. O médico, esticado no sofá, fumava, pensativo, enquanto o conde andava pelo quarto com uma irritação disfarçada. Não conseguia esquecer as palavras de Líllia, que fora quase uma alusão direta. Mas como ela podia saber do seu segredo?

– Sabe de uma coisa, Eugênio? Temo que a nossa velha amizade irá acabar se você se casar com aquela insolente "macaca" – disse ele parando próximo ao sofá.

O médico levantou-se surpreso.

– Mas que besteira você está dizendo! Nunca pretendi casar com uma "macaca"! E, mesmo que eu tivesse esse gosto, para você não teria importância a não ser que eu exigisse que você beijasse a "macaca".

– Pare com isso, você está falando bobagens. Será que não dá para perceber que você está se apaixonando por aquela mendiga, aquela aventureira ignorante, quando poderia ter um ótimo partido com a Ida Vernig, a filha do conselheiro de comércio?

– Não estou entendendo, Tancredo. De que "macaca" ou aventureira você está falando?

– De quem mais senão da dama de companhia de Eleonora, por quem você está apaixonado. Ouça um conselho de amigo: tome cuidado. Tudo nela é muito estranho e suspeito. Ela tem um tom de mulher de alta estirpe e uma educação superior à que é exigida no seu cargo. Ela fala francês como uma parisiense e italiano como se fosse originária de Tosca. Diz que não é casada e usa um anel de noivado. Talvez ela seja uma perigosa aventureira, uma espiã francesa que se imiscuiu na sociedade sob a máscara da submissão.

– Pare com isso, você está fora de si – interrompeu-o o médico, rindo. – A Nora, uma espiã? Ela é um ser ideal, a encarnação da inocência virginal! Que ela foi educada para um futuro diferente de uma dama de companhia, não há dúvida. Alguma infelicidade a fez perder as posses; quanto ao anel, isso nada significa. Ela me disse que era lembrança do pai dela.

– Do pai? Por que ela não usa o anel da mãe? – retrucou Tancredo zombeteiramente. – Não, Eugênio, não seja ingênuo. Mesmo que não seja uma espiã, pode ser uma mulher abandonada pelo marido. Você, de cabeça virada, está se prendendo na rede e quando a armadilha o pegar, de repente vai aparecer um marido. Talvez eles até façam as pazes para roubá-lo. Estas coisas acontecem.

Folkmar ficou pálido.

– Isto é impossível! Quem abandonaria uma mulher daquelas? Você não pode negar que ela é linda, linda como um sonho.

– Ela é bonita, mas antipática. O seu olhar insolente afasta e irrita as pessoas.

– Tancredo, percebo há muito tempo que você não está sendo justo para com a pobre moça. Seu olhar claro e orgulhoso nunca é insolente. E se você visse os maravilhosos olhos de Nora, cheios de tristeza e úmidos de lágrimas, sua língua se negaria a pronunciar essas ofensivas suspeitas.

– Então, é assim! Ela chora em sua presença. Que esperteza!

– Isso aconteceu absolutamente por acaso. Quando na semana passada ela teve uma nova enxaqueca, fui vê-la. Em seu *boudoir*, entre os objetos espalhados na mesa, chamou-me a atenção um bracelete de prata e nele escrito em turquesa o nome Pacha. Quando lhe perguntei, rindo, quem era Pacha, lágrimas surgiram em seus olhos e ela disse: "Pacha foi o último ser que me amou com todas as forças do seu coração imperfeito". Em seguida, tirou da caixa um retrato em aquarela de um cachorrinho com uma coleira de prata que eu tomei por bracelete.

– Isso é muito comovente e vejo que o seu mal é incurável – disse o conde, com um sorriso zombeteiro. – Em todo caso, cumpri minha obrigação e joguei um pouco de água fria sobre seu coração em chamas.

Folkmar arrastou-o amigavelmente para o sofá.

– Obrigado pela boa intenção. Mas, permita-me dizer, Tancredo, que o seu estado psíquico é ainda mais misterioso e preocupante do que o meu. Após a repentina morte de sua mãe, você mudou completamente. Em seu espírito existe algo anormal. Até a sua viagem a Nice, você estava apaixonado por sua prima. Todos sabiam disso e esperavam que após sua volta do exterior vocês ficariam noivos. Contrariando todas as previsões, após o enterro da condessa você afastou-se da senhorita Wolfengagen de modo que ela não teve dúvidas da sua atitude e casou-se com outro. Sempre pensei que ela fizera isso para machucá-lo, entretanto, no dia do casamento dela eu o encontrei aqui, neste mesmo sofá, com os olhos vermelhos de lágrimas.

– Meu Deus, você está fazendo um verdadeiro interrogatório – interrompeu-o Tancredo com impaciência, evitando olhar para o amigo.

– Não, só estou fazendo uma pergunta de amigo. Você chorou, para que esconder? Não havia nenhum obstáculo entre vocês e não se chora por uma mulher no dia do seu casamento a não ser que se ame e se queira essa mulher. Hoje, a sra. Zibakh é viúva e você está cortejando-a novamente, tanto que faz pensar que deseja casar com ela. Se isso é somente um jogo, então para que está comprometendo a jovem mulher e dando-lhe esperanças?

– Ah, Deus do céu! Quanto barulho por nada! Eleonora é minha parente próxima e eu posso visitá-la sem constrangimento e ser amável com ela sem ser obrigado a casar.

– Tancredo, o que você diz não é o que pensa. As esperanças da baronesa estão claramente expressas em seus olhos. Por que não pôr um fim a essa leviana brincadeira de casamento? Você pode escolher. Eugênia Heierstein, por exemplo, é um belo partido. Que ela o ama, não é segredo para ninguém. Lá você também criou esperanças e, de repente, sumiu. Agora, a pobre garota está doente. Ontem o pai dela mandou me chamar.

– Ela abriu seu coração para você? Oh, feliz procurador de todas as infelizes apaixonadas... E você, ingrato, ainda me xinga, em vez de agradecer por aumentar a sua prática – observou rindo Tancredo.

– Pare com essa chacota. Teu riso soa falso. Naturalmente, a moça não me disse nada, mas que está doente por causas psíquicas está bastante claro. Ainda mais que ela se recusa a casar com o cavaleiro G., como queriam seus pais. Não acho certo brincar desse jeito com a paz e a felicidade de terceiros.

Tancredo estava sentado encostado e de costas para o médico, de modo que este não via a expressão de amargura nas dobras dos seus lábios.

– Pobre Eugênia, tenho pena dela – disse ele, após um minuto de silêncio –, mas não posso ir para a cadeia para lhe devolver a paz.

– Como? Não estou entendendo – disse Folkmar.

– Mas está tudo claro. O casamento é uma eterna prisão e eu amo a liberdade! – respondeu Tancredo levantando-se e arrumando a sua elegante cintura. – Portanto, pare com este sermão e vamos falar de outra coisa – acrescentou ele, divertindo-se com o fato de o médico não ter entendido o duplo sentido de sua frase.

III
Sílvia

Dois dias depois, Tancredo estava sentado com sua irmã no *boudoir* que fazia parte do recinto anteriormente ocupado por Gabrielle. A moça estava ainda em traje de viagem e, descansando a cabeça no ombro do irmão – que a segurava delicadamente pela cintura –, contava sorrindo todos os detalhes da viagem e não podia deixar de se alegrar por retornar à casa paterna. Sílvia De-Moreira era o retrato vivo da mãe e ao mesmo tempo absolutamente diferente. Uma profunda tristeza parecia pesar sobre todo o seu ser e nos grandes olhos azuis não havia aquele fogo consumidor que enlouquecia as mentes, aquele ímpeto demoníaco que tornava Gabrielle tão perigosa. Sílvia, pelo contrário, transpirava simplicidade, tranqüilidade e pureza. Era uma Gabrielle ideal.

– Minha querida, eu também estou feliz por você estar novamente aqui comigo – dizia Tancredo abraçando a irmã. – Você será a alma desta enorme e vazia casa. Nós daremos bailes e festas, pois quero que você se divirta e que volte a ter a alegria que é própria à sua idade.

A moça balançou a cabeça.

– Ah, não! Não consigo suportar barulho e festas. Só quero que você esteja comigo quando eu estiver espiritualmente indisposta, quando as imagens do passado me perseguirem e torturarem. Mas, e você? Ainda não se cansou dessa vida desregrada que está levando?

Ela inclinou-se e olhou atentamente nos olhos do rapaz.

– Você não se sente feliz, Tancredo. Você pode enganar o mundo, mas não a mim.

– Sílvia, se você me ama, então jure que nunca vai revelar e nem mesmo insinuar sobre o meu segredo – exclamou o conde, nervoso.

– O que está dizendo, Tancredo? Será que você consegue recusar-se para sempre a cumprir as obrigações que assumiu? Você jurou diante do altar proteger e amar a pobre menina que nossa mãe privou de um nome honrado. Em meus sonhos aparece freqüentemente a imagem do infeliz Verenfels e suas palavras de acusação soam em meus ouvidos. É inteiramente justo que o pai exigisse que você restabelecesse o honrado nome da filha. Pode ser que ele a tenha obrigado àquele casamento, pois ela fugiu de você. Essa fuga prova que ela não é nada boba, mas orgulhosa, e que sentia sua aversão por ela. Veja a situação dela agora: não é solteira, nem casada, nem viúva. Naturalmente não usa o seu nome, pois uma condessa Reckenstein seria imediatamente notada. Ah, não! Abandonando desse jeito a sua esposa você age desonestamente, Tancredo. O nome de Líllia Verenfels persegue-me como um pesadelo, como uma dor na consciência.

– A mim também – disse o conde, pálido de nervoso. – Mas você exige demais de mim, Sílvia. Não me diga que devo ainda procurar aquela disforme e desajeitada mulher, contra a qual se levantam todas as fibras do meu ser. Não me diga que devo trazê-la para cá e sacrificar minha vida para viver com ela. Esse sacrifício está acima de minhas forças apesar da dor de consciência. Prefiro não saber o que aconteceu com ela e se de repente aparecer, vou propor-lhe uma separação amigável e garantirei todo o seu futuro. Mas, se ela continuar desaparecida, então vou suportar como castigo a minha solidão e na sociedade passar por solteiro. Apenas imploro-lhe, nunca me lembre aquele maldito momento quando deixei que me pendurassem o grilhão de compromisso.

Ele levantou-se de supetão do divã e, em desespero, enfiou os dedos das mãos nas mechas negras dos cabelos, mas, encontrando o olhar preocupado da irmã tentou se controlar.

– Não fique triste, Sílvia. Vou viver para você e sua felicidade. Agora estou muito rico e posso lhe dar um dote de princesa. Mas até lá vamos divertir-nos. Amanhã você precisa descansar, mas na quinta-feira vamos almoçar na casa de Eleonora e no dia 15 de novembro você será apresentada à sociedade. É o dia do aniversário da prima Eleonora e ela dará um baile. Depois, nós vamos organizar festas e você, minha belíssima irmã, fará as honras da anfitriã em vez da coruja que teve a perspicácia de desaparecer.

Ele puxou para si a moça, beijou-a e saiu rapidamente para esconder o próprio nervosismo. Mas Sílvia entendia o estado de espírito do irmão e sentia que os seus lábios quentes tremiam nervosamente quando ele a beijara. Com um pesado suspiro ela tapou o rosto com as mãos e lágrimas silenciosas correram pela sua face.

A baronesa recebeu o conde e sua irmã de forma extremamente cordial. Ela estava só e, fazendo Sílvia sentar-se ao seu lado, começou a perguntar-lhe sobre sua estada em Sorrento. Tancredo andava distraidamente pelo quarto, olhando de soslaio para o gabinete de trabalho contíguo à sala. Lá normalmente estava Líllia trabalhando num presente artístico e ouvindo ao mesmo tempo as intermináveis histórias da baronesa sobre as suas conquistas e roupas. Mas agora o quarto estava vazio. À janela havia um bastidor[1] e um cesto com lã e sedas.

– Posso ver o seu trabalho, prima? – perguntou Sílvia.

– Mas, claro. Venha comigo.

– Que lindo! Parece até pintura – exclamou Sílvia diante da tela maravilhosamente bordada representando Afrodite[2] saindo das águas.

– Você acha mesmo? Esta tela estou fazendo para dar de presente à minha avó. A senhorita Berg, minha dama de companhia, está me ajudando a terminá-la. Ela é uma ótima pessoa, muito ativa e, o que é muito importante, sabe o seu lugar. Antes da minha velha Henriette, eu tive duas damas meio imbecis. Tinham a pretensão de brilhar na sociedade e rivalizar comigo. Tive de dispensá-las após muitos problemas desagradáveis. Mas, querida Sílvia, já pensou no traje que vai usar no baile que darei no dia quinze de novembro? Recomendo-lhe minha costureira e eis aqui uma revista onde poderemos escolher algo.

Enquanto as damas folheavam a revista de modas, Tancredo andava calado pelo quarto.

– Folkmar vem hoje? – perguntou ele finalmente.

– Claro. O senhor sabe que sua irmã o atrai para cá. Ah, parece que já chegou – respondeu maliciosamente Eleonora.

Realmente, era o médico, e com sua chegada a conversa foi mais geral. Apesar da animação, os olhos do jovem médico constantemente dirigiam-se para a porta por onde normalmente entrava Líllia.

– Você vai acabar fazendo um buraco nas cortinas da baronesa – observou Tancredo.

– Eu? Como? – perguntou o médico surpreso.

– Como? Com os olhos que estão queimando aquela porta.

– Meu Deus, seria uma grande desgraça se, em vez da porta, o doutor se queimasse – disse Eleonora, rindo. – Mas sua tortura vai acabar já. Lorelei está chegando.

---

[1] *Peça que firma o pano para bordar – nota da editora.*

[2] *Afrodite – na mitologia grega, deusa da beleza e do amor – nota da editora.*

– Realmente, instantes depois Líllia entrou na sala. Pela primeira vez ela não usava luto, pois a baronesa dissera-lhe que o seu eterno vestido preto deixava-a hipocondríaca. Sílvia não conseguia tirar os olhos da linda moça que lhe foi apresentada como senhorita Berg e apertou-lhe a mão de forma mais amigável do que permitia a etiqueta. Líllia também olhou a senhorita De-Moreira com interesse e curiosidade. – Então, esta é a Sílvia sobre a qual falava papai no dia do casamento, o pior dia de sua vida. Será que ela permaneceu tão amorosa e dócil como prometia quando criança?

Mas, por fim, ela ficou constrangida pela insistente atenção com que a jovem condessa a observava. *"Por que ela está me olhando?"*, perguntava-se Líllia, atônita.

Após o almoço Sílvia sentou-se perto de Líllia e passou a conversar com ela, deixando o resto do grupo e sem prestar atenção à surpresa de Eleonora e à insatisfação do irmão.

– Ah, como a senhorita Berg é bonita e simpática! – exclamou a jovem condessa quando sentou na carruagem junto com Tancredo.

– Ela é bonitinha e boa moça, mas devo adverti-la de que não fica bem você procurar somente a sua companhia.

– Oh, Tancredo, não me diga que você realmente partilha da estreita visão da baronesa que considera um crime se uma moça, que se encontra dependente em virtude da própria pobreza, ousa ser agradável no salão? Mas devo lhe contar o que mais me impressionou na senhorita Berg. Foram os olhos, os olhos de Gotfried; negros, sombrios, incomparáveis, como eram no momento que nunca vou esquecer. Ela tem o mesmo olhar. E se ela for a sua esposa? Diga-me, como eram os olhos de Líllia?

O rosto do conde ficou rubro.

– Sílvia, que demônio incutiu-lhe tal idéia que poderia me enlouquecer?

Ele passou a mão pelo próprio rosto presunçoso:

– Devo dizer-lhe que você está enganada – acrescentou ele um pouco mais calmo. – Líllia é uma cabeça mais baixa, magra como um fantasma, e quanto aos seus olhos – ele riu nervosamente –, eles são tão pequenos sob as grossas e vermelhas pálpebras que é difícil distinguir a sua cor. Como pode você pensar que eu deixaria de notar olhos como os da senhorita Berg? Somente lhe peço para não ficar me lembrando aquele maldito passado.

Os dias que se seguiram foram muito animados. A baronesa estava inteiramente ocupada com os preparativos do baile. Tancredo fazia visitas com sua irmã, apresentando-a a todas as famílias que freqüentava e levava-a a teatros e museus. Parecia que o rapaz ansiava insaciavelmente por distrações e ruidosos prazeres. Mas Sílvia adivinhava com o coração que sua aparente alegria ocultava uma grande irritação. Realmente, o conde sentia-se infeliz. Estava ligado a uma mulher que, mesmo estando em algum lugar longe e sem nunca aparecer, não o largava. Essa situação pesava-lhe tanto que às vezes parecia-lhe insuportável. Tinha desejos de encontrar Líllia e convencê-la a separar-se. Mas tinha medo da publicidade e do inevitável escândalo do processo de separação. Então, com a volubilidade do seu caráter, jogava-se de cabeça nos prazeres da vida tentando com a bruma do vício ou com as aventuras amorosas esquecer as incômodas lembranças.

Ultimamente ele estava mais nervoso do que nunca.

As estranhas insinuações que notava nas palavras de Líllia chamavam a sua atenção para a moça e despertavam nele sentimentos ambíguos. Sua maravilhosa beleza encantava-o, mas a idéia de que ela conhecia seu segredo fazia-o quase sentir ódio por ela. A suposição de Sílvia deixara-o num estado febril durante dias. Perseguido pela idéia de que aquela moça seria sua esposa, ele ficava observando-a insistentemente e convenceu-se de que ela realmente lembrava muito o tipo dos Verenfels. Mas, quanto mais lembrava do passado, mais se convencia de que aquela suposição era errônea. A criatura feia e arrogante que usava o seu nome não se parecia em nada com Gotfried e nem com a bela e enérgica Nora Berg. Mas talvez ela fosse uma parente de Verenfels. Tentou descobrir isso, perguntando cuidadosamente a Eleonora sobre a origem de sua dama de companhia. Mas a baronesa nada sabia e nem se interessava por assuntos de Nora. Tancredo, irado e desencorajado, perdeu a esperança de descobrir aquele segredo.

Sílvia, por sua vez, sentia uma grande simpatia pela calada e discreta moça, cujo olhar profundo agia sobre ela como um calmante. As vezes em que ela chegava e não encontrava a baronesa em casa, ia ver Líllia e passava com ela horas inteiras enquanto o pequeno Loter brincava aos seus pés com a linda cadelinha da condessa.

Certa manhã, Líllia ficou muito surpresa quando a camareira da baronesa veio pedir-lhe que fosse ver imediatamente sua senhora. Normalmente a jovem viúva costumava dormir àquela hora. Eleonora, completamente desolada, estava sentada em seu *boudoir* e à sua volta estavam espalhados sobre as poltronas e os sofás pedaços de diversos tecidos, fitas e até guirlandas e ramos de flores. Ilustrações de vestidos de moda estavam jogadas na mesa e no tapete.

– Ah, querida Nora, ajude-me a sair desta dificuldade – exclamou ela assim que Líllia entrou. – Não consigo me decidir na escolha do traje para o baile de 15 de novembro. Devo usar algo simples por ser a anfitriã e, ao mesmo tempo, quero que o meu traje seja elegante e original. Notei que a senhorita tem uma visão de artista e um gosto refinado. Gostaria de uma opinião sua para usar algo que sirva ao meu tipo.

– Vou tentar, baronesa. Isso não é difícil, pois a escolha é grande – disse ela sorrindo e examinando os magníficos objetos reunidos em abundância. – Mas, penso que seria necessário baixar as cortinas para ver a cor do tecido sob luz artificial.

A baronesa gostou muito desse conselho. Enquanto a camareira iluminava o *boudoir*, Líllia examinava a jovem mulher que era realmente muito bonita com grandes e úmidos olhos, cabelos negros como piche e um tipo quase oriental.

– Penso que para a sua beleza exótica e sua figura alta e elegante, seria melhor escolher tecidos pesados com suas magníficas dobras e reflexos – observou Líllia, e, pegando um pedaço de veludo cor de esmeralda, experimentou-o na baronesa.

– Se fizer um corpete com um decote quadrado e uma gola no estilo Médici com bordados dourados, o mesmo acabamento na bainha e usar estas flores de romã na cabeça, vai cair-lhe muito bem.

– Tem razão. Vai cair maravilhosamente bem e animar a cor um pouco pálida do meu rosto. Como não pensei nisso antes? Muito obrigada pelo bom conselho que me prova mais uma vez que a senhorita não tem nem um pingo de inveja. Aliás, é tão bonita que não precisa invejar ninguém – dizia Eleonora sem parar de se olhar no espelho.

Sem nada responder, Líllia encostou-se na mesa. Uma inexplicável amargura e uma dor quase física que sempre sentia ao pensar em Tancredo apertaram seu coração. Ela própria estava ajudando uma outra mulher a agradá-lo, enfeitando-a! Mas, mesmo assim, ela sentia uma ácida alegria. Ele podia enganar sua prima com falsas esperanças mas nunca poderia casar-se com ela. O desaparecimento da mulher a quem estava ligado dificultava até a separação.

A voz da baronesa interrompeu os seus pensamentos. Eleonora perguntava o que Líllia ia usar no baile.

– Baronesa, eu esperava que a senhora tivesse a bondade de me permitir não comparecer ao baile. Sinto-me mal em reuniões ruidosas – disse Líllia ocultando com dificuldade a própria tensão.

Mas a baronesa nem quis ouvir.

– Mas, que bobagem! Não, quero que a senhorita esteja no baile. E nem pense em desaparecer como sempre tenta fazer. E, depois, não podemos deixar o nosso doutor triste. Ele ficaria muito infeliz se não a visse no baile e eu não quero isso. E tem mais, querida Nora, não me prive do prazer de presenteá-la com o traje de baile. Escolha entre estes tecidos aquele que mais lhe agradar.

Líllia ficou vermelha até a raiz dos cabelos. A idéia de que ela, condessa Reckenstein, deveria aparecer naquele baile como subordinada e usando um traje presenteado, feriu-a como uma cobra.

– A senhora é muito bondosa, baronesa, mas estes tecidos são caros e não condizem com a minha posição. Vou cumprir sua ordem e comparecer ao baile, mas para mim um simples vestido branco é mais adequado.

A sra. Zibakh balançou a cabeça.

– A senhorita é incorrigível em seu orgulho e não vou insistir. Pelo menos, aceite que a minha costureira a vista e enfeite o seu vestido branco com este lindo colar de flores brancas. Esta guirlanda deve combinar bem em seus cabelos dourados.

– Agradeço e aceito – respondeu Líllia, mesmo contra a vontade, sem querer ofender a baronesa.

Em seguida Eleonora propôs que bebessem juntas um chocolate quente.

– Ouça, minha querida Nora, há muito tempo queria conversar seriamente com a senhorita – disse a baronesa passando biscoitos para Líllia. – Parece insensato de sua parte não incentivar a corte do doutor Folkmar que está tão apaixonado. Além da garantia que representa o caráter dele, ele é um ótimo partido. Possui uma magnífica propriedade vizinha da propriedade do meu primo Reckenstein. E tenho certeza de que Folkmar é suficientemente desapegado e está pronto para casar com você apesar de a senhorita não ter qualquer capital.

Uma profunda dobra juntou as sobrancelhas da moça.

– Sempre imaginei que a atenção que o sr. Folkmar me concede não passasse de simpatia passageira e ficaria desesperada se tivesse lhe incutido um sentimento mais profundo ao qual não posso corresponder. Por isso não incentivava e nunca vou incentivá-lo. E a senhora me faria um grande favor, baronesa, se desse a entender ao doutor na primeira oportunidade que não pretendo casar com ele nem com ninguém, mesmo que seja um príncipe de sangue real.

Eleonora colocou a sua xícara na mesa e olhou para Líllia com um jeito que dizia mais claramente que as palavras: *"Ou está brincando ou deve ser louca."* Mas o tom e o olhar de Líllia convenceram-na imediatamente de que a moça falava sério e com consciência.

– Neste caso, só posso lamentar pelo pobre Folkmar – disse a baronesa, com tristeza. – Quanto à sua fantasia de desistir do casamento, rejeitar o amor de um homem jovem e bonito, desistir de uma vida na riqueza e na independência para permanecer na situação de subordinada, essa idéia seria extremamente estranha se não tivesse motivos importantes por trás. Ouça, minha filha, não baixe os olhos e não seja tão misteriosa. Suspeito de que teve de suportar um grave percalço do destino. Tudo faz pensar assim, e a aliança em seu dedo indica que já esteve compromissada. Não negue. Eu a compreendo, pois já tive minhas desilusões amorosas. Mas, acredite, o destino freqüentemente aplaca essas provações e elas são esquecidas. Mas será que você foi tão descuidada que ficou amarrada a um juramento?

– Sim, baronesa, estou presa à palavra dada.

– Não devia fazer isso. Os homens traem tão facilmente... Quando perdeu o seu noivo?

– No próprio dia do casamento – respondeu baixinho Líllia.

– Mas que baixeza da parte dele! Neste caso, o traidor, pela ação dele, livrou-a da palavra dada – exclamou animada a baronesa.

– Não, pois apesar da traição, permaneço fiel ao meu juramento. Quanto a ele, deixe que aja como lhe ditar a sua consciência.

A baronesa continuou a tentar fazer a moça mudar de opinião, mas, percebendo que aquele assunto desgastava demais a sua interlocutora, apressou-se a encerrá-lo.

– Não vamos mais falar disso, pois vejo que a deixo constrangida. Vá para o seu quarto, minha filha, e descanse. Está pálida e abatida.

A moça imediatamente aproveitou a autorização. A tagarelice de Eleonora fora desgastante para ela, mas, lembrando que precisava terminar a tela, decidiu ir ao gabinete de trabalho. Imersa em tristes pensamentos ela estava passando cabisbaixa pela grande sala quando de repente a porta abriu-se e entrou Tancredo. Líllia não esperava encontrar o conde sobre quem estava pensando naquele momento, e estancou, pálida.

– Assustei-a, senhorita Berg? – perguntou Tancredo, estendendo-lhe a mão e sorrindo, pois notou a emoção que seu reaparecimento provocara.

– Nem um pouco, conde. Estava tão entretida em meus pensamentos que o barulho da porta se abrindo me fez estremecer – respondeu a moça, cerimoniosamente tocando os dedos da mão estendida.

– A senhorita anda sonhando em pleno dia e está tão pálida e triste... Se não for uma pergunta indiscreta, gostaria de saber quem é o feliz objeto de seus pensamentos. Talvez até possa adivinhá-lo – disse o conde maliciosamente.

– O senhor está enganado, conde. Não pensava sobre mim – um subordinado não tem muito tempo para isso –, mas nas obrigações que ainda preciso cumprir. A palavra "obrigação" tem tão pouco significado para os felizardos do mundo, as pessoas ricas e independentes como o senhor.

Líllia levantou os olhos e seu olhar duro e zombeteiro cravou-se nos olhos do seu interlocutor como duas lâminas de aço. Tancredo ficou vermelho, mas não teve tempo de retrucar, pois entrou a camareira de Eleonora para informar que a baronesa pedia ao conde que aguardasse. Quando a camareira saiu, o rapaz foi ao quarto de trabalhos manuais onde Líllia já estava sentada diante da tela e sentou-se diante dela.

Foi um longo silêncio. O conde fumava um charuto sem tirar os olhos da moça que bordava sem levantar a cabeça, mas parecia muito emocionada. Seu rosto transparente passava de vermelho para pálido e sua mão tremia nervosamente a cada nó que aplicava no tecido. Realmente, Líllia estava muito embaraçada. Pela primeira vez estava a sós com Tancredo, sentia que o seu olhar pesava sobre ela e a consciência de que ele notava seu nervosismo aumentava ainda mais o seu embaraço e a sua irritação nervosa.

– Talvez lhe desagrade que eu sente aqui – perguntou finalmente o rapaz, com voz surda.

Num grande esforço Líllia dominou os nervos e respondeu num tom baixo, mas tranqüilo:

– Nem um pouco, conde. Por que a sua presença poderia me desagradar? Aliás, na casa da baronesa o senhor tem completa liberdade de estar em qualquer quarto.

A chegada de Eleonora pôs um fim àquela conversa. Cumprimentando o primo e repreendendo-o pela hora um tanto matutina da visita, dirigiu-se à dama de companhia.

– Querida, eu lhe disse para ir descansar e você acabou voltando ao trabalho. Vá, por favor, descanse um pouco, pois parece exausta. Não quero mais vê-la até a hora do almoço.

Ela tomou das mãos de Líllia as agulhas e obrigou-a a ir embora.

Tancredo entregou à baronesa o ingresso da tribuna para a reunião da corte que ela desejava ter e, sentando-se ao seu lado no pequeno divã, disse:

– Meu Deus, quanto barulho por causa de uma pequena indisposição da dama de companhia, minha querida Eleonora. Nunca imaginei que fosse tão sensível.

– Ah, Tancredo, pare de zombar. A pobre moça precisa descansar depois da conversa que tivemos. O que eu soube do seu passado...

– Algo trágico? – interrompeu-a o conde.

– Exatamente. Ela perdeu os seus bens e, por causa disso, seu noivo deixou-a. Ela me disse que jurou nunca mais casar, o que é muito triste para o nosso pobre Folkmar que parece estar seriamente apaixonado.

– Ah, querida prima, tais juramentos são guardados até a primeira oportunidade. Ela mais parece uma mulher divorciada ou separada do marido. Você pode ver isso nos seus documentos – observou Tancredo, virando-se para arrumar os livros sobre a mesa.

– Não, em seu passaporte consta o nome de senhorita Nora Berg. E lembro agora que a senhorita Henriette disse-me, ao recomendá-la, que ela é filha de um médico de aldeia cujo nome esqueci. Parece-me que a mãe é italiana. Nora tem um parente doente que ela sustenta.

Assim, de maneira franca e inocente, Eleonora misturava o que lhe haviam dito sobre uma outra moça com a biografia de Líllia. O conde nada respondeu, mas passou a mão pela testa com um profundo suspiro.

Finalmente, chegou o dia do baile. As salas da baronesa, decoradas artisticamente com flores e totalmente iluminadas, já estavam cheias de convidados, mas Líllia permanecia em seu quarto, sentindo uma intransponível aversão por tomar parte naquele baile. Pálida, de cenho franzido, estava parada junto à janela, encostando a testa no vidro e imersa em sombrios pensamentos.

Antes disso, a moça ficara se olhando longamente no espelho, avaliando-se com a seriedade impassiva de um crítico. Não era à toa que era mulher e artista. Não podia deixar de perceber que podia tranqüilamente rivalizar com as mais destacadas beldades, apesar da simplicidade puritana do seu traje. Vestia um vestido branco de gaze, enfeitado de laços e buquês de flores brancas. Uma coroa dessas flores estava em seus cabelos, enrolados na testa e emoldurando o seu delicado rosto com uma aura dourada. Dois fios com cristal de rocha passavam em seu pescoço cuja brancura competia com o seu vestido. E pensava: *"Teria ele agora vergonha de me conduzir pelo braço, aquele vaidoso homem sem coração? Não, percebi pelos seus olhares que me acha bonita."*

A chegada impetuosa de Nani fê-la voltar à realidade.

– Meu Deus! É a terceira vez, senhorita, que venho informar que a baronesa está chamando-a e que o doutor Folkmar veio saber por que ainda não foi. Ele a aguarda no corredor – disse a camareira, resfolegando.

Sem nada responder, Líllia pegou seu caderninho de baile, o leque e saiu do quarto.

Folkmar, de fraque e gravata branca, estava encostado na porta que levava ao refeitório. Ao ver a moça, uma luz de apaixonada admiração brilhou em seus olhos. Quando, em seguida, apoiando-se em seu braço, Líllia passou com ele por longa fileira de quartos, ele inclinou-se para ela e disse com voz trêmula:

– Por que evita as pessoas e o divertimento? Por que o triste passado deve eternamente obscurecer a sua alma e uma amizade sincera será que não poderia semear nela alguns germes de vida e esperanças?

Líllia ficou vermelha. Percebeu que a baronesa transmitira seu recado e que ele não queria desistir de suas intenções.

– Existem circunstâncias que aniquilam para sempre qualquer germe de vida, tornando impossível qualquer renascimento.

– Mas, não! Um coração jovem é infinitamente criativo. Só é preciso paciência e dar tempo para o passado cobrir-se de mato – objetou Folkmar com um alegre sorriso. – Mas, por enquanto, senhorita Nora, permita-me requisitá-la para a próxima valsa.

Entrando no grande salão, Líllia procurava com os olhos a baronesa e não a achava. Mas logo viu Sílvia. Pálida e nitidamente cansada, a jovem condessa ia para a sala contígua. Líllia apressou-se em alcançá-la e ambas sentaram-se no pequeno divã, oculto entre as flores.

– Se soubesse, senhorita Berg, como este barulho, a música e principalmente as danças me afetam nos nervos! Tancredo acha que isto é um divertimento ao qual devo me acostumar. Tento cumprir o desejo dele, mas está muito difícil.

Em seguida, dando uma olhada em Líllia, disse sorrindo:

– Querida Nora, está maravilhosa hoje! Se estou maravilhada, imagine o que vai acontecer com os homens! E seus olhos! Ah, os seus olhos! Não consigo deixar de olhá-los.

– Estou muito contente de que eles lhe agradem.

– Sim, me agradam e me lembram alguém...

Sílvia suspirou, mas não terminou a frase, pois naquele instante o médico e um oficial da cavalaria entraram na sala à procura de suas damas para a valsa que já começava a tocar.

Líllia nunca estivera em bailes e não estava acostumada a dançar, por isso, após algumas voltas com o médico, ficou tão ofegante que pediu para ele levá-la a outra sala para descansar um pouco. Folkmar ficou radiante com a oportunidade de admirá-la em liberdade e levou-a a uma pequena sala preparada para jogo de baralho e desocupada no momento. Assim que sentaram, entrou Tancredo enxugando o rosto vermelho de tanto dançar. Vendo Líllia, parou e lançou um olhar flamejante à maravilhosa moça. Ele não imaginava que ela pudesse ser tão linda.

– Estou à sua procura, Eugênio. A condessa Ferner quer lhe falar – disse ele. Em seguida, aproximando-se de Líllia, disse, fazendo-lhe uma reverência:

– Permita-me convidá-la para uma valsa.

O rosto de Líllia adquiriu imediatamente uma expressão fria e hostil como sempre acontecia quando ela se relacionava com Tancredo. Mas o conde não ligou para isso e, sem esperar a anuência da moça que não tinha motivos para negar, deu-lhe o braço e levou-a para o salão. O coração dela batia tão fortemente que parecia pronto a estourar. Um estranho sentimento de felicidade, misturado à amarga mágoa, pesava-lhe na alma. Queria escapar dos braços que a envolviam e correr, fugir para longe daquele a quem gostaria de nunca confessar quem era. Por um instante seus olhares se encontraram. O olhar do conde expressava uma admiração tão sincera e com tanta ousadia encarava a moça que ela desviou os olhos embaraçada e nervosa.

A beleza da moça que dançava com o conde Reckenstein chamou a atenção geral e Líllia logo foi cercada de dançarinos, apesar de suas tentativas de ocultar-se e não ser obrigada a dançar. A baronesa notou-a, passando por perto, sorriu maliciosamente ao ver Folkmar atrás de sua cadeira e desapareceu na multidão.

Havia acabado uma quadrilha quando Líllia ouviu uma estranha agitação no fundo da sala. Aproximou-se rapidamente. Naquele instante a multidão abriu-se e ela viu que o médico e um outro rapaz levantavam Sílvia que havia desmaiado.

– Meu Deus! O que aconteceu? – perguntou Líllia, preocupada.

– Nada grave, espero – respondeu Folkmar. – Por favor, ajude-me a prestar os primeiros socorros à condessa.

Sílvia foi levada ao dormitório da baronesa, onde a camareira desamarrou seu espartilho. Em seguida, Líllia massageou suas têmporas com vinagre aromático enquanto o médico a fazia cheirar sais.

– Isto não é nada. Ela dançou demais para uma primeira vez e o barulho afetou a sua fraca natureza. Por favor, senhorita Nora, vá avisar o conde que a sua irmã está passando mal.

Líllia apressou-se em cumprir a ordem, mas, passando por todos os quartos, não localizou Tancredo. Sem saber o que fazer, foi dar uma olhada no quarto junto ao refeitório onde, para aquele dia, haviam guardado todos os móveis desnecessários dos outros recintos. Ao levantar a cortina ela viu a baronesa e Tancredo ao seu lado com o braço em volta de sua cintura. Em seguida, ele inclinou-se para ela e o som de um beijo tocou os ouvidos de Líllia. Pálida como a morte, a moça estancou. A baronesa não se opunha e correspondia ao beijo. De repente, o conde percebeu o olhar fulminante e hostil dirigido para ele e endireitou-se empalidecendo, enquanto Eleonora soltou um grito surdo.

– A senhorita De-Moreira sentiu-se mal e o doutor pede-lhe ir vê-la imediatamente no dormitório da baronesa – apressou-se em dizer Líllia, evitando desse modo quaisquer explicações, e, sem esperar resposta, saiu rapidamente do quarto.

A moça sufocava de indignação. Ela não se dava conta de que a fonte de ódio, ira e desprezo que fervia em seu coração era ciúme. Sentia somente uma grande necessidade de ficar só, porém naquele momento não podia. Ela ia quase correndo pelo corredor que levava para seu quarto quando, de repente, quase atropelou o médico que saía do dormitório da baronesa.

– Encontrou o conde, senhorita Berg? Sua irmã voltou a si. Mas, meu Deus! O que lhe aconteceu? – exclamou ele de repente e levou-a para perto da lâmpada pendurada no teto. – A senhorita também está doente. Vou dar-lhe gotas tranqüilizantes, pois está com a aparência de ter sofrido um choque – acrescentou ele, balançando a cabeça.

Essas palavras fizeram Líllia recuperar imediatamente a presença de espírito. Superando energicamente a tempestade interior, respondeu, sorrindo:

– O senhor tem uma terrível imaginação para um homem da ciência. Simplesmente estou cansada, pois nunca antes dancei tanto. Gostaria muito de tomar as gotas tranqüilizantes, pois o barulho do baile fez meu coração disparar. Mas estou absolutamente bem.

– Neste caso, fique um pouco com a condessa Sílvia. Ela deve descansar por uma ou duas horas antes de partir – disse Folkmar, examinando o rosto de Líllia com um longo e atento olhar.

Sílvia estava deitada no sofá, com a cabeça numa almofada. Seu rosto, mortalmente pálido, animou-se com um sorriso quando Líllia aproximou-se dela e disse:

– Vou ficar aqui, condessa, para assisti-la e diverti-la, se me permitir.

– Claro! Fico-lhe muito grata, senhorita Nora, mas como posso aceitar este seu sacrifício e privá-la do baile? – respondeu Sílvia segurando amigavelmente sua mão.

– Ah, não tenha receio de me privar desse divertimento que para mim é uma tortura, e fico feliz em livrar-me disso – respondeu Líllia, mal contendo o próprio nervosismo. Naquele momento soltou a mão e afastou-se alguns passos. Ela viu, ou melhor, sentiu que o conde e a baronesa haviam entrado no quarto.

– O que lhe aconteceu, minha querida? Como se sente? – perguntou Tancredo, preocupado, enquanto Eleonora debruçava-se sobre a moça e a beijava.

– Estou melhor. Até sinto-me bem só, estou apenas cansada. Tive uma vertigem por não estar acostumada ao barulho. Mas, por favor, prima, volte ao salão; você não pode deixar de estar lá. E você, Tancredo, vá e se divirta. A bondosa senhorita Nora prefere ficar aqui comigo.

Após conversar um pouco com Sílvia e dizer algumas palavras amáveis à dama de companhia, a baronesa sumiu. Mas Tancredo sentou-se à beira do divã e continuou a conversar com a irmã.

Líllia aproximou-se da mesa e, enquanto preparava para si as gotas tranqüilizantes, observava de soslaio o marido, surpresa com o carinho que soava em sua voz e se refletia em todos os seus movimentos, pois ela considerava aquele homem arrogante e negligente incapaz disso.

– Você quer que eu fique com você? Receio deixá-la, pois está tão pálida – disse o conde beijando a testa e o rosto da irmã, enquanto ela afagava com a mão os seus negros cabelos.

– Não, não quero que fique. Vá dançar. Eu e a senhorita Berg vamos nos distrair aqui, pois ela também não gosta de bailes.

– Sim, até ouvi falar que ela considera-os como tortura – disse o conde levantando-se. – Estranha fantasia de duas moças evitar os divertimentos próprios de sua idade.

– O que vai se fazer, conde? Para tudo é preciso uma inclinação. Até para aproveitar as alegrias ocasionais – observou Líllia olhando para Tancredo que visivelmente embaraçado, parara próximo à mesa. Ao ouvir essas palavras os olhos de Tancredo faiscaram de raiva, mas ele não saía do lugar. Querendo dizer algo, mas não se decidindo, brincava nervosamente com a corrente do relógio. Líllia compreendeu que ele queria pedir-lhe silêncio sobre o beijo de que fora testemunha e lhe veio uma forte vontade de espicaçá-lo.

– O senhor quer me dizer algo, conde? – perguntou ela olhando-o zombeteiramente. Em seguida, baixando a voz, acrescentou:

– Estou percebendo que o senhor quer me dar a oportunidade de cumprimentá-lo por ocasião de seu noivado com a baronesa.

Tancredo empalideceu imediatamente e, medindo a sua interlocutora com um olhar de frieza e desprezo, respondeu:

– A senhorita está se precipitando em decidir as minhas intenções e dando importância exagerada a simples amabilidades entre parentes. Minha prima estava pagando uma aposta que perdeu.

Ele deu-lhe as costas e saiu, enquanto Líllia inclinou-se sobre a mesa para ocultar a sua vontade de rir. A esperteza com que o conde saía da difícil situação devolveu-lhe sua boa disposição.

Sílvia observava atentamente a cena ocorrida junto à mesa e quando Líllia sentou-se ao seu lado, a jovem condessa pegou a sua mão e, de repente, perguntou:

– Senhorita Nora, por que odeia Tancredo? Seus lindos olhos que eu gosto tanto de admirar, pois eles me transmitem paz e bem-estar, mudam de expressão quando conversa com meu irmão. E, quando vejo, como aconteceu há pouco, aquele olhar sério e impiedoso, meu sangue gela e me lembra um homem que nunca vou esquecer. Rezo por ele diariamente.

– Se os meus olhos lembram-lhe uma pessoa que deixou uma impressão tão forte em seu jovem coração, então fico muito magoada com esta infeliz semelhança, pois gostaria de vê-la feliz e tranqüila – disse Líllia baixinho.

– Não, Nora, penso sobre ele como um ser elevado, como um mártir ou santo. Não posso lhe contar mais do que isso. Mas não é ele a causa de meus tristes pensamentos e das torturantes visões que me perseguem.

Uma profunda emoção tomou conta do coração de Líllia e ela, agradecida e amorosa, inclinou-se para a linda menina que guardava de seu pai uma lembrança tão boa.

– Afaste estes tristes pensamentos e não deixe que o passado obscureça o seu brilhante futuro.

Sílvia suspirou.

– Ninguém sabe o que este futuro ameaçador prepara a cada um de nós. A vida de certas pessoas que promete ser tão brilhante acaba se extinguindo em sangue e pecado. A senhorita me passa uma confiança tão grande que vou contar-lhe a que me refiro. Estou falando da morte de meu pai. Ele era tão bonito e bondoso e, mesmo assim, suicidou-se num acesso de profunda melancolia.

Sua voz embargou e lágrimas amargas correram pela face.

– Não se emocione assim, não pense sobre essa desgraça – disse Líllia, compadecida.

– Ah, isso é impossível. A cada dia, rezo de joelhos implorando a Deus perdoar-lhe essa criminosa morte. Mas será que a minha prece chega ao céu?

– Não tenha dúvida disso. Uma prece sincera vinda de um coração inocente como o seu não pode deixar de alcançar o misericordioso Deus. Esteja certa de que ela refresca a alma de seu pai como um orvalho benfazejo. As pessoas que amamos não desaparecem no túmulo como num abismo. Sua alma permanece perto de nós, conhece todos os nossos pensamentos e recebe forças e esperanças do nosso amor.

– Então, Nora, acredita que ele não será amaldiçoado nem entregue ao fogo eterno? O padre que convidamos chamou-o de amaldiçoado e negou-se a sepultá-lo pelo rito da igreja. Na época eu fiquei doente, mas mamãe me contou que o bispo apiedara-se mais tarde e sepultara o papai como um cristão.

Líllia balançou a cabeça em sinal de desaprovação.

– Como se pode imaginar que o Criador do mundo, grande e perfeito, pode condenar sem piedade uma criatura sua porque esta, fraca e vacilante, não suportou as provações da vida? Não, condessa, os homens em sua cegueira fizeram Dele um carrasco, um impiedoso vingador por cada transgressão de seus mandamentos. O próprio Jesus disse que o Senhor do mundo é também um pai infinitamente misericordioso que recebe com amor e docilidade a cada pecador arrependido. Aquele que morreu na cruz rezando por seus inimigos representou a Quem o enviou. Lembre-se disso e reze, pensando em seu pai, não como criminoso, mas como doente que, em virtude da fraqueza, não agüentou o próprio mal, e creia firmemente que o Médico celestial de nossas almas lhe enviará paz e cura. Caso se convença disso e faça a alma do falecido conde participar de suas preces, a triste impressão de seus últimos minutos de vida desaparecerá de sua memória e você se lembrará dele somente como uma pessoa ausente com quem mantém uma relação espiritual.

Sílvia ergueu-se com um sorriso feliz nos lábios e os olhos brilhando.

– Oh, como suas palavras me tranqüilizam! Como compreende o estado do meu espírito! – exclamou ela, puxando Líllia para si e abraçando-a com ternura. – Como pude duvidar da bondade divina? Mas o meu confessor é tão severo enquanto a bondosa Herbert é tão carola que com ela não consigo conversar e suas opiniões não me servem de apoio nem de consolo. Mas, com você, querida Nora, é muito diferente. Desculpe-me chamá-la com tanta familiaridade, mas gosto de você cada vez mais. Mais uma pergunta: quando o culpado e a vítima se confraternizam antes da morte, essa confraternização continua também no céu?

– Se o perdão da vítima foi de coração e o arrependimento do culpado também, então imagino que esse solene momento deve pôr um fim ao ódio e unir os confraternizantes na vida além-túmulo para se aperfeiçoarem no bem.

– Sim, deve ser assim que acontece. Mas não me respondeu por que odeia o meu irmão.

– Não posso ter motivos para odiá-lo. O destino nos colocou muito distantes um do outro. Eu, simplesmente, não sinto simpatia pelo conde: ele é leviano e arrogante com suas conquistas.

Sílvia suspirou.

– É verdade. Ele é um pouco petulante. Mas a culpa é das mulheres: elas o mimaram demais. Todavia, acredite, ele tem um bom e amoroso coração.

Líllia nada respondeu e mudou novamente o assunto para religião. Quanto mais elas conversavam, mais crescia a simpatia mútua. Da parte de Sílvia, mais comunicativa e menos desconfiada, aquela simpatia tornou-se amizade.

No dia seguinte, após a refeição matinal, a baronesa, naturalmente instruída pelo conde, disse a Líllia:

– Ontem, quando a senhorita veio nos chamar, o levado Tancredo obrigou-me a pagar com um beijo uma aposta que perdi. Mas, entenda, querida Nora, que apesar de nosso parentesco eu lhe recusaria isso se não levasse em conta que em breve teremos uma relação muito mais estreita.

Essas palavras provocaram no coração de Líllia um sentimento de zombaria quanto à baronesa e ódio e desprezo pelo conde que tão descaradamente enganava a prima cheia de esperanças.

Aliás, as semanas seguintes deram tanto trabalho à moça que ela não teve tempo para pensar e nem aparecia na sociedade. Aproximavam-se as festas natalinas e era preciso preparar tantos presentes para os parentes de Eleonora que sua cabeça girava. Além disso, a baronesa preparava inúmeros objetos artísticos para o bingo e o bazar beneficente organizado por iniciativa do prelado em favor dos arruinados. Naturalmente, toda a carga de trabalho caiu sobre Líllia que passava dias inteiros e parte da noite pintando e bordando.

Sílvia aparecia freqüentemente para passar o tempo com ela e contar as novidades do dia. A baronesa era a encarnação da atividade, pois além de suas próprias invenções ajudava Tancredo a organizar duas festas que o conde pretendia dar no Natal e no Réveillon: um baile à fantasia e uma de quadros vivos. Para os quadros era preciso escolher os temas e os protagonistas, o que pretendiam fazer na próxima reunião dançante na casa da sra. Zibakh.

No dia da reunião, Tancredo, sua irmã e o doutor foram convidados para almoçar e ficar para a reunião. Os três chegaram cedo e como Eleonora ainda não havia voltado da cidade, os rapazes seguiram Sílvia até a oficina onde Líllia terminava de pintar um pequeno quadro para o bazar. Era uma cópia da fotografia de uma obra de famoso pintor representando uma libertina diante de Jesus.

Sílvia sentou-se perto da amiga e seguia atentamente cada movimento do pincel. Folkmar sentou-se do lado oposto, enquanto o conde examinava os objetos que a baronesa doaria para o bazar beneficente. Depois de ver tudo, aproximou-se do cavalete e ao primeiro olhar para o quadro disse:

– Bah! Que tema antipático este, senhorita Berg. Esta grande pecadora nada tem de poético enquanto os judeus com pedras na mão parecem verdadeiros canibais. Eis um quadro que eu definitivamente não compraria.

– Ótimo – interrompeu-o Sílvia –, pois quero pedir-lhe para comprá-lo para mim.

– Por que este tema não lhe agrada, conde? – perguntou Líllia dirigindo para ele o seu olhar. – Será que o senhor acha excessivamente cruéis os costumes dos antigos hebreus para com as esposas infiéis?

– Naturalmente – intrometeu-se Folkmar. – É cruel matar mulheres que se entregam ao mais poderoso de todos os sentimentos. Estou do lado do sexo fraco.

– Desculpe, Eugênio, mas não compartilho de sua liberalidade. A mulher que trai o marido merece morrer. Com seu comportamento ela mina a felicidade da família e as próprias bases do bem-estar social.

Enquanto isso, Líllia, terminando a pintura, levantou-se e, recolhendo as tintas, disse com malicioso sorriso:

– Concordo com o sr. Reckenstein. A transgressão da fidelidade matrimonial é um crime tão hediondo que merece a morte. Só que esta lei deveria se estender de forma idêntica às mulheres e aos homens. Um marido infiel, que ignora o juramento dado, seria tão culpado e mereceria o mesmo castigo. Sua esposa deveria jogar nele a primeira pedra e depois dela todas as mulheres traídas seriam obrigadas a matá-lo. Se fosse descoberto que ele ocultava que era casado, o castigo seria maior. Por exemplo, antes de matá-lo ele seria submetido a insultos e reprimendas de todas as mulheres traídas.

Tancredo ficou muito vermelho e virou o rosto tão rapidamente que derrubou uma pequena estante com porcelana.

– Oh, como sou desajeitado! – disse ele, abaixando-se para pegar os cacos.

Naquele instante entrou Eleonora e disse, rindo:

– Mas que devastação está fazendo aqui, primo! Parece que pretende quebrar os melhores prêmios do bingo!

– É que ele assustou-se com a idéia de ser apedrejado, se arriscar casar-se – explicou Folkmar e contou à baronesa do que se tratava.

– É verdade. Tremi dos pés à cabeça só de imaginar o campo de extermínio que se transformaria Berlim se essa cruel lei fosse posta em execução – disse Tancredo, readiquirindo o seu bom humor. – O olhar fulminante da srta. Berg obriga-me a supor que ela tem uma raiva oculta exclusivamente contra os maridos infiéis e jogaria neles, sem vacilar, uma pedra tão grande que os mataria a todos de uma vez – acrescentou ele, olhando maliciosamente para a aliança que Líllia usava.

Foi a vez de ela corar. O conde percebeu isso e, sorrindo satisfeito, deu o braço à baronesa e conduziu-a à mesa.

Após o almoço, Líllia saiu para terminar outro trabalho urgente e, principalmente, para ficar só, pois a presença de Tancredo sempre lhe era incômoda. E, sabendo que era aguardado para a reunião um grande número de pessoas, esperava que a baronesa a deixasse em paz.

Apesar da ostensiva insatisfação do doutor, Eleonora não segurou a moça e somente pediu-lhe para tocar algo. Como Sílvia estava lendo um livro que tinha pressa de terminar, a sra. Zibakh espertamente arranjou para si um jeito de ficar a sós com Tancredo.

Mais tarde o pequeno grupo reuniu-se novamente à espera dos convidados e a conversa girou em torno dos quadros vivos que pretendiam organizar.

– Eles podem ser magníficos! Temos grande escolha de lindas mulheres e bonitos homens – disse animada a baronesa. – Convidei um jovem pintor, o sr. Lindberg, para ajudar-nos a organizar artisticamente os quadros. Só precisamos escolher alguns temas interessantes.

– Isso será fácil – observou Folkmar. – Por exemplo, o festim de Cleópatra e Antônio. Seu tipo de beleza parece feito para este papel. E imagino que o traje de egípcia deve cair-lhe muito bem. Já Tancredo será um ótimo Antônio.

– Agradeço, mas não tenho a mínima vontade de cortar minha barba para isso.

– Deus do céu, Tancredo! Ela vai crescer de novo. E, depois, provavelmente havia romanos que usavam barba. Cheguei a ver um quadro de Antônio com barba.

– Está bem, já temos os nossos papéis e eu proponho escolher para Folkmar algum papel típico. Por exemplo, um funeral chinês. Você, Eugênio, vai à frente da procissão enquanto os parentes e amigos do falecido que você mandou para o outro mundo pretendem apedrejá-lo, cuspir em você e demonstrar-lhe por todos os meios, a revolta deles. Esse quadro seria muito decorativo e, além disso, didático.

– Vejam só, que língua venenosa! Eu imagino para ele um magnífico papel enquanto ele quer me escandalizar publicamente. Então é melhor você representar um marido infiel que todas as mulheres traídas apedrejam.

– Calma, amigão – disse Tancredo, rindo e batendo-lhe no ombro. – Para consolá-lo, nós também apresentaremos a Lorelei e você em êxtase diante dela junto ao sopé do penhasco.

A chegada do primeiro convidado interrompeu a tagarelice. Todos os convidados foram chegando aos poucos e recomeçou a infindável discussão, pois não é fácil agradar a todos e dar a cada um o papel de acordo com sua aparência. Quando serviram o chá, a baronesa mandou chamar Líllia. Eleonora queria dar um prazer ao doutor e, além disso, a moça agradava às damas por sua discrição e bom-tom e aos homens por sua beleza, e todos eram mais amáveis com ela do que com qualquer outra dama de companhia.

Quando o grupo reuniu-se novamente no salão, começaram as mais calorosas discussões. O assunto era a cena final. Seria desejável escolher um quadro muito bonito e abundante em protagonistas. Todas as idéias sugeridas encontravam alguma oposição. Tancredo sugeriu perguntar à Líllia, que permanecia calada e sobre a qual ele não parava de lançar seus olhares.

– A senhorita Berg tem um fantástico gosto artístico e idéias picantes! Aposto que ela achará um tema que irá agradar a todos.

Líllia levantou a cabeça e, encontrando o seu olhar zombeteiro e desafiador, sorriu.

– Tenho uma idéia para um tema que corresponde a todas as condições, mas temo que o senhor não vá querê-lo.

– Mas por quê? Se o papel que me designar for bom e decorativo, prometo aceitá-lo e até juro que aceito. Todos aqui são testemunhas.

– Neste caso, proponho representar o conde de-Gleykhen diante do trono do imperador, apresentando-lhe suas esposas. O luxo dos trajes medievais será altamente decorativo. Além disso, o quadro tem a vantagem de incluir quatro papéis principais: o imperador, o conde e as suas duas esposas diferentes no tipo e nos trajes.

Uma explosão de riso homérico explodiu na sala. Em seguida, ouviram-se gritos e exclamações:

– Sim, sim! Aprovamos este quadro. O senhor, conde, irá representar o papel do conde Gleykhen. O senhor deve aceitar este papel, pois jurou aceitá-lo – diziam ao mesmo tempo os homens e as damas.

Um forte rubor cobriu a face de Tancredo, enquanto ele olhava assustado para Líllia. Mas ela não teve tempo de dizer-lhe nada, pois uma das damas, esposa de um membro da embaixada francesa, pediu-lhe explicações:

– Não conheço esse tema. Que conde é esse que tem duas esposas?

– Dizem que houve um assim – respondeu Eleonora, continuando a rir. – Vou resumir-lhe a lenda. Se não me engano, isso aconteceu durante a primeira ou a segunda Cruzada. O jovem conde Gleykhen viajou para a Palestina e deixou em seu castelo a jovem esposa que o adorava. A campanha não foi favorável ao conde. Ele foi capturado pelos Sarracenos e tornou-se um escravo na casa de um parente do califa. Por um acaso ele não entrou na relação de prisioneiros destinados ao resgate e morreria escravo se a filha do paxá não tivesse se apaixonado loucamente por ele, vendo-o no jardim onde o obrigavam a trabalhar. A lenda não conta como o conde e a sarracena se conheceram e se apaixonaram. Só que, finalmente, a moça ajudou-o a fugir e fugiu com ele, levando junto suas jóias que valiam uma grande fortuna. Voltando à Europa, o conde ficou numa posição difícil. Seu coração e a gratidão incutiam-lhe o desejo de dar uma posição respeitosa à mulher que sacrificara tudo por ele enquanto o seu primeiro casamento não lhe permitia nada disso. A jovem condessa sentia-se tão agradecida à mulher que salvara o seu adorado esposo que queria entrar para um mosteiro e deixar-lhe seu lugar. A turca não quis aceitar esse sacrifício. Para pôr um fim nessa luta de magnanimidade, eles foram a Roma pedir uma decisão ao Papa. O Santo Padre, comovido pela abnegação das duas mulheres, deu – por exceção – ao conde Gleykhen o direito de ter duas legítimas esposas e casou-o com a sarracena após batizá-la. Retornando de Roma, Gleykhen apresentou suas duas condessas ao imperador. Em seguida voltou para casa, onde, contrariando a norma – acrescenta a lenda –, viveu muito feliz, pois as duas esposas não tinham ciúmes uma da outra e nunca brigavam.

– Que lenda original! – disse a jovem francesa, rindo. – Mas quem vai representar as duas condessas Gleykhen?

– Minhas damas, quem se habilita? – perguntou um oficial, colega de Tancredo.

Como ninguém respondesse, o rapaz observou, sorrindo:

– As damas não se manifestam porque esse tipo de partilha não está de acordo com o espírito da época. Então, proponho sortear as parceiras do conde Reckenstein. Vamos escrever os nomes das lindas damas aqui presentes. Gleykhen tirará a sorte de quem o destino lhe enviar.

A proposta foi recebida com uma nova explosão de riso. Apesar da raiva que fervia em seu coração, Tancredo na aparência era obrigado a participar da alegria geral.

O príncipe G., que tivera essa idéia, partiu para sua execução. Duas moças foram ajudá-lo: uma delas cortava as tiras de papel e a outra dobrava-as assim que o príncipe escrevia nelas os nomes das damas.

Em alguns minutos estava tudo pronto. Os papéis foram colocados no quepe do cavaleiro, chacoalharam bem e, em seguida, a alegre multidão cercou Tancredo.

– Tire com as duas mãos de uma vez, Reckenstein, para não dar preferência a alguma dama – disse o príncipe, rindo.

O conde enfiou ambas as mãos no quepe, depois, num gesto teatral, estendeu-as e disse:

– Leiam: na mão direita está o nome da esposa legítima, na mão esquerda, a do coração.

O oficial a quem foi entregue um dos bilhetes abriu-o habilmente e, dirigindo uma reverência a Eleonora, disse:

– Baronesa, o destino manda-a representar a dama do coração.

Enquanto isso, o príncipe, após ler o outro bilhete, aproximou-se com um sorriso malicioso de Líllia e entregou-o a ela.

– Senhorita Berg, o destino manda-a experimentar o fruto de sua idéia e representar a esposa do conde Gleykhen.

Líllia ficou muito vermelha.

– Desculpe, príncipe, mas meu nome foi escrito por engano. Eu não participo de festas organizadas pelo conde Reckenstein e ele terá de tirar outro bilhete.

– Mas por quê, querida Nora? Gostaria muito que participasse dos quadros – apressou-se a dizer Sílvia.

– Por favor, não! – retrucava Líllia, balançando energicamente a cabeça.

Tancredo observava com olhar faiscante aquela pequena cena. Diante da negativa da moça, ele aproximou-se dela.

– Se o quadro foi aprovado por unanimidade, então quero que ele fique como o destino escolheu. Caso contrário, eu me recuso a participar, pois acho inteiramente justo que a senhorita pague pelas suas maldosas idéias participando de sua realização.

– Aceite, aceite, Nora! Já que ele começou a teimar é melhor atender ao seu pedido, exclamou a baronesa.

O jovem pintor acrescentou com entusiasmo.

– Imploro-lhe, senhorita Berg, não nos prive da possibilidade de montar esse lindo quadro. O espírito de Ticiano guiou as mãos do conde, pois a sra. Zibakh, com sua parcial beleza oriental, será uma linda sarracena, enquanto a senhorita, com seu rosto de cor lilás e cabelos ruivo-dourados, representará uma ideal proprietária do castelo.

– Então, senhorita Berg – disse novamente Tancredo a Líllia. – Decida se quer ou não ser a condessa de Gleykhen, a minha legítima esposa.

– Já que não há outra saída, devo concordar – respondeu Líllia num tom de zombaria e aversão tão ostensivo que todos, inclusive Tancredo, gargalharam.

– Agradeço-lhe, apesar de sua anuência ter sido pouco lisonjeira para mim – disse o conde com profunda reverência.

O rapaz voltou para casa sombrio e preocupado. Não podia deixar de reconhecer que o sentimento que tinha pela pobre dama de companhia de sua prima era de caráter sério e ameaçava-o com uma paixão ainda mais perigosa por ser impossível. Ele compreendia bem o caráter da moça para saber que ela era inacessível para uma relação passageira e casar-se com ela não podia, mesmo que quisesse. *"Ah! Só me faltava uma infeliz paixão por esta desconhecida que me odeia e parece saber meu segredo. Mas quem poderia tê-lo revelado a ela? Seria ela uma parente de Líllia? Sua estranha semelhança com o tipo dos Verenfels, bem como suas alusões, faz pressupor isso. Ela me constrange quando me olha com aqueles olhos de veludo e sinto que estou sendo dominado por ela e que ela está despertando em mim desejos que nenhuma outra mulher no mundo despertou. Maldita hora que liguei minha vida à mulher que se esconde de mim e talvez já tenha morrido, pois faz mais de quatro anos que desapareceu. E se eu estou livre e não sei disso? Mas como saber? Se procurar, acabo levantando esta história escandalosa! Não, é melhor ter paciência!"* Com um surdo gemido jogou-se no sofá.

Sob a influência do sentimento que cada vez mais o dominava, ele ou evitava ou procurava a presença de Líllia, o que era fácil, pois a preparação dos quadros e os ensaios os reuniam freqüentemente. Quando, certa vez, a moça experimentava o traje de proprietária do castelo e a coroa heráldica que devia usar a condessa de

Gleykhen, Tancredo quase se entregou. Seu olhar de admiração cravou-se no lindo e aristocrático rosto da moça e, esquecendo-se de tudo, ele com prazer colocaria sobre aqueles cabelos ruivo-dourados a coroa dos Reckenstein.

Líllia, pelo contrário, estava desesperada por terem-na obrigado a participar daquelas festividades. Sílvia e o doutor arranjaram tão bem que a sra. Zibakh exigiu que Nora a acompanhasse ao baile de fantasia e como a moça não queria receber de presente os trajes exigidos para tais ocasiões, então todo o seu salário foi gasto nesses objetos absolutamente inúteis para ela.

No dia do baile, ela se vestiu e saiu para o saguão onde imediatamente apareceu a baronesa, linda em seu traje de madame Pompadour, crivado de brilhantes. As damas já estavam vestindo os casacos quando, de repente, ouviu-se o barulho de uma carruagem que chegava e alguém entrou correndo no saguão. Era o camareiro do general de-Wolfengagen que viera informar à baronesa que seu pai adoecera gravemente e pedia-lhe que fosse vê-lo imediatamente na carruagem que agora o estava levando ao médico.

Eleonora mordeu os lábios.

– Senhorita Berg, vá, por favor, ao castelo Reckenstein e diga ao conde que chegarei uma hora mais tarde, pois vou verificar a saúde de meu pai. Tenho certeza de que ele não corre perigo algum.

Líllia obedeceu em silêncio. Seu coração apertou-se quando a carruagem parou diante da entrada iluminada do castelo do qual ela era dona e, com o olhar embaçado pela emoção, entrou no amplo vestíbulo de onde uma larga escadaria, coberta de tapetes e enfeitada de flores e estátuas, conduzia às salas de visita do primeiro andar. O vestíbulo parecia transformado no salão de guarda do Louvre nos tempos de Carlos IX. Todos os criados estavam usando trajes daquela época, por toda a escadaria e junto às portas do salão estavam distribuídos alabardistas[3].

Líllia foi a primeira a chegar e os criados nem tiveram tempo de tirar-lhe o manto e o capuz quando apareceu Tancredo e, vendo-a sozinha, desceu rapidamente a escada. Com involuntária admiração, ela olhava para o rapaz extremamente bonito num traje do século XVI, feito a partir de um retrato daquela época. Seu branco camisolão de cetim, com aplicações de vermelho forte nas mangas, estava crivado de brilhantes, assim como o punho da espada pendurada em seu cinto.

[3] *Alabardistas – soldados portando uma arma com haste comprida de madeira, terminando por um espigão de ferro, atravessado por uma lâmina em forma de meia lua – nota da editora.*

O conde parecia nada desgostoso com a ausência da prima. Ouviu distraidamente as explicações de Líllia sobre isso, ajudando-a a tirar o capuz. Olhou com curiosidade o seu traje e reteve com dificuldade uma exclamação de admiração.

A moça vestia um traje simples representando um lírio. O vestido branco de cetim com barra moldava sua figura com dobras brilhantes; o corpete e as mangas tinham a forma de flores semi-abertas; a coroa de flores na cabeça, de botões de lírios, formava um diadema. Mas o que realmente encantou o conde foram os lindos cabelos de Líllia, que os soltara, e uma incrivelmente massa cheia, parecendo um manto brilhante e dourado, caía em mechas sedosas até quase a barra de seu vestido.

Tancredo lançou um olhar faiscante à moça, e em seguida ofereceu-lhe o braço para subir as escadas. Ele não tirava os olhos do seu rosto, sem entender a profunda emoção de Líllia que ia calada e com o coração apertado, pensando que de qualquer modo ela, apoiando-se no braço do marido, entrava nas salas onde deveria ser a senhora. De repente, ele inclinou-se para ela e pronunciou num sussurro:

– A senhorita está linda como num sonho. Ah, se todos os lírios parecessem consigo.

Linda, num traje de rainha Margot, Sílvia correu ao encontro deles e começaram novamente a falar da baronesa e da repentina doença de seu pai. Mas os convidados que chegavam sem parar forçaram os jovens anfitriões a ocupar-se de suas obrigações.

Passou-se mais de uma hora e a sra. Zibakh não aparecia. O baile estava no auge e Líllia, cuja beleza desta vez causava furor, dançava sem parar quando Tancredo apareceu para requisitá-la. A moça tentou recusar alegando cansaço, mas o conde insistia com um olhar tão encantador que ela levantou e deixou-se levar no redemoinho da valsa.

Terminada a dança, Tancredo deu-lhe o braço e disse, apontando a entrada da sala da estufa:

– Permita-me levá-la à estufa. Vejo que está cansada e aqui é abafado. A senhorita vai ver que lá é mais arejado.

Líllia lembrou as histórias do pai sobre a feérica beleza daquela sala que Arno reformara com tanto amor para agradar à sua madrasta. Muitas lembranças assaltaram-na e, sem nada responder, foi com o conde para a estufa praticamente vazia naquela hora. O que ela viu superava em muito tudo o que imaginava. Realmente, aquele cantinho tropical parecia um país de sonho com o seu verde exuberante, seus cantinhos sombreados e poéticos e a misteriosa meia-luz que o preenchia.

Lá estava a concha dourada com a Némesis de mármore encostada nela. Ali Arno entregara a Gabrielle uma caixa com valiosas jóias. Ali também Gotfried tentara chamar a condessa à razão, tentativa que tivera conseqüências tão mortais. Mais adiante, o pequeno bosque com o banco de musgo artificial sob a sombra de laranjeiras e a fonte jorrando água na piscina de mármore. Naquele local a condessa inclinara-se para o seu pai esperando uma declaração de amor e traindo definitivamente o segredo de sua orgulhosa alma.

Esquecendo seu acompanhante, Líllia estancou e seus olhos se cravaram no local tão cheio de lembranças. Ela foi tomada de profunda compaixão pela condessa. Amar com toda a alma e ser rejeitada por quem se ama! Oh, como isso é terrível!

Tancredo também parou e, meio surpreso, dirigiu o olhar para Líllia que, perdida em pensamentos, parecia ter esquecido tudo ao seu redor. Sem suspeitar que sensações emocionavam a moça, imaginou que ela estivesse encantada com a beleza de contos de fadas daquele lugar e, não querendo atrapalhar, ficou admirando sua acompanhante. Líllia realmente parecia uma flor viva, que desabrochara naquele mágico ambiente. Sua alta e elegante figura tinha a flexibilidade do lírio e seu pescoço com contorno clássico podia concorrer com a brancura das folhas de cetim, das quais ela parecia sair, enquanto uma pureza ideal refletia em seu rosto transparente, animado por um leve rubor provocado pelas lembranças que a assaltavam.

Os olhos azuis de Tancredo imediatamente acenderam-se e um forte rubor cobriu seu rosto. A beleza de Líllia levava-o ao êxtase. Parecia-lhe que nunca tinha visto uma mulher tão sedutora. Esqueceu sua aversão pelas ruivas. O brilho dos cabelos dourados encantou-o, mas ele não podia levantá-los e cobrir de beijos! Leviano e indomável, acostumado a satisfazer os seus instintos, Tancredo esqueceu de tudo e inclinando-se apertou os lábios quentes no ombro desnudo de Líllia que estremeceu como se tivesse sido picada por uma cobra. Mas ela não recuou e somente seus olhos aveludados faiscaram com cruel zombaria e um estranho sorriso passou por seus lábios.

Tancredo ficou perplexo. Ele esperava ira e repreensão pela ousadia, mas nunca zombaria.

– Desculpe – disse ele com embaraço –, mas imaginei que estava diante da condessa de-Gleykhen.

– Mas, claro! Tenho certeza de que se o senhor imaginasse estar diante da condessa Reckenstein não se enganaria desse jeito – respondeu Líllia com mordaz zombaria e, molhando o lenço na água da fonte, enxugou o ombro no local onde encostaram os lábios do conde.

Tancredo empalideceu desta inesperada ofensa.

– A água lava tudo que profana e até o toque de lábios impuros como os meus – disse ele tremendo de ira.

– Naturalmente, principalmente aqueles que trazem a marca de tantos beijos ocasionais – respondeu Líllia, medindo-o com um olhar gelado, voltando-se e saindo da estufa.

O conde jogou-se no divã e enxugou o rosto com o lenço. Aquela mulher tinha um dom especial de torturá-lo e subjugar o seu orgulho como subjugou seus sentimentos. Como explicar o que acabara de acontecer? Como que ela, tão inacessível, enrubescendo a cada olhar ou palavra mais ousada, suportara seu beijo sem sair do lugar e com um sorriso de desdém, em vez de uma desesperada indignação que ele podia esperar? E tivera a ousadia de limpar o lugar onde haviam encostado seus lábios com os beijos ocasionais estampados neles. Em seguida, ela jogara-lhe na cara a indireta de que se ela fosse a condessa Reckenstein, beijá-la seria para ele uma tortura. *"Ah, Líllia, o terrível fantasma de minha vida será que você irá eternamente impedir o meu caminho para a felicidade? Se eu estivesse livre, Nora, você seria minha, cruel e sedutora criatura, apesar do ódio que sente por mim. Qual será a causa desse ódio? Não será por conhecer o meu segredo? Mas como ela pode conhecê-lo?"*

Na estufa entraram algumas pessoas, o que afastou o conde dos incômodos pensamentos e o fez lembrar-se do seu papel de anfitrião. Debalde o seu severo olhar procurava Líllia pelas salas. A moça fora embora do baile alegando precisar saber o porquê da demora da baronesa e se esta precisava de sua ajuda.

A sra. Zibakh não pudera deixar o pai, que adoecera gravemente, apesar de seu desespero por não poder ir ao baile. Passaram-se mais de duas semanas, a saúde do velho general estava numa situação indefinida e sua filha ficou amarrada ao seu leito. Em sua inata bondade, Líllia propôs à baronesa ajudá-la. Eleonora aceitou a proposta e a moça passou algumas noites junto ao paciente, tratando-o com a dedicação de uma enfermeira. Mas, assim que ele foi melhorando, ela teve cada vez menos trabalho e passava dias inteiros completamente livre, pois Eleonora passava quase todo o tempo com o pai.

O general melhorava lentamente. Os quadros vivos foram prorrogados *sine die*. Em seguida, parte deles foi apresentada em outra casa, pois Tancredo não queria organizar festas enquanto seu ex-tutor estivesse gravemente doente.

Agora Líllia via o conde raramente e eles se relacionavam com fria indiferença. Em compensação, Sílvia visitava-a com bastante freqüência e sempre a convidava para ir a sua casa. Mas a idéia de estar no castelo Reckenstein provocava aversão em Líllia e ela, com diversas desculpas, declinava os convites da senhorita De-Moreira.

Certa manhã ela recebeu um bilhete de Sílvia, que pedia insistentemente a sua presença no castelo. – Eu me resfriei e não posso sair de casa – dizia o bilhete. – Sei que Eleonora passa o dia inteiro junto ao pai e que a senhorita está livre. Por isso, Nora, venha ver-me aqui. Não aceito nenhuma desculpa e aviso que não vai encontrar a pessoa com quem antipatiza: Tancredo vai a um almoço de despedida de um colega oficial e de lá irá a um baile. Portanto estaremos a sós. Vou mandar uma carruagem buscá-la.

Líllia achou impossível recusar o convite. Encontrou Sílvia sozinha e as moças almoçaram juntas alegremente. Em seguida, Sílvia mostrou à amiga todo o castelo, quadros, pedras preciosas, colecionadas por um dos antepassados. Levou-a até, apesar de sua oposição, aos aposentos do conde, sob a alegação de mostrar um verdadeiro quadro de Ticiano pendurado no gabinete de Tancredo. Depois, voltaram aos aposentos de Sílvia, bem iluminados como gostava a jovem condessa. Elas conversaram muito. Em seguida Líllia examinou os luxuosos berloques que enfeitavam a mesa e as estantes. Um grande retrato em moldura de ouro pendurado sobre a escrivaninha chamou a atenção de Líllia. Nele estava representado um rapaz de tipo estrangeiro, moreno com olhos negros e fogosos.

– Este é meu pai. Bonito, não é mesmo? A sua bondade era igual à sua beleza – disse Sílvia olhando com amor e orgulho para a imagem de D. Ramos.

Líllia observava com tristeza e pena os traços do homem que também caíra vítima da perigosa Circe.

– Venha comigo, Nora, vou mostrar-lhe o retrato de minha mãe. Não está aqui porque às vezes não consigo olhar para ele.

A senhorita De-Moreira abriu a porta do quarto contíguo que aparentemente lhe servia de capela pela outra porta que se comunicava com seu dormitório. Ali havia um genuflexório e sobre ele uma estatueta da Virgem Maria; também havia uma estante com objetos sagrados e acima de uma pequena mesa enfeitada de flores havia um grande retrato, coberto por uma cortina de seda. Sílvia parou por instantes perto da mesa e disse, suspirando:

– Aqui eu rezo sempre, juntando a alma de minha mãe às minhas preces, como me aconselhou certa vez, e peço a Deus dar-lhe paz.

Com uma certa vacilação ela retirou a cortina e, acendendo as velas do candelabro, aproximou-o do retrato.

A forte luz iluminou o rosto brilhante de Gabrielle pintado por um exímio artista. O vestido de seda vermelha destacava ainda mais o brilho ofuscante de seu rosto; sobre seus negros cabelos brilhava a pequena coroa de condessa. Evidentemente, aquele era um traje da corte. Mas todos aqueles detalhes obscureciam-se diante de sua sedutora e demoníaca beleza. Um abismo de paixões ocultava-se em seus olhos azuis e nas dobras da sua boquinha vermelha.

Líllia empalideceu e seus olhos cravaram-se no retrato à sua frente. Lá estava a mulher que amara seu pai com tanta paixão e pedira-lhe perdão de joelhos. Como conseguia ele opor-se a ela e rejeitá-la? Então lembrou do dia em que Gotfried revelara-lhe o seu passado e quando fizera a confissão tão significativa: – Ah, como foi difícil arrancá-la do meu coração.

– Como é linda! E se parece tanto com você – pronunciou Líllia involuntariamente.

– Sim, mas a sua beleza era mortal para os que dela se aproximassem – sussurrou Sílvia. – Dizem que sou o retrato vivo dela. Mas eu todo dia imploro de joelhos a Deus, para que minha beleza não traga desgraças às pessoas em quem ela despertar amor, como acontecia com minha mãe. A beleza de minha mãe foi mortal para o seu primeiro marido, seu enteado Arno, para o meu pai e para mais um homem que ela amava mais do que todos.

Sílvia retirou do corpete um medalhão pendurado numa longa correntinha de ouro e abriu-o. Nele havia dois retratos-miniatura: de um lado Arno, do outro, Gotfried.

– Este medalhão foi tirado do seu pescoço após a sua morte. Desde então nunca deixei de usá-lo, mesmo que nele não tenha havido espaço para o meu pobre pai – disse Sílvia com amargura, cobrindo apressadamente o retrato de Gabrielle.

Elas voltaram à sala e, encostando-se na mesa, ficaram por muito tempo examinando o medalhão aberto sobre a mesa.

– Quanto mais eu examino os traços deste bonito rosto, mais me convenço de que a senhorita se parece com ele.

Ela levou o retrato para perto do rosto da amiga.

– Veja, é a mesma testa larga, o mesmo olhar franco, a mesma expressão severa e enérgica da boca e até as mesmas sobrancelhas quase juntas. Sabe, Nora, se este homem tivesse uma filha ela, provavelmente, seria parecida com você.

– Realmente, existe uma certa semelhança entre este retrato e mim, mas é um mero acaso, pois eu nunca conheci ninguém parecido com este homem – respondeu Líllia, pálida e embaraçada, tentando sorrir. – Mas, diga-me, por favor, condessa, quem é este outro rapaz com olhar tão simpático e tão sincera e honesta expressão no rosto? Parece-me que o chamou de Arno.

– Sim, é o Arno, conde de Arnoburg, irmão de Tancredo do primeiro casamento de seu pai com a condessa Hilda de Arnoburg. O rosto de Arno é o reflexo de sua alma.

– O conde de Arnoburg não vive em Berlim?

– Não. Já faz 17 anos que ele viajou para a Índia e outros países do Oriente – respondeu Sílvia com um novo suspiro. – Não temos dele nenhuma notícia. Gostaria muito que ele voltasse. Gosto muito dele, mesmo que nunca o tenha visto. Posso olhar para seu retrato por horas inteiras e, principalmente, para estes bonitos olhos escuros, tão dóceis e límpidos. Parece-me que consigo retirar deles a tranqüilidade e até a saúde quando tenho as minhas dores de cabeça nervosas. Não ria, Nora, isto é verdade. O olhar de Arno me magnetiza, apesar de serem somente olhos pintados. Apesar de ele não ser tão bonito quanto Tancredo, agrada-me mais. O meu querido irmão – acrescentou ela, rindo – parece um pouco um herói de romance, ele é bonito demais para um simples mortal. E como ficaram lhe dizendo isso por muito tempo, ele tornou-se arrogante, caprichoso e insuportável.

– É verdade. O sr. Reckenstein é por demais convencido com sua aparência e valoriza isso demais – observou Líllia, com um sorriso.

– Está vendo? Basta falar dele e a senhorita imediatamente começa a cortar como uma navalha. Mas é preciso entender a adoração que as mulheres têm por ele. Elas não lhe dão tempo de desejar ser amado. Quando ele veio me ver em Sorrento, todos na rua viravam-se para olhar quando passávamos. Não se passaram três dias e ele conheceu por lá, não sei como, uma linda marquesa italiana, Angelina de S., e começou o interminável flerte: buquês de flores e bilhetes choviam de ambos os lados. De repente, ele cansou-se dela. A bela Angelina ficou tão desesperada que, conforme diziam, queria suicidar-se. Quando a vi na companhia do marido, um velho feio e ciumento, tive muita pena. Espere, vou mostrá-la. Encontrei a fotografia da marquesa numa carteira que Tancredo esqueceu.

Ela foi até um pequeno armário e, abrindo a gaveta, tirou de lá uma pequena carteira de marroquim vermelho com as iniciais do conde. Líllia, vermelha até as orelhas, ouvia a história das aventuras picantes do seu querido esposo. Pegou o retrato e com um sorriso de desdém leu sob a imagem da bela italiana algumas palavras de dedicação, bastante carinhosas.

– Sim, ele é um grande leviano – prosseguiu Sílvia. – Quantos souvenires, bilhetes e retratos encontrei por acaso na gaveta de sua mesa! Ah, eu não gostaria de ter Tancredo por marido. Não teria um minuto de tranqüilidade, se soubesse que o meu marido corre atrás de qualquer rabo de saia e se apaixona por qualquer rostinho bonito. Imagine só, Nora, ele até ficou interessado em Lisete, a minha camareira. É verdade que ela é muito bonitinha. Há duas semanas eu o peguei no meu vestíbulo. Estendendo os braços ele não a deixava sair do quarto, depois a segurou e beijou-a nas duas faces. Fiquei muito brava e, primeiro, chamei a atenção de Lisete e disse-lhe que se isso se repetisse eu a mandaria embora. Ela chorou e se justificou dizendo que não podia ser rude com o conde. – Você pode! – eu lhe respondi. – Dê-lhe um tapa na face, se ele mais uma vez ousar beijá-la. Ele não tem esse direito. Depois do almoço eu disse a Tancredo: – Você não tem vergonha de disputar Lisete com o seu criado? Doravante a sua ousadia será recebida de forma diferente. Mandei Lisete baterlhe no rosto, se você se permitir algo semelhante. Ele riu como louco e disse: – Como você é engraçada, Sílvia, fazendo tanto barulho por eu beijar a camareira. Isso não tem a menor importância. Em toda minha vida beijei todas as mulheres que me agradavam, sempre vou fazer isso e nenhuma delas irá me criticar por isso.

Quando lhe disse que poderia encontrar mulheres que não iriam gostar disso, ele me olhou com surpresa. Ah, não! Deve ser terrível ser esposa de Tancredo. Não gostaria de um marido assim e estou certa de que nem você.

– Eu não o escolheria voluntariamente. Mas como saber se o destino zombador não vai me designar como marido um leviano como este? – respondeu Líllia com um estranho sorriso.

Uma tosse sonora e o tilintar de esporas na sala contígua fizeram as moças estremecerem e instantes depois na soleira apareceu a alta figura de Tancredo. Ele estava nitidamente excitado e seu rosto expressava auto-satisfação. Aparentemente, era-lhe agradável que Líllia soubesse de suas conquistas, pois ele dirigiu-lhe um corajoso olhar. Ela enrubesceu e ficou calada. Ele sentou-se perto de Sílvia, não menos embaraçado, e disse:

– Bem, minha querida irmã, continue o seu discurso de louvor.

– Mas, que feio, Tancredo! Você ficou espionando atrás da porta. Isso é torpe! – exclamou Sílvia, indignada.

– Nem um pouco, pelo contrário, isso é muito edificante. Pelo menos eu soube que nenhuma de vocês gostaria de ter-me por esposo, que eu não presto, que a minha bondosa irmãzinha anda mexendo nas minhas gavetas e, por fim, que Arno, mesmo menos bonito, é mais simpático e moral. Acredite, querida irmã: isso não o impede de beijar tantas lindas mulheres quanto eu.

– Está nos espionando há mais de uma hora sem a menor vergonha. Notável! – disse Sílvia, constrangida.

– É muito pior falar mal de mim para a senhorita Berg, que agora terá receio de ficar comigo sozinha na sala, achando que sou um bandido.

– Nem um pouco. Estou certa de que o senhor nunca vai tentar aproximar-se de mim.

– A senhorita tem certeza disso?

– Rapaz nojento! Se você arriscasse algo semelhante, receberia um prazer que você diz nunca ter recebido: sentir uma boa mão feminina em seu rosto – disse rindo Sílvia.

O conde inclinou-se para Líllia e, medindo-a com um olhar ousado e de desdém, perguntou:

– É verdade que a senhorita é tão severa com um inocente beijo? Preciso experimentar para acreditar nisso.

Líllia explodiu.

– O senhor almoçou bem demais, conde Reckenstein, e agora o champanhe fala através de seus lábios.

Tancredo levantou-se e ficou vermelho tanto quanto a sua interlocutora. Realmente tinha bebido bastante e o vinho fazia-o ficar fogoso.

– A sua suposição é bastante lisonjeira. Ela, pelo menos, livra-me de qualquer responsabilidade pelos meus atos. Após a lição que vou lhe dar, a senhorita será mais cuidadosa e não vai se permitir ofender a um oficial dizendo que ele está bêbado.

E, antes que Líllia, que não esperava nada parecido, pudesse pensar em se defender, ele agarrou-a pela cintura e beijou-a na boca semi-aberta para retrucar. Fora de si, a moça levantou-se e tão inesperadamente como fora o beijo deu um tapa no rosto do conde. Sílvia gritou de susto, enquanto Líllia correu para a porta. Mas, antes que pudesse alcançá-la, uma forte mão deteve-a.

– A senhorita vai ficar aqui e não vai fugir para fazer escândalo diante dos criados – gritou Tancredo, com voz surda e irreconhecível. Ele praticamente a sufocava e vendo seus olhos em fogo e a espuma no canto da boca Líllia assustou-se e lamentou o seu arrebatamento. Na verdade fora o marido dela que a beijara e ela até esquecera naquele instante que ele não sabia quem era ela. E somente o amor inconsciente que tinha pelo conde falava dentro dela quando pondo sua mão sobre a do rapaz, disse com voz tranqüila:

– Desculpe a minha irritação e acalme-se.

Tancredo afastou a sua mão, mas seu olhar em fogo cravou-se nos lindos olhos da moça que o olhavam implorando timidamente e com uma expressão que ele nunca tinha visto nela. Naquele instante, Sílvia, que empalidecera e encostara-se na parede, de repente desandou a chorar e caiu na cadeira.

– Fique com a minha irmã e acalme a pobre menina. Não se preocupe, pois nunca mais vou incomodá-la com a minha presença – disse Tancredo, um pouco mais calmo, e, virando-se, saiu rapidamente.

Palpitante e calada, Líllia aproximou-se da amiga, abraçou-a e tentou consolá-la. Aos poucos ela conseguiu acalmar Sílvia convencendo-a de que não tivera culpa por provocar aquela cena com sua tagarelice e suas piadas.

– Com o caráter que o conde tem – disse Líllia – tal cena deveria acontecer mais cedo ou mais tarde. O acaso e o almoço de despedida somente apressaram as coisas – concluiu ela tentando dar um tom de brincadeira na voz. – Mas, condessa, percebe que depois do que aconteceu não posso mais aparecer em sua casa? Vamos nos ver na casa da baronesa.

Assim que a srta De-Moreira recuperou-se do choque emocional, Líllia despediu-se dela e encontrou Folkmar no saguão. Ele discutia algo com o camareiro e perguntou a ela, surpreso: – Sabe alguma coisa sobre a doença do conde, em virtude da qual não deixam ninguém ir vê-lo, nem mesmo eu?

– Não vi o sr. Reckenstein e a condessa nada falou sobre a sua doença – respondeu ela friamente.

– Então é preciso desvendar a causa dessa misantropia. Depois de acompanhá-la, vou visitá-lo – disse o doutor, oferecendo-lhe o braço.

Chegando em seus aposentos, o conde trancou-se e começou a andar pelo quarto como um leão na jaula. Vinho, raiva e paixão ferviam dentro dele. O beijo arrancado, apesar da forte resistência, incendiou-o ainda mais, e quando lhe vinha à mente o olhar preocupado e inocente dirigido para ele, e que transformara a orgulhosa e mordaz moça em uma criança embaraçada e desprotegida, seu coração batia tanto que parecia a ponto de estourar. Ele foi tomado por um incontrolável desejo de abraçá-la, mesmo que sofresse uma nova ofensa! Mas não era à toa que Tancredo era filho de Gabrielle: ele herdara dela o enorme amor-próprio e a impetuosidade. O sentimento do orgulho ferido cada vez mais superava os bons sentimentos do seu coração incutindo-lhe o desejo de vingar-se de Líllia.

Seus pensamentos foram interrompidos por batidas na porta e a voz do doutor:

– Abra, Tancredo. Desde quando a sua porta está fechada para mim?

– Esqueci de fazer uma exceção para você quando dei ordem de não receber ninguém – respondeu o conde destrancando a porta. – Em todo caso, estou certo de que você não vai se demorar por aqui. Não me sinto bem e estou enfadonho.

– Realmente, vejo que sua mão está quente como fogo. O que sente?

– Nada. Estou bêbado e com dor de cabeça – respondeu, esticando-se no divã turco e batendo as esporas no seu encosto.

– Você vai acabar rasgando este maravilhoso tecido de seda do divã. Quantas taças de champanhe ingeriu para ficar neste estado? Normalmente, você suporta bem essas coisas.

– Nem contei, mas o almoço de despedida em honra do barão Reder estava muito animado.

– Esqueci que a despedida dele foi hoje. Mas chega disso. Diga-me: a senhorita Berg costuma visitar muito a sua irmã? Acabei de vê-la saindo.

O conde ergueu-se. O espírito vingativo, que aparecia nele desde criança quando era contrariado, brilhava nos olhos e soava na voz de Tancredo quando respondeu ao amigo:

– Na minha opinião, com demasiada freqüência, e pretendo limitar bastante essas relações entre a minha irmã e essa aventureira ignorante, pois as acho impróprias.

– Mas não devia. Suas suposições não têm fundamento e a companhia dessa maravilhosa moça, tão educada e culta, só pode ser benéfica à condessa Sílvia.

– Não! Você está cego em sua louca paixão que, sinto, vai acabar mal. A baronesa contou-lhe sobre a conversa dela com Berg que declarou a intenção de nunca casar. Isso só pode ser se estiver guardando um segredo de sua vida. Talvez ela esteja proibida de casar, mas concordaria em fazer feliz a um homem bonito e rico, sem incomodá-lo com os laços matrimoniais.

– Pare de falar bobagens. A minha língua jamais conseguiria propor tais coisas àquele ser puro e orgulhoso.

– Ah, mas este orgulho talvez seja grande em público. Arrisque um beijo a sós e ela vai sorrir. Não me olhe assim surpreso, estou falando por experiência própria. No baile de máscaras e eu a beijei no ombro e... ela aceitou isso bastante bem.

– Você não está brincando? – perguntou Folkmar, empalidecendo.

– Tem a minha palavra. Estávamos a sós na estufa e eu arrisquei.

O doutor nada respondeu. Levantou-se, andou um pouco pelo gabinete, pegou o chapéu e despediu-se dizendo que precisava visitar um paciente.

No dia seguinte, após a refeição matinal, o conde informou à irmã que não aprovava suas relações com senhorita Berg e pediu-lhe limitá-las o quanto fosse condizente a uma condessa De-Moreira relacionar-se com uma moça serviçal.

– Tancredo, desse jeito você está querendo se vingar pela reação da moça, o que você mereceu inteiramente por sua ousadia – disse Sílvia com lágrimas nos olhos.

– Vingança ou não, eu a proíbo de tratar amigavelmente essa insolente pessoa.

– Ela está defendendo a própria dignidade enquanto você, um homem casado, não tem vergonha de se comportar desse jeito.

– Se você vai insistir em lembrar esse maldito episódio de minha vida, um dia acabo suicidando-me – gritou irado o rapaz. Mas, vendo o susto e as lágrimas que essas palavras provocaram, ele arrependeu-se de sua impetuosidade e não largou a irmã até que, através de carinhos e solenes promessas de nunca tentar o suicídio, conseguiu provocar novamente um sorriso em seus lábios.

IV
A volta do exilado

Quase uma semana após os acontecimentos descritos acima, sentada junto à janela do seu *boudoir*, Silvia aguardava o retorno do irmão que deveria chegar para a refeição matinal. Sob a janela, no pequeno e redondo divã que ocupava uma concavidade na parede formando um ambiente separado, havia um livro e um bordado, porém ela, amuada, deixou o trabalho e ficou olhando os passantes. Para sua surpresa ela viu parar diante da entrada principal uma carruagem de aluguel de onde saiu um homem em trajes civis que, pegando sua pequena mala, entrou no castelo. *"Quem poderá ser este indivíduo que chegou aqui como num hotel? Posso imaginar como Müller vai corrê-lo daqui"*, pensou ela, rindo. Mas, para sua surpresa, o desconhecido não voltou. Logo ela esqueceu aquela insignificante cena, pois sua atenção foi atraída pela briga de um bêbado com um policial.

Enquanto isso, o misterioso viajante entrou no saguão e, jogando a mala no banco de veludo, aproximou-se do porteiro, um velho gordo e imponente, de cabelos grisalhos, que o mediu dos pés à cabeça com um olhar cheio de indignação.

– O conde está em casa? – perguntou o desconhecido, um homem alto, de rosto moreno emoldurado por uma barba escura.

– Não, senhor, o conde não está e não se sabe quando volta – respondeu o porteiro em tom severo, porém respeitoso, pois a aparência aristocrática do visitante, que não correspondia à sua equipagem, surpreendera-o. De repente, ele soltou um grito surdo e deixou cair o seu bastão com ponteira dourada:

– Deus misericordioso! É o nosso jovem conde!

– O senhor me reconheceu, caro Müller, mas já não posso ser chamado de jovem – respondeu o recém-chegado com um sorriso, enquanto os criados presentes no saguão ficaram em posição de sentido como se tivessem tomado um choque elétrico.

– Ah, que felicidade o senhor voltar! Que bom vê-lo novamente. Mas como voltou sozinho? – perguntou o velho criado, com lágrimas de alegria e beijando a mão de Arno.

– O meu camareiro e a bagagem chegarão amanhã. Agora, diga-me, meu caro, é verdade que Tancredo não está em casa?

– Sim, sim. Ele está no serviço, mas a condessa se encontra em seus aposentos. Deus do céu, como o senhor Tancredo ficará feliz! – acrescentou o velho, emocionado.

– Que ninguém saia do lugar. Conheço bem o caminho e eu próprio me anunciarei até a chegada de meu irmão – disse Arno, subindo lentamente a escadaria.

Muitas lembranças boas e ruins assaltaram-no ao entrar naquela casa que ele deixara há 17 anos, com uma tristeza mortal na alma. Tantas vezes queria escrever, saber do destino de seus parentes, e toda vez deixava essa intenção de lado, temendo tocar aquele passado que envenenara os melhores anos de sua vida. De há muito a vida de nômade cansara-o. O ferimento de seu coração sarara com o tempo, que tudo cura, e a forte saudade da pátria obrigara-o a voltar. Mas ele não queria informar-se previamente sobre o que acontecera na sua ausência. Queria aparecer de repente naquele mundo novo, ver como seria recebido e convencer-se de que a sua louca paixão estava definitivamente extinta. E, somente depois, instalar-se em Arnoburg. Em todo caso, pensava, Gabrielle agora era uma senhora e ele estava maduro, portanto, seria possível descansar junto ao lar paterno.

Todos esses pensamentos aglomeravam-se na cabeça de Arno enquanto ele passava lentamente pelos quartos examinando com curiosidade as mudanças acontecidas. A condessa, a quem se referira o porteiro, era provavelmente a esposa de Tancredo. Gabrielle há muito tempo deveria ser a baronesa Verenfels. À porta do antigo *boudoir* ele parou, indeciso. Depois, levantando a pesada cortina cor-de-rosa, deu uma olhada no quarto. Perto da janela, no divã redondo, viu uma figura feminina trajando um vestido caseiro de casimira branca, sobre o qual destacava-se uma longa e cheia trança negra. Aquele perfil orgulhoso e reto era por demais conhecido de Arno e ele, quase involuntariamente, exclamou:

– Gabrielle! Será que o tempo não tem poder sobre você?

Ao som de sua voz, a pessoa sentada no divã voltou-se rapidamente e olhou-o surpresa, mas, instantes depois, ela correu para o conde com uma exclamação de alegria: – Arno!

Agora era a vez de o conde ficar espantado, pois percebeu que estava diante de si uma pessoa desconhecida, o retrato vivo daquela que ele amara, mas não ela própria. A moça parou, embaraçada.

– Minha mãe chamava-se Gabrielle e eu sou Sílvia De-Moreira – disse ela estendendo-lhe ambas as mãos. – Mas que bom que o senhor voltou! Seus irmãos o aguardam aqui há muito tempo.

Arno pegou as suas mãos com animação e beijou-as várias vezes.

– Agradeço-lhe por esta recepção. A senhorita é filha de D. Ramos? Ele está morando aqui? Por que disse que sua mãe se chamava Gabrielle? – E calou-se, emocionado.

Ele calou-se emocionado e confuso.

– O meu pai morreu e minha mãe também. Vivo aqui com Tancredo.

– Gabrielle morreu! Morreu! – repetiu o conde.

– Sim, e lamento que a minha aparência lhe traga más recordações. Mas o senhor perdoou a mamãe, não é verdade? – perguntou a moça, preocupada.

O conde enrubesceu.

– Bem, posso dizer que... naturalmente, perdoei a ela do fundo de minha alma. E, para mim, é muito agradável que a senhorita seja o retrato vivo dela.

Passos apressados no quarto contíguo interromperam a sua conversa. Uma mão impaciente abriu a cortina e no quarto apareceu Tancredo, todo sorridente.

– Arno! Finalmente você voltou! – exclamou ele, jogando o quepe no tapete e caindo nos braços do irmão. Ficaram abraçados por alguns instantes. Em seguida, Arno afastou-se e disse com um bondoso sorriso:

– Deixe-me ver como cresceu o meu pequeno Tancredo!

– Este rótulo já não me serve mais – objetou rindo o rapaz. – Você também mudou muito, Arno.

– Você quer dizer que envelheci. Mas você está como prometia ser. Você é até bonito demais para um homem.

– Lá vem você, repetindo a mesma frase. Não consigo fazer uma cicatriz no próprio rosto para ficar mais feio – disse Tancredo, desgostoso. – Mas as mulheres nunca me cobram isso. Então, já conheceu a minha irmã? Já a beijou? Ela é filha de D. Ramos, o segundo marido de minha mãe.

– Fiquei sabendo. Mas ainda não pedi à Sílvia permissão para beijá-la, pois para ela sou um desconhecido, apesar de querer muito que ela me reconheça como irmão.

Sílvia ficou muito vermelha, mas sem vacilar estendeu-lhe sua rósea face que ele beijou carinhosamente.

– Você acha que para ela é um desconhecido – disse Tancredo, rindo. – Há alguns dias ela dizia a uma das amigas que o adora, que fica horas inteiras olhando o seu retrato e que os seus olhos pintados no retrato curam-na da enxaqueca.

– Sou um ingrato e nem suspeitava que aqui havia um coração que me amava. Agora vou me redimir e espero que os meus olhos vivos cumpram a tarefa melhor do que os pintados – respondeu Arno, sentando no divã e fazendo Sílvia sentar ao seu lado.

– Diga-me quantos quartos você pretende ocupar para eu mandar prepará-los. Müller disse que você veio como um simples turista.

– A bagagem e os meus homens chegam amanhã, mas eu ardia de impaciência de chegar aqui o quanto antes. Se você puder me ceder alguns quartos dos meus antigos aposentos, ficarei muito feliz.

– Oh, lá tudo ficou intocável. Não movemos uma cadeira no seu velho ninho, que Brigitte guardava como Argus[1], contando para Sílvia diversas lendas sobre você.

Após dar as ordens necessárias, Tancredo retornou, sentou-se ao lado do irmão e passaram a conversar enquanto Sílvia entregou-se inteira a pensamentos felizes. A tranqüilidade enérgica que se refletia nos olhos de Arno fazia a jovem acreditar que naquele homem encontraria o apoio moral que não podia lhe dar Tancredo, apesar de amá-la.

O impetuoso rapaz, preso ao segredo de sua vida, impossibilitado de procurar uma ligação amorosa real e séria, entregava-se a diversões passageiras. Sílvia sabia que ele era infeliz e que ela não podia influir no espírito daquele apaixonado e caprichoso ser. Mas Arno era a encarnação da honestidade e energia máscula. Ele, enfim, sendo a cabeça da família, haveria de arranjar tudo, iria esclarecer até aquele negócio triste e escuso. Mas essa sua esperança não era para se tornar realidade, pois assim que Tancredo ficou a sós com a irmã, ele lhe disse:

[1] *Argus, denominado Panoptés (que vê tudo). Na mitologia, príncipe que tinha cem olhos, cinquenta dos quais sempre abertos. O nome de "Argus" tornou-se sinônimo de pessoa que dá conta de tudo, que observa tudo, não deixando escapar nada. Argus também é o nome do cão de Ulisses, imortalizado por Homero. Quando o herói regressou de Ítaca, depois de vinte anos de ausência, ninguém o reconheceu, só o seu cão, que morreu pouco depois de ter afagado o dono – nota da editora.*

– Nenhuma palavra sobre Líllia! Lembre que você jurou ficar calada.

– Mas como? Você vai esconder a verdade até de Arno? – perguntou ela empalidecendo.

– Principalmente dele.

Na noite do mesmo dia, os irmãos estavam sentados no gabinete de Arno. Eles conversavam, fumando e bebericando um velho vinho borgonhês.

– Ouça, Tancredo, gostaria de perguntar-lhe alguns detalhes que me interessam muito – disse Arno após um certo silêncio. – Como sua mãe foi casar com De-Moreira? Esperava que ela casasse com outra pessoa. Diga-me, o seu primeiro tutor – Gotfried De-Verenfels, não apareceu mais no castelo após a minha saída?

O jovem conde ficou tão pálido de repente, que o irmão olhou-o com surpresa.

– Parece que toquei numa ferida, Tancredo. Será que você vai ocultar de mim alguma coisa?

– Não, se você o quiser. Mas para que ficar revirando o triste passado?

– Tenho o direito de saber.

– Bem, vou contar-lhe o que sei. Sim, Verenfels voltou ao castelo e ficou noivo de minha mãe. Não sei que nova desavença os separou, mas na véspera de minha ida ao colégio militar, ele deixou o castelo para sempre. Minha mãe, naquela noite, agia como louca e na véspera da saída de Verenfels ela esgueirou-se para o seu quarto, quando ele não estava lá, e escondeu algo dentro de sua mala que estava aberta. Não percebeu a minha presença e quando eu, surpreso, perguntei o que queria por lá, ela estancou como se tivesse sido atingida por um raio e muito emocionada fez-me jurar que nunca diria a ninguém que ela estivera no quarto de Gotfried. Ameaçava matar-se se eu traísse a minha palavra. Naturalmente, eu jurei tudo aquilo que ela queria. No dia seguinte viajei para Berlim e não ouvi falar mais de Gotfried. Mamãe casou-se com D. Ramos, que sempre foi para mim o mais bondoso pai, e esqueci completamente aquele misterioso acidente, quando um acaso revelou-o sob uma nova e terrível luz. Fui promovido a oficial e minhas primeiras divisas foram festejadas com um grande almoço. De repente, um dos presentes levantou um brinde à saúde de Verenfels, que me fez um grande favor, vencendo a minha preguiça e os meus caprichos. Eu ri e, enchendo a taça, disse que o pobre coitado realmente tivera muito trabalho comigo e lamentei o seu desaparecimento. – *Mas, como?* – retrucou o meu padrasto – *Você não sabe que ao deixar Reckenstein ele roubou uma grande soma em dinheiro de sua mãe? Encontraram o dinheiro em sua mala e ele foi condenado a dois anos de prisão.*

Arno pulou da cadeira, pálido como um fantasma.

– Oh, pobre infeliz! Gabrielle desceu a esse ponto! – exclamou ele.

– Isso para mim também foi como uma paulada na cabeça. Entendi que era parceiro de um hediondo crime. O choque foi tamanho que desmaiei – continuou Tancredo, com voz entrecortada. – Todos pensaram que o desmaio fora causado pelo excesso de felicidade e cansaço. Mas mamãe entendeu e tive com ela uma cena terrível, que resultou num longo corte de relações. Mas a trágica morte de D. Ramos, seguida da doença de Sílvia, sobre a qual já lhe contei, fez com que reatássemos nossas relações. Além disso, tinha pena dela. Percebia que a dor de consciência atormentava-a continuamente tirando-lhe a paz e a felicidade. Algo demoníaco fervia dentro dela: com febril ímpeto ela jogava-se no redemoinho de todas as diversões, entregou-se ao jogo, pois somente fortes emoções traziam-lhe algum esquecimento. Assim, chegamos a Mônaco e mamãe perdeu na roleta uma soma de dinheiro tal que ficamos inadimplentes e devedores de um insolente judeu que se permitiu ofender mamãe com propostas indecentes.

– Ah, por que não retornei antes? – sussurrou Arno. – Mas por que não apelaram para o meu banqueiro? Ele sempre tinha um crédito de 100.000 marcos para vocês.

– Minha mãe de forma alguma queria apelar para você e eu não podia usar o meu capital até a idade de 25 anos. Nessa situação, quis penhorar algumas jóias, mas era difícil realizar esse negócio no curto prazo que tínhamos. A única pessoa entre as que faziam este tipo de negócio que concordou em pagar o valor exigido foi... Gotfried Verenfels. Livre-me dos detalhes – continuou Tancredo, com voz surda. – Algumas horas após essa descoberta, mamãe morreu: envenenou-se. Verenfels teve o prazer de ver a mulher que o destruíra morrer diante de seus olhos.

Um longo silêncio seguiu-se a esse relato. Ouvia-se somente a pesada e irregular respiração dos irmãos. Por fim, Arno sentou-se novamente e olhou com profunda compaixão para Tancredo, que jogou a cabeça para trás e, fechando os olhos, sofria com as tristes recordações.

– Acalme-se, pobre criança, pois você não tem culpa nessa trágica história. Mas como você saiu dessa?

– Paguei tudo, o que me custou grandes sacrifícios.

– Então, preciso ir a Mônaco – disse Arno – para ter um encontro com Verenfels, implorar-lhe o perdão e redimir da melhor forma o mal de que ele foi vítima.

– Não vai encontrá-lo; pois ele morreu de ataque de coração algumas semanas depois da morte de mamãe.

– Ele também morreu? Mas talvez tenha deixado família. Recordo-me de que tinha uma filha. Ele casou novamente?

– Não.

– Então é preciso localizar a sua filha que perdeu o nome honesto. Será que não entende, Tancredo, que um de nós tem obrigação de casar com ela, ainda mais por sermos a causa de sua orfandade precoce? Verenfels não morreria aos 42 anos se a vergonha que caiu sobre ele não atormentasse a sua orgulhosa alma. Estou convencido de que temos a obrigação de remediar esse mal. Um de nós deve procurar casar com a moça e colocá-la como condessa de Reckenstein ou de Arnoburg, devolvendo-lhe a posição social à qual ela pertence.

Tancredo ficou sentado com os cotovelos, sobre a mesa, ocultando do irmão o rosto que refletia tanta magoa e raiva.

– Você está se entusiasmando, Arno – disse ele por fim, com voz baixa. – Essa moça é tão repugnantemente feia que o sacrifício estaria acima de nossas forças.

– Isso nos obriga ainda mais a ajudá-la. E o que tem a ver a aparência no caso, quando estamos falando de uma dívida de honra? Em todo caso, irei sozinho a Mônaco e tomarei medidas para entrar em contato com a senhorita Verenfels.

O jovem conde impetuosamente pulou da cadeira. Uma raiva desesperada soava em sua voz, quando ele exclamou:

– Deixe para lá esse velho escândalo, não mexa na vergonha! Gotfried era rico e deixou para a filha uma grande fortuna que lhe garante uma existência independente. Ela está garantida. Não vamos mais falar deste assunto, eu não agüento mais!

Arno olhou com surpresa para o rosto alterado do irmão e, imaginando que o seu estado de nervos era fruto das tristes recordações, calou-se, mudou de assunto e só deixou Tancredo quando notou que este estava mais calmo.

Passaram-se algumas semanas após a chegada de Arno. A vida no amplo castelo dos Reckenstein animou-se com sua presença, tornando-se mais íntima e séria. Colocando em ordem os inúmeros negócios que se haviam acumulado e complicado durante o tempo de sua longa ausência, observava o irmão que voltara à vida devassa. Tancredo saía às noites e procurava mulheres. Arno logo percebeu que o rapaz era infeliz e que uma mágoa secreta torturava sua alma e se escondia sob a sua falsa alegria – a febril irritação e o nervosismo que envenenavam as suas conquistas mundanas e toda aquela aparente felicidade, de provocar inveja, com a qual o destino lhe presenteara.

Mas o motivo daquele sofrimento disfarçado permanecia oculto para Arno e suas delicadas tentativas de saber a verdade não levavam a nada.

Certa vez ele aconselhou Tancredo a casar-se, tentando convencê-lo de que não era bom tirar a paz de tantos corações; que além de tudo ele, como representante de uma tradicional família e dono de grande fortuna, tinha obrigações relativas à geração de sua família e de sua pátria; e o principal, que uma vida regrada com uma esposa bonita e amada dar-lhe-ia muito mais felicidade do que todas as diversões que ele já tivera tempo de experimentar. Em resposta a esses conselhos sensatos, o rapaz respondia cinicamente e criticava as mulheres interessadas nele com tanta crueldade e desprezo mordaz, incluindo a baronesa nessa condenação geral, que Arno terminou o assunto, definitivamente convencido de que antes de procurar o remédio para o mal secreto, era necessário localizar a causa deste mal.

Em compensação, quanto mais o conde conhecia Sílvia, mais se aficcionava àquela linda moça, que era a encarnação purificada e ideal do seu primeiro amor. Ele a mimava como no passado mimara sua mãe, e não conhecia felicidade maior do que notar a crescente confiança com que ela recorria a ele quando queria alguma coisa. Só que agora o assunto não girava em torno de contas de fornecedores e jóias ou trajes, mas de causas filantrópicas e pobres que precisavam de ajuda. Quando, certa vez, Tancredo ficou ofendido e perguntou por que não recorria mais a ele e sim a Arno, ela respondeu, rindo:

– É porque você dá as coisas resmungando e ele as dá sorrindo.

As tardes mais agradáveis para Arno e Sílvia eram aquelas que passavam juntos. Ele contava sobre suas viagens e suas aventuras nas caçadas e lia com prazer, nos olhos brilhantes dirigidos para ele, diferentes sensações provocadas por seus relatos.

Naturalmente, o conde Arno teve de reatar relações com parentes e amigos. Todos recebiam-no bem e constantemente convidavam o bonito e rico solteirão, a quem todas as mães desejavam para suas filhas, ainda mais quando um partido desses surge tão inesperadamente nos salões de Berlim.

A baronesa Zibakh também recebeu de braços abertos o primo recém-chegado. Arno fez-lhe uma visita e por duas vezes almoçou com ela sem encontrar Líllia. Na primeira vez, ela alegou que estava com forte enxaqueca e na segunda, aproveitou-se de uma doença um pouco mais séria do pequeno Loter para cuidar dele e não comparecer à mesa. A baronesa não se opôs, pois ficava feliz em passar para outrem as suas obrigações maternais. Após a cena do tapa no rosto, a moça ficara numa situação embaraçosa e muitos detalhes resultantes dessa desagradável história haviam tornado seus encontros com o conde definitivamente insuportáveis. Primeiramente, o afastamento de Sílvia dera-lhe a entender que o jovem conde proibira-a de tratá-la como amiga. Depois, a estranha mudança no comportamento de Folkmar, que passara a evitá-la e ficava observando-a de longe como se tentasse ver o fundo de sua alma, fê-la suspeitar de que fora caluniada e ninguém além de Tancredo poderia tê-lo feito, vingando-se com tanta baixeza por ela ter-se defendido de forma absolutamente legal. Mas Líllia era demasiado orgulhosa para tentar aproximar-se de Sílvia ou dar satisfações ao doutor. Simplesmente evitava a condessa e respondia com orgulhosa e fria indiferença ao olhar triste e suspeito de Folkmar.

Tancredo também evitava encontrar Líllia e arranjava encontros com Eleonora na casa do pai dela ou de uma velha parente que nem ele nem Líllia costumavam visitar. Entretanto, ele se consumia por dentro. Essa longa separação desencadeava ainda mais a paixão mesclada com ódio que sentia pela moça. Um dia, o encontro foi inevitável. A baronesa convidou novamente Sílvia e seus primos para almoçarem em sua casa. Como chegaram inesperadamente Folkmar e o prelado, eles também acabaram ficando para o almoço. O pequeno grupo que se reuniu na sala conversava animadamente, mas Líllia não aparecia. Sílvia, Tancredo e o doutor olhavam disfarçadamente com freqüência cada vez maior para a porta pela qual ela costumava entrar. Perdendo a paciência, a senhorita De-Moreira acabou perguntando:

– Não vejo Nora há muito tempo. Ela está doente?

– Não, ela já vem. Só pediu para que eu a dispensasse por uma hora antes do almoço para responder a algumas cartas urgentes de casa.

– E onde fica a casa dessa misteriosa dama de companhia? – perguntou Tancredo num tom insolente.

– Já lhe falei que sua casa fica no sul da Bavária – respondeu a sra. Zibakh. – Não entendo sua hostilidade para com essa maravilhosa pessoa.

Alguns minutos depois chegou Líllia. Fazendo uma reverência respeitosa ao prelado e uma fria e contida aos outros presentes, sentou-se à mesa e, calada, ocupou-se com seu bordado. Somente de vez em quando dava uma olhada em Arno e prestava atenção em sua conversa com o prelado. Conhecia tão bem o conde de Arnoburg pelos relatos do pai, que o chamava de "o melhor e o mais honesto dos homens".

Arno, por sua vez, ficou espantado com a beleza aristocrática da moça e a delicada nobreza de seus modos. Ele percebeu surpreso com que indiferença Tancredo respondeu à sua reverência e a fria hostilidade que existia entre eles. *"Onde já vi estes olhos?"*, perguntava-se ele, encontrando novamente o olhar dirigido para a sua pessoa. *"Um olhar orgulhoso e incomparável! É provável que o meu irmãozinho permitiu-se alguma liberdade e após receber a devida lição trata-a agora com prepotência."*

Depois do almoço todos foram para o gabinete onde foi servido o café e havia um pote com balas. Sílvia sentou perto de Líllia e conversava baixinho com ela. A pobre moça não podia agüentar mais e soprou para sua amiga que não tinha culpa nesse esfriamento de relações e que a amava de todo o coração.

– Posso adivinhar o motivo de sua continência obrigatória e sei o verdadeiro preço das pressões do conde. Meus sentimentos para a senhorita nunca mudaram – respondeu ela com um olhar carinhoso.

Enquanto isso, Tancredo andava de um lado para outro, torturado por uma irritação interior. Não parava de olhar disfarçadamente para Líllia e seu coração apertava-se toda vez que a moça olhava para Arno com visível solidariedade. Movido pela raiva que o consumia por dentro, saiu para outra sala e entrou no quarto de trabalhos manuais. O rapaz sentia necessidade de ficar só e caiu na cadeira junto a um grande tabuleiro no qual Eleonora – na realidade, Líllia – tecia um tapete.

De repente o conde percebeu dentro da cesta cheia de lã e seda que ficava ao lado do tabuleiro um grande livro e um caderno. *"Ah! Vamos ver o tipo de leitura que ocupa essa Santa Nitush"*, pensou consigo mesmo, inclinando-se rapidamente para o cesto. *"Talvez, na intimidade, essa personalidade indomável se divirta com romances de Zola."*

Para sua grande surpresa leu na capa do livro: *A Bíblia na Índia*, de Jacolio, e no caderno: *Indicador do espiritismo e magnetismo. "Êpa! Então ela estuda ciências ocultas. Aguarde-me, sua herética, que vou preparar-lhe uma boa! O prelado vai dar uma boa lição a esta ovelha desgarrada do seu rebanho."*

Pegando o livro e o caderno, ele voltou ao gabinete e mostrando a ambos com grande jactância perguntou, rindo:

– O que significa este "corpo de delito" que achei em sua cesta de trabalho, prima? Desde quando virou herética e fica lendo livros proibidos que ensinam como entrar em contato com o demônio?

– Primo, você está falando por enigmas – retrucou a baronesa, enquanto o prelado lia com visível desaprovação o título da obra que Tancredo colocara sobre a mesa.

– Encontrei estas obras apóstatas na sua cesta de trabalhos manuais e apressei-me para mostrá-las ao reverendíssimo para que ele salve sua alma da perdição – prosseguiu o conde, olhando de soslaio para Líllia.

A moça ficou vermelha. Ela conhecia a hipocrisia de Eleonora e uma discussão com ela e com o fanático padre era-lhe extremamente desagradável. Contudo, vendo o olhar hostil e desafiador do marido, seus olhos faiscaram de orgulhosa coragem e, pegando da mesa as obras criticadas, disse com voz firme:

– Estes livros são meus.

– Como? – exclamou o prelado, estupefato. – A senhorita é tão jovem e fica lendo essas bobagens inventadas por charlatães para abusar da inocência de pessoas ignorantes? Está contaminando o seu espírito com essa literatura atéia que tenta minar as bases da religião.

– Desculpe-me, reverendíssimo, mas não considero pecado estudar uma ciência que prova com fatos aquelas verdades que nos ensina a Igreja, que nos permite convencermo-nos ostensivamente da imortalidade da alma e que nos mostra que pela lei da misericórdia do nosso Pai Celestial podemos nos relacionar com os entes queridos que partiram para o outro mundo.

– Sofismas, só sofismas! A lei de Moisés e o evangelho proíbem invocar os mortos. O traiçoeiro demônio, assumindo uma imagem de espíritos puros, aparece para arrasar e desmoralizar as almas humanas – retrucou o prelado, irritado.

– Se esses, que o senhor chama de demônios, ensinam somente o bem, incutem-me com seu exemplo que sou responsável por qualquer ato meu e que devo pôr em prática o seu maravilhoso lema "Sem a misericórdia não há salvação", então não posso admitir que eles desejem mal à minha alma.

– Em todo caso, senhorita Nora, essas relações com o mundo do além-túmulo não são nada mais do que alucinações perniciosas, quando não são vigarices. A ciência condenou severamente a seita fanática dos espíritas cujo resultado é a loucura – objetou fervorosamente Folkmar.

Um sorriso de desdém passou pelos lábios de Líllia.

– Infelizmente, essa pobre ciência oficial é sempre a última a reconhecer as maiores descobertas. Depois de ter ridicularizado Galileu e Galvani, rejeitado a força do vapor e a possibilidade de comunicação através da eletricidade, essa ciência deveria ser mais cuidadosa e não continuar a dar vexame toda vez que se pronuncia sobre questões que não estudou e não reconhecendo forças desconhecidas para ela.

O doutor ficou vermelho. Naquele instante, folheando o livro de Jacolio e soltando exclamações cheias de indignação, o prelado mudou o tema da discussão para o campo da história.

Aí foi a vez de Arno entrar na disputa. Ele também defendia a ciência antiga e a existência de maravilhosas forças desconhecidas comprovadas indubitavelmente e diariamente por faquires nas praças das cidades da Índia, enquanto as mais incríveis manifestações dessas forças aconteciam na misteriosa penumbra dos templos. Por fim, ele também se calou deixando o campo de batalha para Líllia, pois o prelado dirigia-se principalmente a ela.

Encostado na mesa, de braços cruzados e com a testa franzida, Tancredo acompanhava o desenrolar daquela luta intelectual que ele mesmo provocara e seus olhos estavam cravados no rosto animado da moça, que defendia as próprias convicções com coragem e inteligência. Aos poucos, ela foi ganhando terreno, pois combatia o prelado com as próprias armas dele, desbaratando as suas provas reunidas de todas as ciências, restaurando com lógica irrefutável através da arqueologia e da história, o desenvolvimento das idéias religiosas, sociais e morais. O conde ouvia-a encantado. Ela aparecia-lhe sob uma luz completamente diferente: aqueles olhos aveludados que ele via somente frios e desdenhosos iluminavam-se agora com uma inteligência superior. Aquela discreta dama de companhia era tão sábia quanto artista. Repentinamente ela revelava profundos conhecimentos dos mais diversos ramos da ciência, um raciocínio firme e flexível e uma capacidade para prontas objeções, sem com isso perder a discrição e o respeito ao antagonista.

– Com a senhorita pode-se dialogar, pois se revelou um adversário firme e delicado, o que torna a discussão agradável – disse por fim o prelado, levantando-se.

– Nós retomaremos este assunto e, apesar de tudo, minha filha, espero converter o seu espírito atormentado àquela fé simples, sem sofismas e que dá ao cristão a paz e o apoio na vida.

Quando o padre saiu, a baronesa, que ficara todo o tempo só ouvindo, exclamou:

– Nora, fiquei impressionada como respondeu ao prelado. Mas, meu Deus, como sabe tanto? A senhorita falava como um livro.

– O meu pai estudava esses assuntos e devo a ele o pouco que sei – respondeu ela, com certa esquiva.

Mas Arno sentou-se perto dela e continuou a conversa que logo absorveu a ambos. O conde contava-lhe sobre as suas excursões às margens dos rios Nilo e Eufrates, as escavações que ele empreendera, as experiências que realizara com um velho brâmane que lhe revelara fatos surpreendentes sobre a pré-história do mundo, fatos que embaraçariam os cientistas se eles pudessem examinar aqueles velhos documentos, aqueles restos de uma civilização que se apagara na época quando somente haviam começado a surgir as grandes edificações egípcias.

Líllia ouvia com grande atenção, fazendo perguntas sem parar; Arno, percebendo nela uma mente preparada para o conhecimento, passava, entusiasmado, para cada vez mais novos assuntos. Nenhum dos dois percebeu que Sílvia, encostada na poltrona, estava sentada pálida e silenciosa e que Tancredo mal respondia à tagarelice de Eleonora, que lhe parecia, pela primeira vez, indescritivelmente chata. Seu sorriso leviano irritava-o pela docilidade e a delicada admiração em seu olhar deixava-o nervoso.

À noite, Tancredo não conseguiu dormir. A impressão que Líllia causara sobre ele reforçou ainda mais a sua paixão por ela. Não podia esquecer o seu lindo rosto, animado e móvel, e seus olhos brilhando de inteligência. A profunda e iluminada mente da moça encantou-o tanto quanto a beleza dela. Entretanto, um torturante ciúme misturava-se a esse sentimento. Ele tinha ciúmes de seu irmão a quem ela sorria tão amavelmente e com tanta simpatia... e que era solteiro.

A corrente que o prendia à distante esposa pareceu-lhe pesada como nunca. Ele foi tomado por um incontrolável desejo de liberdade e, de repente, nele amadureceu a decisão de por um fim àquela tortura além de suas forças, conversar com Líllia e obter a sua anuência para a separação, mesmo à custa dos maiores sacrifícios.

Um pouco mais calmo, o rapaz conseguiu dormir. Pela manhã enviou uma carta a Nebert, a única pessoa que conhecia o seu segredo, além de Sílvia, convocando-o a Berlim. O ex-procurador de D. Ramos vivia agora em Reckenstein onde dirigia uma grande fábrica de seda montada por Tancredo logo após a morte da mãe. Nebert casara-se com uma das filhas do juiz e usufruía uma brilhante posição no seu meio social. A fidelidade de Nebert à família para a qual ele servira permanecera a mesma.

O conde estava pronto para sair quando chegou Folkmar e imediatamente passou a falar sobre a tarde anterior. Aparentemente, ele também ficara muito impressionado com a conversa entre Líllia e o prelado, o que dissipara todas as suspeitas provocadas pelas palavras vazias de seu amigo de infância.

– Você deve ter tido uma alucinação, Tancredo, ou Nora ficou tão estarrecida com a sua insolência que não conseguiu reagir. Posso acreditar mais que eu próprio roubei uma carteira do seu bolso do que imaginar um sentimento impuro nessa magnífica mulher a quem realmente basta só querer para obter para si uma posição brilhante na sociedade.

– Como quiser! – respondeu o conde. Mas acrescentou, em pensamento: *"Se eu ficar livre não vou deixá-la para você. Ela, e não a monstruosa idiota, será a minha mulher."*

Alguns dias depois chegou Nebert. Numa longa e secreta conversa o conde contou-lhe todo o sofrimento que lhe causava a sua falsa e insuportável situação. Incumbiu-o de ir a Mônaco para saber se Líllia retornara para lá e, em caso positivo, iniciar com ela as conversações sobre o divórcio.

– Dou-lhe para isso a mais ampla procuração. Aceite todas as condições da condessa desde que ela concorde em me deixar livre. Se não estiver em Mônaco, encontre-a. Enfim, tenho o direito de saber o que faz e onde está a mulher que usa o meu nome.

Nebert olhava com compaixão para o rosto desfigurado e bonito do seu interlocutor que enrolava nervosamente e com mão trêmula a ponta do bigode.

– Compreendo seus sentimentos, conde, e farei tudo o que depender de mim para cuidar deste caso conforme seu desejo. E nem é preciso persuadi-lo da minha discrição.

Enquanto isso, a vida de Líllia também não era muito agradável. A baronesa foi ficando cada vez mais caprichosa e de mau humor. Ela estava desgostosa com Tancredo e preocupada com a inconstância do seu comportamento, sua frieza ocasional e o ar de tédio que surgia nele com uma freqüência cada vez maior. Mas o principal era o seu teimoso silêncio sobre o que mais interessava a ela: o casamento que ela já considerava caso concreto. Certo dia, quando ela fez uma insinuação direta sobre o assunto, o conde sorriu, beijou sua mão e disse:

– Um obstáculo cala-me a voz. Mas logo ele estará afastado e então, prima... vai ver o que acontecerá.

Eleonora ficou mais tranqüila após essas misteriosas palavras e ficou esperando. Mas havia momentos em que as suas dúvidas despertavam novamente. *"Os homens são tão traiçoeiros e Tancredo é mais ainda do que os outros."* Nos momentos desse mau humor, a baronesa, desabafando seus segredos para Líllia, contava-lhe sobre todas as loucuras, todas as ligações escandalosas do conde, acrescentando, entretanto, que, quando eles se casassem ele criaria juízo e ela vigiaria a sua fidelidade.

Pode-se imaginar o estado emocional da moça durante essas edificantes conversas. Mas ela não percebia o maior perigo delas: que sua mente estava continuamente ocupada por Tancredo, que seu ciúme estava sempre posto à prova e que sua ligação com aquele homem ficava cada vez mais forte. Líllia nunca se sentira tão infeliz e solitária. Nesse estado de espírito, a reconciliação com Folkmar foi para ela um alívio.

Certa manhã, alguns dias após a discussão com o prelado, o doutor aproveitou um momento em que ficaram a sós e, sentando-se perto dela, beijou-lhe a mão.

– O que o senhor tem, doutor? – perguntou Líllia, surpresa.

– Estou pedindo-lhe perdão por uma idéia estúpida que tive a seu respeito – respondeu ele com um olhar tão caloroso e cheio de amor sincero que o rancor da moça desapareceu imediatamente. A partir daquele momento eles ficaram mais próximos e tornaram-se amigos mais do que nunca. Ao lado de Folkmar, ela procurava o esquecimento, tentando se desvencilhar do pensamento sobre Tancredo e sobre tudo o que a incomodava.

Dez dias após a sua partida, Nebert retornou. O conde tinha acabado de acordar quando seu camareiro informou-o sobre a chegada do administrador. Vestindo rapidamente um robe, Tancredo foi ao gabinete, mas, ao olhar para o seu procurador, ele empalideceu.

– Estou vendo que trouxe más notícias, Nebert.

– Sim, conde, devo informar-lhe algo imprevisto e desanimador. Se me permitir, vou contar por partes.

– Diga! – disse Tancredo, enxugando o suor que cobriu sua testa.

– Chegando a Mônaco – começou Nebert –, fui imediatamente à casa do falecido senhor Berg.

– Berg!... Ele se chamava Berg? Esqueci completamente disso – interrompeu-o o conde, estremecendo. – Será possível? Mas, depois veremos isso. Prossiga.

– Então – continuou Nebert –, cheguei até aquela casa e encontrei-a completamente mudada. Todo o andar de baixo está ocupado por uma florista e uma oficina de costura. Ninguém sabe nada sobre o senhorio e indicaram-me o administrador que mora numa casinha adjacente no mesmo quintal. O administrador é o mesmo velho que nos recebeu e nos deixou entrar quando chegamos para tratar daquele negócio. Ele informou-me que a condessa não estava e que seu paradeiro lhe era desconhecido. Decididamente, não consegui mais nenhuma informação dele. Resolvi procurar o banqueiro Saldi como testemunha do casamento, mas ele morreu há dois meses e sua família, que ficou pobre em decorrência da infeliz reviravolta, deixou Mônaco. Fiquei em grande dificuldade. Não quis recorrer a autoridades locais para buscas oficiais sem sua autorização formal e já me preparava para voltar quando tive uma idéia. No tempo em que trabalhava em Mônaco, eu mantinha relações com um velho judeu agiota – Strebelman – que era uma verdadeira crônica da cidade! Foi ele que me recomendou o senhor Berg ou, mais exatamente, senhor Verenfels. O velho já está aposentado, mas me deu informações surpreendentes. Fiquei sabendo que o banco onde estava depositado o dinheiro do seu sogro faliu e a condessa ficou sem um tostão. O judeu nada sabe sobre o seu casamento. Depois, ele contou que a senhorita Berg voltou à cidade por algum tempo e, após sepultar sua parente que morreu de desgosto, alugou a casa principal, instalou na adjacente seus velhos criados e viajou, ele não sabe para onde, mas suspeita que está morando na Inglaterra como professora de música. Também me contou que o pai da condessa foi um nobre arruinado que o velho Berg adotou antes de passar-lhe o negócio. Tomando conhecimento de tudo isso, voltei ao velho Robert e comuniquei-lhe severamente de que o conde tem o direito de saber onde está sua esposa. Houve um momento em que ele pareceu vacilar, mas finalmente disse que nada poderia informar, mas que se prontificava a entregar a ela alguma carta, se esta for enviada para ele.

Tancredo ouvia sem interromper o longo relato do seu procurador. Sua cabeça girava e ele respirava com dificuldade. Sua esposa ficara arruinada e sozinha, necessitara trabalhar para sobreviver e, mesmo assim, não recorrera a ele. Já ele, por negligência, nem lhe devolvera o dinheiro emprestado por Gotfried para pagar Fenkelstein.

– Deixe-me agora, Nebert. Estou muito grato, mas preciso ficar só. Venha à noite e lhe direi o que decidi.

Ficando sozinho, Tancredo caiu no divã, tentando colocar em ordem os pensamentos que fervilhavam em sua cabeça. A consciência criticava-o por abandonar uma órfã que era ainda por cima sua esposa. Diante dele surgia involuntariamente a imagem de Nora Berg que, ele agora não tinha dúvidas, era parente de sua esposa. Naquele tempo o nome adotado por Gotfried chegou-lhe aos ouvidos, mas não ficara em sua mente. O que fazer agora? Sua obrigação era garantir o futuro de sua esposa, mas sem evitar o divórcio. O resultado de todos esses pensamentos foi que Tancredo decidiu escrever uma carta à condessa e esclarecer a situação.

Sem perder tempo, sentou-se à escrivaninha e, afastando os papeizinhos perfumados que revoaram em forma de dúzias de bilhetinhos amorosos, pegou uma grande folha de papel contendo o seu timbre para escrever nele a primeira carta para a sua esposa. Desde o início ele teve dificuldade para definir a forma de tratá-la que não ficasse nem muito carinhosa nem muito fria. Por fim, decidiu-se e, como sabia escrever em francês, começou a carta com o simples: *Madame*

É necessário – escreveu em seguida – *pôr um fim às estranhas relações em que nos encontramos pela vontade de seu pai que nos ligou um ao outro, sem considerar os nossos sentimentos. Que a senhora não me quer está suficientemente provado pela insistência com que se esconde. Não a procurei porque se a senhora quisesse se encontrar comigo, ser-lhe-ia fácil encontrar o conde Reckenstein. Entretanto, fiquei sabendo, e lamento muito, que a senhora perdeu as suas posses e está trabalhando para alguém, o que é muito estranho para uma mulher que usa o meu nome. Em virtude da falta de simpatia entre nós, proponho-lhe o divórcio, comprometendo-me a garantir o seu futuro de forma condizente. Mas, antes de tudo, anexo a esta carta o dinheiro que lhe devo ainda e que não pude devolver por motivo de seu desaparecimento. Peço-lhe que me envie o seu endereço direto.*

Tancredo Reckenstein

À tarde ele entregou a carta e o dinheiro para Nebert pedindo-lhe para enviá-los ao velho Robert, indicando-lhe enviar a resposta diretamente ao seu hotel.

Ele aguardava a resposta com febril impaciência e esperava que ela fosse agradável, pois, para uma mulher que fugia dele, não havia razão para não concordar em desatar os nós que os prendiam. Embalado por essa esperança sonhava em obter o amor de Nora apesar de sua fria discrição e permanente hostilidade para com ele. Tancredo sabia da impressão cativante que causava nas mulheres – o dom perigoso que herdara da mãe. Se Nora odiava-o por ter abandonado sua parente, ela certamente o perdoaria quando soubesse quão generosamente ele garantira o seu futuro.

O pacote com o carimbo de Mônaco pôs um fim repentino aos seus sonhos. Nele estavam de volta seu dinheiro e a carta sem abrir. No primeiro instante, Tancredo ficou furioso. Aquela mulher que fugia dele, com certeza encontrava prazer em prendê-lo como a uma mosca na teia de aranha, esnobando-o e devolvendo-lhe o dinheiro e a carta. Essa raiva transformou-se em profundo desespero ao pensar no futuro. Continuar a existir naquelas condições parecia estar acima de suas forças e agir de forma oficial, ele não queria; aquilo lhe causava aversão e a idéia do escândalo deixava-o tremendo. Sem poder fazer nada, o conde passou o dia inteiro em seus aposentos. À noite, foi convidado junto com o irmão e Sílvia para um chá na casa da baronesa. Inicialmente queria recusar, mas a paixão por Nora e o ciúme do irmão obrigaram-no a aceitar, apesar de sua palidez e do ar desolado que chamara a atenção de seus parentes e de Eleonora. Para essas mudanças ele alegou enxaqueca. Somente uma pessoa adivinhava o verdadeiro motivo do seu mal – Líllia. Notando o sombrio e faiscante olhar do conde e a expressão de sofrimento nas dobras de seus lábios, a piedade, o mais traiçoeiro dos sentimentos, esgueirou-se em seu coração e ela lamentou não ter lido a carta. Como saber agora o que ele pedia a ela?

Mas o que fora feito não tinha retorno. Para desanuviar esses pensamentos ela começou uma conversa científica com Arno e finalmente conseguiu distrair-se com o assunto. Sabendo de seu interesse por antiguidades, o conde de Arnoburg levara-lhe uma coleção de quadros e desenhos, representando objetos notáveis e diversos esboços feitos no local por ele mesmo. Por fim, como uma lembrança de sua viagem imaginária pelas margens do rio Nilo, presenteou-a com um maravilhoso escaravelho pendurado numa corrente e tirado por ele próprio de uma múmia encontrada num subterrâneo que fora aberto em sua presença.

Arno, sem suspeitar que a amizade que demonstrava pela bonita e inteligente moça provocava o ciúme de Sílvia e Tancredo, continuava inocentemente a sua conversa. Além disso, causava-lhe má impressão a fria indiferença com que seu irmão tratava Nora. Sem nada entender daquela mútua hostilidade, tentava remediar com sua amabilidade o que considerava uma marcação fora de propósito contra uma pessoa inteiramente merecedora de respeito, apesar de sua posição discreta.

Sufocando de ciúmes e raiva contida, Tancredo observava o entendimento mútuo de ambos. Os sorrisos e os olhares inteligentes dirigidos por ela ao seu irmão indignavam-no. Deus saberia onde isso poderia parar. Arno, com suas idéias liberais, naturalmente não vacilaria diante dos escrúpulos da nobreza e se casaria com uma burguesa como ele próprio queria fazer. Mas ele estava amarrado e agora era obrigado a suportar o tedioso tagarelar de sua prima. Aquela noite parecia-lhe interminável e ele voltou para casa em péssimo estado de espírito. Impetuoso e apaixonado como sua mãe, estava pronto a quebrar com a cabeça os obstáculos que surgissem em seu caminho. Durante uma hora andou pelo quarto procurando mentalmente uma saída para a sua situação. Depois se sentou à escrivaninha e, com mão trêmula de irritação, escreveu as seguintes linhas:

A senhora devolveu a minha carta sem ao menos lê-la. Esta resposta é demasiado cruel e bastante clara. A senhora não me quer pois se esconde cuidadosamente de mim. Estando em liberdade, a senhora não quer libertar o prisioneiro amarrado à sua pessoa. Apesar disso, escrevo-lhe pela segunda vez e apelo para a sua magnanimidade. Se a senhora tem sentimentos humanitários, acabe com esta tortura que me atormenta a vida. Minha paciência esgotou. Esta eterna mentira que carrego comigo está me matando. Como pode ser tão vingativa para manter um homem prisioneiro e envenenar cada momento de sua vida? Se insistir no silêncio e continuar se escondendo vai me obrigar a tentar o suicídio. Isso a deixaria satisfeita? Mais uma vez imploro-lhe devolver-me a liberdade e vamos separar-nos amistosamente. Permita-me somente garantir a sua situação financeira. Mesmo que o nosso casamento tenha sido realizado em condições anormais, tenho o direito incontestável de dar-lhe um futuro livre, tranqüilo e feliz.

T.R.

No envelope ele escreveu "Urgente" e sublinhou duas vezes essa palavra. Depois o colocou em outro envelope endereçado a Robert, conforme lhe dissera Nebert.

Quando Líllia recebeu essa segunda carta, lembrou que lamentou não ter aberto a primeira e abriu-a. Mas, ao ler desesperada missiva de Tancredo, uma tempestade levantou-se em sua alma. Ofendida em todos os seus sentimentos e em seu orgulho e cedendo à primeira impressão pegou uma pena e imediatamente escreveu a resposta. Após enviar a carta, quando voltou para o seu quarto, lágrimas jorraram de seus olhos e, abafando os soluços, escondeu a cabeça nas almofadas do divã. A torturante mágoa que machucava sua alma obrigou-a a entender que amava Tancredo, e o pensamento de que até aquela ligação nominal que os ligava seria cortada causava-lhe aquela dor. Mas esse amor estava envenenado pelo sentimento de raiva parecido com ódio. Aquele homem indigno, que a abandonara e a rejeitara, agora definitivamente roubara o seu coração condenando-a a todos os sofrimentos do amor rejeitado e infeliz. Na confusão de seus sentimentos, ela esqueceu que o conde na realidade nada fizera para conquistar o seu coração e sempre fora hostil e frio.

Para sua sorte, a baronesa estava passando aquele dia na casa do pai e Líllia teve tempo de se recuperar. Quando readquiriu a capacidade de raciocinar sentiu-se abatida, mas mais tranqüila. *"É insensato chorar a perda de um bem que eu nunca tive. Devo superar esta fraqueza para não sentir desprezo por mim mesma"*, pensava, lavando com água fria o rosto inchado de chorar. Em seguida, deitou na cama e passou a pensar sobre o futuro. Decidiu que deixaria a baronesa assim que começasse o processo de divórcio. Mas o que lhe aconteceria? Era preciso viver, mas ela estava disposta a morrer de fome a receber um tostão de Tancredo. Pensava com tremor sobre o sombrio futuro que a esperava, a situação de independência que iria jogá-la, uma pessoa tão bonita e solitária, de casa em casa, sujeitando-se a muitos perigos. Ver-se assim tão abandonada era-lhe tão amargo que lhe veio a idéia de instalar-se na casa onde moravam os criados de seu pai. Aquelas pessoas a amavam e ela poderia visitar os túmulos de seus entes queridos. De repente, a imagem de Folkmar surgiu em suas recordações. Ele também a amava, o que claramente demonstrava o seu sincero olhar. Talvez ela encontrasse a paz em sua casa se ele se satisfizesse somente com sua amizade. Naturalmente, ela dedicaria sua vida inteira para fazê-lo feliz e ele, ao saber de seu segredo, nunca permitiria um encontro entre ela e seu primeiro marido. Essa nova direção dos pensamentos devolveu uma certa tranqüilidade à moça e no dia seguinte ela apareceu para o desjejum com a aparência de sempre e nem mesmo o encontro com o conde a constrangeu. Ela notava, com prazer hostil, o nervosismo e a sombria preocupação de seu marido. Então, ele também estava sofrendo e bem o merecia. Logo ele estaria livre e feliz, mas e ela? Quanto tempo levaria para livrar-se do sentimento que se apossara dela?

Certa manhã, Tancredo, sofrendo de impaciência, revirava a correspondência recebida quando, de repente, viu um envelope com a caligrafia trêmula do velho Robert. Com febril emoção ele abriu o primeiro envelope e, ao ver no segundo o próprio endereço escrito com caligrafia desconhecida, ele respirou mais tranqüilamente. Mas a sua alegria mudou para fúria e surpresa à medida que lia as seguintes linhas:

Deus me livre, conde, atentar com a minha crueldade contra a sua preciosa vida. O senhor me implora devolver-lhe a liberdade, mas será que a ligação que nos une e que o senhor oculta de todos realmente o restringe nos gostos e diversões? Nunca imaginei que as obrigações que o senhor assumiu em relação àquela para quem jurou fidelidade e proteção diante do altar pudessem ser-lhe tão pesadas, mesmo quando o senhor não as cumpre. Entretanto, conde, vou apressar-me para pôr um fim aos seus tormentos e concordo com o divórcio. Pode abrir o processo. De minha parte não haverá quaisquer obstáculos e submeter-me-ei a todas as forma-

lidades. Quanto à sua magnânima intenção de garantir o meu futuro, libero-o dessa tarefa. Se não morri de fome até o momento, quando o senhor sentiu o incontrolável desejo de liberdade, posso continuar vivendo do meu trabalho, pois estou acostumada a não contar com ninguém a não ser comigo mesma e nunca contei com este inesperado momento de sorte que o obrigou a aparecer para mais uma vez negociar a si mesmo. Quando ficou arruinado, o senhor se vendeu ao meu pai; tornando-se rico, o senhor quer comprar-se. Pois não! Somente não pense que, pela infâmia cometida pela sua mãe contra o meu infeliz pai, o senhor, cúmplice desse crime, pagou tudo com a comédia desempenhada na igreja e me dando de presente o seu nome, digno de sua pessoa, mas que nunca pôde igualar-se ao imaculado nome de meu pai. Ele pagou com a vida a delicadeza que o obrigou a respeitar a honra daqueles que lhe tiraram a honra. Naquela hora, de bom grado eu rejeitaria a sua pessoa se pudesse contrariar a vontade de meu pai. Mas, agora que sou livre, faço-o de coração. Pois, senhor Reckenstein, a sua beleza exterior é inversamente equivalente à sua feiúra interior, muito mais feia do que aquela coruja que o senhor tinha medo de mostrar como sua esposa e, nesta primeira e última carta que lhe escrevo, vou explicar os motivos do meu desaparecimento. Quando no dia seguinte ao casamento o senhor foi ao gabinete de meu pai e ditou uma carta ao seu procurador, condenando-me ao exílio em Birquenvalde, eu estava por acaso oculta na sacada da janela. A timidez impediu-me de sair, o que me obrigou a ouvir suas cruéis e indelicadas palavras contra a minha pessoa. A idiota, a mulher repulsiva, nunca quis ser um peso para o senhor nem ser suportada em sua casa.

Líllia de-Verenfels.

Com surda exclamação Tancredo caiu na poltrona. A carta escorregou por entre seus dedos e caiu no tapete. Todas as fibras de seu corpo tremiam. Ele sufocava. Sob o peso das duras e ofensivas palavras que acabara de ler, seu orgulho sofria muito enquanto sua consciência gritava-lhe que as acusações eram merecidas, que ele fora infame em relação àquela mulher, que não só não resgatara o crime de sua mãe, mas ainda aumentara-o. Naturalmente, exigindo essa justa satisfação e entregando-lhe a filha, Gotfried não podia imaginar que ele iria abandoná-la e rejeitá-la como o fizera.

Já previamente abalado pelo nervosismo, o rapaz de repente sentiu-se muito mal. Parecia que o sangue todo corria para o seu cérebro, manchas vermelhas apareceram diante de seus olhos e começou um zumbido nos ouvidos. Em seguida, tudo escureceu ao seu redor e ele perdeu os sentidos.

Alguns minutos depois Folkmar entrou no gabinete. Ele tinha vindo a pedido de Sílvia para examinar a sua camareira que havia adoecido e aproveitaria a oportunidade para passar alguns minutos com o amigo, cujo estranho estado nervoso deixava-o preocupado. Ele entrou, como de costume, sem ser anunciado. Vendo o conde jogado na poltrona e de olhos fechados, pensou que estivesse dormindo e chamou-o, rindo:

– Tancredo, agora deu para dormir em pleno dia? Levanta, preguiçoso!

Jogou o chapéu na cadeira e aproximou-se da escrivaninha. Somente então percebeu horrorizado que o conde estava desmaiado e a carta aberta caída no tapete chamou a sua atenção. *"Deus do céu, que notícia conseguiu derrubá-lo deste jeito?"*, pensou Folkmar, levantando o papel. Ele olhou a assinatura e, quando seu olhar caiu involuntariamente na frase "*concordo com o divórcio*", o rapaz estremeceu e, sem pensar na própria indiscrição, leu com ansiedade a carta que lhe revelou o triste drama familiar. *"Pobre Tancredo, então este é o segredo que envenena a sua vida"*, sussurrou Eugênio. Trancou à chave a porta do dormitório e as salas, em seguida guardou na gaveta da mesa a carta de Líllia e, tirando do bolso um frasco com sais, tentou reanimar o conde. Após longo esforço do doutor, o rosto pálido de Tancredo animou-se um pouco e ele abriu os olhos.

– Vá deitar. Você precisa muito descansar – disse Folkmar.

Com o olhar turvo e tremor febril, Tancredo, ajudado pelo doutor, arrastou-se até o divã e, sem qualquer resistência, deixou-se deitar e cobrir com um lençol. De repente, ele abriu os olhos e sussurrou, preocupado:

– Onde está a carta? Os criados não podem encontrá-la.

– Acalme-se, eu a guardei na gaveta da mesa – respondeu Folkmar, apertando a mão do conde com simpatia amigável.

Tancredo ficou vermelho.

– Eugênio, você leu e agora sabe de tudo?

– Tudo não, mas o suficiente para ter pena de você e entender muitas esquisitices de sua vida. Mas não se preocupe, o segredo está com seu melhor amigo que quer ajudá-lo a carregar esse peso.

Com a sua característica impetuosidade, Tancredo abraçou seu amigo. Seu coração estava transbordando e, intercalando o seu relato com rios de lágrimas e soluços convulsivos, ele revelou a Folkmar toda a verdade sobre seu passado.

O doutor ouvia-o muito emocionado, mas sem interrompê-lo, pois considerava aquela forte reação benfazeja e somente com a ternura de irmão mais velho acariciava a cabeça de Tancredo. Depois, colocou-o novamente no sofá para dormir e deu-lhe gotas tranqüilizantes.

Vendo que ele acalmara-se um pouco, Folkmar disse:

– Não posso aprovar o seu comportamento, Tancredo, mas o mal está feito, e é bom que sua esposa tenha concordado com o divórcio.

– Sim, mas com que expressões! Ela me joga a liberdade como a um cão, demonstrando-me rispidamente o seu desprezo. Agora sou eu que não quero sua magnanimidade – exclamou o conde, fora de si.

– Isso seria uma nova loucura de sua parte. Suas relações estão tão contaminadas que é impossível qualquer compromisso. Então não faça bobagens e aceite a liberdade oferecida. Para você e para sua esposa o melhor é esquecer esse triste episódio. Talvez no transcorrer do processo de divórcio você encontre um meio de convencê-la a aceitar o dinheiro. Se conseguir isso, tudo estará bem.

Tancredo passou o dia em terrível estado de espírito. Algo indescritível lutava dentro dele. O desprezo de Líllia queimava-o como ferro em brasa, impondo-lhe uma decisão contra a qual indignava-se desesperadamente: a sua paixão pela assim chamada Nora Berg. Ele não fechou os olhos a noite inteira e andava pelos quartos como um condenado, com medo de não resistir à luta que o atormentava. Completamente exausto, caiu na cadeira junto à escrivaninha e releu a carta de Líllia.

– Preciso decidir-me logo – murmurou. Um sábio, que conhecia bem o coração humano, disse: *A vitória traz a paz.*

O conde ficou sentado encostado na mesa por alguns instantes, em seguida, com o olhar em brasa, pegou uma folha de papel e a pena. O orgulho vencera.

Qualquer magnanimidade – escreveu ele – *perde o seu valor quando acompanhado de zombaria e condenação. Sua anuência de me devolver a liberdade está infiltrada com desprezo tão desumano que me recuso a aceitá-la. Aliás, suas acusações são justas. Agi mal com a senhora e minhas palavras levianas foram cruéis e imperdoáveis. Mas não me considero indigno do nome que uso e como todo Reckenstein cumprirei as minhas obrigações, lamentando não tê-lo feito antes. A senhora está errada num item: eu não me vendi ao seu pai e a senhora não pode me presentear com a liberdade porque não quero me divorciar e vou a Mônaco buscar a condessa Reckenstein para levá-la para casa. Espero que a senhora aja conforme o meu desejo. Por mais forte que seja o seu desprezo pela minha pessoa, a senhora é "obrigada" a submeter-se à vontade do marido. Aguardo resposta com indicação do lugar e horário de nosso encontro.*

T. R.

Durante três dias o rapaz não saiu de seus aposentos, deixando Arno e Sílvia seriamente preocupados com sua saúde. Realmente, Tancredo sentia-se tão abatido moralmente que aceitou o conselho do irmão e pediu uma licença de seis meses, no que foi prontamente atendido pelo comandante do regimento.

Quando, depois disso, Tancredo apareceu pela primeira vez na casa da baronesa, esta o achou tão mudado que até gritou de susto e o coração de Líllia bateu forte. Então ele não era invulnerável e, aparentemente, ela desferira-lhe um golpe muito forte para transformá-lo daquele jeito. Alguns dias depois, quando, trancada em seu quarto, lia a resposta do marido, uma nova tempestade desencadeou-se em seu peito. O destino dava-lhe a possibilidade de evitar a separação que, apesar de tudo, torturava o seu coração. Líllia não queria ouvir a traiçoeira voz e, apesar de amargas lágrimas escorrendo pelo rosto, pensou: "*Não quero o seu sacrifício. Mesmo se no fundo da lama que se acumulou em sua alma ainda restaram algumas mudas de bondade, não é o meu destino vê-las crescer. Seja livre e case com essa mulher leviana e vazia que você namora com tanta regularidade. Ela será o par ideal para você.*"

No dia seguinte, Líllia enviou uma carta ao ex-advogado de seu pai, em Mônaco, pedindo-lhe enviar ao consistório católico de Berlim, em seu nome, um pedido seu de divórcio do conde Tancredo Reckenstein. Isso deveria causar muito barulho e servir de bom castigo ao seu marido-traidor.

Não é difícil entender com que sofreguidão Tancredo esperava a resposta que deveria decidir definitivamente o seu destino. Se a filha de Verenfels herdara o caráter do pai, então não daria para fazer um acordo, mas provavelmente ela não lhe negaria um encontro pessoal para estabelecer as condições do divórcio. Todo dia o rapaz queria contar a Arno o que acontecera, mas não conseguia se decidir e finalmente adiou sua explicação até a véspera de sua viagem a Mônaco. Mas ele passou a visitar Eleonora com maior assiduidade. A prima afagava-o, tratava-o cada vez com maior intimidade e aguardava a qualquer momento que ele fosse propor-lhe casamento, imaginando que sua licença seria utilizada para a viagem de lua-de-mel.

Absorto por pensamentos completamente diferentes, o rapaz deixava-se pajear, sem prestar qualquer atenção aos exagerados carinhos da baronesa e às suas alusões cada vez mais diretas. Mas os outros notavam tudo isso e certa vez o prelado perguntou a Eleonora quando ela iria anunciar seu noivado com o conde Reckenstein.

– Assim que forem removidos alguns obstáculos que não lhe permitem anunciar isso abertamente – respondeu ela, acabrunhada.

O prelado ficou muito surpreso com essas palavras. Conhecia os dois desde a infância, sabia que eles gostavam um do outro há alguns anos e não conseguia imaginar que obstáculos poderiam existir entre aquelas duas pessoas ricas e independentes. Pode-se imaginar a estupefação do prelado quando chegou no consistório o pedido de divórcio da condessa Líllia Reckenstein, nascida baronesa de-Verenfels, do conde Tancredo. No pedido declarava-se que em dez dias, isto é, no dia 20 de agosto, a condessa compareceria pessoalmente para dar andamento ao processo.

Esse papel, que passou do consistório para as mãos do prelado, atingiu-o como um raio; mas ele viu nisso a explicação das palavras da baronesa. *"Então, este era o obstáculo! Um entusiasmo juvenil resultou numa união conjugal em Mônaco"* , pensou consigo mesmo. *"Mas o conde guardou bem o seu segredo. Provavelmente ele e a esposa se separaram rapidamente. Mas ela é uma baronesa. Bem, agora nada vai atrapalhar a felicidade do jovem casal. Vou correndo comunicar-lhes esta boa notícia."*

Terminando seus afazeres, o prelado dirigiu-se ao castelo Reckenstein e, não encontrando o conde, foi à casa da baronesa, certo de que lá encontraria também Tancredo. Ele estava certo. Pálido e preocupado, como estava sempre ultimamente, o rapaz folheava uma revista ilustrada enquanto sua prima bordava, tagarelando sem parar.

Após trocar cumprimentos o padre sentou-se e disse alegremente:

– Endireite as suas rugas, conde, trouxe-lhe a notícia que vai pôr um fim às suas preocupações e vai alegrar a baronesa. Leia este papel.

Ele entregou ao conde o pedido de divórcio.

Confuso e sem nada entender, o rapaz pegou o papel e abriu-o maquinalmente enquanto a baronesa perguntava com curiosidade:

– Que papel é este, reverendíssimo?

– Este é o documento que destrói o obstáculo que até agora impedia a felicidade de vocês – respondeu ele com sorriso malicioso. – A sra. Reckenstein pede o divórcio ao conde Tancredo.

Eleonora levantou-se mortalmente pálida.

– Tancredo é casado? Sua mulher quer se divorciar dele?

Um olhar em direção ao conde, que, também pálido e de olhos arregalados, lia o papel que o padre lhe entregara, convenceu-a da verdade daquelas palavras. Ela apertou a cabeça com ambas as mãos e exclamando surdamente: – Ah, ele me enganou! – caindo desmaiada no divã.

Estupefato e sem nada compreender, o prelado ficou olhando para o conde e para Eleonora. Ele não podia imaginar que a notícia que trouxera, em vez de alegrá-los, causaria neles o efeito de uma bomba de dinamite. Ela não sabia que Trancredo era casado e ele, aparentemente, não esperava o divórcio. Mas quando a baronesa caiu desmaiada, ele pulou da poltrona e exclamou:

– O que significa tudo isso? Afinal, conde, o senhor é casado ou este papel é uma mistificação?

Como Tancredo não se mexia do lugar e nem fazia menção de ajudar sua prima, o prelado apertou o botão da campainha elétrica e gritou: – Tragam água! Água!

Naquele instante, Líllia ia à sala de trabalhos manuais pretendendo pintar, mas ao ouvir esse grito e o barulho no gabinete correu para ver o que acontecia. Vendo o prelado que tentava reanimar Eleonora e percebendo que o conde estava parado, pálido e com um papel na mão, parou, surpresa. Em seguida, retirou do bolso um frasco com sais e ocupou-se da baronesa; lavou seu rosto com água fresca e instantes depois a moça abriu os olhos. Quase imediatamente, Eleonora levantou-se de supetão e, vendo o conde, gritou com voz esganiçada, entrecortada pela fúria:

– Mas, como? Você ainda está aqui, seu imprestável? Fora daqui, seu salafrário, que me roubou a tranqüilidade. Ocultando de todos que era casado e abusando de minha confiança você me envolveu e me comprometeu.

Sua voz cortou. Líllia, que não esperava nada disso, estremeceu fortemente e recuou imediatamente, pois Tancredo correu para a prima com o olhar em brasa e convulsivamente agarrando-a pelos ombros disse, por entre os dentes:

– Cale-se e, pelo menos na presença de seus criados, não me peça explicações!

As palavras "seus criados" só podiam ser endereçadas a ela, a única presente, o que fez a moça ficar vermelha e, medindo o conde com um olhar de desprezo e zombaria, disse com voz baixa:

– O senhor pode estar certo da minha discrição, conde.

Tancredo nada respondeu, deu-lhe as costas e correu para fora do *boudoir*. O prelado correu atrás dele, gritando:

– Devolva-me o papel! Pelo amor de Deus, devolva-me o papel!

Ofegante, o prelado alcançou o rapaz no saguão e agarrou-o pelo braço.

– Ouça, conde, o senhor precisa devolver-me o pedido de divórcio... Pronto, está tudo bem. Agora, mais uma coisa. Sua esposa vai chegar aqui na semana que vem. Oficialmente eu devo tentar conciliá-los e sou obrigado a convocá-lo para o encontro com ela, antes...

– Está bem, está bem, reverendíssimo, estarei à sua disposição quando e onde lhe convier. Mas agora não me obrigue a falar desse caso, pois não tenho forças para isso – respondeu Tancredo escapando e descendo as escadas como um furação.

Quando o prelado voltou ao *boudoir* para conversar com a baronesa, encontrou-a tendo um ataque de nervos tão forte que Nora e a camareira não conseguiam segurá-la. Apanhando calado o seu chapéu e balançando a cabeça, foi embora.

No instante em que saía para a rua uma carruagem encostou à entrada. Nela estavam Arno e Sílvia, que vinham buscar a baronesa e Líllia para levá-los à exposição de flores.

– Ah, fico feliz em encontrá-los – disse o prelado, cumprimentado os dois, e, puxando-os para um canto, acrescentou a meia-voz:

– A baronesa está tendo um ataque histérico. Eu, sem querer, provoquei uma verdadeira revolução ao anunciar que a esposa do conde Tancredo pede-lhe o divórcio. Eu pensei que ela soubesse que ele era casado e...

Ele parou porque Sílvia soltou um grito surdo enquanto Arno recuou pálido, repetindo:

– Tancredo é casado? Sua esposa quer divorciar-se dele? Mas isso é impossível!

O prelado abriu os braços e exclamou com desespero cômico:

– Mais surpresas! Não consigo me restabelecer de tantas surpresas. Aparentemente, estou informando à família algo que o conde ocultou tão bem de todos e terminou esquecendo ele próprio, pois também ficou estupefato quando soube que sua esposa quer se divorciar dele. Na próxima semana ela virá para cá para apressar o processo.

Sem esperar resposta sentou-se na sua carruagem, resmungando por entre os dentes: – *Nunca vi nada igual. Mas, que safado! Ele deve ter judiado muito desta pobre mulher para levá-la a este extremo. Estou muito interessado em conhecê-la.*

Pálidos e estupefatos, Arno e Sílvia ficaram calados por instantes.

– Vamos entrar. Gostaria de ver a pobre Eleonora. Este foi um golpe muito rude para ela – disse a moça recuperando-se primeiro.

– Você sabia que ele era casado e com quem? – perguntou Arno enquanto eles subiam a escada.

– Sim, eu era a única que sabia e via o seu sofrimento. Mas foi um pecado ele ter abandonado aquela mulher. Ela é a filha do infeliz Verenfels que a minha mãe arruinou.

A emoção impediu-a de prosseguir.

– Que complicação trágica! Mas qual foi o motivo de sua separação? – perguntou o conde.

– Sua aparência feia. Depois, ela sumiu. E e não sei de onde ela apareceu novamente para pedir o divórcio, o que é absolutamente natural.

Já na sala podiam-se ouvir os soluços histéricos, os gritos e o riso de Eleonora que provinham do dormitório. Os dois não arriscaram a ir adiante.

Depois de um certo tempo, o barulho diminuiu e logo saiu Líllia com as faces febrilmente rosadas e nitidamente cansada.

– É surpreendente o que aqui acontece – disse ela dando de ombros. – A notícia de que o senhor Reckenstein é casado levou a baronesa a um estado lamentável... Neste instante ela está completamente exausta, mas tenho certeza de que isso não vai durar muito.

Ela ainda falava quando veio correndo a camareira para dizer a Líllia que a baronesa a estava chamando.

– Deixe-me ir em seu lugar. Talvez consiga acalmá-la. Enquanto isso, descanse – disse a senhorita De-Moreira e seguiu atrás da camareira para o dormitório da sua prima.

Mas ela retornou rapidamente.

– Não posso fazer nada agora. Eleonora não é capaz de ouvir uma única palavra de bom senso. Precisamos chamar o médico, Nora.

– Eu mandei chamar o Folkmar, mas temo que não o acharão em casa a esta hora.

– Senhorita Berg, venha depressa, a baronesa está passando mal! – gritou a camareira entrando correndo.

– Vamos – disse o conde. – No caminho passamos pela casa do doutor. Até logo, senhorita Nora – dirigiu-se ele à moça, despedindo-se.

Arno tinha pressa de ver Tancredo e ouvir as suas explicações.

Depois de uma longa hora de espera chegou Folkmar. Por um feliz acaso Arno encontrara-o na rua. O médico ajudou energicamente a baronesa, que se debatia como louca e deixara todos à sua volta completamente exaustos. As compressas frias e as gotas narcóticas acalmaram-na aos poucos e finalmente ela adormeceu. Líllia e o doutor foram ao gabinete e, entregando à moça a sua receita de remédios, Folkmar, perguntou:

– O que me diz desta inesperada novidade?

– Não vejo isto como algo tão inesperado. Da parte do conde Tancredo, sempre se pode esperar alguma loucura – respondeu Líllia, sorrindo.

– Fiquei surpreso por sua esposa decidir soltá-lo.

– Por que não? Ela provavelmente cansou de apreciá-lo de longe.

– Isto é evidente. Só que ela vai lamentar perdê-lo. Um homem bonitão e rico como ele não se joga fora sem dor no coração. Eis a prova... – e apontou com o cigarro para o quarto da baronesa.

– Talvez a esposa dele tenha sentimentos menos impulsivos. Se ela não é boba, então acabou percebendo que segurar essa mariposa, esse mimo das mulheres, está acima de suas forças. Além disso, esse casamento só lhe trouxe problemas. Tornando-se livre, ela talvez encontre a felicidade tranqüila.

Folkmar suspirou e dirigiu um longo e atento olhar para a moça que, repousando a cabeça no encosto da cadeira, parecia entregue a tristes divagações.

– Sim, uma felicidade tranqüila perto da pessoa amada. Quem não anseia por isso? Para mim também é o ideal da vida. Temo somente que minha sina seja querer muito e nunca atingir.

Líllia ergueu-se e com uma expressão inexplicável olhou dentro dos grandes e escuros olhos do jovem doutor que a olhavam com tanto amor que ela ficou comovida. Naquele olhar sincero e em toda a dedicação do rapaz havia algo que agia como tranqüilizante sobre sua alma maltratada. Sim, ao seu lado ela encontraria, se não a felicidade inebriante, com certeza a paz, aquela felicidade tranqüila, a despreocupação espiritual sobre a qual ele acabara de falar.

– Por que desesperar? O senhor é tão bonito e honesto e mais do que ninguém merece encontrar um coração amoroso e dedicado, senão a felicidade completa, tão rara neste mundo – disse ela baixinho.

O rosto de Folkmar ficou vermelho.

– Nora! – exclamou ele, inclinando-se rapidamente. – Pensou no significado dessas suas palavras? Devo encará-las como uma promessa?

– Sim. Dentro de seis semanas termina o meu contrato com a baronesa. Então estarei livre e aceitarei alegremente a sua proteção, se... – ela parou por instantes e depois prosseguiu com voz indecisa – se o senhor se satisfizer com a minha amizade e a promessa de dedicar minha vida para fazer sua felicidade. Não posso prometer-lhe amor e no meu passado existe uma triste página, mesmo que nela não haja nada que me obrigue a envergonhar-me ou a alguém que case comigo.

Com olhos brilhando de alegria e agradecimento, o rapaz pegou as duas mãos de Líllia e cobriu-as de beijos.

– Agradeço-lhe, minha querida. Da minha parte prometo fazê-la esquecer seu triste passado, fazê-la apaixonar-se por mim como eu a amo. Mas, tenho que ficar calado sobre esta minha felicidade?

– Sim, imploro-lhe não dizer nada a ninguém. Depois de duas ou três semanas poderemos anunciar nosso noivado.

Depois da saída do doutor, Líllia foi para o seu quarto, instruindo a camareira para avisá-la assim que a baronesa acordasse. Encostando-se na mesa, entregou-se a seus pensamentos.

– Estava tudo acabado! Ela definira o seu futuro antes de cortar definitivamente sua ligação com Tancredo. *"Era preciso agir assim. Sou muito bonita e por demais solitária"*, dizia ela a si mesma. *"O momento que me dará alegria será ao vê-lo castigado, lamentando a perda da mulher que ele não chamaria agora de "repulsiva". Esse momento me recompensará por todo o sofrimento que passei por ele ter-me abandonado."*

Mas, apesar de toda sua vontade de tentar convencer-se de que o triunfo que a aguardava e o seu futuro como esposa de um homem que a adorava iriam recompensar fartamente tudo que passara, o coração de Líllia sangrava com insuportável sofrimento ao pensar sobre a chegada do momento que iria separá-la para sempre do bonito rapaz que lhe pertencia legalmente e o qual ela amava por mais que se opusessem a isso o seu orgulho ferido e o bom-senso.

Retornando ao castelo, Arno, que já havia conseguido de Sílvia tudo o que ela sabia, foi aos aposentos do irmão, pois queria ouvir toda a verdade do próprio Tancredo. O jovem conde estava trancado em seu gabinete, mas abriu a porta para o irmão. Em seguida, jogou-se na poltrona, sem dizer nada. Arno trancou cuidadosamente as portas dos quartos contíguos e, sentando-se perto dele, disse com repreensão:

– Bem, agora me conte tudo. Como pôde esconder de mim este fato importante? Será que duvida do meu amor por você?

– Não, não. Mas os meus lábios recusavam-se a falar sobre esse maldito episódio de minha vida – disse Tancredo, com voz surda.

Em seguida, sem nada omitir, contou sobre o seu encontro com Gotfried e sobre o seu resultado.

– Eu juro, Arno, que não foi pela necessidade de pagar Fenkelstein que me decidi por esse casamento. Para isso eu não venderia a própria vida, mas, sem o conhecimento de mamãe, apelaria para o seu banqueiro, – prosseguiu calorosamente Tancredo. – Acredito demais em sua dedicação para aceitar sem constrangimento um empréstimo temporário seu. Mas quando vi aquele homem arruinado tão injustamente e que tão nobremente poupava a nossa honra familiar que ficaria em seu poder devido ao louco vício de minha mãe, juro que me senti um ladrão, um vil cúmplice do crime. Então, quando ele exigiu o meu nome em troca do seu, achei aquilo muito justo. E estava tão abatido pela dor de consciência e pela vergonha, que concordei sem muito pensar. Deus é testemunha de que eu queria cumprir honestamente o meu dever, esquecer Eleonora e viver com a esposa que Deus me destinara. Mas quando na igreja eu vi a moça feia, fraca, e desengonçada com quem ia me amarrar para o resto da vida, fui tomado de fúria e desespero e a morte de minha mãe tornou meu coração ainda mais cruel. Tive o descuido de contar a Nebert a aversão que sentia pela minha esposa; infelizmente ela ouviu as minhas palavras e, quando fui vê-la, escondeu-se. Nunca deu sinais de vida e a vergonha de anunciar publicamente essa estranha situação obrigava-me a ficar calado. Finalmente, não consegui suportar mais a situação e quando soube pelo Nebert que ela perdera seus bens, escrevi-lhe uma carta. – Tirou da gaveta da mesa a carta que escrevera para Líllia e entregou-a a Arno, avisando que a escrevera de próprio punho.

– O seu pedido de divórcio é uma resposta à minha segunda carta, na qual me nego a dar-lhe o divórcio – concluiu o rapaz com voz entrecortada.

Arno soltou um profundo suspiro.

– Ah, como me recrimino por ter deixado você por tantos anos, ocupado somente com meus próprios sentimentos egoístas. Se eu estivesse aqui não teria acontecido essa desgraça. Quanto à filha de Verenfels, ela não podia agir de forma diferente. E devo-lhe dizer francamente que, na minha opinião, você deve insistir na sua negativa de divórcio. A honra impede-o de deixar na miséria a filha do infeliz liquidado moralmente por Gabrielle. Portanto, não há dúvida de que a moça nunca vai aceitar nada de você. Então, pelo menos, tente juntar-se a ela. Seu comportamento demonstra orgulho e energia; sua carta, uma mente afiada e sentimentos delicados. Ela naturalmente tem algo do pai; às vezes a aparência feia se transforma e, portanto, o dever e a felicidade poderão estar juntos.

Tancredo abaixou a cabeça. Ele não queria confessar que existia uma mulher que amava e que para cumprir o dever de homem honesto devia vencer uma paixão ainda mais perigosa e resistente do que o amor juvenil por Eleonora. Sua consciência, assim como seu orgulho, dizia-lhe que era vergonhoso aceitar a liberdade oferecida pela moça, que era tão orgulhosa que lhe atirando essa liberdade nada queria em troca.

– Você tem razão, Arno. É preciso aceitar o inevitável. Tentarei obter o perdão de Líllia e conciliar-me com ela – disse ele baixinho. – Mas, para não levantar fofocas por aqui e me acostumar a ela, vou levá-la por alguns meses a Reckenstein. Você me faria a gentileza de ir até lá e preparar todo o necessário para a nossa chegada? Não posso fazê-lo agora.

– Sem problemas. Amanhã mesmo irei para lá. Fico feliz com a sua decisão, só que me parece errado você se esconder com sua esposa. Você deve agir abertamente neste caso; não ligar para as fofocas imbecis, apresentar a condessa à sociedade e, depois de duas semanas por aqui, viajar para a aldeia. Os arranjos para receber sua esposa nesta casa você pode controlar pessoalmente.

Tancredo concordou com tudo. Estava abatido de corpo e alma e ansiava por descansar; Mas na noite daquele mesmo dia, teve de prestar satisfações ainda maiores ao pai da baronesa. Furioso e estupefato, o velho fez uma visita ao seu ex-aluno e interrogou-o severamente. Com o espírito abalado, Tancredo deu respostas um pouco descuidadas. Não contou tudo, mas o suficiente para dar a entender ao general que ali se desencadeara um drama familiar e que ele estava pagando pessoalmente pelos pecados dos outros.

– Está bem, não preciso saber mais nada. O que ouvi explica suficientemente diversas cartas e também o testamento de seu pai – disse o general, levantando-se. – Quanto ao seu comportamento, digo que ele é infame e digno da sociedade atual que gera nobres de salão, levianos perfumados de cabelos enrolados e privados de quaisquer princípios, que procuram prazeres no vício e não dão valor à honra de terceiros, principalmente quando se trata da sedução de uma mulher bonita. Antigamente, pensava-se e agia-se diferente. Havia nobres com espírito que não admitiam negociar com a consciência. Eu deveria exigir satisfações de você por meio das armas, pelo jogo leviano com o coração e a tranqüilidade de minha filha, a que você, um homem casado, permitiu-se. Mas não desejo aumentar o escândalo. Deixo que a sua consciência o julgue, se é que você possui uma.

Essa conversa acabou definitivamente com os nervos de Tancredo. Completamente infeliz, foi no dia seguinte visitar o prelado e confessou-lhe tudo. O padre teve a mesma opinião de Arno e prometeu usar toda a influência que tinha para convencer a condessa a desistir do divórcio, aquela novidade anticristã, contrária aos ensinamentos do evangelho e à fé católica.

Arno viajou no dia seguinte e, por ordem de Tancredo, nos três quartos contíguos aos seus aposentos foram preparados um *boudoir*, uma sala e um dormitório. Todos entendiam que aqueles quartos estavam sendo preparados para sua esposa, mas ninguém falava disso às claras. A notícia do casamento do conde correra por todos os cantos da casa e gerara muitas conjecturas, principalmente nas dependências da criadagem. O próprio conde, aliás, não participava desses preparativos. Depois do bilhete recebido do prelado, informando-o de que na sexta-feira, às 11 horas da manhã, a condessa Reckenstein estaria em seu gabinete e que ele convidava o conde para estar lá nesse mesmo horário, o rapaz vivia como num pesadelo, trancado em seus aposentos, sem receber ninguém.

Esse estado de espírito deixava Sílvia muito preocupada. Ela escreveu para Arno, informando-o de que a sexta-feira seguinte seria o dia decisivo, e só ficou mais tranqüila quando o conde telegrafou dizendo que chegaria antes para participar do almoço familiar. Sílvia ocupava-se ativamente na preparação dos aposentos de sua cunhada. Ela decorava com amor aquele recanto onde deveria morar a filha de Verenfels e, com a ajuda do dinheiro, logo foi criado um luxuoso e confortável ninho. Líllia não devia sentir que seu marido ficara indiferente a esses preparativos e nem olhara o local onde iria morar.

Enquanto isso, Líllia passava dias difíceis. Mesmo que os ataques de fúria da baronesa tivessem passado, ela continuava irritada e a conversa com o pai aumentara ainda mais a sua irritação. O capricho, a impaciência e a raiva oculta que ela despejava sobre qualquer um criavam um inferno para os que a cercavam. Naturalmente, a dose maior sobrava para a sua dama de companhia, que não tinha sossego dia e noite. Em suas conversas com ela, Eleonora falava mal de Tancredo contando tudo o que sabia de suas aventuras amorosas, pintando-o como o pior dos depravados. Quanto a suposições relativas à sua esposa a imaginação de Eleonora chegava aos extremos. Perdendo a paciência, a moça pensou em deixá-la imediatamente, mas adiou sua partida até o acerto com o marido. Pretendia, após voltar da visita ao prelado, deixar o mais rápido possível a casa da baronesa, mas, até essa data, conseguiu com dificuldade autorização para ir à igreja na sexta-feira pela manhã.

V

Beati possidente

(Felizes possuidores)

Na noite de quinta para sexta-feira, Tancredo não conseguiu dormir. Em febril preocupação, virava-se na cama, pensando no dia seguinte e na mulher que não amava e com a qual dentro de algumas horas deveria unir-se novamente, sacrificando o seu amor por Nora. Adormeceu num sono febril somente ao amanhecer e em seus sonhos as imagens de Líllia e de Nora misturavam-se entre si e alternavam-se como suas esposas.

Ele acabava de se vestir quando entrou Sílvia. Ela dirigiu um olhar preocupado ao rosto tenso e pálido do irmão. Em seguida, pulou no pescoço dele e tentou consolá-lo.

– Não sofra prematuramente, Tancredo. Talvez tudo aconteça melhor do que imaginamos. Não seja cruel com a pobre Líllia, pois ela queria lhe dar a liberdade – acrescentou Sílvia, implorando com o olhar.

– Não me diga que está pensando que vou tratar mal a mulher com quem quero me reconciliar? Está na hora de ir – disse ele, apanhando as luvas sobre a mesa.

– Você vai sem usar a aliança? – perguntou, timidamente, ela.

O conde nada respondeu, mas abriu a gaveta da mesa e retirou de um compartimento secreto uma aliança absolutamente nova e colocou-a no dedo. Em seguida, saiu dizendo um curto até logo.

Sílvia suspirou, foi aos aposentos da cunhada e mais uma vez examinou a pequena sala com móveis revestidos de cetim cor-de-rosa e o *boudoir* azul. Depois colocou sobre a escrivaninha o retrato de Gotfried que um fotógrafo ampliara a partir da imagem em miniatura que ela possuía.

O prelado ainda estava só e recebeu Tancredo amigavelmente. Ele também tentava levantar o moral do rapaz, que ouvia distraidamente suas palavras, prestando atenção a cada ruído proveniente do saguão de entrada. Um pouco depois das 11 horas, entrou o criado e entregou ao prelado um cartão de visitas.

– Que entre – disse ele, olhando o cartão e fazendo um sinal significativo ao conde.

Tancredo levantou-se mortalmente pálido e sua mão apertou nervosamente o encosto macio da cadeira enquanto seus olhos azuis, quase negros de emoção, dirigiram-se para a porta por onde deveria entrar a infelicidade encarnada de sua vida. Instantes depois a porta abriu-se e entrou Líllia. Ela usava um simples mas elegante vestido preto de seda; o grande chapéu de feltro preto enfeitado com uma pena destacava sobremaneira a ofuscante cor do seu rosto e o refulgir dourado de seus cabelos.

Arregalando os olhos, Tancredo olhava-a em silêncio. Sua cabeça girava, mas num instante ele entendeu o porquê do tratamento que a moça lhe dedicava: seu ódio, sua zombaria e as alusões de duplo sentido.

O prelado, que havia-se levantado para receber a condessa, olhava para a recém-chegada não menos estupefato, sem compreender o que significava a presença da dama de companhia da baronesa.

– Senhorita Berg, que surpresa! Eu esperava a sra. Reckenstein, pois acabaram de me entregar o seu cartão de visitas – disse ele apertando-lhe a mão e recebendo dela um embrulho de papel.

– Sou a condessa Reckenstein, reverendíssimo, e estes são os meus documentos – respondeu Líllia, jogando um olhar frio e zombeteiro para o marido.

– Não! Isso já é demais! – exclamou o prelado. – Onde já se viu um marido não reconhecer a esposa e durante meses freqüentar a casa onde ela mora sem saber quem é ela? Senhor Reckenstein, o senhor reconhece ou não como sua esposa a pessoa aqui presente?

Tancredo já havia superado o seu embaraço inicial e, apesar da raiva que sentiu por ficar naquela situação ridícula, parecia que um enorme peso saíra de seus ombros a partir do momento em que Nora se revelara como Líllia. Um leve rubor animou o seu rosto pálido e sua voz soou de modo estranho quando respondeu, recebendo os documentos que o padre lhe passou.

– Não posso deixar de acreditar na declaração da pessoa aqui presente mesmo que aquela com quem casei fosse completamente diferente. Contudo, reverendíssimo, já lhe contei os estranhos detalhes do meu casamento.

Ele abriu os papéis e leu atentamente as certidões de nascimento, de casamento e, finalmente, o passaporte em nome de Nora Berg. Examinou os selos e os brasões e, depois, dobrou os primeiros dois documentos e colocou-os em seu bolso enquanto o passaporte ele rasgou e jogou os pedaços sobre a mesa.

Líllia, surpreendida e ofendida por aquela evidente desconfiança, ficou pálida de raiva e deu um passo em sua direção, enquanto o prelado observava-os com curiosidade.

– O que o senhor ousou fazer? – exclamou a moça fulminando-o com o olhar.

– Fiz o que é meu direito e obrigação – respondeu tranqüilamente o conde. – A lei proíbe portar documentos falsos. Esses casos estão previstos no código de leis sobre punições. A senhora não usava o nome do seu marido, o único nome que deveria usar. Eu destruí o passaporte que a senhora não tinha o direito de usar. Os outros dois documentos eu guardei comigo pois este é o seu lugar. Para uma condessa Reckenstein a senhora perambulou tempo demais pelo mundo.

– Estou deixando de sê-lo.

– Esta é uma outra questão. Enquanto usar este nome, a senhora tem obrigações para com ele. Se, durante cinco anos, a senhora realmente queria cortar a nossa ligação, sempre podia encontrar-me, pois sou bastante conhecido em Berlim e não fiquei me escondendo sob nome falso. Não divulguei o meu casamento com uma mulher que fugiu de mim, mas nunca o neguei como a senhora o fez. A senhora diz que seu pai obrigou-a a esse enlace. Eu não sabia disso, mas o seu silêncio incompreensível dava motivos para estranhas suspeitas. Em todo caso, a senhora não tinha o direito – sua voz tremia de raiva contida –, a senhora não tinha o direito de entrar para o serviço da baronesa, uma casa que eu freqüento, e fazer-me passar papel de bobo na frente de todos.

Líllia ouvia com o rosto fechado essa severa porém justa acusação; mas em seu coração havia se acumulado mágoa demais para discutir o caso calmamente.

– Tive de trabalhar para não morrer de fome. Na casa da baronesa fui parar por mero acaso, mas provavelmente para conhecê-lo e avaliá-lo mais de perto – respondeu ela com desdém.

– A senhora deveria primeiro ter-se separado e depois fazer o que lhe aprouvesse. A condessa Reckenstein, esposa de um homem rico, não tinha o direito de escandalizar o marido.

– Suponhamos que sou culpada por não apelar para o generoso esposo, sempre pronto a me receber sob o seu teto, apesar de ele, durante cinco anos, ter esquecido de minha existência, e apesar de ele, ao ter sabido que perdi os meus bens e fiquei absolutamente só, ter-se limitado a me jogar uma certa quantia de dinheiro, uma dívida esquecida, e ter pedido desesperadamente o divórcio. Mas, conde, o senhor está esquecendo do fato de que tinha vergonha de mostrar a sua repulsiva esposa e a queria manter fechada em Birquenvalde para ocultar dos olhos de todos esse grilhão de condenado que obscurecia a sua honra de nobre e cavaleiro. Reverendíssimo, tenho o senhor por testemunha. Como poderia eu, uma mulher pobre, odiada e desprezada, pedir algo ou procurar abrigo sob o teto do homem que, aproveitando o silêncio da esposa distante, festejava em Berlim as suas brilhantes conquistas e que nunca usou a traiçoeira aliança para não afugentar as mulheres crédulas que ouviam seus discursos de amor?

Naquele instante ela percebeu que ele trazia uma aliança no dedo.

– Ah, a aliança apareceu para a comédia de hoje – disse ela com um leve riso nervoso. – Mas espero que ela não vá ficar por muito tempo deformando a sua mão. O divórcio nos livrará um do outro.

Tancredo ouvia em silêncio sem tirar os olhos do rosto animado e expressivo da interlocutora. Ao ouvir a última frase, ele sorriu com desdém:

– A senhora está enganada. Eu lhe escrevi sobre isso e o reverendíssimo é testemunha de que vim aqui desistir do divórcio. Não a libero da obrigação de ser minha esposa e deixo para a senhora explicar como quiser a sua idéia maluca de trabalhar para a baronesa.

O rosto da moça demonstrou susto e raiva.

– O que significa esta nova fantasia? O senhor me implorava a liberdade; eis as cartas que testemunham isso. Agora eu exijo o divórcio! O senhor zombou tempo demais de mim. Não quero um marido que nunca cumpriu nenhuma de suas obrigações em relação ao ser indefeso que ele jurou proteger. Além do mais – acrescentou ela, mais tranqüila –, eu já dei a minha palavra a outra pessoa.

– Posso saber a quem a senhora deu a palavra de forma tão comprometedora? – perguntou Tancredo, franzindo o cenho.

– A Folkmar. Ele me ama de coração e não vai se envergonhar de mim.

O rubor que cobria o rosto de Tancredo mudou instantaneamente para palidez. Era verdade, Folkmar a amava. Ele tinha se esquecido disso completamente.

Perdido no meio de tantas emoções daquela hora, não se lembrara disso. A idéia de destruir a felicidade do amigo horrorizou-o. Mas não podia deixar Líllia para ele.

– Eugênio sabe que a senhora é minha esposa?

– Não. Se soubesse, por certo iria lhe revelar esse segredo e eu não teria o prazer de comunicar-lhe esta agradável e inesperada notícia – respondeu Líllia com arrogância.

– Então, teve um grande sucesso nisso. Só que a senhora foi demasiado apressada, e dar a palavra a Eugênio foi um ato impensado. A bigamia, condessa, é proibida por lei, assim como viver com nome falso. Mas como a senhora gosta de surpresas, quero oferecer-lhe uma em troca daquela que me arranjou com tanta habilidade. A surpresa é uma declaração: a senhora deve imediatamente vir comigo ao castelo Reckenstein para descansar do trabalho e das emoções. A partir deste momento estou reclamando novamente os meus direitos sobre a sua pessoa, e se – por sua própria culpa – não cumpri até hoje as minhas obrigações relativamente à sua pessoa, como acabou de me recriminar por tê-lo feito, doravante vou cumpri-las à risca – acrescentou ele num tom de zombaria e paixão.

Um forte rubor cobriu o rosto de Líllia. Uma infinidade de sentimentos diferentes a perturbava e todos eles foram superados pela raiva que sentia pelo fato de que aquele marido que ela tratava com desdém e a quem queria ridicularizar, de repente lhe aparecia como seu senhor e num instante liquidava a sua resistência e os seus planos para o futuro. Perdendo completamente o autocontrole e o sangue-frio que sempre lhe haviam dado vantagem sobre o impulsivo rapaz, Líllia gritou, batendo o pé:

– Eu não o quero e não vou segui-lo! Quero o divórcio e vou voltar para casa!

Tancredo pegou seu chapéu.

– Vejo que gosta de ruidosos escândalos e cenas trágicas – disse ele calmamente. – Neste caso, vou apelar para a lei para conduzir a minha teimosa esposa à casa do marido. Se a senhora não sabe, as autoridades farão com que a senhora entenda onde é o seu lugar e irão ensinar-lhe que sem os direitos legais não se pode viver em lugar algum.

– Chega! Parem de se ofender – interveio o prelado, pegando com carinho paterno a mão de Líllia, que, fora de si e tremendo com todo o corpo, tentava debalde encontrar palavras suficientemente ofensivas para golpear o conde tão duramente quanto gostaria.

– Acalme-se, minha filha – prosseguiu o padre –, e submeta-se ao inevitável. Depende do conde aceitar ou não o divórcio. Enquanto isso, o seu lugar é na casa dele. Tenho certeza de que o conde lamenta a própria culpa para com a senhora. Mas confirmo que ele estava decidido a conciliar-se com a esposa e, conseqüentemente, vai tentar com o seu amor remediar as tristes lembranças do passado. A senhora, condessa, deveria ser mais condescendente, esquecer as ofensas e ser uma esposa amorosa e dócil para o homem com quem Deus a uniu. O perdão das ofensas é a lei básica da religião cristã, e a senhora, seguidora da ciência que pretende saber os segredos da vida além-túmulo e tendo o lema. "Sem misericórdia não há salvação", quer permanecer rancorosa e raivosa? Lembra-se de quando me explicou com tanta eloqüência que a fé espírita, mais do que qualquer outra, ensina a entender e perdoar as fraquezas e paixões humanas e que a sua função é ilustrar as pessoas, elevar e dirigir as almas pela compreensão das causas de seus sofrimentos e os objetivos que pretendem alcançar? Use agora esses princípios de amor e misericórdia não em relação a terceiros, mas em relação ao marido que Deus colocou em seu caminho para que a senhora o enobreça, pois a senhora é forte e conhece as leis que regem os nossos destinos, enquanto ele é fraco e obscurecido pelas próprias paixões. Se a sua ciência realmente tem força, então seus seguidores não se limitarão a somente propagar seus princípios. Quanto a mim, já que não sou espírita, vou lembrar-lhe as palavras do santo apóstolo Paulo: *Uma fé sem ação está morta.*

Cabisbaixa e respirando pesadamente, Líllia ouvia o padre que a golpeava com as suas próprias armas. Por várias vezes, durante o tempo de suas provações e humilhações, a fé, que ela dizia professar, titubeara e a teoria não se coadunara com a prática. Mesmo assim, ela sempre voltara para aquela fé e retirara de lá coragem e paciência. Mas, naquele instante, o orgulho, a raiva e a teimosia faziam-na surda e cega. Sentia e via somente a humilhação de ser obrigada a obedecer ao homem que desdenhosamente a abandonara e rejeitara e que agora, por um novo capricho, exigia-a para si, usando o direito do mais forte, em vez de desculpar-se com palavras amáveis. Por isso, naquela hora difícil, nem lhe passava pela cabeça pagar a ofensa com o perdão. Ela queria pelo menos ferir Tancredo e, na impossibilidade de livrar-se dele, vingar-se ao menos com palavras. Parecendo ter recuperado o sangue-frio externamente, ela levantou a cabeça e disse friamente:

– Está bem, conde, eu cedo, pois compreendo que o direito do mais forte sempre vence. Tirando de mim tudo – meus documentos, minha paz e minha liberdade –, o senhor me conduz como uma prisioneira ao seu castelo para desempenhar o papel de homem casado. O senhor realmente tem talento de notável comediante. Depois de vê-lo desempenhar com tanta perfeição o papel de solteiro e noivo de sua prima, eu mal o reconheço no papel de marido escrupuloso e autoritário. Como não posso agir diferente, conde, vou segui-lo e partilhar da surpresa de seus criados quando o virem voltando para casa casado comigo.

Ela fez uma reverência respeitosa ao prelado que balançava a cabeça e saiu do gabinete. Tancredo, que nada respondeu, apertou rapidamente a mão do prelado e seguiu atrás de Líllia. Vestindo o sobretudo ele ofereceu o braço à esposa, mas ela, fingindo não ver esse movimento, continuou a abotoar a sua manta.

– Esta ínfima formalidade faz parte do papel que lhe cabe desempenhar, Líllia – disse o conde com sorriso zombeteiro. – A senhora não poderá descer esta escada e entrar no castelo Reckenstein senão conduzida pelo braço de seu marido.

A moça nada respondeu. Não querendo de jeito nenhum se apoiar no braço oferecido, desceu as escadas quase correndo e pulou para dentro da carruagem do conde tão rapidamente que ele não teve tempo de ajudá-la. Rindo muito, Tancredo sentou-se ao seu lado.

– Deus do céu! Mas, que pressa! Líllia, nunca a vi tão ligeira – observou com um sorriso malicioso.

Sem dizer palavra, Líllia encolheu-se o quanto foi possível no canto da carruagem. Sua cabeça girava. Não previra aquele final. A rápida e enérgica ação de Tancredo e a necessidade imediata de obedecê-lo faziam-na sentir tanta raiva dele que momentaneamente se esqueceu das lágrimas que derramara e dos sofrimentos por que passara todas as vezes em que pensara no divórcio. Às sensações dos últimos dias juntaram-se as daquela manhã, deixando Líllia definitivamente abalada.

O conde também ficou pensativo, tentando pôr em ordem o caos dos próprios pensamentos. A sensação calmante de felicidade destacava-se acima de tudo. O pesadelo de uma vida infeliz com uma esposa que seria necessário suportar pelo sentimento do dever foi afastado definitivamente e o sonho de ter Nora, que lhe parecia tão distante, realizou-se de forma tão inesperada e repentina. Não tinha mais de lutar contra obstáculos e vencer resistências. A mulher que ele endeusava, que o conquistara com a sua inteligência tanto quanto com a sua formosura, pertencia-lhe e ninguém podia arrancá-la de suas mãos. Entre todas as mulheres ele escolheria aquele ser orgulhoso e encantador, que tirara dele o tédio de homem arrogante. A moça o insultava constantemente, não lhe demonstrava o menor sentimento positivo e, mesmo assim, ensinara-o a dar valor à companhia de uma mulher realmente culta e inteligente. Ah, como ele estava cansado dos flertes com fingidas e levianas mulheres que só sabiam falar de panos e sentimentos; ele cansara de conquistá-las. Quanto a Líllia, esperava apaziguar a indignação do seu jovem coração. A não ser por este senão, o futuro lhe parecia claro e sem nuvens. Ele suspirou profundamente e jogou um olhar alegre para a sua jovem esposa. Naquele instante ele percebeu que ela estava toda de preto. O pensamento de que ela ia entrar na casa dele vestida de luto apertou o seu coração.

Tancredo olhou para a rua e viu que estavam passando perto de uma floricultura. Ele puxou a cordinha para parar a carruagem, saiu e voltou minutos depois com um maravilhoso buquê de rosas e narcisos que entregou a Líllia.

– Permita-me oferecer-lhe estas flores, para animar o seu traje sombrio. Que elas sejam o símbolo da felicidade que você está destinada a trazer a esta casa onde entrará como sua dona.

A moça aquiesceu com a cabeça e pegou displicentemente o buquê. Mas não teve tempo de responder, pois a carruagem parou diante do portão e um criado correu para abrir a portinhola. Para sua surpresa e de todos os outros criados que se reuniram no vestíbulo, o conde pulou agilmente da carruagem e deu o braço à senhorita Berg, que saiu pálida com um buquê na mão.

– Pode cumprimentar-nos, Müller, eis a minha esposa, a condessa Reckenstein – disse alegremente Tancredo.

Líllia agradeceu ao velho servidor, que murmurou embaraçado uma saudação, respondeu com um aceno de cabeça à profunda reverência dos outros criados e, em seguida, apoiando-se no braço do marido, subiu como num sonho a larga escadaria.

À entrada do grande salão Sílvia, pálida e preocupada, aguardava a cunhada desconhecida. Vendo Nora de braço com Tancredo, ela soltou um grito de alegria e surpresa. Líllia, ainda mais emocionada, deixou cair o seu buquê e correu para os braços da moça que, sem saber quem era ela, sempre fora sua amiga sincera. Sem dizer uma única palavra, abraçaram-se por longo tempo.

Tancredo, sem nada dizer, pegou o buquê largado e colocou-o sobre a mesa. Sílvia, percebendo pela expressão dos rostos que houvera uma forte cena entre o jovem casal, exclamou instantes depois:

– Nem consigo acreditar! Minha querida Nora era Líllia! Sua espertinha, como foi esconder isso de mim por tanto tempo?

Depois, jogando-se no pescoço do irmão, sussurrou-lhe maliciosamente:

– Então, ainda não está satisfeito? Você ainda a acha repulsiva?

– Se não é a aparência, então talvez a sua alma é que seja feia. Desde o início ela foi hostil comigo – respondeu o conde, saindo do quarto e deixando as amigas a sós.

– Espero que essa hostilidade entre vocês não dure muito – disse alegremente Sílvia, abraçando a cunhada. – Estou certa de que Tancredo está muito arrependido no que for culpado quanto a você. Aliás, você já o castigou bem severamente. Ele sofreu muito e agora vai lhe entregar todo o seu coração. Uma mulher tão bonita e inteligente, não há quem a veja e não se apaixone.

– Não quero o amor dele! – exclamou Líllia, e lágrimas quentes jorraram de seus olhos. – Se você visse como ele zombava de mim diante do prelado... Em vez de desculpar-se ele me acusou de tudo e obrigou-me a segui-lo e ameaçando-me com as autoridades se eu não obedecesse. Ah, não quero nem repetir todas as ofensas que este homem arrogante, acostumado à admiração das mulheres, despejou sobre mim. Mas não sou cega. Se a lei do mais forte está do lado dele, do meu lado está a lei moral e vou ensinar-lhe a se comportar comigo. Está muito enganado se pensa que achou uma esposa dócil que se submete ao primeiro sinal como uma heroína de comédia teatral.

Sílvia observava-a com surpresa. Como a tranqüila e racional Nora falava-lhe com tanta emoção febril, lábios tremendo e rosto ardente? Para mudar de assunto ela disse:

– Venha, tire o chapéu e a manta. Você está em casa. Vou mostrar-lhe os quartos que meu irmão e eu lhe preparamos.

– Que você preparou, pois imagino o ímpeto de Tancredo na preparação do quarto para a feiosa. Se você visse o horror e asco com que ele olhava para a porta por onde eu entrei... Parecia que ele aguardava a chegada da peste negra. Ah, por favor, não falemos mais nele.

Entretanto, o lindo cantinho em que ela iria viver causou-lhe uma impressão agradável. Agradecendo mais uma vez a Sílvia, tirou o chapéu e as luvas.

– Bem, você já está instalada, mas não completamente – observou rindo a senhorita De-Moreira. – Agora vou escrever um bilhete a Eleonora, para lhe explicar a sua metamorfose. Você mesma não poderia nem pôr o pé naquela casa. Junto com isso, vou mandar dizer a Nani para que envie para cá as suas coisas, pois o seu dote só estará pronto dentro de alguns dias. Amanhã vamos conversar com a minha costureira sobre os seus trajes para visitas. Tancredo vai apresentá-la à sociedade e, depois, vocês irão dar um grande almoço antes da partida para Reckenstein, onde ele pretende passar os meses de sua licença.

A conversa delas foi interrompida com a informação de que o almoço fora servido. Muito embaraçada, Líllia sentou-se à mesa. O conde foi amável e atencioso, mas o sorriso malicioso que por vezes aparecia em seus lábios fazia ruborizar o rosto da moça e quando, após a refeição, ele se aproximou e beijou-lhe a mão, ela tentou evitar o seu olhar. Sílvia propôs à cunhada ir ao jardim botânico. Líllia concordou alegremente, temendo ficar a sós com Tancredo, e quando o conde desistiu do passeio alegando compromissos, ela sentiu-se mais leve.

Voltando para casa duas horas depois, Líllia encontrou em seu dormitório um grande baú de madeira rosa, revestido por dentro com cetim branco e cheio de tecidos de seda, rendas e uma infinidade de quinquilharias luxuosas necessárias para os trajes das mulheres da sociedade. Bem no meio do baú havia um ramo de fresco de laranjeira e um bilhete amarrado nele com o seguinte teor:

Apresso-me em colocar aos seus pés o cesto nupcial que não lhe ofereci antes em virtude de infelizes circunstâncias.

Tancredo.

Líllia ficou vermelha e começou a examinar os objetos que lotavam aquele cesto nupcial, mas Sílvia interrompeu-a.

– Vou lhe mostrar o que você deve ver antes de tudo – disse ela, levando a cunhada até a mesa sobre a qual estavam dois volumosos cofres, um com o brasão dos Reckenstein na tampa e o outro com o brasão dos Develar. As chaves dos cofres estavam junto deles num envelope lacrado.

– Ah, já entendi! Ele quer me comprar com esses magníficos presentes – disse Líllia, retomando novamente o ar de desconfiada.

Sílvia olhou-a com surpresa e, em seguida, soltou uma gargalhada.

– Líllia, não a estou reconhecendo hoje. Você, que sempre foi tão ponderada, está falando bobagens. Como pode achar que o marido está subornando a própria esposa quando lhe oferece as jóias da família? Mas que Tancredo tem pressa de fazer as pazes com você, isso é bastante compreensível.

– Certo. Ele supõe que esses enfeites podem me fazer esquecer tudo o que suportei.

– Ele tem prazer de enfeitar a pessoa que ama. É um desejo inteiramente legal. Mas, não trate com indiferença aquilo que está nestes cofres.

Ela abriu um deles e retirou de lá um lindo colar de brilhantes e esmeraldas.

– Veja. Este você vai usar no próximo inverno, quando Tancredo irá apresentá-la à corte. Alguma noite destas vou experimentar em você todos estes colares. Você ficará encantadora. Mas agora precisa trocar de roupa. Arno vai chegar para o almoço da família junto com Folkmar. Não fica bem você usar traje preto.

O nome de Folkmar fez Líllia empalidecer.

– Ah, como vai ser difícil vê-lo! – sussurrou ela e, percebendo a surpresa de Sílvia, contou-lhe sobre o seu noivado com ele.

– Deus é testemunha de que eu queria e esperava casar com esse homem simpático que me ama com tanta sinceridade. Como podia imaginar que o conde só de teimosia iria me segurar à força ao lado dele? Isso vai ser um duro golpe para Folkmar.

– Ele é homem e amigo de Tancredo, espero que suporte com dignidade o que não pode ser mudado. Mas, querida, não foi correto de sua parte dar esperanças a outra pessoa, sem estar certa de que seu marido iria rejeitá-la. Também não é correto você atribuir a Tancredo somente más intenções. Mas está na hora de vestir-se. Vou ver se já trouxeram as suas coisas.

– Mas não tenho nenhum traje adequado para uma condessa Reckenstein.

– Não é verdade. Você tem um lindo vestido de foulard branco que foi preparado para a festa que Eleonora pretendia dar, e em sua cesta de casamento há muitos objetos para enfeitar maravilhosamente o seu traje.

– Mas, não! Hoje não vou vestir nada desta cesta. Mas para não chocar você e o conde Arno vou tirar este vestido preto.

Quinze minutos depois, Sílvia voltou rindo.

– As suas coisas chegaram junto com Nani, que Eleonora jogou para a rua junto com os seus baús. Se você está satisfeita com essa moça, então a deixo consigo. Ela me informou que a baronesa desmaiou ao saber quem é você, e, quando voltou a si, teve um terrível ataque nervoso.

Após trocar de roupa as damas saíram para a sala de visitas. Líllia estava sombria e preocupada à espera de Folkmar, enquanto Sílvia estava impaciente para ver Arno. Tancredo não estava. Havia saído para prevenir Folkmar mas, infelizmente, não o encontrara em casa.

De repente, Sílvia, que vigiava junto à janela a chegada de Arno, exclamou:

– Ah! Líllia! Chegou o doutor. Ele está com um ar de felicidade e despreocupação. Coitado! Realmente, não sei como lhe contar a verdade.

– Eu mesma vou contar-lhe sobre a insuperável força que me impede de cumprir a palavra dada – respondeu Líllia, franzindo a testa enquanto Sílvia saía rapidamente.

– Ambas as condessas estão na sala de visitas vermelha – informou o criado que recebeu Folkmar.

O rapaz, cheio de curiosidade, atravessou rapidamente as duas salas que antecediam a sala indicada e, na soleira desta, parou surpreso ao ver Líllia, pálida, de vestido branco, que estava parada encostando-se no espaldar da poltrona. O doutor deu uma olhada na sala. Onde estariam as condessas Sílvia e a esposa de Tancredo? E por que Nora, tão elegante, estava ali num almoço familiar?

De repente, veio-lhe um pensamento infernal. Nora falava de um segredo e usava uma aliança. Seria ela a esposa de Tancredo?

– Nora, o que significa a sua presença aqui? – disse ele, repentinamente, com voz entrecortada.

Líllia aproximou-se dele rapidamente e estendeu-lhe ambas as mãos.

– Folkmar, perdoe-me! – sussurrou com lábios trêmulos, dirigindo-lhe um olhar implorador. – Sem querer sou culpada perante o senhor. Eu queria o divórcio e tinha certeza de que ia recebê-lo; mas o conde não concordou com a separação.

Mortalmente pálido, o rapaz encostou-se na porta. Parecia-lhe que um abismo abrira-se diante dele engolindo seu futuro, sua felicidade e suas esperanças. Sem dizer uma palavra de recriminação, ele baixou a cabeça em silêncio.

Líllia observava-o preocupada. Tocando-lhe a mão, enquanto lágrimas caíam pelas suas faces, disse:

– Não se magoe assim se no senhor restou ainda pelo menos uma sombra de amizade e amor por mim. O senhor é jovem e a vida o recompensará. Para mim é muito difícil ver que o senhor está sofrendo por minha causa.

Sua voz foi cortada pela emoção.

Folkmar rapidamente pegou a sua mão trêmula e levou-a aos lábios.

– Acalme-se, sei que a senhora não queria fazer-me infeliz. Entendo que Tancredo, que não queria se divorciar da mulher que não lhe agradava, não vai se separar da senhora. É meu cruel destino – acrescentou ele com um amargo sorriso.

Naquele instante, na sala vizinha ouviram-se passos apressados e entrou Tancredo. Ele também estava pálido e seu rosto expressava forte emoção. Assim que ele entrou, Líllia retirou sua mão da mão do doutor e, jogando um olhar hostil para o marido, voltou-se e saiu, sussurando: – Que se explique sozinho.

Durante alguns minutos pairou um silêncio constrangedor interrompido somente pela pesada respiração de ambos os rapazes.

– Eugênio, mas que destino trágico faz de mim o destruidor de sua felicidade! – exclamou por fim Tancredo. – Deus meu, vejo como você está sofrendo e me sinto um ladrão em relação a você. Mas como poderia agir diferente? Eugênio, será que devo perder você como amigo? – acrescentou ele, jogando-se na poltrona preocupado e nervoso.

Folkmar levantou a cabeça rapidamente.

– Não, Tancredo. Como posso deixar de ser seu amigo só porque o destino está contra mim? Sim, saber que ela é sua esposa foi um terrível choque para mim. Mas você não tem culpa disso! Ainda ontem você nem sabia. E depois – um triste sorriso passou pelo seu rosto pálido –, você me avisou que havia algo suspeito e misterioso na bela Lorelei. Predisse também que apareceria um marido para tirá-la de mim no momento em que eu menos esperasse isso. Que este marido seria você, isso nenhum de nós poderia imaginar. Ninguém rejeita uma mulher dessas nem para o seu melhor amigo. Eu entendo e perdôo.

– Oh, como me sinto mal em basear a minha felicidade na sua desgraça! – exclamou o conde. Seus lábios tremiam nervosamente e, torturado por inúmeras emoções diferentes, apertou o rosto no encosto da poltrona.

Folkmar dirigiu-lhe um longo e pensativo olhar. Não tinha dúvidas de que aquele triste e estranho conflito causava grande sofrimento a Tancredo. De repente ele lembrou que Líllia tinha prometido a ele somente amizade. Então agora estava claro que o bonito e atraente rapaz que lhe pertencia por lei tinha conquistado o coração da moça. Seu ódio por ele, suas alusões cáusticas eram nada mais do que o ciúme que a fazia sofrer, sem cortar os laços que os prendiam.

Passando a mão pela testa úmida, o doutor endireitou-se.

– Deixe isso, Tancredo, e não envenene a sua felicidade adquirida com tanto sacrifício – disse ele calmamente. – Você ainda não a está usufruindo. Deve ainda vencer a raiva, a indignação e a teimosia de sua esposa. A culpa foi minha por ser descuidado e devo pagar por isso. Minha amizade por você vai me ajudar a vencer meu ciúme. Aliás – continuou ele no tom de brincadeira com que costumava falar com seu amigo de infância –, como o mais velho, sempre tive o costume de ceder a você em tudo, sua criança mimada e querida! E o faço mais uma vez!

Com o irrefreável ímpeto que o caracterizava, Tancredo jogou-se sobre Folkmar quase o sufocando com seus abraços.

– Eugênio, você me perdoa o mal involuntário que lhe causei e vai continuar meu amigo?

– Até a morte – respondeu o doutor, com um estranho sorriso, que passou despercebido ao conde. – E agora – prosseguiu Folkmar –, vamos ao salão.

Somente ela e você presenciaram a minha fraqueza; os outros não devem saber disso. Fico para almoçar como combinado e tomarei uma taça de champanhe pela felicidade de vocês.

– Fico-lhe grato – disse Tancredo radiante. – Quem tem um amigo como você não têm o direito de reclamar das provações que lhe envia a Providência.

Enquanto os amigos travavam esse importante diálogo, chegou Arno e foi recebido no saguão por Sílvia que não parou de vigiar sua chegada.

– Bem, como tudo correu? – perguntou ele sorrindo e beijando-lhe a mão.

– Ah, melhor do que podia imaginar. A esposa de Tancredo é lindíssima. Vamos logo até ela, Arno – respondeu Sílvia, levando-o alegremente consigo.

Ao ver seu bom amigo, Líllia levantou-se vermelha e, embaraçada, baixou os olhos. Mas a surpresa do conde não durou mais que um minuto.

– Que agradável surpresa! – exclamou ele alegremente. – Agora lembro onde já tinha visto estes lindos olhos aveludados que tanto me intrigaram.

Ele segurou-a pelas duas mãos e beijou-a com cordial amizade.

– Fico muito feliz com a sua entrada na nossa família. Goste um pouco de mim e seja condescendente com Tancredo. Ele logo será o seu escravo e a senhora concluirá a educação desse leviano que seu pai iniciou com tanto sucesso.

– É fácil gostar do senhor, Senhor De-Arnoburg – respondeu Líllia olhando-o com um olhar caloroso e nobre.

– Mas como? Por que se dirige com tanta cerimônia a um parente próximo, Líllia? Eu protesto e exijo que me chame pelo nome e, daqui a alguns dias, quando nós nos conhecermos melhor, vou pedir-lhe para me tratar por "você" e não negar, se Tancredo o permitir, um beijo de irmão.

– Ah, ele não pode me proibir de nada – observou Líllia com desprezo.

– Mas, não! Os seus lindos lábios, por exemplo, são propriedade exclusiva dele. Mas onde estará o nosso recém-casado?

– Na sala vermelha com Folkmar – respondeu Sílvia e, sem esperar autorização da cunhada, contou o tipo de explicação que ocorria entre os amigos.

– Bem, isso foi tão descuidado quanto cruel, querida Líllia – disse o conde, balançando a cabeça. – Vamos esperar que o doutor suporte corajosamente esta terrível provação. Agora vamos para o grande salão; eles provavelmente logo se juntarão a nós.

Quando entraram no salão, Tancredo e o doutor já estavam lá e imediatamente iniciou-se uma conversa geral. Não fosse a extrema palidez, nada revelava as emoções de Folkmar. Ele conversava tranqüilamente sobre outros assuntos, tentava até ser alegre, mas uma vaga tristeza e uma certa inquietação pareciam pesar sobre todos os presentes. O mesmo constrangimento reinou durante o almoço. Quando beberam champanhe, Folkmar levantou um brinde e com calorosas frases desejou felicidade e muitos anos de vida aos recém-casados. No instante em que Tancredo cruzava as taças com a esposa, seus olhos se encontraram e o rapaz esqueceu a própria reserva e a presença do amigo. Via e sentia somente a força de atração dos olhos aveludados e, inclinando-se, beijou a esposa nos lábios. Líllia estremeceu e olhou preocupada para Folkmar que, de repente, ficou ainda mais pálido e, com mão trêmula, colocou a taça na mesa.

Após tomar café e fumar um charuto, o doutor levantou-se e despediu-se. Beijando a mão de Líllia, dirigiu-lhe um longo olhar cheio de uma expressão especial.

– Até logo, até breve? Ou o senhor vai me evitar? – perguntou a moça, preocupada.

Um inquietante presságio apertou-lhe o coração. Ele a olhava como se estivesse despedindo-se dela para sempre. O que aconteceria se ela nunca mais visse aqueles claros e simpáticos olhos? Seria horrível.

– Não, condessa, pelo contrário, espero vê-la freqüentemente – respondeu Folkmar, beijando-lhe a mão pela segunda vez. Em seguida, saiu na companhia de Tancredo.

– Meu Deus! Tomara que o doutor não cometa uma loucura. Tenho um mau pressentimento de que não vou vê-lo nunca mais – disse Sílvia, com preocupação.

– Como pode pensar assim? O doutor é um homem por demais sério para se permitir uma fraqueza dessas – respondeu Arno, olhando com compaixão para o rosto pálido e preocupado de sua cunhada.

A tarde passava enfadonhamente. Todos estavam preocupados e intranqüilos. Antes do chá, chegaram dois amigos de Tancredo a negócios e ele mandou servir seu chá no gabinete. Logo após o chá, Líllia despediu-se de Sílvia e Arno dizendo-lhes que estava cansada e foi para os seus aposentos.

Nani despiu-a, penteou-lhe os cabelos para a noite e, vestindo-lhe um leve *peignoir*, retirou-se. A moça trancou à chave a porta da sala de visitas, a porta da sala de vestir e, dando um suspiro de alívio, retornou ao dormitório. Passando diante do espelho, parou por instantes, examinando sua atraente aparência. – Sim, sou bonita e isto explica a teimosia dele. Mas ele está enganado pensando que adquiriu uma nova odalisca! – sussurrou ela, sentando-se no divã. Fechando os olhos, a moça começou a pensar tentando colocar em ordem o caos de seus sentimentos. Líllia não entendia a si mesma. Não podia negar que a idéia da separação e de desistir definitivamente de Tancredo custava-lhe terríveis dores no coração. Agora, quando ele pertencia-lhe para sempre, em seu peito fervia uma vontade amarga de ofendê-lo e rejeitar o seu amor. Seria isso uma reação decorrente dos sofrimentos passados ou raiva e orgulho ofendidos por ele agir como seu senhor em vez de implorar o seu perdão? Sim, naturalmente, era isso que a indignava. O marido não toma a mulher à força, mas tenta merecer o seu amor e fazê-la concordar em reconhecer os seus direitos. Mas tudo acontecera tão depressa. Poderia ela imaginar pela manhã que no mesmo dia, à tarde, estaria na casa de Tancredo, abertamente reconhecida como sua esposa?

Sim, e tudo isso não era um sonho, mas realidade. Lançou um olhar pensativo para a branca bainha de seda da cama, as pesadas cortinas, o toucador enfeitado de rendas e sobre o espelho o esmaltado brasão dos Reckenstein. Sim, ela estava em casa. Mas que futuro a aguardava naquele luxuoso ninho? Como iria viver com aquele homem caprichoso, arrogante e mimado por adulantes carinhos de volúveis e levianas mulheres?

De repente estremeceu. Pareceu-lhe ouvir que alguém batera na porta. Levantou-se e esgueirou-se silenciosamente até a porta de entrada. O espesso tapete abafava seus passos. Mas ela estava certa: uma mão nervosa e impaciente tentava abrir a porta trancada e o leve tilintar das esporas não deixava dúvidas sobre quem seria aquele visitante.

A moça ficou parada sem se mexer. Seu coração batia fortemente, enquanto seu rosto ficava ou pálido ou vermelho. *"Já é meia-noite"*, pensou ela olhando o relógio. *"É muito tarde para ainda usufruir sua companhia. Ele pode ficar lá fora. Ah, graças a Deus ele está indo embora."*

Ela suspirou, aliviada, mas, repentinamente, veio-lhe o pensamento de que não trancara bem a porta da sala de vestir ou a porta que levava ao pequeno corredor que, conforme lhe contara Nani, saía para os aposentos do conde. Correu como uma flecha para o dormitório e experimentou ambas as portas. Estavam trancadas à chave. Mas, de repente, ela estremeceu e estancou no lugar, sem ter tido tempo de retirar a mão da maçaneta da porta, ao ouvir atrás de si a voz zombeteira de Tancredo:

– As fechaduras são novas e resistentes, querida Líllia. Não tenha medo de ladrões. Mas estou surpreso de encontrá-la ainda de pé. Bati na porta da sala de visitas e, como ninguém atendeu, imaginei que você já se deitara e que estivesse dormindo. Felizmente, tenho à minha disposição uma porta secreta que vou sempre usar para entrar sem incomodá-la.

Mal Líllia recuperou-se da surpresa provocada pelo tom irônico do marido, explodiu como pólvora. Esquecendo-se completamente de que Tancredo tinha o direito indubitável de entrar em seu quarto, nem pensou que ele talvez quisesse explicar-se sem testemunhas, pedir-lhe perdão e conciliar-se com ela.

– Eis o que ultrapassa todos os limites, conde – exclamou ela. – Como o senhor ousa entrar em meus aposentos se eu não desejo vê-lo? Depois de um dia como este, espero ter o direito de ficar só e descansar.

Ela não sabia o quanto sua febril emoção e aquele *peignoir* que Tancredo nunca a vira usando faziam-na ainda mais linda para ele.

O fogo da paixão acendeu-se nos olhos de Tancredo. Ele inclinou-se tão próximo que seus lábios tocaram sua face e estendeu o braço para puxá-la para si. Mas a moça, com um gesto de negativa, afastou-se para o toucador. Uma coloração de indignação e medo apareceu em seu rosto. As lembranças das aventuras escandalosas de Tancredo contadas tão detalhadamente pela baronesa desenharam-se diante dela, e, com voz sufocada, ela pronunciou:

– É tarde demais!

– É verdade. Notei tarde demais que a minha esposa é tão bonita. Mas a vida é longa e o erro pode ser remediado – disse Tancredo meio brincando, meio sério. – Permita-me dizer, Líllia, que o título de condessa soa mal em seus lábios. Para você, esse título caiu no abismo como muitas outras coisas. A senhorita Berg poderia com esse gesto e um olhar fulminante colocar um obstáculo entre ela e o conde Reckenstein, já a minha esposa não pode fazê-lo. Não a reconheço, Líllia, desde hoje de manhã. Você que foi sempre tão tranqüila e séria, a encarnação do dever... Será que pensa realmente que não tem qualquer obrigação para comigo já que reconheço a minha culpa e devolvo-lhe o lugar que lhe pertence e que lhe foi indicado pelo seu pai? Unindo-nos pelo matrimônio, o falecido barão tinha em mente esse papel que você insiste em desempenhar? Você se comporta de modo estranho comigo e, se pudesse, jogar-me-ia para fora do quarto onde tenho o incontestável direito de estar.

– Não tem direito algum! – respondeu Líllia e em sua voz soava uma inabalável convicção. – O senhor se dá o direito, quando bem lhe aprouver, e, naturalmente, a sua consciência, que despertou tão repentinamente, continuaria a dormir, como dormiu durante cinco anos, se eu continuasse sendo um monstro idiota, coruja, repulsiva, cuja visão indignava todas as cordas de sua alma. Entendo-o perfeitamente como um homem leviano, privado de quaisquer princípios, sempre em perseguição de uma nova amante, um ser que pode ser desonrado e, em seguida, descartado como imprestável. Desta vez o destino o ajuda oferecendo-lhe a própria esposa, suficientemente bonita, infelizmente, para despertar os seus maus instintos. O senhor está acostumado a viver a vida sem se constranger com os sentimentos. Quanto a mim, já sou de opinião diferente e reconheço somente as obrigações que são acordadas voluntariamente e seladas com amor e não pela mania de um homem que quer se divertir com alguém que antes desprezava profundamente. Conquiste o coração de sua esposa e somente então reclame os seus direitos. Somente então a sua presença ser-me-á cara, em vez de me causar horror e aversão como estou sentindo neste momento. O senhor é bonito, Tancredo, e acostumado a conquistar mulheres com regras leves, que respeitam demais o seu sexo e que se rebaixam tanto que não têm mais valor algum. As cortesãs e as esposas infiéis enganaram os homens e fizeram-nos esquecer como se aproximar das mulheres com respeito e atenção. Mas, graças a Deus, ainda existem mulheres que não se deixam conquistar somente pela bela aparência, pois a aparência pode ser somente uma casca completamente vazia por dentro. Existem mulheres que exigem algo mais. Apesar de tudo com que a natureza lhe presenteou, apesar da nobreza de sua família e do seu brilhante uniforme, o senhor não é um verdadeiro cavaleiro. O senhor fica vermelho com a idéia de que é preciso tentar merecer o amor da esposa com atenção e respeito, e imagina que tem o direito de brutalmente possuir algo que lhe pertence. Mas eu não o quero assim como o senhor é, pois o senhor me provoca somente aversão.

As primeiras palavras de sua jovem esposa fizeram Tancredo empalidecer. À medida que ela foi falando, manchas vermelhas apareceram em seu rosto. As duras verdades que ela lhe jogava tão inesperadamente ofendiam o orgulho e o amor-próprio de um homem indubitavelmente mundano. Ele era por demais impulsivo e irritável para suportar pacientemente tal golpe, tal depreciação de sua pessoa. Seus olhos azuis ardiam e a raiva quase não o deixava falar.

– Ah, mas que divertido! – mal conseguiu pronunciar ele. – Agradeço a lição. Pelo menos agora sei que sou um homem rude, imoral, que não sabe se comportar com as mulheres e, apesar do meu uniforme, sou um verdadeiro sargentão.

– Existem muitos como o senhor – observou Líllia, sem perder o sangue-frio. – O senhor é o tipo de homem produto da sociedade moderna. Não acho absolutamente que o capitão de-Vert, o tenente Ksaver ou o camareiro Kurtius sejam pessoas mais decentes. Muitas vezes tive a oportunidade de perceber que sob o fraque ou o uniforme desses senhores aparece um grosso camponês ou um soldado.

A fúria de Tancredo atingiu o apogeu. Completamente fora de si tentava encontrar as palavras mais rudes para pagar com ofensas as ofensas daquela que ousava rebaixá-lo e rejeitá-lo.

– Ah! Eu lhe causo horror e repulsa – exclamou ele – porque não me arrasto aos seus pés implorando o seu perdão e amor. Agora sou eu que não a quero. Será que você pensa que não encontrarei mulheres que irão me amar?

Em sua emoção, ele não percebia que às vezes tratava-a por "você".

– Mas – continuou ele – a senhora com esse seu comportamento não me obrigará a lhe dar o divórcio. Vou mantê-la comigo e deixá-la sentir todos os prazeres do papel que deseja desempenhar. Esse papel pode não ser tão interessante como imagina. Depois de apresenta-la à sociedade, vou levá-la a Reckenstein, e como a senhora não quer ser a minha esposa, será a minha governanta. Enquanto isso, vou traí-la diante do seu próprio nariz com cada mulher bonitinha que encontrar. Enquanto a senhora não vier me pedir perdão, pode se divertir com a arrumação da casa.

Líllia empalideceu. Compreendeu que ofendendo tão impiedosamente o amor-próprio daquele homem mimado e caprichoso provocara nele o rancor e os seus maus instintos contra ela mesma. Entretanto, conseguindo ocultar que se sentia abatida, respondeu com desdém:

– Nunca duvidei de que o senhor iria me trair com grande habilidade e sem cerimônia. O senhor se esquece de que acabei de deixar a residência da baronesa e, naturalmente, possuo edificantes informações a seu respeito? Quanto ao seu comportamento rude, bem ao estilo de caserna, com que responde às minhas palavras, ele somente comprova a minha opinião: sua arrogância não suporta a verdade. Mas prefiro a natureza e a arrumação da casa em Reckenstein à companhia de um homem rude e insolente assim que ele tira a máscara de apaixonado que veste para satisfazer um desejo momentâneo.

Tancredo preparava-se para responder, quando de repente bateram fortemente na porta da sala de vestir e Nani gritou com voz emocionada:

– Condessa, diga por favor ao conde que o criado do doutor está procurando-o. Aconteceu uma desgraça: o senhor Folkmar suicidou-se.

O conde soltou um grito surdo e correu para a porta, enquanto Líllia, abalada pelas emoções precedentes, caiu no tapete, como se atingida por um raio.

O barulho de sua queda fez Tancredo olhar para trás. Esquecendo a raiva, ele correu para ela e levantou-a. – Como é linda! – sussurrou ele. – Mas me aguarde, infeliz, vou recordar-lhe este momento e a obrigarei a pagar por todas essas suas ofensas. Colocou-a no sofá, abriu a porta e correu para fora.

No gabinete o aguardava Martin, o velho camareiro de Folkmar. Pálido e trêmulo, ele contou que seu amo retornara do almoço, trancara-se em seu gabinete avisando para não ser incomodado, mas Martin ouvira que o rapaz ficara muito tempo andando pelo quarto. Em vez do costumeiro chá mandara trazer vinho. Ao levar o vinho para Folkmar, Martin percebera que todas as gavetas da mesa haviam sido abertas e que o médico acabara de queimar e rasgar muitos papéis. Folkmar então, mandara o camareiro ir dormir, mas uma obscura preocupação não o deixara conciliar o sono. Por volta das 11h30 da noite, um dos clientes do doutor fora chamá-lo para ver a esposa doente. Martin batera na porta fechada do gabinete, mas não obtivera resposta. Instantes depois ouvira-se o som de um tiro de revólver. Assustados, Martin e o cliente de Folkmar haviam feito um grande barulho e, com a ajuda do porteiro, haviam arrombado a porta. Encontraram o médico caído na poltrona com o revólver na mão, sem sinais de vida. O porteiro correra para chamar a polícia enquanto ele apressara-se para avisar o conde, já que este sempre fora o melhor amigo de seu amo.

Mortalmente pálido, Tancredo saiu de casa e jogou-se em um fiacre. A escada e o apartamento de Folkmar já estavam abarrotados de curiosos e dois médicos entraram no saguão junto com o conde. A velha zeladora desmaiara e algumas vizinhas prestavam-lhe socorro. Tancredo passou adiante de todos e dirigiu-se rapidamente ao gabinete onde o corpo de Folkmar se encontrava ainda na mesma posição. Somente o revólver estava agora caído no tapete.

Quase tão pálido quanto o amigo, Tancredo inclinou-se para ele e, com o olhar enevoado, observava o bonito e imóvel rosto que conservava nas dobras dos lábios a expressão de amargura e sofrimento. – Eugênio, Eugênio! Como pôde fazer isso? – sussurrava ele, pegando-o pela mão que ainda não tivera tempo de esfriar.

Naquele instante entrou o comissário e os médicos examinaram o ferimento de onde ainda saía sangue.

Eles puderam somente constatar a morte. – A bala acertou direto no coração, – declarou um deles. – Ele era um médico bom demais para não apontar o revólver corretamente, e sua mão não tremeu!

O corpo foi colocado na cama e o conde, informando o seu nome e suas relações com o falecido, tomou para si todas as providências necessárias até a chegada do parente de Folkmar a quem Eugênio deixara uma carta.

Quando finalmente todos saíram, Tancredo entregou-se ao desespero com o ímpeto apaixonado que revelava em tudo. Perdera seu melhor amigo e a culpada era a mulher que acabava de ofendê-lo e repeli-lo com desprezo. Um sentimento ácido próximo do ódio começou a despontar em seu coração contra Líllia que provocara com o seu silêncio aquela tragédia...

Se Folkmar soubesse quem era ela, não permitiria que o sentimento do amor tomasse conta de todo o seu ser. Mas, não, ela ficara calada e até dera-lhe a palavra mesmo sem saber se receberia a liberdade. – Oh, se eu pudesse prever este terrível fim – dizia para si mesmo Tancredo –, talvez deixasse para o amigo essa mulher egoísta e perigosa, que gosta só dela mesma e com seu jogo criminoso matou esta vida útil, este coração fiel e generoso. Ah, – sussurrava ele, deixando as lágrimas correrem –, por que Deus destrói a todos que me amam? Todos que me foram caros acabaram suicidando-se: Moreira, minha mãe e agora Folkmar.

Eram cerca de três horas da manhã quando Tancredo voltou para casa. Na sala de visitas contígua ao seu gabinete encontrou Sílvia, Arno e Líllia. Estavam abatidos com o infeliz acontecimento e não haviam ido dormir. Arno queria muito se juntar ao irmão, mas temia deixar as damas no estado emocional em que se encontravam, principalmente a cunhada que fora reanimada com dificuldade de um longo desmaio.

Vendo a palidez mortal e as feições alteradas do irmão, o conde levantou-se e apertou-lhe a mão, dizendo algumas palavras de solidariedade. Nada respondendo, Tancredo voltou-se para a esposa e disse com voz cheia de amargura:

– Alegre-se, condessa de Reckenstein, a surpresa tão habilmente engendrada pela senhora foi um sucesso acima das expectativas. Seu silêncio, motivado pelo temor de que meu amigo me avisasse e me livrasse de uma fração do sofrimento e reduzisse um pouco a minha ridícula posição, levou ao suicídio um homem honesto que a amava.

– Tancredo, que acusação injusta! Como poderia prever que isso iria acontecer ou mesmo querer isso?

– Então, o que queria? – disse Tancredo rispidamente. – As pessoas, quando querem realmente livrar-se de alguém, não alimentam com sorrisos inocentes a paixão e as esperanças dessa pessoa, se já estão comprometidas com outra. Mas a senhora sonhava somente em vingar-se e humilhar o marido, que se debatia como uma mosca na teia para sua diversão. Oh, a senhora é uma filha digna de seu pai e, como ele, adora somente a si própria e ao próprio orgulho.

Ele também, o cavalheiro irrepreensível, o escravo da honra que provoca uma louca paixão e depois, submetendo-se à própria honra, repudia a mulher que o ama, levando-a ao crime e ao suicídio. Impiedosa e egoísta como ele, a senhora quis colocar-me no altar de seu orgulho ofendido e sedento de sangue. Mas as suas setas não atingiram o alvo e Eugênio pagou com a vida pela canção de sereia cantada pela bela Lorelei.

Sem esperar resposta ele voltou-se e saiu acompanhado por Arno que sentia que o rapaz precisava como nunca de uma palavra amiga e de compreensão.

– Perdoe Tancredo por ele ser tão injusto em sua infelicidade – disse Sílvia chorando e abraçando a cunhada.

Abatida física e espiritualmente, Líllia voltou aos seus aposentos e deitou-se, mas o sono não vinha e inúmeros pensamentos ruins torturavam-na. A morte de Folkmar perseguia-a como dor de consciência e ela examinava e julgava severamente seu comportamento em relação a ele. Naturalmente, ela nunca incentivara a atenção do jovem doutor e tratava-o com a amabilidade própria para uma pessoa que freqüentava a casa da baronesa. Mas permitiria ele que o seu amor crescesse a ponto de suicídio, se ela desde o início lhe confessasse que era casada? Não, ele provavelmente a esqueceria. Eleonora também não se iludiria com falsas esperanças. Então por que ela ficara calada? Para castigar Tancredo e fazê-lo pagar por aquele terrível momento quando ele a humilhara com palavras que perderam o seu veneno desde o momento em que ficara bonita? A insubornável voz da consciência gritava-lhe que agira assim por vingança, que não admitira estar comprometida, que tudo partira de seu orgulho ofendido. O coração perdia os direitos e ela esquecia a misericórdia quando seu excitado sangue chegava ao cérebro.

As ríspidas acusações de Tancredo contra seu pai, um escravo da honra, que amava somente seu dever e obrigava a calar qualquer outro sentimento mais delicado, dizendo que ele levara Gabrielle ao crime e ao suicídio – estas, naturalmente, eram injustas. Mas, e as acusações contra ela? Um forte rubor cobriu o rosto da moça. Sim, ele adivinhara: ela não queria deixar escapar aquele bonito e atraente rapaz a quem amara desde o primeiro momento com todas as forças de sua alma. Se ela não amasse Tancredo, poderia o seu desprezo fazê-la sofrer tanto? Não se livraria imediatamente das correntes que a incomodavam já que a morte do pai a deixara livre? Mas ela não dera um passo para a reconciliação e o rejeitara tão ríspida e desdenhosamente, desafiando-o com uma hostilidade declarada. Agora, em vez de uma vida suportável, aguardava-a no mínimo uma luta interminável. Conhecia Tancredo o suficiente e por isso sabia que ele não teria piedade dela. Além disso, como mulher, percebia que sua beleza excitava a paixão do conde e o faria vingar-se das esperanças não realizadas. – O que é beleza? – sussurrava ela com amargura – Um dom precioso ou maldição? Aceitei-a com alegria e gratidão, mas ela não me traz felicidade. E agora, depois do rompimento que ocorrera, o que poderia consertar as coisas? – Nada – dizia-lhe a voz do implacável orgulho. – É melhor morrer em silêncio do que se humilhar pedindo perdão como ele predisse. Nas profundezas do espírito humano existe tanta coisa inexplicável!

O suicídio do doutor e o inesperado e misterioso casamento do conde causaram sobre todos uma forte impressão e provocaram a curiosidade geral. Ambos os rapazes eram bastante conhecidos na capital. Quanto a Folkmar, ninguém tinha dúvidas de que a causa de sua morte fora a inesperada transformação da dama de companhia da sra. Zibakh em esposa do amigo. Seu amor por ela não era segredo para ninguém. A baronesa constantemente fazia piadas sobre isso e predizia que os dois logo estariam casados. Mas, em relação ao casamento de Tancredo, ninguém sabia de nada e sobre isso corriam os mais controvertidos boatos.

Uns diziam que o conde havia se casado em Mônaco, mas sua esposa deixara-o por ele traí-la e chegara a Berlim somente para tratar do divórcio, mas que o marido não quisera separar-se dela. Outros diziam que Tancredo casara-se no inverno, mas não quisera anunciar seu casamento, o que obrigara a condessa a queixar-se ao prelado. A versão mais divulgada dizia que o casamento se realizara na última viagem do conde ao estrangeiro, que este cansara-se rapidamente da esposa e a largara, que ela o seguira, instalara-se na casa da baronesa e por fim obrigara o marido a reconhecê-la publicamente. Essa versão parecia a mais verossímil, pois todos perceberam que com a chegada da nova dama de companhia o conde mudara muito e o seu ódio mútuo chamava a atenção geral.

Os funerais de Folkmar foram realizados com grande pompa. O caixão desaparecia com a grande quantidade de coroas de flores, e muitas lágrimas sinceras foram choradas sob o corpo do bom e simpático rapaz morto prematuramente, vítima do destino. Na véspera do enterro, Líllia e sua cunhada, acompanhadas por Arno, foram à casa do falecido. A condessa chorou, orou longamente junto ao caixão e colocou um buquê de flores no peito do falecido. Mas no enterro nenhuma das duas compareceu para não chamar a atenção de curiosos.

O estado de espírito de Líllia era triste e melancólico. Somente o seu indomável orgulho dava-lhe forças para manter sempre a aparência tranqüila e fria. Suas relações com Tancredo limitavam-se a fria amabilidade, e, além de todas as desgraças, devia ainda ocupar-se ativamente dos trajes, pois o conde declarara que no dia marcado por ele começariam a fazer as visitas programadas, que eles organizariam um grande almoço e que ela devia cuidar da preparação dos respectivos trajes tanto para as ocasiões citadas como para as inesperadas.

A moça respondera somente com um aceno de cabeça e, no dia e hora marcados, entrou no salão onde o marido a aguardava em uniforme de gala completo. Examinou com olhar crítico o seu traje rico e de bom gosto e, sem nada dizer, apanhou o seu capacete. Líllia não percebeu que seus olhos faiscaram de paixão mesclada com raiva, enquanto ela, parada diante do espelho arrumava o laço do vestido.

Ficando o tempo todo em cantos opostos da carruagem e não trocando uma única palavra, eles iam de casa em casa, escrupulosamente fazendo as visitas e provocando em todo lugar surpresa com a frieza hostil que reinava entre eles. Aliás, Líllia tentava disfarçar aquela estranha relação, mas Tancredo demonstrava-a com arrogância.

– São bonitos como um quadro e aparentemente um tem inveja da beleza do outro. Que outro motivo pode haver para aquela hostilidade entre eles? – observou maliciosamente uma nobre dama famosa por sua maledicência. Essa piada logo correu os salões.

Sílvia e Arno acompanhavam com pena e tristeza aquela hostilidade ostensiva. Desconfiavam que entre o jovem casal acontecera alguma cena desagradável, mas não tocavam no assunto. Essa preocupação mútua aproximou-os ainda mais. Por horas inteiras Arno conversava com Sílvia, pacientemente contestava os inocentes planos que ele arquitetava para promover a a reconciliação do casal.

Finalmente a agitada temporada de visitas e recepções chegou ao fim. A jovem condessa Reckenstein fora devidamente apresentada à sociedade, recebera diversos convites, aparecera com o marido no teatro e agora finalmente convidava todos os conhecidos para um grande almoço antes de viajar para a aldeia. Esta última recepção solene permitiu à jovem mostrar-se no plano mais favorável. Líllia era por natureza uma mulher da alta sociedade. Presidia a mesa como se tivesse feito isso a vida inteira. Nunca antes sua beleza resplandecera com tanto brilho como naquele momento no luxuoso traje que vestia. Seu vestido de seda era verde pálido, enfeitado com buquês de flores d'água com vegetação escura e fios de pérolas que destacavam ainda mais o refulgir dourado de seus cabelos e a ofuscante brancura do seu rosto. O tato e a amabilidade da jovem condessa venceram definitivamente qualquer sentimento hostil ou de inveja de algumas mulheres. Quanto aos homens, todos ficaram maravilhados e não conseguiam parar de admirá-la, percebendo os olhares sombrios e a hostilidade oculta que Tancredo demonstrava à sua encantadora esposa. Ela parecia não ligar para isso e o tratava com carinhosa amabilidade quando isso era necessário.

Quando todos os convidados foram embora, o jovem casal ficou a sós na sala vermelha.

– Graças a Deus, acabou toda essa confusão! – exclamou Tancredo com visível impaciência. – Quero o mais depressa possível ir a Reckenstein e vou pedir-lhe, condessa, para se apressar com os preparativos para que possamos partir em, no máximo, três dias.

Fez uma leve reverência e dirigiu-se para a porta.

– Tancredo! – chamou Líllia a meia-voz.

– O que a senhora deseja? – perguntou o rapaz, parando.

– Gostaria de pedir-lhe para deixar-me ir sozinha a Reckenstein – disse a condessa, aproximando-se dele. – Cumprimos as nossas obrigações em relação à sociedade. Quanto ao nosso desacordo familiar, o senhor mesmo não conseguiu ocultá-lo dos outros. Agora, como isso é do conhecimento geral, para que se sacrificar ainda mais? Ninguém ficará surpreso se o senhor não me acompanhar na viagem ao castelo. Fique na cidade, onde há mais diversão, o senhor precisa disso.

– Estou sinceramente tocado com a sua repentina e carinhosa atenção – interrompeu-a o conde zombeteiramente –, mas não se preocupe, pois não estou me sacrificando e desejo descansar dos prazeres dos últimos tempos, na aldeia. Mas não tema, pois não vou atrapalhá-la em nada, pois o castelo é grande e posso até ocupar um recinto fora dele. Também não sentirei falta de diversões: temos muitos vizinhos, vou sair bastante e como as nossas relações logo virarão fábula por toda a região, todos terão muita pena de mim.

– O que o senhor insinua com isso? Imagino que uma pessoa sensata terá muito mais pena de mim – disse Líllia fechando o rosto.

O conde sorriu zombeteiro.

– Está enganada, minha sábia esposa. Ao ser obrigado a explicar de alguma forma o seu repentino aparecimento, eu disse que casei com você contra a vontade de seu pai, que logo após a cerimônia levou-a a algum lugar desconhecido approntando-me uma terrível cena. Também acrescentei que, ao retornar, não contei sobre o meu casamento, pois fui profundamente ofendido, mas encontrando-a apressei-me a fazer as pazes. Agora fica claro que todos explicarão o meu repentino esfriamento com a descoberta de que fui precipitado demais e que quando uma mulher jovem e bonita decide viver sozinha durante cinco anos, o seu marido se afasta tanto do coração quanto dos olhos. E a senhora própria jogou sobre si uma sombra tratando-me tão bem diante dos outros. A minha fria reserva provou suficientemente bem que a pessoa ofendida e enganada sou eu.

Cada palavra daquela explicação era mentira. Nunca ninguém perguntara nada ao conde. Ele próprio, de arma em punho, acertaria contas com o insolente que ousasse expressar por um olhar dúvidas quanto à moralidade de sua esposa. Mas ele queria ofender Líllia, levá-la à loucura e obrigá-la a arrepender-se por tê-lo rejeitado tão brutalmente. Percebendo que havia atingido o alvo, pois a condessa titubeou estarrecida, prosseguiu encostando-se na mesa e cruzando os braços.

– Será que a senhora nunca pensou que aparentemente tudo estaria contra sua pessoa e que a mais rígida virtuosa pode estar sujeita aos prejulgamentos das más línguas? Normalmente, sem motivo grave o marido não fica indiferente à esposa que lhe foi tirada do altar e que ele recebe novamente de braços abertos. E se pela honestidade e pela compaixão eu não continuasse a negar-lhe o divórcio, as pessoas a apontariam com o dedo e não teriam dúvidas sobre as causas da nossa separação.

Respirando pesadamente Líllia encostou-se na mesa. Era verdade: as suas divergências não podiam deixar de provocar suspeitas. Os criados não sabiam onde ela passara todo aquele tempo, mas não podia imaginar que houvesse suposições daquele tipo.

– Isso é uma vil mentira! – exclamou ela com voz entrecortada.

– Então prove o contrário – contestou o conde, puxando o bigode zombeteiramente.

Naquele instante seus olhos se encontraram. A alegria cruel por ter conseguido desferir-lhe um golpe estava tão evidente no olhar abrasador de Tancredo e no sorriso desaforado e zombeteiro que passava por seus lábios, que isso instantaneamente devolveu à condessa o seu sangue-frio. Ela endireitou-se e o olhar que jogou ao marido devolvia-lhe a zombaria. Seus lábios tremiam e disse com voz mordaz:

– Então se alegre com a ofensa que recebeu e que vai obrigar seus vizinhos e amigos a terem pena de você. Realmente, é de dar dó um marido inocente que, certo da traição da esposa, apresenta-a a todos, leva-a a recepções e teatros, oferece almoços e satisfaz a sua ofendida honra somente fazendo caretas como fazia o pequeno Tancredo quando o deixavam sem doce. O senhor próprio me dizia que a sociedade é muito condescendente nestes tempos modernos. Além disso, não existem provas da minha suposta infidelidade, enquanto a minha juventude e beleza e o fato de ter sido abandonada pelo senhor estão a meu favor. Mas todos conhecem a sua leviandade. O senhor não pode negar as suas ruidosas aventuras com a amazona circense, a morena Roseta, com a dançarina Braun, com senhorita Alari, a cantora de ópera que o senhor sustentou abertamente no inverno passado. Nem vou citar os pecadinhos como a bonitinha costureira de Wilgelmstrasse, com a florista... tenho um registro completo suficiente para indignar a mais paciente das esposas e provocar cenas capazes de estragar o bom humor do marido.

Essas palavras deixaram Tancredo embaraçado.

– Ah, eu não sabia que a senhora vigiava tanto – observou ele.

– Não eu, mas a baronesa. Ela me contava sobre as suas conquistas.

– Pobre Eleonora, não sabia que perigosa rival acolheu em sua casa e como a sua sinceridade era fora de propósito. Isso me obriga a ouvir agora o primeiro sermão conjugal. Fico-lhe grato.

Fazendo uma profunda reverência, acrescentou:

– Mesmo assim, condessa, a sua mordacidade não me afeta e não altera o que falei a seu respeito.

Líllia deu-lhe as costas e sem nada responder saiu do quarto. Instantes depois pela mesma porta entrou Sílvia, irritada e com o rosto ruborizado.

– O que você fez novamente para transtornar tanto Líllia? Não se envergonha de irritá-la e ofendê-la a cada instante?

– Ela queixou-se a você? – perguntou, inocentemente, Tancredo.

– Não, encontrei-a em prantos e não quis me dizer o motivo; mas o adivinhei vendo-o por aqui.

– Então vou contar-lhe o motivo real de suas lágrimas. A pobre Líllia não conseguiu me deixar furioso e suas palavras cáusticas deslizaram por mim como água pelo vidro. O que pode ser pior para uma mulher do que uma infrutífera tentativa de deixar um homem fora de si quando ela assim o deseja? Esse fracasso é que provocou aquelas lágrimas.

– Mas que feio, Tancredo! Você ofende sua esposa e depois mente sobre ela, em vez de ir lá e pedir-lhe perdão.

Tancredo girou nos calcanhares e começou a assoviar uma canção de caçador.

– Eu, pedir-lhe perdão? Para quê? E por que ela não me pede perdão? A distância entre nós é a mesma. Vamos esquecer o assunto. As minhas brigas com Líllia não lhe dizem respeito. Tenho uma pergunta mais importante a lhe fazer, minha cara irmã. Diga-me, por favor, o que a fez rejeitar dois bons partidos como o barão Dorn e o conde De-Geierstein. Ambos são bonitos, ricos e ambos têm uma brilhante carreira: um no exército e o outro na diplomacia. Além disso, são meus bons amigos e tinha certeza de que você iria escolher um deles.

– Foi por isso que os rejeitei: por serem seus fieis companheiros nas loucuras e aventuras.

– Isso é muito lisonjeiro. Mas você se preocupa à toa. O mais leviano dos homens torna-se sólido quando tem em seu pescoço a corrente do casamento e a esposa ciumenta é melhor do que qualquer guarda carcerário. São suficientes algumas agitadas cenas matrimoniais para transformar em cordeirinho, em flor murcha, o mais inveterado dos libertinos. Para você será muito mais fácil, pois ambos estão muito apaixonados por você e pediram-me para convencê-la.

– Não, parecem demais com você. Até em suas propostas não se notava aquele sentimento profundo e integral, aquele verdadeiro amor que se nota em cada olhar, no som da voz e sente-se com o coração. Quanto ao grande amor do conde – Sílvia deu uma gargalhada – ele surgiu por ordem de seu pai. O velho conde estava muito desgostoso com a ostensiva ligação do filho com a viúva do conselheiro comercial Hammer e ordenou-lhe terminar com isso e casar-se decentemente.

– Quem lhe disse isso? –, perguntou Tancredo, surpreso.

– A irmã dele. A fonte é bastante verossímil. Ah, não. Se não encontrar um homem sério, inteligente e amoroso, não vou livrá-lo, meu irmão, das suas obrigações de tutor.

– Imagino que essas obrigações serão muito longas e você se arrisca a ficar solteirona. Todos os meus amigos foram previamente condenados por você. Deve ter sido Líllia que a ensinou a tratar com desprezo tudo o que se relaciona a mim e que todos nós somos uns sargentões mal-educados disfarçados com fraques e uniformes.

– Ela disse isso? – perguntou Sílvia com surpresa.

– Sim. E sob o peso de minha própria insignificância devo desistir de procurar-lhe um marido. Vou pedir a Arno para se ocupar deste caso. Ele é tão sério e ultimamente anda tão melancólico que entenderá melhor suas exigências. Se não encontrar ninguém que lhe agrade não haverá outra solução a não ser ele mesmo casar com você.

– Tancredo! – exclamou Sílvia, ficando vermelha até as orelhas. – Pare com essas piadas de mau gosto. Arno é uma pessoa maravilhosa...

– Então você não é digna dele?

– Claro. Além disso, não posso casar com um irmão.

– Que bobagem! Esse parentesco é somente fantasia. Quem poderia impedir o conde de Arnoburg de casar-se com a filha de Gabrielle e Ramos de-Moreira? E você ainda tem uma vantagem, – prosseguiu o incauto e incorrigível Tancredo. – Você é incrivelmente parecida com mamãe, que ele amou tão loucamente que em 17 anos mal conseguiu esquecê-la e talvez ainda não tenha esquecido. Infelizmente, você não possui aquele encantamento, aquela força demoníaca com que a nossa mãe conquistava os corações dos homens.

Sílvia ficou mortalmente pálida e, sem dizer palavra, voltou-se e foi para o seu quarto.

– Êpa! Pelo jeito vai ser preciso examinar melhor esta curiosa questão – disse ele, sorrindo.

Tendo colocado um vestido caseiro e dispensando as camareiras, a senhorita de-Moreira começou a pensar e algumas lágrimas quentes correram por suas faces. As palavras insensatas do irmão rasgaram o véu que ocultava dela mesma o que se passava em seu coração. Sim, Arno era o seu ideal. Ela ansiava por ele com toda sua alma e o obstáculo não era o parentesco, mas a indiferença do conde que não encontrava nela aquilo que amava em sua mãe. Ele via nela somente uma parca cópia de Gabrielle, um corpo privado do espírito. Houve um momento em que ela lamentou profundamente não possuir a mesma força envolvente e escravizadora, mas no mesmo momento, balançando a sua linda cabecinha, pensou: *"Não, Arno. Mesmo que isso me custe a perda do seu amor, não gostaria de causar-lhe sofrimentos semelhantes aos que suportou."* O temor de Arno perceber seus sentimentos embaraçava-a bastante e a idéia de que ela somente lembrava-lhe o amor passado deixava-a irritada. Então resolveu aceitar a primeira proposta que lhe fizessem para sair daquela situação constrangedora e ter um objetivo na vida.

A partir desse dia, a presença de Arno começou a tornar-se incômoda para ela e, no dia seguinte, recebeu com franca alegria a notícia de que o conde iria fazer uma viagem de inspeção de propriedades distantes e que ficaria ausente por algumas semanas. Ela própria pediu para ficar em Berlim por algum tempo com a sra. Herbert para estar presente à inauguração de uma casa de caridade de cuja organização ela participava. Além disso, depois da ida de Tancredo queria fazer uma visita a Eleonora. A jovem mulher estava doente e preparava-se para viajar para a Itália. Sílvia queria tentar restabelecer as boas relações com ela.

No dia marcado, Tancredo e Líllia instalaram-se no vagão de primeira classe do trem. Ela estava fria e tranqüila; ele, briguento e mordaz. No começo a moça tentou ler uma brochura que o prelado lhe dera na véspera e que falava de cristãos virtuosos; mas estava muito nervosa para uma leitura tão séria e, deixando o livro de lado, tirou da sacola uma revista de modas.

O conde, sentado à sua frente e fumando um charuto, observava-a. Pegou a brochura e começou a folheá-la.

– Aí não tem nada que seja de seu interesse – observou Líllia.

– Sim? Suponho – disse Tancredo – que os virtuosos cristãos também pouco lhe interessam e que a moda muitas vezes a distrai muito mais, apesar de a senhora encobrir-se tão bem com belas frases sobre o amor ao próximo, o perdão das ofensas, a santidade do dever, etc. quanto com o bonito manto de pelúcia bordado a ouro que a vi usando no teatro. É muito lindo, mas não aquece.

A moça ficou muito vermelha, mas nada respondeu.

– A senhora está muito calada hoje, condessa – começou novamente, após uma pequena pausa. – Dá para se enforcar de tédio.

– Por que não se enforca para se distrair? – respondeu Líllia com voz trêmula.

– Isso lhe daria prazer? Estou percebendo que a senhora gostaria de chegar a Reckenstein como uma desolada viúva. O luto cai-lhe muito bem.

– A perspectiva de viuvez é muito agradável, mas ficar desolada está fora de questão.

– Que maravilhosa sinceridade. O que a segura é a preocupação pelo seu futuro. Não temos um herdeiro e após minha morte a senhora receberia somente a parte da viúva, que é bem insignificante. Então vou adiar a minha morte, até deixar-lhe uma viva lembrança de mim que lhe garantirá uma brilhante viuvez – respondeu o conde, esticando-se no banco e soltando uma nuvem de fumaça.

– Se o senhor vai aguardar isso, então já estarei grisalha antes de vestir o luto por sua causa – respondeu Líllia, ficando vermelha de indignação.

Tancredo olhava-a maliciosamente, cantarolando: – Quem sabe, quem sabe!

A viagem transcorreu tranqüilamente e Líllia fingia que não notava que seu marido, saindo do vagão a cada estação, ficava acompanhando com os olhos, com jactância e sem-cerimônia, qualquer mulher mais atraente que passasse perto dele. Em Reckenstein foram recebidos com solenidade. O mestre-escola proferiu um discurso de boas-vindas, as crianças da aldeia presentearam Líllia com o tradicional buquê de flores e, sob uma chuva de maldosas zombarias que o marido lhe sussurrava, a jovem condessa adentrou no castelo. O casal ocupou apartamentos separados e depois de alguns dias de descanso começou a fazer visitas nos arredores. A sua inimizade secreta continuou com a mesma ferocidade, mas, por um acordo tácito, os oponentes passaram a tratar-se por "você" não expondo a terceiros a sua discordância familiar. Mesmo assim todos notavam que havia alguma tensão entre o casal e atribuíam isso ao ciúme.

Entre os vizinhos mais próximos havia um velho nobre, o conde de-Ravengorst, que havia se mudado para lá dois ou três anos antes, um ex-farrista, doente de gota e quase cego, mas muito rico. A sua última insensatez fora seu casamento com uma jovem e bonita mulher, não muito rica, mas muito leviana, intrigante e que ansiava por diversões.

Tancredo pareceu ficar encantado ao ver a condessa, que era realmente uma linda mulher: pequena, esbelta como uma sereia, com cabelos cinzentos e grandes e bonitos olhos verdes, o que lhe dera o apelido de Ondina[1]. O belo cavaleiro também impressionou muito a sra. de-Ravengorst e, a julgar pela forma com que ela o tratava, Líllia compreendeu imediatamente que seria uma perigosa rival se realmente começasse a disputar Tancredo.

A amizade tornou-se imediatamente muito íntima, pois Tancredo conhecia de Berlim o irmão da condessa Henrietta, que viera passar com o cunhado a sua licença bimestral.

A visita foi logo retribuída e entre o conde Reckenstein e a bela vizinha começou um animado flerte, enquanto o irmão dela tentava flertar com Líllia, mas Tancredo fingia não perceber a apaixonada admiração que o rapaz tinha por sua esposa.

Certa manhã, voltando do passeio, Lília encontrou a sra. de-Ravengorst. Ela ia a cavalo, desacompanhada. As damas conversaram por alguns instantes, mas a interlocutora de Líllia não conseguia ocultar a impaciência e apressou-se a ir embora.

Sombria e com a testa franzida, Líllia retornou ao castelo. O ciúme que

[1] *Ser mitológico da literatura anglo-saxônica, uma sereia de água doce* – nota do tradutor.

sentia provocava nela diversas suspeitas que se tornaram realidade, quando da janela de seu *boudoir*, viu Tancredo correndo a galope pela avenida e, em seguida, virando o cavalo para a floresta. Uma tempestade levantou-se na alma da moça, incitando-lhe o desejo de vingar-se. Esse desejo tomou forma quando meia-hora depois a elegante carruagem do irmão de sua rival encostou junto à entrada do castelo.

O barão Dagobert de-Selten era um bonito rapaz, elegante, loiro como a sua irmã e o uniforme dos hussardos caía-lhe muito bem. *"Aguarde-me, canalha, se pensa que não posso pagar-lhe com a mesma moeda!"*, pensou Líllia, dando ordem para o convidado entrar.

Recebeu o barão com uma amabilidade que nunca antes lhe proporcionara. Segurou-o, depois o levou ao jardim, mostrou-lhe a estufa, o parque dos cervos, o quintal dos faisões. Aceitando finalmente a atenção e os olhares ardentes do seu acompanhante. Líllia sentou-se com ele junto ao lago para alimentar os cisnes.

Eles estavam entretidos nesta inocente diversão quando no fundo da alameda apareceu Tancredo com o rosto vermelho e muito afobado. O rapaz vinha muito depressa, açoitando o cavalo e sem tirar os olhos de Líllia. Ela estava encantadora em seu vestido branco e um grande chapéu de crepe azul. Com um alegre sorriso, atirava aos cisnes pedacinhos de pão que seu interlocutor lhe passava contando algo com grande animação.

– Deus do céu! Líllia, que estranha idéia de arrastar o barão ao jardim onde o sol está tão quente como nos países tropicais – disse Tancredo tentando dar à própria voz um tom de brincadeira e cumprimentando o visitante.

– Estamos na sombra e perto da água é bem fresco – respondeu ela simploriamente. – Tentei como pude distrair meu caro vizinho. Você demorou tanto para voltar. Provavelmente acompanhou a condessa para casa.

– Sim – respondeu o conde, desagradavelmente surpreso. E apressou-se a mudar de assunto.

Voltaram ao castelo e, como já era bastante tarde, Líllia convidou o barão para almoçar. Depois jogaram críquete e a condessa deixou o visitante sair somente após o chá. Tancredo sufocava enquanto a moça ficava entusiasmada com estes sintomas de raiva contida do marido e encontrava-se de muito bom humor. Quando o barão finalmente foi embora, o conde disse causticamente:

– Selten deixou-a completamente encantada hoje. Você não conseguia despedir-se dele.

– Isso incomodou você? Fiquei o tempo todo fazendo companhia ao convidado. Você estava tão calado que o senhor Selten perguntou-me o que você tinha. Respondi-lhe que você estava com dor de dente.

– Mais uma razão para ele ir embora. Que falta de tato da parte dele ficar tanto tempo enquanto o dono da casa está passando mal. Depois, devo adverti-la que é muito indecente dar-lhe tanta atenção em minha ausência. O decoro deve ser mantido.

Um sorriso malicioso passou pelos lábios rosados de Líllia.

– Deus do céu! Ele queria vê-lo, mas como sabia que você fora passear com a condessa então, o deixei ficar. E, depois, uma dor de dente não é uma doença para um visitante ir embora.

– O barão provavelmente lhe contou que eu estava acompanhando a sra. de-Ravengorst. Ele nos encontrou pelo caminho – observou o conde, fechando o rosto.

– Ah, não! Ele é seu amigo e demasiado discreto para se intrometer em coisas que não lhe dizem respeito. Eu mesma adivinhei, pois encontrei a condessa. Ela não conseguia ficar no lugar de tanta impaciência e quando depois vi você correndo feito um furacão pela avenida, entendi que vocês estavam com pressa de se encontrar para irem passear juntos.

Tancredo deu-lhe as costas, furioso, e saindo do quarto bateu fortemente a porta.

A partir daquele dia o barão tornou-se um assíduo visitante dos Reckenstein e flertava com a maravilhosa proprietária do castelo que o recebia com imutável amabilidade. Tancredo ficava fora de si de ciúme: ficava furioso, em silêncio, quando o barão ajudava Líllia a desmontar do cavalo e sair da carruagem, ou qualquer outra atenção semelhante. Parou completamente de interessar-se pela condessa de-Ravengorst, não saía do castelo e quando chegava Selten, seguia-o como um vigia.

Líllia estava entusiasmada com essa situação, pois ela satisfazia a sua sede de vingança e acalmava o seu ciúme. Não poupava Tancredo e ria às escondidas quando ele usava de todos os truques para chegar primeiro e ajudá-la a descer do cavalo, ou queixava-se de enxaqueca quando queria jogar a quatro mãos com o barão. Entretanto, a moça agia com tanto tato que o conde não conseguia encontrar motivo para reclamar. Percebia que ela estava atiçando-o e queria maltratá-lo, mas, apesar dessa certeza, não conseguia vencer seu ciúme e o medo de que aquele jogo perigoso tivesse conseqüências desastrosas.

A chegada de Sílvia e do conde de Arnoburg, deu a tudo isso uma direção inesperada. O barão começou aos poucos a deixar Líllia e se apaixonou claramente pela senhorita de-Moreira, dando-lhe tantas atenções que a sua intenção ficou óbvia para todos. Tancredo estava muito feliz, enquanto Líllia se irritou com a parada de suas manobras. O conde, que preferia Selten como parente que como rival, incentivava abertamente as ações do barão.

Mas Sílvia continuou indiferente às atenções do barão. Estava triste, pensativa, evitava a presença de Arno tanto quanto antigamente procurava-o, e ansiava pela solidão. O conde percebeu esta mudança estranha, o embaraço da moça quando ele se dirigia a ela, suas tentativas de evitar as intimidades entre irmãos que antes ela permitia abertamente. E ele achou que sua obrigação seria tratá-la com rígida reserva. Também ficou triste, irritável, preocupado e declarou que por mais que fosse agradável a hospitalidade dos Reckenstein, decidira instalar-se definitivamente em Arnoburg, onde pretendia passar o inverno.

Na véspera do dia indicado para sua mudança, toda a família reuniu-se para a primeira refeição no terraço. Em seguida, Líllia saiu para dar uma ordem aos criados. Arno sentou-se num canto com uma revista e Sílvia pretendia seguir a cunhada quando Tancredo chamou-a:

– Ouça – disse ele –, tenho motivos para supor que depois de amanhã, no baile que o nosso vizinho conde vai dar festejando seu aniversário, o barão Selten lhe fará uma proposta de casamento. Espero que desta vez você seja sensata e sem maiores caprichos lhe dê o "sim". O que você pode querer melhor do que isso? Nunca vai encontrar um ser perfeito como Arno – acrescentou ele maliciosamente.

Sílvia ficou vermelha e Arno empalideceu e franziu a testa.

– Gostaria que você não me incluísse em suas brincadeiras de mau gosto. E me surpreende a sua vontade de virar parente de Selten.

– Por quê? O barão é um rapaz decente e um bom oficial. Você tem algo contra ele?

– Nada. Somente que este farrista vaidoso está enrolado em dívidas e os bens de Sílvia vir-lhe-ão a calhar.

– Meu Deus! Arno, como pode considerar um crime estas coisas tão banais? Quem não tem dívidas quando é jovem, bonito e serve nos hussardos do exército. Conheço as dívidas do barão e elas não ultrapassam os limites da decência e Ravengorst prometeu pagá-las em caso de casamento. Os bens de Sílvia o livrarão da necessidade de fazer novas dívidas e ele criará juízo por amor à esposa. Seus motivos não são suficientes para recusá-lo. O que me diz disso, irmã?

– Se você pensa que o casamento comigo terá um resultado tão bom que colocará um leviano no caminho certo, então concordo em casar com o barão. Ele me parece uma boa pessoa – respondeu a senhorita de-Moreira, com voz surda.

– Ótimo! A sua decisão é meritória. Talvez neste mesmo baile nós anunciemos o noivado.

– Oh, não! Não tão depressa. Preciso de um tempo para acostumar-me à idéia – exclamou Sílvia, pálida, emocionada e, agarrando o chapéu, correu para o jardim.

Vermelho até as orelhas, Arno levantou-se e jogando a revista com tanta força que ela atravessou o corrimão, aproximou-se do irmão.

– Diga-me, por favor, porque você tortura a menina e insiste em lhe empurrar este imprestável petulante que ela não ama? Não basta que na sua própria vida você é tão leviano e um marido impossível e ainda brinca com o futuro da própria irmã e a sacrifica por um capricho de ciúmes.

– Você está enganado – contestou Tancredo, sorrindo, – só penso na felicidade de Sílvia. Não posso criar-lhe o marido que ela sonha ter. Entretanto é necessário dar-lhe um objetivo na vida para curá-la do infeliz amor que sente por você, pois você não quer se casar com ela.

Arno ficou pálido e voltou-se.

– Você não consegue viver sem falar bobagens. Sílvia me ama como um irmão e amarrá-la a um homem que pode lhe servir de pai seria uma garantia ruim para o seu futuro.

– Você é que está falando bobagens. Você tem 38 anos, é bonito e saudável como um rapaz de 20. Por que você não pode fazer a felicidade de uma mulher? Sílvia era apaixonada por você antes mesmo de conhecê-lo. Ela usa no pescoço seu retrato. O motivo da tristeza dela é o ciúme. Quando falamos sobre você casar com princesa Amália de-K., ela mal pôde ocultar seus sentimentos. Você é cego ou simplesmente bobo. Mas, espere, tenho uma idéia. Vou fazer algumas perguntas a ela e vou obrigá-la a confessar a verdade enquanto você fica ouvindo atrás da porta e estará satisfeito – concluiu em tom de brincadeira o leviano incorrigível.

– Que coisa feia! Você não se envergonha de propor coisas assim? – respondeu Arno, dando-lhe as costas e, apanhando o chapéu, saiu para o terraço.

Cabisbaixo, o conde andava lentamente pela sombreada alameda, tentando por ordem nos inúmeros e complexos sentimentos provocados pelas palavras de Tancredo. Ele há muito tempo percebera que tipo de sentimento tinha por Sílvia, mas tentava reprimir o amor que considerava como o retorno de uma infeliz paixão que obscureceu os melhores anos de sua vida. Readquiriu a tranqüilidade e paz de espírito com enorme esforço e sofrimento e quando pisou pela primeira vez na casa paterna viu diante de si a imagem viva de Gabrielle como ele havia imaginado: a encarnação da paz e felicidade.

Com todas as forças de sua alma ele se apegou à linda moça, cujos olhos azuis lembrava-lhe a tempestade de outrora e prometiam um futuro feliz, um porto pacífico, se ele pudesse alcançá-lo. Mas resolveu não tentar, pois se achava demasiado maduro e sério para fazer a felicidade de uma mulher de 17 anos. As palavras de Tancredo, porém, haviam abalado essa sua decisão. E se aquele leviano está certo? Se Sílvia relmente o ama não estaria ele sacrificando a felicidade de ambos por causa de uma presunção errada? Teria ele o direito de permitir um casamento errado e deixá-la cair de cabeça nos braços do primeiro depravado que irá envenenar a sua vida?

Sem perceber, o conde chegou até a gruta que se encontrava no fundo do jardim onde passou com Gabrielle tantas encantadoras e perigosas horas. Com profundo suspiro, abriu a porta para descansar um pouco naquela fresca semi-escuridão. Ao atravessar a soleira, ele parou ao ver Sílvia no fundo da gruta. Ela estava sentada junto a uma das mesinhas, tapando o rosto com as mãos e abundantes lágrimas corriam através de seus finos dedos.

Com repentina decisão o conde aproximou-se dela.

– Sílvia, por que está chorando? – perguntou, inclinando-se para ela.

A moça levantou-se toda vermelha.

– Não é nada, são os nervos. A conversa com Tancredo perturbou-me – sussurrou ela, tentando ir embora.

Mas Arno, pegando-a pela mão, fez com que ela sentasse ao seu lado no pequeno divã.

– Você está chorando porque não ama o barão e mesmo assim está decidida a casar com ele. Para que isso? Será que você não confia mais em mim? – perguntou ele, dirigindo um olhar sincero e carinhoso nos olhos da moça que baixou a cabeça.

– É verdade que em vez de todos estes candidatos você prefere um viajante cansado que a ama com todas as forças de sua alma? Diga-me, você quer me dar seu amor, estender-me a mão e seguir comigo para o meu velho e isolado castelo?

Sílvia levantou a cabeça. Os seus olhos refletiam a dúvida mesclada com felicidade. De repente, ela juntou os braços em volta do pescoço do conde e exclamou com sincera admiração:

– Arno, meu querido Arno! Como pode perguntar se eu quero ser feliz? Diga somente se é verdade que você me ama, você que é tão perfeito e tão superior em tudo. Não seria difícil para você encontrar uma simples criança e uma fraca cópia sem inspiração naquela que lhe lembra a sedutora mulher que provocou em você um amor tão grande?

O conde ficou vermelho.

– Deixe o passado, sua ciumenta, ele está sepultado e esquecido. Sua mãe passou pela minha vida como um furacão destruidor, enquanto você apareceu em meu caminho como um raio de sol que desanuvia as últimas sombras. Seus olhos, inocentes e claros, não condenam ao sofrimento sem esperança, mas prometem paz e felicidade. Mas você será feliz comigo?

– Ah, não se preocupe com isso. Será que não percebe que o amo desde o momento em que o vi no medalhão de minha mãe? – exclamou Sílvia, radiante. – Eu o seguia em pensamento por todos os distantes países onde sabia que você andava sem encontrar a paz. Todo dia eu orava a Deus para lhe conceder paz de espírito e fazê-lo voltar para nós. Deus ouviu as minhas preces e se Ele me ajudar a torná-lo feliz e fazê-lo esquecer seus sofrimentos, isso irá aliviar a alma de minha mãe, pois ela verá que curei o ferimento que ela causou.

Emocionado demais para responder o conde apertou-a contra o peito.

– Vamos passar este inverno em Arnoburg, certo? – perguntou Sílvia correspondendo ao seu beijo. – Detesto a cidade com aquele barulho e vida devassa.

– Oh, estou completamente de acordo com você. Mas você não vai se entediar com o seu marido velho?

– Você, velho? – respondeu Sílvia, positivamente ofendida. – Você é mais bonito e atraente do que todos aqueles descabeçados petulantes que vi em Berlim.

– Então, não vou desapontá-la quanto a minha beleza e todas as minhas perfeições – respondeu Arno, rindo. – Agora, vamos. Logo servirão a refeição e estou curioso para ver a reação de Tancredo quando souber o feliz resultado de sua tagarelice.

No terraço, os criados haviam terminado de preparar a refeição. Num canto, junto a uma pequena mesa estava sentada Líllia, escolhendo flores para secar, enquanto o seu marido, de mãos nos bolsos, andava pelo quarto contando que Sílvia concordara em casar com o barão e declarando que estava muito satisfeito com a decisão da irmã.

– Tenho certeza que eles serão felizes. Ela terá objetivos na vida e novas obrigações. Ele, se Deus quiser, criará juízo e deixará de correr atrás de mulheres volúveis e casadas, que gostam de ter um trovador a seus pés logo que o marido dá as costas.

– Existe a questão se realmente o casamento serve de antídoto contra as tendências dos homens. Também entre os casados existem os pândegos que se comportam como solteiros – respondeu Líllia, com um sorriso de satisfação, percebendo no rosto vermelho do marido o efeito de suas palavras.

O conde estava procurando alguma expressão mordaz, quando viu Arno e a irmã que, rapidamente, se aproximavam.

– Sílvia, confirme à sua cunhada que você vai casar com Selten – gritou Tancredo.

– Ah, não! Pergunte a Arno – respondeu a moça, rindo.

– Sim, confirmo que ela nunca vai se casar com ele, pois está noiva de mim. Cumprimentem-nos, conde e condessa Reckenstein – disse alegremente Arno. – E vocês – dirigiu-se ele aos criados –, tragam-nos champanhe.

Tancredo deu um pulo de alegria, enquanto os criados corriam para cumprir a ordem.

Em seguida, ele deu um abraço tão forte no irmão e na irmã que quase os sufocou. Líllia por sua vez cumprimentou-os. Feliz, abraçou Sílvia e estendeu as duas mãos a Arno.

– Agora sei que ela vai ser feliz – acrescentou Líllia com sentimento.

– Não acreditem na sinceridade da condessa – observou Tancredo enquanto sentavam-se na mesa. – Sua alegria é egoísta e provocada pela perspectiva agradável de ela ter de volta o trovador. Ele vai voltar a cantar e suspirar aos seus pés.

– Você adivinhou: isso me alegra mais do que tudo. Naturalmente, é melhor que o barão fique suspirando aos meus pés do que torne infeliz a nossa querida Sílvia.

– Parem afinal de brigar. Não admito isso no dia de meu noivado – observou Arno. – Eis o champanhe. Bebamos à nossa felicidade e a reconciliação de vocês. Beijem-se e que isso acabe já.

– Eu não impeço a condessa de me beijar, mas quanto a mim, brrr... prefiro ir ao jardim e beijar a Vênus de Milo de mármore. O prazer será o mesmo.

– Não se preocupe, meu amigo, não tenho a mínima intenção de rivalizar com a Vênus de Milo. Mas se realmente é preciso beijar alguém, então prefiro beijar o sátiro de bronze que está lá no canto. Ele é tão parecido com você que dá para confundir. E tem a vantagem de estar sempre calado.

Vermelho e furioso, Tancredo nada respondeu, porém, passando ao irmão a caixa de sardinhas, deixou-a cair de propósito ou sem querer no vestido de Líllia e encharcou de óleo o seu traje.

A moça não disse nada, mas jogou-lhe um olhar esmagador.

– Pelo amor de Deus, não me queime! – exclamou Tancredo amavelmente ajudando a esposa a limpar o vestido. – Prometo lhe dar um novo traje, mas se você ferir o meu corpo, isso será irreparável. E você sabe que não quero morrer enquanto não garantir a sua brilhante situação de viuvez.

Vermelha de raiva, Líllia deu-lhe as costas e dirigindo-se a Arno que balançava a cabeça, começou a conversar com ele sobre diversos detalhes referentes ao casamento.

O casamento foi marcado para dali a um mês e Tancredo insistia que devia ser festejado com a devida pompa. O tempo passava depressa, pois os preparativos para a solenidade deram trabalho a todos. Líllia estava ocupada com a preparação do enxoval da cunhada. Arno preparava e enfeitava o velho castelo para receber a sua futura e linda proprietária. Tancredo ocupava-se ativamente dos detalhes da festa de casamento e a preparação dos fogos de artifício. Somente Sílvia nada fazia e vivia como num sonho dourado.

Essas atividades e as inúmeras e conseqüentes distrações esfriaram um pouco a renhida guerra entre o conde e a condessa Reckenstein. Naturalmente, eles continuaram a brigar a cada oportunidade que aparecia, mas havia momentos de armistício quando discutiam sensatamente as questões administrativas e até financeiras.

No fundo, ambos ansiavam a paz. A felicidade de Arno e Sílvia e a tranqüila concordância entre os dois provocavam uma leve inveja no coração de Líllia e uma febril impaciência em Tancredo. Mas a reconciliação não acontecia, pois ambos eram teimosos. Ela não queria dar o primeiro passo e ele não sabia como fazê-lo e todas as boas intenções terminavam em... nova briga.

Finalmente chegou o dia do casamento. Desde o amanhecer tudo estava agitado em Reckenstein. Estavam realizando os últimos acertos: penduravam as guirlandas e as lanternas que iriam iluminar o parque e a igreja transformava-se num buquê de flores raras. Não se podia dar um passo sem pisar num monte de bandeirinhas, cata-ventos e guirlandas ou dar um encontrão nas pessoas num vaivém de trabalho. Tancredo, depois de examinar definitivamente tudo, ficou amuado. Seu irmão estava em Arnoburg; as damas não apareciam; o barulho e a correria na casa davam-lhe nos nervos. Mandou selar um cavalo e saiu avisando o camareiro que voltaria para o almoço.

Perto do meio-dia, retornando do longo passeio, o conde dirigiu o cavalo para o pequeno bosque contíguo ao parque.

O cavalo ia a passo pela trilha que se estendia paralela ao rio, cujas águas transparentes como cristal corriam pelo fundo arenoso.

O rapaz estava quente tanto pelo calor quanto pelos pensamentos que o pressionavam. De repente, sentiu vontade de refrescar-se dando um mergulho no rio.

Sem muito pensar, pulou do cavalo e amarrou-o a uma árvore. Em seguida, encontrando por perto uma pequena baía, emoldurada pelo musgo e cercada de uma cerca viva, espessa como uma parece, ele despiu-se e pulou na água.

O conde não suspeitava que dois olhos curiosos seguiam-no com atenção a partir do momento em que ele apareceu na clareira. Eram os olhos de um homem de meia idade, vestindo farrapos; seu nariz vermelho e o rosto deformado atestavam que ele era um fanático adorador de Baco[2].

Mal o conde, que nadava muito bem, afastou-se o suficiente, o vagabundo esgueirou-se como uma cobra até as suas roupas, puxou para si todo o guarda-roupa de Tancredo e desapareceu na floresta.

Pode-se imaginar o estado de espírito do conde quando viu que de seus trajes só restara o chapéu de palha pendurado no galho e não percebido pelo vagabundo.

Terrivelmente furioso, desandou a falar palavrões, mesmo ainda procurando febrilmente as roupas, recusando-se a acreditar nas evidências. Mas não havia mais dúvidas sobre o roubo e era preciso admiti-lo e aguardar pacientemente que alguma pessoa passasse por lá para que ele pudesse enviá-la ao castelo.

Tremendo de raiva e impaciência, Tancredo se instalou entre os arbustos um pouco mais perto da estrada para que pudesse vê-la em ambas as direções, mas sua espera foi em vão. Já eram, no mínimo, cinco horas. Às sete deveriam chegar os convidados da festa e ele estava lá, sem poder sair. O cavalo também perdeu a paciência. O conde ouviu por bastante tempo como ele relinchava e se debatia e, por fim, aparentemente conseguiu rasgar a correia que o prendia, pois se ouviu o tropel dele indo embora, dirigindo-se naturalmente para o seu estábulo pela avenida, como de costume.

No castelo, a ausência do conde começou a despertar preocupação. Não apareceu para o desjejum e até aquela hora ainda não havia retornado. Tomada

[2] *Deus do vinho – nota da editora.*

por um mau presságio, mesclado com ciúme, Líllia pegou o chapéu e luvas, pretendendo atravessar o parque e sair para a estrada na esperança de encontrar o marido ou pelo menos saber que caminho tomou.

Quando Tancredo, escondido em seu posto de observação nos arbustos, percebeu a figura feminina que se aproximava, quis chamá-la e pedir-lhe, quem quer que ela fosse, para chamar um criado. Vendo que era Líllia, ficou quieto. Estava furioso, mas não podia decidir se lhe revelava a sua ridícula situação.

Aliás, ele não teve muito tempo para pensar, pois naquele instante ouviram-se pesados passos e batidas de cascos e na curva da estrada apareceu o velho inspetor de caça. Ele estava muito preocupado e conduzia pela correia o cavalo de Tancredo que tinha sangue nos joelhos.

– Onde achou o cavalo, Weber, e porque ele está ferido? Será que aconteceu alguma desgraça com meu marido? – perguntou a moça empalidecendo.

– Sim, condessa, aconteceu algo que não promete nada de bom – respondeu o velho inspetor, coçando atrás da cabeça. – Um homem muito suspeito entrou na taberna da aldeia e vendeu lá um traje e roupas de baixo. O taberneiro notou as iniciais bordadas na roupa de baixo e mandou chamar o comissário de polícia. Quando revistaram o vagabundo, que estava completamente bêbado, acharam com ele o relógio do conde, seu selo e as abotoaduras. Como aquele canalha não estava em condições de responder nada e eu, por acaso, estava por lá, o comissário enviou-me ao castelo para perguntar se foi notado este roubo. Pelo caminho eu encontrei o cavalo neste estado e tudo isso me deixou muito preocupado.

– Ah! Está claro que houve um crime! – exclamou a moça fora de si.

– Acalme-se condessa, talvez ele esteja somente ferido e desmaiado em algum lugar.

– Monte no cavalo, Weber, e vá depressa ao castelo. Mande tocar o alarme para começarem as buscas imediatamente – ordenou Líllia, encostando-se na árvore, pois as suas pernas trêmulas não lhe obedeciam. Ficando só, sentou-se no toco de árvore e tapou o rosto com as mãos. A moça ficou terrivelmente abatida. Estava claro que Tancredo vivo não se deixaria roubar e mesmo ferido conseguiria se arrastar até sua casa e pedir ajuda. Então, devia ter morrido, mataram-no. E em sua tensa imaginação via terríveis cenas das pessoas trazendo-lhe o corpo do marido, desfigurado e coberto de sangue. Imediatamente a torturante dor de consciência apertou-lhe o coração a ponto de quase explodir. Ela rejeitava brutalmente o arrependimento dele e torturava-o de todas as maneiras, sabendo que ele a amava. Agora ele morreu, tudo estava acabado. Não pode mais remediar as ofensas que tão egoisticamente lhe causava por vingança. Um rio de lágrimas jorrou de seus olhos e apertando as mãos, ela exclamou.

– Meu pobre Tancredo! Queria tanto me reconciliar com ele, mas agora é tarde demais.

O "morto", escondido nos arbustos a alguns passos de distância acompanhava esta cena sem dar sinal de vida. *"Ah, sua maldosa, ela me ama e têm dó do "morto", mas ao vivo só ofende"*, sussurrava ele comovido e feliz. Vendo as lágrimas de Líllia e ouvindo a sua exclamação, ele não agüentou e gritou com voz embaraçada e, ao mesmo tempo, maliciosa.

– Não! Ainda não é tarde. Estou vivo e incólume. O maldito vagabundo roubou somente as minhas roupas enquanto eu nadava. Então não estrague estes seus lindos olhos com lágrimas inúteis. Não foi desta vez que você enviuvou.

Líllia sobressaltou-se e soltou um grito. Não conseguia entender de onde saía aquela voz, mas assim que percebeu a comicidade da situação, soltou uma incontrolável gargalhada e Tancredo involuntariamente acompanhou-a. Refazendo-se com dificuldade, ela disse meio rindo, meio séria:

– Mas que bonito! Em vez de chamar quando eu estava falando com Weber, você fica espionando os meus sentimentos de compaixão ao próximo.

– Mas de que outro jeito eu conseguiria de você uma confissão de amor? Meu anjo, depois você me injuria. Agora, vá por favor ao castelo e mande Ossip me trazer roupas, pois estou cansado de desempenhar o papel de Adão no paraíso.

– Meu Deus! Você não se resfriou? – perguntou Líllia, preocupada.

– Não, não teve jeito, pois suei o tempo todo de raiva e impaciência – respondeu o rapaz, rindo. – Ah, tem mais uma coisa: diga para que não me procurem e não façam barulho e que peçam ao comissário soltar aquele canalha bêbado. Não vamos alardear este incidente bobo.

– Está bem – respondeu Líllia. E correu para casa.

Ao retornar, encontrou todo o castelo em agitação. A condessa pôs um fim à confusão geral declarando que o conde estava são e salvo. Ela enviou o inspetor de caça ao comissário e mandou o camareiro levar urgentemente roupas ao conde preso nos arbustos.

Uma hora depois, vestindo a noiva, Líllia viu o marido que retornava e apontou-o para Sílvia. A noiva já sabia do acontecido e ambas riram como loucas. Mas Líllia não lhe falou que se traiu diante daquele insuportável Tancredo.

Ela havia terminado de se vestir quando lhe informaram que algumas carruagens apareceram no fim da avenida. Dando uma última olhada no espelho, a jovem sorriu, satisfeita. Nunca antes estivera tão bela, como agora em seu vestido de cetim azul-claro, enfeitado de rendas e no brilho das jóias da família, que ela usava pela primeira vez.

No instante em que ela adentrava no grande salão, na porta oposta apareceu Tancredo usando o seu uniforme de gala completo. Vendo a esposa, ficou vermelho e aproximou-se dela rapidamente. A presença dos criados não o deixou explicar-se, mas pela forma com que lhe beijou a mão e pelo olhar feliz e embaraçado de Líllia ambos entenderam que a hostilidade havia terminado.

Após o jantar, os recém-casados foram para Arnoburg, mas o baile continuou e os últimos convidados foram embora quando o amanhecer já despontava no horizonte.

Líllia voltou aos seus aposentos, feliz e tranqüila como nunca. Ela saiu para o terraço e encostando-se no balaústre dirigiu um olhar pensativo para a imensidão verde do parque ainda iluminado que parecia unir-se à escura faixa da floresta que cercava Reckenstein.

Os passos de Tancredo, que a procurava, fizeram-na voltar-se. Ele chegou no terraço e radiante e comovido aproximou-se da esposa.

– Afinal, cruel proprietária do meu coração, você vai me dar seu amor e perdão? Como você exigiu, estou a seus pés implorando-lhe paz – disse ele, ajoelhando-se.

A moça, embaraçada e rindo, juntou os dois braços em volta do pescoço do marido e aplicou um longo beijo em seus lábios.

– Seu incorrigível mariposa, por quanto tempo terei poder sobre você? – sussurrou ela.

– Ah, não! Chega de leviandades – exclamou Tancredo, levantando-se e puxando-a apaixonadamente para os seus braços. – Você nem imagina como estou cansado das diversões insensatas e como anseio pela tranqüilidade e felicidade do lar. Além disso, – acrescentou ele com um sorriso malicioso, – os Verenfels foram criados para me colocarem na linha.

– Deus queira que este poder mantenha-se imutável e que a paz e o amor sejam sempre o lema de nossa vida – disse Líllia com profundo sentimento.

Fim

DE WERA KRIJANOWSKAIA

A NOITE DE SÃO BARTOLOMEU

ditado por JOHN WILMOT ROCHESTER

Nessa obra, Rochester narra o casamento de Henrique de Navarra (protestante) com Margarida de Valois (católica, filha de Catarina de Médicis, rainha-mãe) que foi usado como isca para atrair protestantes (huguenotes) numa cilada. Uma história que fala de fanatismo bárbaro e mostra um cotidiano de intrigas, fofocas, declarações e traições.

O ELIXIR DA LONGA VIDA

ditado por JOHN WILMOT ROCHESTER

Naraiama, personagem principal desta obra, permanece milênios num corpo sempre jovem e saudável. Mas ele não progride espiritualmente firmando a parte doentia de seu caráter. Resolve então enfrentar o "outro lado". Uma leitura imperdível.

A FLOR DO PÂNTANO

ditado por JOHN WILMOT ROCHESTER

Após perder a mãe, que se suicidara para esquecer a traição do marido, Marina – a Flor do Pântano – é obrigada a voltar para a casa do pai, que se casou pela segunda vez. Jogada em um mundo falso de mentiras e traições, ela luta pela felicidade, sem cair na sujeira que a rodeava. Fanatismo, culpa, egoísmo e paixões atrozes são algumas das emoções que fervilham em seu pantanoso universo.

NA FRONTEIRA

ditado por JOHN WILMOT ROCHESTER

Por volta do ano de 1500, período de muitas lutas e revoluções, a ira e o ódio eram fatores determinantes na vida daquela população, onde a rivalidade de um povo e o amor por uma pessoa eram levados até as últimas conseqüências. Este romance narra alguns aspectos históricos daquela época, como a luta dos russos para manter seus costumes e religião contra a imposição dos alemães. Traz em seu prefácio relatos sobre a médium Wera Krijanowskaia e uma relação de todas as suas obras.

FEITIÇO INFERNAL

ditado por JOHN WILMOT ROCHESTER

Esse romance ocorre no secular continente europeu onde é descrita a trama ardilosa entre a bela e frívola Kira Viktorona e o jovem Alexei Bassarguin. O romance se desenrola de forma empolgante e cheio de fatos interessantíssimos, mostrando como o mundo astral afeta as criaturas inconseqüentes e irresponsáveis que não refletem sobre as conseqüências de seus atos e procuram realizar seus caprichos utilizando o "lado sombrio" da vida invisível.

Fotolitos
ArtScan
(São José do Rio Preto, SP)

Impressão
Lis Gráfica e Editora Ltda.
(São Paulo, SP)